꽃선비 열애사

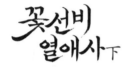

초판 1쇄 인쇄일 2023년 04월 04일
초판 1쇄 발행일 2023년 04월 20일

지은이 | 김정화
펴낸이 | 김기선

편집부 | 박신혜, 김수린, 강연정, 강지원, 김수정, 황신애, 김은희
표지디자인 | 디자인그룹 헌드레드
내지디자인 | 한주희

펴낸곳 | 주식회사 와이엠북스(YMBOOKS)
출판등록 | 2021년 5월 27일 (제2021-000014호)
주소 | 서울특별시 중랑구 신내역로3길 40-36 B동 710호 (신내동)
전화 | 02)906-7768 / 팩스 | 02)906-7769
E-mail | ymbooks@nate.com

ISBN 979-11-322-7015-7 (04810)
ISBN 979-11-322-7013-3 (set)

© 김정화 2023 Printed in Korea

값 14,000원

꽃선비 열애사

김정화 장편소설

———◆———

下

YM
BOOKS

차 례

—✽—

11장. 잠에서 깨어난 용

"유하."

날이 희끄무레하게 밝아 올 즈음 대문을 열고 들어오던 유하가 걸음을 멈췄다. 목소리가 들려온 안뜰. 평상 위에 앉아 있는 산의 눈가에 거무스레한 그늘이 보였다.

"나를 기다리느라 밤이라도 새운 거야?"

"그런 걸로 치지."

산이 유하를 바라보았다.

"가끔 그런 착각이 들어."

"무슨 착각?"

"내가 김시열과 대화를 하고 있는 것 같다는 착각. 반듯반듯하던 정유하는 어디로 갔지?"

유하가 쓸쓸하게 웃었다. 간밤 그는 많은 술을 마셨지만, 잠시 눈을 붙인 덕에 취기는 거의 남지 않았다. 그러니 알 수 없는 치기가 솟구치는 건 술 때문은 아닐 터다.

"이게 내 참모습일지도 모르지. 기방이나 들락거리고, 술 냄새를 풍기며 밤이슬을 맞고 다니는 게."

"요즘 시열은 많이 얌전해졌는데 말이다."

"그래. 이제 내가 파락호처럼 굴 차례지."

문득 산의 표정이 진중해졌다. 그러나 유하는 고개를 휙 돌렸다.

"산. 무슨 말이 하고 싶어서 그래?"

"되돌아갈 방법은 없는 게냐?"

다시, 그의 시선이 산에게로 돌아온다.

"되돌아가기를 원해? 그렇다면 단오를 포기해. 그러면 돼."

"유하."

"제발 나를 좀 내버려 둬. 내가 떠날지도 모른다는 말을 들어서 그래? 어차피 언젠가는 떠나야 할 곳 아니었나? 너희들도 늘 그래 왔잖아. 내가 제일 먼저 과거에 급제하여 이화원을 떠날 거라고. 어차피 떠나는 거, 뭐가 다른데?"

"나는 네가 떠날지 모른다는 얘기, 듣지 못했다."

"떠날 거야."

"우리, 벗 아니었나?"

"벗⋯⋯."

유하의 눈빛이 캄캄하게 침잠한다. 그의 인생에서 유일하게 아름다웠던 한때를 밝혀 주던 이름들이 점멸했다. 단오의 이름, 산과 시열의 이름.

"따로 있을 때는 정말 소중한 것들이었어. 그런데 그 둘이 하나가 되니, 소중했던 것들이 나를 찌르더라고. 도무지 견딜 수 없을 만큼 말이다. 어때? 너는 포기할 수 있겠어?"

"유하⋯⋯."

"그만 불러, 내 이름. 너희들이 잘못해서 떠나는 게 아니다. 내가 치졸해서 떠나는 것뿐이야."

유하가 산을 지나쳐 갔다. 거칠게 문이 열리고, 다시 닫힌다. 희뿌연 새벽 운무가 안뜰에 홀로 남은 산의 옷자락을 적시고 있었다.

방에 들어선 유하가 가만히 눈을 감았다. 입술 틈으로 흘러나오는 한숨은 어느 때보다 짙었다.

'마음의 짐 따위, 가지지 마.'

누구의 잘못도 아니다. 어찌 그것을 모르겠는가. 굳이 단오나 산 때문이 아니라도, 떠나는 것은 예정된 일이었다. 유하는 저 때문에 그들이 마음의 짐을 가지지 않기를 바랐다. 그래서 그는 스스로 말했듯 꽤나 치졸한 사내가 될 생각이었다.

미안해하지 않도록. 단오가 그 때문에 마음 쓰느라 그녀의 행복을 저버리지 않도록.

이른 아침. 푸르게 밝아 오는 미명이 산의 잠을 깨웠다. 단오가 햇볕에 널어 말린 뽀송뽀송한 이부자리의 감촉도 그를 붙들어 놓지는 못했다.

눈을 뜬 산은 곧장 자리에서 일어나 의복을 챙겨 입었다. 상투를 매만지는 사이, 문밖은 점점 환하게 밝아졌다.

지저귀는 새소리 틈으로 낯익은 목소리가 들려왔다. 산은 살짝 문을 열어 밖을 내다보았다.

"그때 단오가 그 뱀을 손으로 냅다 주워 들었잖느냐."

"아재! 저 정말 기억이 안 난다고요."

"정말이래도. 온 이화원 사람들이 대경실색을 하고 소리소리를 지르는데도, 단오 너는 그것을 길들여 키우겠다면서 좀체 손에서 놓지 않았지."

육호의 말이 마음에 들지 않는 듯, 발끈한 단오가 목소리를 높였다.

"저 안 그랬어요!"

"아니야, 정말 그랬어."

"언니!"

"육호 아재 말이 맞아. 나도 또렷하게 기억이 나. 그것 때문에 어머니께서 온갖 약초를 가져다가 너를 씻기고, 세상 난리도 아니었어."

단오의 바람과는 달리 홍주마저 육호를 거들고 나섰다.

"난 정말 기억이 없대도!"

"홍주는 그 뱀 때문에 겁을 먹어서 한동안 지렁이만 봐도 경기를 했었지. 단오 너야 지렁이 따위는 맨손으로도 움켜쥐었지만."

"몰라요. 그런 거 기억 하나도 안 나요. 말도 안 돼! 나처럼 연약하고 겁 많은 애가 그랬을 리가요."

"허허, 미안하다만 그건 홍주 얘기지. 단오 너는 한순간도 연약했던 적이 없다."

"아재!"

싱긋, 문밖을 내다보던 산의 입매가 부드러운 곡선을 그렸다. 아침 볕이 내리쬐는 평상에 오순도순 앉아 있는 단오와 육호, 그리고 홍주의 모습. 정겨운 부녀 사이처럼 보이는 셋이 만들어 낸 풍경에, 바라보는 산의 마음마저 따뜻해졌다.

산은 문득 생각했다, 저 풍경 속에 섞이고 싶다고. 그가 안뜰로 내려섰다.

"산, 일어났는가."

"예, 아재."

"기침하셨습니까, 선비님."

"예, 홍주 낭자."

선뜻 먼저 인사를 건네는 홍주의 모습이 낯설었다. 하지만 단오를 바라본 산은 묘한 감회에 사로잡혔다.

단오는 온갖 감정들이 뒤섞인 표정을 지은 채로 홍주를 보고 있었다.

단오는 웃고 있었지만, 그녀의 눈 안엔 물기가 가득했다. 단오의 가족. 피붙이를 바라보는 단오의 눈. 그 안에 담긴 무한한 사랑은, 산을 바라볼 때와는 다른 성질의 것이었다.

무심코 고개를 돌린 단오와 산의 눈이 마주쳤다. 그녀가 이내 환한 웃음을 지었다. 연모하는 사내를 향한 마음이 담긴 미소를.

"산, 자네도 이리 와서 앉게. 내 단오가 어릴 때 얼마나 왈가닥이었는지 얘기해 줄 테니. 맨손으로 지네도 잡고 뱀도……."

"아재!"

단오가 빽 소리를 질렀다. 산의 입술 새로 낮은 웃음소리가 흘러나왔다. 다시 단오와 눈이 마주쳐, 뜨끔한 그는 황급히 웃음을 거두고 입을 다물었다.

그러나 어여쁘다. 사랑한다. 단오가 뱀을 잡든, 지네를 잡든, 그보다 더한 짓을 했다고 해도 상관없었다.

단오라는 여인 그 자체, 심지어 그녀를 둘러싼 사람들마저 모두 아름답고 따사로웠다. 산 역시 그 속으로 녹아들어 가고 싶을 만큼. 그녀의 세상 속에서 고요히 몸을 누이고 새로운 삶을 살아가고 싶을 만큼.

"육호 아재가 말씀하신 거, 다 거짓말이에요."

단오가 물동이를 들고 이화원을 나서자, 산은 수련하러 간다는 핑계로 그녀를 따라나섰다. 함께 걸어가는 길 내내 단오는 종알종알 변명을 늘어놓았다.

"정말로?"

"그럼요. 제가 무슨 맨손으로 뱀을 잡아요. 보기보다 내가 얼마나 심약한데. 나물 뜯다 지렁이만 봐도 놀래서……."

단오를 보던 산의 입꼬리가 움찔거렸다.

"그럼, 그렇고말고. 그러니 늘 내가 곁에 있는 것 아니냐."

"그렇죠?"

"그렇다마다. 단오 네가 너무 심약하여, 꽃 같은 거 꺾으러 가다가 또 벼랑 아래로 굴러떨어지면 어떡할까. 그래서 내가 늘 네 뒤를 졸졸 따라다니는 것이다."

"오라버니까지 놀릴 거예요?"

단오의 입술이 배죽거렸다. 하지만 그 샐쭉한 표정은 산이 가장 귀여워하는 것이다. 순식간에 그의 입술이 단오의 입술을 스치고 지나갔다.

"오라버니!"

"미안. 참을 수가 없었어."

"다 큰 어른이 그리 자제심이 없으셔서야."

밉지 않게 눈을 흘기며, 단오는 들고 있던 물동이에 우물물을 퍼 담았다.

"그건 그렇고, 단오야. 홍주 낭자 말이다."

"아, 언니요……."

"완전히 다른 사람이 된 것 같아."

"그게, 오라버니."

단오는 시열이 좋은 사람이라는 사실을 의심하지 않았다. 그러나 다름 아닌 홍주의 일이라, 아예 걱정을 하지 않을 수도 없는 노릇이었다.

"홍주 언니가…… 시열 오라버니랑 가까워졌어요."

"시열이랑?"

단오가 고개를 끄덕였다.

"요즘 둘이 시간을 보낼 때가 많아요. 함께 바깥도 나다니고요. 오라버니는 모르셨어요?"

"전혀 몰랐어."

홍주를 세상 밖으로 끌어낸 게 시열이란 사실은 산에게도 꽤 놀라웠다. 시열이 평소답지 않은 소리를 지껄인 것도 결국 홍주 때문이었던가.

"아무래도 조금 걱정이 돼서……. 언니가 또 상처받는 일이 생길까 봐."

"걱정 안 해도 될 게다. 안 그래도 시열이 요즘 부쩍 진중하게 굴어서 나도 적응이 안 되던 참이었어. 타고난 성격마저 바꾼다는 건, 그 마음이 진심이라는 거겠지."

"그런 거겠죠? 아무 일 없겠죠?"

"그래. 아무 일 없을 거다."

단오는 그제야 안심했다. 타고난 성격이 바뀌었다는 건 그 마음이 진심임을 의미한다는 산의 말이 진실임을 그녀는 잘 알고 있었다. 산 역시 그러했기에.

늘 냉랭하던 산이었지만, 단오 앞에서만은 세상에서 가장 따뜻한 사내가 되었기 때문이었다.

"아재, 선비님들. 쑥버무리 드세요."

"홍주 네가 만들었느냐?"

"예, 아재. 건너편에 쑥이 지천이라 좀 캐 왔어요. 이제 끝물이라, 곧 질겨져서 먹기 힘들 것이어요."

오늘따라 이화원은 무척이나 평화로웠다. 그 안온함의 중심에 있는 사람은 다름 아닌 홍주였다.

방 안에만 틀어박혀 세상을 등지던 여인이 맞나 싶을 정도로 홍주는 활기찬 모습이었다. 그녀는 부엌일을 하고, 마당을 쓸고, 빨래터를 다녀오고, 나물까지 뜯어 왔다. 마치 그동안 못 했던 일들을 죄 해치우겠다는 듯, 홍주는 바삐 이화원을 누비고 다녔다.

"홍주가 만들어서 그런가 보다. 오늘따라 맛이 아주 기막히네."

"그렇습니까?"

"그럼. 게다가 홍주 네가 중늙은이 말동무까지 해 주니……. 내 오늘은 기분이 무척 좋구나.”

육호 역시 홍주의 변화가 감격스러운 듯했다. 그도 마음 한편이 뭉클한 모양이다. 괜스레 눈을 돌리며, 그가 쑥버무리를 입 안에 욱여넣었다.

“시열, 홍주가 쑥버무리를 만들었네.”

아침 내내 방 안에 틀어박혀 있던 시열이 안뜰로 나오는 것을 본 육호가 말을 건넸다. 그러나 시열은 묵묵부답이었다.

“시열 선비님도…… 좀 드셔 보시어요.”

홍주가 조심스레 시열에게 말을 걸었다. 평상에 앉아 있던 홍주와 제 방 앞에 서 있던 시열의 시선이 허공에서 마주쳤다.

햇살을 받은 홍주의 눈동자는 따뜻한 빛을 담고 고요히 일렁였다. 그러나 그 시선은 이내 시열의 외면 탓에 갈 길을 잃고 뚝 떨어져 버렸다.

“시열, 어디 가?”

“일이 좀.”

산의 질문에 대답하는 목소리가 차가웠다. 끼익, 묵직한 대문이 열리는 소리가 유난히도 크게 들렸다. 그리고 홍주는 내내 그 문을 바라보고 있었다.

화가 나신 것일까. 간밤, 아둔하게도 과거 이야기를 지나치게 많이 해 버렸다. 그 탓에 마음이 상하신 걸까. 부끄러움도 모르고 과거 사내의 이야기를 들먹였다고, 정절을 모르는 여인이라고…….

바깥세상의 공기에 취하여, 새롭게 찾아온 연모에 취하여 너무 조급하게 모두를 드러낸 게 아닐까. 그래서는 안 되었나. 내가 잘못한 걸까…….

홍주의 눈에 눈물이 차올랐다. 홍주가 다급히 자리에서 일어섰다. 혹시라도 육호나 산이 제 눈물을 알아볼까 봐서 그녀는 빠른 걸음으로 뜰을 떠났다. 그 모습을 무심히 바라보던 산의 미간이 좁아졌다.

“산, 자네는 또 어딜 가나? 간만에 이야기나 할까 했더니만.”

"수련장에 뭘 두고 온 것 같아서요. 다녀오겠습니다, 아재."

"쯧. 이리 더운 날 몸을 혹사했다간 큰 탈이 나네. 적당히 하고 들어오게나."

"예, 금방 오겠습니다."

이화원을 나선 산이 주변을 두리번거렸다. 수련장에 다녀온다는 말은 핑계일 뿐이다. 그는 시열의 자취를 찾고 있었다.

오늘따라 유난히 냉정했던 시열의 태도. 그리고 눈물을 쏟던 홍주. 그 모습을 떠올리던 산이 한숨을 내쉬었다.

사실, 남의 일이다. 타인 사이의 일에까지 신경을 쓰는 건 그의 성미에 맞지 않았다. 하지만 아침나절 보았던 단오의 행복한 얼굴은 산을 가만있지 못하게 했다. 단오를 행복하게 만든 건 홍주였고, 홍주를 변화시킨 것은 시열이기 때문이었다.

그답지 않은 일이지만, 이렇게나마 단오의 걱정을 덜어 줄 수 있다면 그것이 무어 대수겠는가.

"시열!"

멀리 보이는 시열의 뒷모습. 산이 걸음을 재촉했다. 시열이 뒤를 휙 돌아보았다.

"시열. 무슨 생각이야?"

"다짜고짜 무슨 소리야?"

"홍주 낭자 말이다."

시열의 얼굴이 싸늘하게 굳어졌다.

"홍주 낭자가 왜?"

산의 시선이 시열의 얼굴 위에 머물렀다.

"단오에게 얘기 들었어. 홍주 낭자와 너, 어떻게 할 생각이냐고 묻는 거야."

늘 유쾌한 한량이었던 시열은, 얼마 전부터 이상할 만큼 진지해지곤 했다. 하지만 지금 산의 눈앞에 있는 시열은 또 다른 모습이었다.

시열은 유쾌하지도, 진중하지도 않았다. 그는 시퍼렇게 날 선 검 같았고, 독을 품은 사람 같았다. 눈빛부터 다른 그의 모습은 정말이지 낯설게 보였다.

"산 네가 언제부터 사람들을 챙기고 다녔다고, 나한테 그딴 걸 물어?"

"미친놈. 왜 그리 불퉁대는 게냐."

"불퉁댄다고? 미친놈이라고? 아니, 나만 미친 게 아니야. 여기 있는 놈들 다 미쳤어. 제정신인 인간이 하나도 없다고. 너도, 유하도, 나도."

"대체 무슨 소리……."

산이 말허리를 잘라 보지만, 시열은 개의치 않고 말을 이었다.

"홍주? 무슨 생각이었을까? 방 안에만 박혀 있는 모습이 가여워서 말이나 붙여 볼까, 생각했었거든. 정말 그것뿐이었어. 그런데 너무 멀리 가 버린 거야. 너무 멀리……."

시열의 말이 점점 빨라진다. 그의 눈빛이 섬뜩했다.

"그러면 안 되는 거였는데. 회까닥 정신이 돌아 버린 거지. 미쳤던 거야. 미쳐서, 완전히 미쳐 버려서. 내가, 감히 나 따위가……."

"시열!"

이상할 정도로 열에 들뜬 시열의 모습. 도무지 알아들을 수 없는 말들. 산이 당황한 표정으로 시열을 보지만, 그는 산의 존재마저 잊은 듯 보였다.

갑자기 시열이 두 손을 앞으로 내밀었다. 그의 눈은 내밀어진 두 손을 멀거니 바라보고 있었다. 빈 눈동자가 보는 것은, 손바닥이 아닌 과거 그 위를 뒤덮었던 무엇이었을까.

"시열."

산이 어깨에 손을 얹는 순간, 시열은 거칠게 그의 팔을 뿌리쳤다. 그와 동시에 시열의 표정이 멍해졌다. 제가 지금껏 무슨 소리를 지껄였는지도 모르겠다는 듯이.

"대체 왜 이러는 거냐. 너까지⋯⋯."

"홍주에 대해 물으려고 찾아왔어? 그냥, 잠시 가지고 놀았어. 기생들 끼고 노는 일엔 이제 신물이 나거든. 양갓집 규수잖아. 참하고, 고분고분하고, 얼굴도 고우니까. 그런데 재미가 없네. 역시나 심심하기가 짝이 없고. 갖고 노는 것도 이제 싫증이⋯⋯."

"너!"

산이 시열에게 달려들었다. 그가 거칠게 시열의 멱살을 틀어쥐었다.

"김시열. 너 대체 무슨 소리를 하는 거야!"

"⋯⋯개 같은 소리."

킬킬대는 괴상한 웃음이 시열의 입술 새로 흘러나왔다.

"시열!"

"그따위 이름으로 부르지 마."

이해할 수 없는 그의 기괴한 태도에 질린 듯, 산 역시 손을 풀었다.

"내게 말을 해. 왜 이러는 거냐."

"꺼져, 산. 꺼지라고. 제발 잠깐이라도, 내 앞에서 좀 꺼져⋯⋯."

시열을 마주 본 산의 표정이 경악으로 일그러졌다. 툭, 시열의 눈에서 굵은 눈물이 떨어지기 시작했다.

* * *

비가 내렸다. 비는 며칠간 지난하게 쏟아졌다. 먹구름이 잔뜩 낀 하늘 아래, 계절에 맞지 않는 스산한 바람이 불었다.

습한 공기가 옷자락에 들러붙는 저녁. 안뜰에 나와 있던 홍주가 가만히 손을 뻗었다. 시열의 방문을 두드리는 그녀의 손이 바르르 떨렸다.

문이 열린다. 한 뼘이 채 되지 않게 열린 시열의 방문. 그 틈으로 보이는 시열의 눈동자와 바깥에 서 있던 홍주의 눈동자가 마주쳤다. 여인의 눈동자는 많은 감정 탓에 갈피를 잡지 못하고 흔들렸다. 그러나 사내의 눈동자는 사무치도록 텅 비어 있었다.

"시열…… 선비님."

어떻게 말을 꺼내야 할지, 홍주는 비가 오는 며칠 내내 방에 틀어박혀 곱씹고 또 곱씹었다. 그러나 입술만 하릴없이 달싹거릴 뿐이었다.

머릿속이 새하얗게 질려, 수없이 되뇌었던 이야기들은 말이 되어 나와 주지 않았다. 끝내 홍주의 입에서 나온 말은 단 한마디였다.

"송구합니다."

세상으로 통하는 창을 내 주고, 푸르른 풀꽃 다발을 안겨 준 사내. 긴긴 밤을 지새워 만들어 떨리는 손길로 건넨 노리개를 고이 간직하겠노라던 사내. 함께 걷자며 비단신을 신겨 주고, 발을 떼지 못하는 몸을 가뿐히 들어 올려 바깥세상으로 데려간 사내.

"시열 선비님……."

여전히 생생한 연모한다는 시열의 말. 그건 그리 오래지 않은 과거였다. 하루아침에 어찌 이리 변했는지 알 수가 없었다.

완전히 달라진 시열의 태도에 마음이 꺼멓게 타들어 갔다. 시열은 홍주와 눈을 마주치려 들지 않았고, 안뜰에 그녀가 있으면 아예 방에 틀어박혀 바깥에는 걸음조차 하지 않았다. 마치 그녀의 과거 모습처럼.

"선비님. 소녀를 용서하시어요. 제가 쓸데없이 입을 놀렸습니다."

"그런 소리 마시오."

"그, 그럼 제가 무엇을 잘못했는지 말씀해 주시면……."

"잘못이라니요."

시열의 음성은 폐부에서 쥐어짜는 것처럼 쓰디썼다.

"제게 눈길도 주지 않으시고……. 모습도 통 보이지 않으시고……."

떨리는 홍주의 목소리. 목구멍이 콱 막힌 것 같아 그녀는 말을 잇지 못했다. 이윽고 시열의 방문이 완전히 열렸다. 얼마 만에 마주하는 그의 얼굴인지. 홍주의 눈가가 금세 붉어졌다.

"홍주 낭자."

"예."

시열이 마른침을 삼켰다. 늘어뜨린 팔, 그가 주먹을 꽉 쥐었다.

이 죄를 어찌 씻을 것인가, 어떻게 용서를 구할 것인가. 그러나 그에게는 진실을 마주 볼 용기가 없다…….

"내 마음이 변하였소."

"변하였…… 다고요."

시열이 가만히 여인을 바라본다. 뿌옇게 차오르는 감정을 숨기기 위해, 그의 눈동자는 점점 더 검어졌다. 아무런 것도 보이지 않도록, 느껴지지 않도록. 그녀가 제 마음을 들여다볼 수 없도록.

"예. 변하였소. 나를 천하의 치졸한 사내라 여기시오. 미친놈이라고 생각하시오. 원한다면, 뺨이라도 올려붙이시오."

홍주는 그저 멀거니 서 있었다. 아무런 생각도 나지 않았다.

"나를 용서치 마시오."

함께 떠나자는 약속을 한 것이 고작 며칠 전의 일. 대체 무엇이 그를 이토록 변하게 만들었단 말인가.

"나는 곧…… 떠날 것이오."

믿어지지 않는 말을 남긴 채, 다시 문이 닫혔다. 캄캄하던 삶, 유일한 구원의 빛이던 시열의 얼굴이 사라지는 것을 홍주는 멍하니 바라보고 있었다.

문밖에 선 여인의 어깨가 조금씩 들썩였다. 숨조차 쉴 수 없을 만큼 갑작스럽게 엄습한 울음에 홍주는 소리조차 내지 못했다. 밀려드는 슬픔이 그녀의 몸을 짓눌렀다.

어쩌면 죽은 이를 그리는 것보다, 한 걸음 앞에 있는 이를 잊는 것이 더 고통스러울지도 모른다.

그리고 문안의 사내 역시 허물어져 내렸다. 뜨거운 눈물이 시열의 뺨을 적셨다.

그가 잃은 것은 사랑뿐이 아니었다. 자신을 유일하게 사람답게 만들던 단 하나의 이유마저, 그는 송두리째 잃어버렸다.

* * *

장태화 앞에 앉은 사내는 자리가 불편한 듯 보였다.

저자 어디에서나 보이는 촌부. 의원이라는 그럴싸한 이름으로 불렸으나 사실 별다른 재간은 가지지 못했을 사내. 그는 가시방석에라도 앉은 양 장태화의 눈치를 살폈다.

"어찌 영감께서 저 같은 이를 부르신 겐지⋯⋯."

"아, 다른 일은 아니네. 긴히 물을 것이 있어 불렀지. 자네, 얼마 전에 이 화원에서 환자를 보았지?"

장태화의 물음에, 의원은 기어들어 가는 목소리로 대답하였다.

"예. 그랬습니다만⋯⋯."

"환자의 부상이 컸다고 들었네. 어느 정도던가?"

"온몸에 성한 곳이 없었습지요. 머리부터 발끝까지 죄 상처투성이였습니다요."

"어찌 치료를 하였나?"

의원은 잔뜩 긴장한 표정이었다. 쭈뼛대는 그에게 장태화가 너그러운 웃음을 보였다.

"떨지 말게. 그저 궁금하여 묻는 것이니. 내 그 선비의 부친과 가까운 사이라네."

"아, 그러셨습니까."

수긍이 간다는 듯 의원이 고개를 끄덕였다. 껄끄러운 데가 아주 없진 않았지만, 별수 있겠는가. 앞에 앉은 이는 어엿한 벼슬아치인 데다 꽤 악명이 있는 사람이었다. 그러니 설령 납득이 가지 않는다 해도 알겠다는 표정을 지을 수밖에.

"몽둥이와 발길질 같은 공격으로 생긴 상처들이었습니다요. 해서 옷을 벗긴 후에 환부에 고약과 노루발풀 꽃 말린 것을 바르고……."

"자네, 그 선비의 다리를 보았나?"

장태화가 말허리를 뎅겅 잘랐다.

"보았습죠."

"혹시 다리 어딘가에 붉은 점이 있진 않던가?"

"점이요?"

기억을 더듬던 의원이 미간을 좁혔다. 이내 그는 고개를 저었다.

"온몸이 피멍투성이였습니다. 설령 붉은 점이 있다고 해도 멍에 가려져 보이지 않았을 것입니다요."

"흐음……."

장태화가 인상을 찌푸렸다. 마음에 들지 않는 답이었다.

김시열. 김홍익 대감의 서출이라던 그였다. 김홍익이라는 자가 계집질하여 얻은 자식이 총 스물에 가깝다던가. 김홍익은 정력으로 치면 조선 제일이라는 우스갯소리를 달고 다니는 난봉꾼이었다.

물론 김홍익이 사이가 먼 서자를 알아보지 못하는 일은 충분히 있을 수 있다. 그러나 어찌 자식이 아비를 못 알아보고 지나친단 말인가.

김홍익을 앞에 두고서도 생판 남처럼 멀뚱대던 김시열의 표정은, 그의 신분이 거짓임을 말해 주고 있었다.

"그랬군. 알겠네. 가져가게."

"어이구. 가, 감읍하옵니다, 영감."

장태화가 내미는 엽전 한 냥을 받아 든 의원이 머리를 깊이 조아렸다.

장태화의 마음은 착잡했다. 소문이 새어 나갈 것을 각오하면서까지 의원을 불러들인 그였다. 헛다리를 짚었던가. 결국 김시열은 한량 행세를 하는 중인 나부랭이일 뿐, 이번 일과는 관련이 없는 사람이었나.

입 안이 썼다. 장태화가 앞에 놓인 찻잔을 들어 올렸다.

"그런데 말입니다, 영감."

손에 쥐어진 돈푼이 잊고 있던 기억을 불러일으킨 모양이었다. 자리에서 일어서던 의원이 다시 엉덩이를 붙였다.

"사실 좀 이상한 것이 있기는 하였습니다만……."

"그것이 무엇인가?"

"글을 읽는 선비치고는 굉장히 특이한 상처를 가지고 있었습니다."

"특이한 상처?"

"예. 흔히 보이는 창이나 칼에 찔린 상처가 아니었고, 마치 끝이 뾰족한 꽃 모양 같은 그런 흉터가……."

덜그럭, 찻잔이 바닥에 나뒹굴었다.

"괘, 괜찮으십니까, 영감!"

김이 오르는 뜨거운 차를 쏟았음에도, 장태화는 전혀 개의치 않는 듯 보였다.

"영감……."

"그 상처는……."

갑자기 그가 바닥에 나뒹구는 찻잔을 움켜쥐었다. 기다려 온 것. 애타게 찾아 헤맨 것을 낚아채듯이.

"오른쪽, 가슴 바로 위에 있었겠지."

"어, 어찌 아십니까?"

"모를 리가 있겠나."

장태화가 씩 웃음을 지었다. 어쩐지 그 모습이 소름 끼치도록 섬뜩하여, 의원은 저도 모르게 목을 움츠렸다.

"내가 직접 낸 상처이니 말일세."

중얼거리며, 장태화는 흘낏 의원을 바라보았다. 하지 않아도 될 불필요한 말을 덧붙인 죄로 순진한 의원은 곧 목숨을 잃을 것이다.

그가 죽고 나면 그의 가족에게 얼마나마 찔러주어야겠다는 생각이 들었다. 이렇게 귀한 정보를 주었으니, 그 정도 치하는 해야 하지 않겠는가.

호산청(護産廳)[1]에 소속된 의녀와 궁녀들이 분주히 후궁전 안을 오간다. 물동이를 머리에 인 무수리들이 쉼 없이 문턱을 넘나들었다.

산부를 돌보다가 잠시 밖으로 나온 의녀가 이마에 흐르는 땀을 훔쳐 냈다.

"마마님께서는 좀 어쩌셔유?"

자그마한 체구의 애기나인 하나가 쪼르르 달려와 물었다.

"난산이로구나. 그것도 몹시 심한 난산이다. 초산도 아닌 마마님이신데 어찌 이렇게 아기씨가 나오질 않는 건지……."

"왕자께서 나오려고 그러는 것 아닐까유?"

"그렇게만 된다면야, 험한 난산이라도 충분히 가치가 있겠지."

나이 든 의녀가 목소리를 낮추었다.

"후궁 마마님께 아드님처럼 든든한 뒷배가 어디 있겠느냐. 아드님께서 보위에 오르면 임금의 생모가 되시는 것이니."

아아악, 하는 새된 비명이 문을 뚫고 바깥까지 들려왔다. 애기나인이

---

1) 후궁의 출산을 위해 설치되는 임시 관청.

질린 표정으로 몸을 떨었다.

"저리 고생을 하시는데…… 또 옹주 아기씨를 낳으시면 어쩐대유. 지난 해에 옹주 아기씨를 낳으셨을 때도 그 자리에서 거품을 물고 졸도하셨던 마마님인데……."

"어허! 그놈의 입방정."

"아니, 말이 그렇다구유……. 아드님을 낳으셨으면, 하는 바람으로다가……. 아마 아드님일 거여유. 어제 약제방 상궁마마님이 무슨 상서로운 꿈을 꿨다고 그러던 걸유."

"꿈?"

"무슨 꿈이었냐면유……."

답을 들을 새도 없이, 후궁전 문이 열리며 젊은 의녀가 고개를 내밀었다.

"산도(産道)가 열렸습니다. 어서 들어오셔야겠습니다!"

"알았다."

의녀가 황급히 후궁전 안으로 모습을 감췄다. 바깥에 오도카니 남은 애기나인이 타박타박 걸음을 옮겼다.

"그게 무슨 꿈이라 했었냐면유."

후궁전 앞을 분주히 오가는 무수리들을 바라보던 애기나인이 멀리 하늘을 올려다보았다. 아뜩히 먼 하늘에 떠 있는 눈부신 태양.

"글쎄, 말이지유, 하늘에 있던 해가 궁궐 안으로 뚝!"

저도 모르게 큰 소리를 낸 애기나인이 휘, 주변을 둘러봤다.

"떨어지는 꿈이었대유."

정말로 저 새빨간 해가 뚝 떨어져서, 펑 하고 부서지는 게 아닐까. 두려운 생각이 들어 애기나인은 몸을 잔뜩 움츠렸다. 그녀의 조그만 발이 타닥타닥 호산청을 향해 갈 때.

"아드님이십니다!"

괴물이라 불리는 임금, 이창의 유일한 아들이 태어났다. 그리고 난산 끝에 바라고 바라던 아들을 낳은 어미의 숨이 끊어졌다.

반야는 유하의 얼굴을 한참이나 바라보는 중이었다. 등잔불에 비친 사내의 얼굴은 곱고 또 고왔다. 술을 진탕 마신 유하는 끝내 몸을 가누지 못할 정도로 만취했다. 결국 그는 사내종에게 떠메어져 손님방에 눕혀졌다.

모두가 잠든 새벽, 반야는 유하가 있는 방으로 도둑고양이처럼 숨어들었다.

'정유하와 하룻밤을 보내거라.'

반야는 장태화의 말을 떠올리고 있었다. 유하와 몸을 섞든, 다른 방법을 쓰든 장태화는 상관없다고 했다. 원하는 것을 알아 오기만 하면 그녀에게 자유를 주겠노라고. 장태화는 화령을 불러들여 각서까지 써 주었다.

"으응……."

꿈이라도 꾸는지, 유하의 입에서 낮은 신음 소리가 흘러나왔다. 몸을 뒤척이던 그의 손이 반야의 무릎 위에 툭 떨어졌다. 그 길고 고운 손가락들을 내려다보던 반야가 제 손을 그의 손에 포갰다. 그러나 여전히 유하는 깊은 잠에 빠져 있었다.

유하는 꿈에도 모를 것이다. 옷고름을 풀어 몸 곳곳을 살펴본다고 해도, 설령 몸을 섞는다 해도. 만취한 그는 좀처럼 깨어나지 못할 것이었다.

그 기회 앞에, 반야는 망설였다. 안 될 건 뭐란 말인가. 마음에 품은 것처럼, 몸에도 잠시 품을 수 있지 않을까. 그리한다면 모두 바라는 것을 얻을 수 있지 않을까…….

갑자기 유하가 몸을 뒤척였다. 그가 반야의 몸을 끌어당겼다. 술 취한 사내의 힘센 팔. 가냘픈 반야의 몸은 속절없이 끌려갔다.

"단오야……."

그러나 몸이 취했을 뿐 정신까지 취한 것은 아니다. 그의 입에서 나온 것은 다름 아닌 단오의 이름이었다.

원하는 여인을 갖지 못한 사내의 눈가에 눈물이 맺혔다. 원하는 사내를 갖지 못하는 여인은 가만히 한숨을 내쉬며 그 눈가를 손으로 쓰다듬었다. 그 순간, 유하가 반짝 눈을 떴다.

"……여기가."

"춘하관이에요. 많이 취하셨어요."

"으음."

제 손이 반야의 허리에 감겨 있는 것을 깨달은 유하가 급히 손을 거뒀다.

"물 좀 주시게."

몸을 일으킨 유하가 인상을 찌푸렸다. 취기가 가시지 않아 눈앞이 핑글핑글 도는 듯했다. 반야가 말없이 물그릇을 내밀었다.

"선비님, 드릴 말씀이 있어요."

"무슨 말?"

"장태화가…… 선비님에 관해 캐내려고 해요."

"나를? 무엇을 말이냐?"

"선비님의 몸에 점이 있는지 알아 오라고 했어요."

피식, 유하가 쓴웃음을 지었다.

"그런 것 따위 알아 무엇 하려고."

그가 담담하게 시선을 맞추는 반야를 응시했다.

"한데 너는 어찌 그것을 내게 털어놓는 것이냐."

반야가 고개를 슬쩍 가로저었다. 어찌 유하에게 속내를 드러낸 것일까. 장태화가 시킨 일을 하면 그토록 원하는 자유를 얻을 수 있었다. 그럼에도 불구하고…….

"선비님을 속이고 싶지 않아서요."

"장태화에게 대가를 받기로 하고, 나에 관해 알아다 주기로 한 것일 테지. 어찌 그것을 말해 주는 것이냐."

반야의 시선이 유하에게 향했다. 애당초 하고픈 말을 마음에 담아 놓는 것은 그녀의 성미가 아니었다.

"저는 선비님을 연모하니까요."

그런 말을 하는 저 자신이 우습다는 듯, 반야가 얕게 웃었다.

"그러지 마시게. 나보다 훨씬 나은 사내를 만날 수 있을 것이니."

"그래요. 그럴 수도 있겠죠."

사내에게 마음을 고백하는 순간이라기엔 참으로 무미건조한 말투였다. 반야가 무심히 고개를 까딱였다.

"그러니 선비님도 마음을 주지 않는 여인 따위 잊으세요."

"마음을 주지 않는 여인이라."

"단오 말하는 거예요."

"단오……."

유하의 표정이 마음에 들지 않아, 반야는 시선을 돌렸다. 단오의 이름을 말하는 그의 눈은 수많은 감정으로 어지러웠다.

"언젠가는, 잊겠지."

쓸쓸한 대답.

"하루에도 열두 번씩 마음이 변한다. 단오가 산과 행복하길 바라다가도 또다시 억지로라도 붙잡고 싶어지고……."

반야가 낮게 웃었다. 누군가를 연모하는 마음은 사내든 여인이든 꼭 같은 모양이었다.

"언젠가는 잊히지 않겠느냐. 시간이 좀 더 지나면……."

"그래요. 언젠가는 잊을 수 있겠죠."

정녕, 잊을 수 있겠죠?

"그러니 못난 모습 보이지 말고 본인의 인생을 찾아가세요."

"내 인생이 무엇인지 나도 잘 모른다."

"숨어 있으면 영영 모르실 거예요. 꼬부랑 할배가 될 때까지."

유하는 깊이 생각했다. 진정 반야의 말이 맞는 것일까. 그는 제가 누구인지, 진짜 제 삶이 무엇인지 찾기를 원했다. 그러길 바라면서도 지금의 그는 꽁꽁 숨어 있지 않은가.

"선비님께선 대체 뭐 하는 분이기에, 장태화도 화령도 그렇게 쩔쩔매는 것인가요?"

"말하지 않았느냐. 나 역시 내가 누구인지 알고 싶다고."

"정말 모르시는 것 맞아요?"

"알면서 농을 하는 것 같으냐."

곰곰 무엇인가를 생각하듯 인상을 쓰던 반야가 되물었다.

"그럼 하나 더 물어도 되어요?"

"무엇이기에?"

"선비님 몸에 눈에 띄는 점 같은 것이 있어요?"

"그건……."

무언가를 말하려던 유하가 반야를 물끄러미 바라보았다.

"그걸 알아 오면, 장태화가 네게 무엇을 준다 하였어?"

반야가 새초롬한 눈빛으로 그를 마주 보았다. 장태화가 주리라 약속했던 것. 그녀가 제 목숨만큼이나 바라고 또 바라던 것.

"자유요."

그러나 지금은 다른 것에 밀려, 예전보다는 덜 간절해진 그것.

"양인 신분으로 돌아갈 수 있게 해 준다고 약조했어요. 행수에게 이미 제 몸값을 내 주었어요. 물론 제가 아무것도 알아 가지 못하면 무용한 일이 되지만……."

"내게 점이 있냐고 물었느냐?"

"예."

"있다."

너무나 간단하게 나온 대답. 반야가 멍하니 눈을 깜빡였다.

"있다고요?"

"그래, 있어."

"어디에요?"

유하의 마음이 단오에게 가 있듯, 반야의 마음은 유하를 향하고 있었다. 단오가 그러했듯 유하 역시 반야의 마음을 받아 주지 못했다.

그래서 유하는 반야에게 작은 위로나마 전해 주고 싶었다. 그녀의 삶에 보탬이 될 수 있다면, 거추장스러운 삶의 비밀 하나쯤 얼마든지 내 주리라.

"허벅지에 있다. 크고 붉은 점이다. 장태화에게 그리 전하라. 그것을 원할 것이다."

그리고 자유를 찾아, 오직 너만을 품을 좋은 이를 만나 살아라.

"산 오라버니."

산은 대답하지 않았다. 평소 산은 늘 긴장을 늦추지 않는 사람이었다. 그러나 지금 그는 깊은 생각에 잠겨 있다. 그는 단오의 발소리도, 그녀의 그림자도, 심지어 이름을 부르는 목소리조차 깨닫지 못했다.

"오라버니."

"으응."

단오의 손이 어깨에 놓인 후에야 산은 고개를 들었다. 비가 갠 지 겨우 반나절. 그는 물기를 머금은 축축한 풀밭에 앉은 채였다. 단오가 조심조심 그의 곁에 몸을 붙였다.

"무슨 생각을 그리 해요?"

산은 잠시 망설였다. 단오에게 굳이 말할 필요가 없는 일이라고 여겼기 때문이었다. 그러나 그녀도 뻔히 느끼고 있을 이 수상한 전조. 풀숲마저 술렁거린다.

"어디서부터 잘못됐는지에 대한 생각."

단오가 힘없이 고개를 끄덕였다.

"그때부터였어요. 이화원이 풍비박산 났을 때부터. 장태화가 은 이백 량을 가져오라 했을 때부터. 그에게 이설을 찾아오겠노라고 약조했을 때부터……."

과거의 기억들이 산란했다. 단오는 낮은 한숨을 내쉬었다. 그런 그녀의 뇌리를 스치는, 잠시 잊었던 일 하나.

"지난번 장태화를 만났을 때, 묘한 이야기를 했었는데……."

"묘한 이야기?"

"그때요. 오라버니가 안 계셔서 시열 오라버니랑 둘이 장태화 집에 다녀왔을 때……. 이설이 아니라 다른 이를 찾으라고 했었거든요."

"다른 이라니?"

산의 목소리가 설핏 달라졌다.

"이설을 따라다니는 무사가 있을 거라고 했어요. 이설 또래의 젊은 무인일 거라고. 오라버니께도 말하려고 했는데 까맣게 잊고 있었네요. 장태화가 그자를 무어라고 불렀더라……."

기억을 더듬느라, 단오는 미간을 찌푸렸다.

"아, 생각났어요."

그들과는 아무 관계 없는 이야기라 믿었기에, 단오의 목소리는 그저 담담했다.

"장태화가 그랬어요. 그자를 '파수꾼'이라고 부른다고."

툭, 툭. 손에 쥔 문서 위로 굵은 눈물방울이 떨어졌다. 혹시라도 먹물이 번

질까, 종이가 찢어지지나 않을까 싶어 반야는 얼른 문서를 옆으로 치웠다.

"네년에게도 감정이라는 것이 있긴 한가 보구나. 우는 걸 다 보고."

눈물을 쏟아 내던 반야가 고개를 들었다. 뿌옇게 이지러지는 화령의 얼굴. 반야가 급히 소매로 눈가를 쓱 닦았다.

"자유의 몸이 되니 좋으냐?"

"당연히 좋다마다요. 좋지 않을 까닭이 있겠어요?"

"너야 애당초 양반이었으니 그리 말하겠지. 나처럼 노비로 태어난 사람은 오히려 그 자유가 무서운 법이다."

"무서울 게 뭐람. 여기서 물건 취급받으며 사는 것에 비하면."

"그래. 사람다운 사람으로 돌아가서 잘 살도록 해라. 가끔 생각나면 소식이나 전하고……."

데면데면 딴청을 하던 반야가 화령에게로 눈을 돌렸다.

"나를 미워하는 거 아니었어요?"

"내가 너를 미워했다고?"

화령이 한숨을 내쉬듯 웃었다. 반야는 독기로 가득 찬 아이였다. 화령은 그 독기가 반야 자신에게로 향할까 봐 걱정했을 뿐이다.

해어화로, 그리고 행수로 살아오며 그런 이들을 많이 보았던 그녀였다. 욕망이 지나친 탓에, 스스로를 망가뜨리는 사람들 말이다.

"신기하긴 하구나."

"뭐가요?"

"장태화 영감 말이다. 첩실로 삼을 것도 아니라면서, 그리 큰돈을 써서 너를 자유로 만들어 주다니."

"그럴 만하니 내 주었겠죠."

"혹시 유하 선비님과 관련이 있는 일이냐?"

"알아서 뭐 하게요."

화령이 쓰게 웃었다. 그래. 알아서 무엇 하랴.

"지낼 곳은 있고?"

"이제 알아볼 거예요. 바로 방을 비워야 하나요?"

"갈 곳이 정해질 때까지 있어도 돼. 앞으로 어찌 살아갈 생각이냐?"

"되는대로요. 살아 있으니 살아지지 않겠어요? 혼인을 할 수도 있겠죠. 이도 저도 아니면 가족이나 찾아보든가……."

"혼인은…… 누구와?"

피식, 반야가 웃었다.

"왜요? 제가 유하 선비님에게 시집이라도 갈까 봐 걱정돼요?"

"내가 무슨 주제로 그분을 걱정하겠느냐?"

"행수. 유하 선비님은 대체 어떤 사람이에요?"

화령이 무슨 소리냐는 듯 눈을 크게 떴다.

"유하 선비님, 행수가 낳았어요?"

"어찌 그런 소리를!"

"그게 이상하다는 거예요. 내내 그분 생각만 하면서, 있을 법한 이야기를 하면 이리 펄쩍 뛰며 부정하는 것이. 일개 선비일 뿐인데, 지나치도록 관심을 보이잖아요."

"너야말로 몇 번이나 그분을 모시지 않았느냐. 직접 물어보면 될 것을."

"선비님은 모른다고 했어요. 자신이 누구인지, 스스로도 전혀 모르겠다고. 점이 어쩌고 뭐가 어쩌고 쓸데없는 소리만 잔뜩……."

쿵. 순간, 화령의 손에 쥐어져 있던 노리개가 바닥으로 떨어지며 요란한 소리를 냈다.

"저, 점이라고?"

"흐음, 뭔가 있긴 있나 보네. 대체 그 점이 뭐기에 다들 이리 난리예요?"

"뭐라고 하셨느냐 묻지 않아!"

화령의 목소리가 갈라졌다. 반야가 인상을 찌푸렸다.

"허벅지에 붉은 점이 있다고."

화령의 표정이 삽시간에 어두워졌다. 그녀가 벽을 짚었다.

"판관 영감이 그걸 알아?"

"당연히 알죠. 제가 말했으니."

"반야! 네, 네가 어찌!"

"어쩌라고 난리람. 선비님이 전하란 대로 전했을 뿐이에요."

"하……."

화령은 충격을 받은 사람처럼 비틀거렸다. 확연히 달라진 화령의 태도가 참으로 낯설어서, 반야는 다시 물었다.

"꼬치꼬치 캐묻기만 하고, 정녕 아무 말도 안 해 줄 거예요?"

이상하도록 맥이 사라진 화령의 눈동자. 정녕 할 말 따위 없다는 듯이 화령은 고개를 가로저었다.

멍하니 허공을 응시하던 화령이 바닥에 떨어뜨린 노리개를 집어 들었다. 반야에게 그것을 쓱 내밀 때는, 화령의 얼굴에 떠올랐던 복잡한 감정은 거의 잦아들어 있었다.

"가져가라."

"이런 걸 왜 주는데요?"

"잔말 말고 가져가. 함께 지낸 정으로 주는 선물이니."

"이런 것보다 대체 무슨 일인지 말이나 해 주지."

"할 말 같은 게 있을 리가 있느냐. 나와는 관계없는 일이다."

반야가 화령이 내민 노리개를 받아 들었다. 생각보다 무게가 나간 탓에, 손이 아래로 뚝 떨어졌다.

"퍽이나 믿겠어요. 그런 표정을 하고선……."

반야가 노리개를 내려다보았다. 꽤 값진 물건임이 틀림없는, 은으로 만든 나비 장식이 달린 노리개.

"당장 짐을 싸서 나가야 할 것 같네. 이런 걸 받고 나니."

"너 좋을 대로 해."

방을 떠나는 화령을 보던 반야가 제 손에 쥐여진 두 가지 물건을 내려다보았다. 왼손에는 더 이상 기생이 아닌 양인임을 증명하는 문서가, 오른손에는 제법 종잣돈이 되어 줄 법한 노리개가 있다.

"뭐가 예쁘다고 이런 걸 다 준담."

반야가 낮게 중얼거렸다. 이제 자유의 몸이다. 반야는 마침내 바라고 또 바라던 것을 얻었다. 거취가 정해지는 대로 그녀는 춘하관을 떠날 것이다.

"왜 또 눈물이 나고 지랄이래……."

이제 진정 안녕이었다. 밤마다 술을 따르는 삶, 뭇 사내들에게 웃음을 파는 천한 삶과는. 또한 술 생각에 춘하관을 찾을 유하를 보는 것도 이제 영영 안녕이었다.

"얘기 좀 하자."

산을 마주 보는 시열의 얼굴이 해쓱했다. 시열이 채 대꾸하기도 전에, 산은 그를 밀치며 방 안으로 걸음을 들였다.

"들어오라는 소리 안 했어."

"언제부터 우리가 들어오라 마라 허락을 구하는 사이였다고."

방에 들어선 산은 잠시 멈칫했다. 시열뿐 아니라 시열의 방 역시 평소와 영 다른 느낌인 탓이었다.

"내 앞에 얼쩡거리지 말라고 말했을 텐데."

"네 앞에 얼쩡거리지 말라고?"

산이 맥없이 웃었다.

"비겁하구나, 시열."

산의 말이 끝나기가 무섭게 시열이 고개를 주억거렸다.

"그래, 비겁해. 됐지? 그 말이 하고 싶은 거라면, 반박할 마음 따위 없으니 나가."

시열이 산을 거세게 밀쳤다. 예상외로 완력이 매우 세서, 산은 하마터면 중심을 잃을 뻔했다.

"손 치워."

"나 좀 내버려 두면 안 되겠냐?"

"들어 봐. 할 말이 있으니."

대답 없이 노려보는 시열의 눈. 산이 입을 열었다.

"나, 네 본가를 찾아갔었다."

"뭐?"

"네가 몰매를 맞고 누워 있을 때. 육호 아재께서 걱정이 많으셨거든. 그래서 김홍익 대감 댁으로 찾아갔었다."

안 그래도 냉랭하던 시열의 표정이 싸늘하게 굳었다.

"잘했어. 눈물 나게 고맙네. 그래, 뭐라고 하디?"

"김시열이라는 서출이 있긴 하더라고."

산이 시열의 눈을 마주 보았다. 폭풍 같은 소용돌이가 감도는 검은 눈동자를.

"그 김시열, 김홍익 대감의 집에 있더라고. 너와는 딴판으로 생긴 통통한 사내가."

팽팽한 긴장감. 다음 순간 시열은 킬킬 웃음을 터뜨렸다.

"그래서 뭐? 내가 신분과 이름을 속였다는 걸 따지러 온 게냐?"

"아니."

산이 쓸쓸한 표정으로 고개를 저었다. 비밀을 가졌다는 이유만으로 시열을 탓할 수 없다. 그 역시 비밀을 숨기고 있었으니까.

"따질 마음은 없어. 하지만 이렇게 된 이상 알아야겠어. 네가 누군지."

"그걸 알아서 뭐 할 건데?"

"알아야지. 너는 어떤 사람인지, 무엇 때문에 지난 삼 년간 이화원에 머물렀는지. 네가 위험한 사람이면 곤란하니까."

시열의 표정이 기묘하게 뒤틀렸다. 그의 입에서 다시 낮은 웃음소리가 흘러나왔다.

"위험한 사람이라."

산의 말이 맞나. 아니면 틀린 말일까? 그 이전에, 그건 굉장히 슬픈 말이었다.

"내가 두려워? 다른 이도 아닌 산 네가?"

"내가 널 두려워할 거 같아?"

"아. 단오에게 해가 갈까 봐 걱정하는 거구나. 네 여인이 다칠까 봐서."

시열의 얼굴에 조소가 번졌다.

"알고 있었구나."

"어찌 몰라? 너희 둘이 붙어 다니기 시작한 게 한참이야. 그 덕택에 유하는 매일 기생집을 전전하게 되었지."

"적어도 우린 의도적으로 유하를 상처 입히려 하진 않았다. 하지만 홍주 낭자를 대하는 지금 네 태도는……."

"홍주……."

사납던 시열의 얼굴이 순식간에 일그러졌다. 감히 입에 담을 수 없는 이름을 말하기라도 한 것처럼, 그가 입을 다물었다.

"홍주. 그래, 홍주."

시열이 어깨를 으쓱했다. 도리가 없다는 듯, 이미 제 손을 떠난 일이라는 듯이.

"그만하자, 산."

"내 질문에 대답하지 않았잖아."

"다 필요 없어. 넌 나를 위험한 사람으로 생각하지? 비겁하고, 해를 끼칠 것 같다고? 알았어. 그런 걱정 따위 안 하게 해 줄 테니 한심스런 표정으로 쳐다보지 말라고."

갑자기 시열이 반닫이를 열었다. 그가 안에 들어 있던 묵직한 보따리를 바닥에 내던졌다. 그제야 산은 시열의 방이 낯설어 보인 이유를 깨달았다. 방이 지나치게 깨끗했던 것이다.

"떠날 거야, 내일."

"시열. 이게 뭐 하는 짓이야?"

"어쩌라는 거야? 내가 여기 있는 게 불안하다며. 그러면서 또 떠나는 건 마음에 들지 않아? 내가 네 종이라도 되는 것 같나? 네가 있으라면 있고, 가라면 가는?"

"나는 그런 적 없어."

"없다고? 그럴 리가!"

갑자기 시열의 목소리가 커졌다. 그의 눈 안에 타오르는 감정을 무엇으로 설명할 수 있을까. 분노와 닮았고, 원망처럼 보였으며, 또한 고통스럽기 그지없는…….

"나가."

시열이 방문을 활짝 열었다.

"죽여 버리기 전에."

그리고 열린 문밖에서 모습을 드러낸 것은.

"……오라버니."

새하얗게 질린 단오의 얼굴이었다.

"대, 대체 이게 다 무슨 소리예요?"

단오의 손에 들려 있던 빨랫감들이 우수수 바닥으로 떨어졌다. 축축한 흙바닥 위로 새하얀 옷가지들이 나뒹굴었다. 그러나 산도, 시열도 묵묵부답이었다.

"떠나요? 내일이요? 시열 오라버니가, 시열 오라버니가 아니라고요? 대체 무슨 말씀을 하시는 거예요?"

눈앞이 하얗다. 단오는 갈피를 잡지 못하고 떨리는 손을 맞잡았다. 시열. 혹은 그녀가 시열이라고 믿고 있었던 사람. 유쾌하고 다정하며 능글맞던 그의 모습이 산산이 부서진다.

지난 삼 년간 그녀가 '시열 오라버니'라고 불러 왔던 사내. 정체를 알 수 없는 사내. 그리고 그 말은…….

"그럼, 언니는요?"

시열은 분명 약조했었다. 홍주를 향한 그의 마음이 진심이라고. 그 마음은 변치 않을 것이라고.

"우리 언니는요. 홍주 언니는 어떻게 되는데요?"

시열은 묵묵부답이었다. 그의 침묵에도 단오는 고집스럽게 그의 답을 기다렸다. 시열에게로 다가선 그녀가 그의 눈길을 붙들려 애를 썼다.

"시열 오라버니!"

파리하게 질려 가는 단오의 얼굴. 이성을 잃은 듯, 그녀의 목소리는 점점 커지고 있었다.

"가자, 단오야."

산이 단오를 붙들었다. 시열의 마음은 움직이지 않는다. 산은 본능적으로 깨닫고 있었다. 그러하다면, 다시금 홀로 남을 홍주의 마음이나마 배려함이 옳지 않겠는가.

"저한테 약조하셨잖아요……."

"단오야, 사람들이 들어."

"하지만……."

단오가 힘없이 어깨를 늘어뜨렸다.

"가자."

단오는 멍하니 제 방으로 돌아가는 시열을 쳐다봤다.

"우리 언니는요……."

"일단 잠시 나가자."

"시열 오라버니가 어떻게 저럴 수 있어요? 약속해 놓고……."

산이 단오의 팔을 잡아끌었다. 이화원을 벗어나는 그녀의 발걸음이 휘청거렸다. 닫히는 대문 안 풍경을 바라보던 단오의 눈에서 끝내 눈물이 쏟아졌다.

단오의 모든 것이었던 이화원. 젖은 시야 속에서, 그녀가 사랑했던 이화원 풍경이 하나둘씩 어그러지고 망가져 간다.

"울지 마라."

인적이 없는 후미진 길목. 산이 단오를 가만히 끌어안았다.

"사람이…… 어찌 그리 쉽게 변해요?"

"말 못 할 이유가 있지 않겠느냐. 그걸 물어보려던 참이었어."

"정말 모르겠어요. 저는 대체 오라버니들에 관해서 뭘 알고 있었던 걸까요? 유하 오라버니도, 시열 오라버니마저도……."

단오가 북받치는 울음을 삼켰다.

"제가 제대로 아는 게 있기는 할까요……."

단오의 어깨가 들썩였다. 그 등을 쓸어내리던 산의 손이 멈췄다.

'내게 자격이 있을까.'

단오의 마음을 안다고, 나는 유하나 시열과는 다르다고. 나는 너를 속이지 않았노라고 말할 수 있을까.

"무서워요. 제가 알고 있는 게 전부 거짓일까 봐서……."

단오는 당장이라도 무너질 듯 위태로워 보였다. 산이 그녀의 몸을 붙잡았다. 단오를 위한 버팀목이 되어야 한다. 그게 그의 할 일이었다. 그러나 산 역시 두려워졌다. 단오의 마지막 희망마저 산산이 깨부숴 버릴 존재가, 저 자신일지도 모른다는 생각 때문에.

"오라버니 말고는 누구도 믿을 수가 없어요……."

"그래."

산이 목쉰 소리로 대답했다. 산은 저를 올려다보는 단오의 머리를 제 가슴에 안았다. 단오를 위로하고 싶은 것이 가장 큰 이유였고, 그녀의 눈을 마주 보기 힘들었던 것이 또 다른 이유였다.

드높은 솟을대문. 대갓집 사랑에서 풍겨 오는 자욱한 묵향. 마주 앉은 사내 둘. 늙은 사내는 흰 눈썹 아래 비범한 눈을 가졌다. 젊은 사내의 단정한 입매가 긴장으로 바르르 떨렸다.

"정유하라. 정헌 대감의 서자께서 무슨 일로 늙은이를 찾아왔는가?"

"좌상 대감께 긴히 드릴 말씀이 있어 찾아왔습니다."

"말씀해 보시오."

반야와 나눴던 대화가 유하의 마음을 움직였다. 도망치지 않으리라. 버겁다 여겨 숨어 있지 않을 것이다. 도무지 알 수 없는 것이 인생이라면, 저를 찾고 있는 누군가를 통해서라도 제 삶의 의미를 찾아내고 싶었다.

"이설을 찾고 계십니까?"

지그시 유하를 바라보던 신운호의 표정이 미묘하게 달라졌다. 그가 진중한 태도로 고개를 끄덕였다.

"본인이 이설이라고 주장하는 것이라면, 징표를 보이시오."

신운호의 목소리는 약간의 기대를 담고 있었다. 마침내 징표를 보게 되는 것일까.

"징표요?"

유하가 되물었다. 그는 생각했다. 징표란 무엇일까. 이설이라는 자를 찾기 위한 여정을 시작한 이래, 모든 증좌들은 유하 자신을 가리키고 있었다.

다섯 살 무렵 정헌 대감의 집으로 보내졌던 사내아이. 그 누구도 그에게 생모가 누구인지 말해 주지 않았다. 형제들의 멸시는 일상적인 것이었다. 하지만 그를 대하던 마님의 태도는 혐오나 무시와는 조금 달랐다. 그녀는 유하를 어려워했다.

자신이 낳지 않은 서출을 향한 냉대였을 수도 있을 것이다. 그러나 마님의 태도에는 분명 괴이한 점이 있었다.

평생 유하와는 거의 눈조차 마주치지 않던 여인이 죽음 직전에 내밀었던 정헌 대감의 유품. 이것이 좌의정이 말하는 징표일까.

유하는 늘 향낭 속에 넣어 지니고 다니던 그것을 내밀었다. 순금으로 만들어진 동곳. 그 묵직한 물건을 내려놓는 소리가 고요한 방 안을 울렸다. 신운호는 신중한 태도로 그것을 들어 올렸다.

빛나는 용의 형상. 용은 임금을 뜻한다. 그러나 대비가 말했던 호성군의 징표는 이것과는 달랐다.

"이것은……."

당장이라도 꿈틀거릴 듯 생생한 금룡의 머리를 바라보던 신운호의 눈썹이 움찔거렸다.

범인(凡人)이라면 결코 가지지 못할 물건. 하지만 그가 알고 있는 징표와는 완전히 다른 물건.

"정헌 대감께서 전해 주신 물건입니다. 제가 가진 것은 그것뿐입니다."

지난하도록 길게 느껴졌던 세월 동안 신운호는 궁궐 안 사람들의 흥망성쇠를 목격했다. 그는 호성군의 모습을 떠올렸다. 군주의 자질을 가지고 있었던 대군. 난폭한 성미의 이창과 달리, 이평은 학구적이면서도 비범하리만큼 창의적인 인물이었다.

'대감, 수수께끼 하나 맞혀 보실 텐가?'

학식이 있는 사람들을 붙잡고 어렵고도 비밀스러운 질문을 던지길 좋아하던 호성군.

신운호가 동곳을 찬찬히 살펴보았다. 한 가지 간과했던 사실이 그제야 눈에 들어왔다. 동곳에 자리한 용의 형상은, 상투를 고정하는 물건으로 사용하기에는 지나치게 크고 화려했다.

그것은 동곳이라기보단 마치 용잠(龍簪)처럼 보였다. 저것을 상투 위에 꽂았다간, 여인네의 머리 장식과 같은 요란한 모양새가 되고 말 것이었다.

"제가 맞혀 보지요."

"예?"

제게 하는 얘기인 줄 알고 반문하는 유하의 앞에서, 신운호는 용의 머리를 잡아당겼다.

덜컥 소리와 함께 용의 머리가 빙그르르 돌아간다. 가장 높은 자, 임금의 모가지가 돌아간다…….

여의주를 문 용의 머리가 바닥으로 툭 떨어졌다. 그 안에 숨어 있던 타오르는 태양의 형상이 마침내 모습을 드러냈다.

"오셨습니까."

신운호가 몸을 일으켜 세웠다.

"기다리고 있었습니다, 마마."

신운호가 유하 앞에 단정히 무릎을 꿇었다. 그는 내내 이날을 바라왔다.

"소신이 은밀히 몸을 숨길 곳을 마련해 두었습니다. 당장 몸을 피하셔야 합니다."

신운호의 목소리에는 깊은 울림이 있었다. 몹시 우호적인 그의 어조가 유하의 마음을 안심시켰다. 그러나 몸을 피하라는 말의 의미를 이해하기는 어려웠다.

유하는 긴장한 표정으로 신운호를 바라보았다.

"어찌하여 피하라고 말씀하십니까?"

"당연한 일입니다. 밖을 돌아다니시다, 사소한 화라도 입어 신체를 상하실까 저어되어 드리는 말씀입니다. 또한……."

"또한?"

"원자 아기씨께서 태어나셨습니다."

"그렇다면……."

유하의 표정이 미묘해졌다. 사람들이 이설을 찾아 나선 이유는 한 가지, 임금의 후계자가 없었기 때문이었다. 이미 왕의 아들이 태어났다면, 또 다른 왕손이 필요할 리 없지 않겠는가.

"원자 아기씨의 탄생이 상황을 달리 만들지는 못하옵니다. 전하의 상태가 워낙 위중하시기 때문입니다. 아직 젖도 떼지 못한 아기씨를 두고 섭정을 할 수는 없습니다."

"그렇습니까."

"그러나 아직 모르는 일입니다. 금상께서 부재하시니, 조정은 혼란에 빠져 있습니다. 권한은 대비께서 가지고 계시지요. 마마를 찾을 것을 명하신 것 또한 대비이시니, 그 의중을 물음이 옳다 사료되옵니다. 그때까지 안전한 곳에 머무르고 계시옵소서."

신운호의 말에 귀를 기울이던 유하가 고개를 들어 올렸다.

"당장 말입니까?"

"예. 당장이요. 누구도 알 수 없는 안전한 곳으로 모시겠습니다."

"하루 정도의 여유도 없겠습니까?"

잠시 유하를 바라보던 신운호가 고개를 끄덕였다.

"예, 괜찮겠지요. 설마 하루 사이에 큰일이라도 있겠습니까."

"그러하다면……. 저는 내일 다시 찾아오도록 하겠습니다."

"마마."

아직은 너무나 생소한 호칭. 그러나 유하는 신운호를 똑바로 마주 보았다. 그것은 결국 그가 익숙해져야 할 이름이었기에.

"금상께옵서 의식을 잃으신 지 시간이 꽤 흘렀습니다. 그렇기에 그런 일은 없을 것으로 여겨지나……. 만일 전하께옵서 깨어나실 것을 대비하여, 마마의 거취는 저만이 알고 있도록 하겠나이다."

"전하가 깨어나신다면, 나라에는 좋은 일이 아닙니까?"

"종묘사직에 크게 해가 되는 일은 아니겠지요. 하오나……."

신운호가 눈을 감았다. 주름진 얼굴 위로 소회가 스쳤다.

"피바람이 불 것입니다."

"피바람이요?"

"마마의 존재가 세상에 알려졌습니다. 왕위 계승과 연이 닿아 있던 모든 이들을 죽여 없애신 전하이십니다. 전하께서 회복하신다면, 과연 마마를 무사히 살려 두시겠습니까?"

"저를 죽이려 들겠군요. 제 아버님께 그러하였듯이."

"설령 그런 일이 일어난다 해도, 신이 마마를 보필하겠나이다. 저를 믿으십시오."

신운호의 묵직한 음성에 귀를 기울이던 유하가 고개를 끄덕였다. 두려움은 크지 않았다. 오히려 캄캄한 어둠 속에서 한 줄기 빛을 발견한 기분이 들었다. 자신이 누구인지, 어떤 존재인지조차 알 수 없는 암흑 속에 머물렀던 생. 유하는 신운호의 힘을 빌려 제 운명에 드리워진 장막을 걷어낼 작정이었다.

이제는 정말로 작별해야 한다. 이화원으로 돌아가, 지난 삼 년을 함께했던 이들에게 인사를 건넬 시간이었다.

그립겠지. 산이, 시열이, 육호 아재가, 이화원의 풍경이. 그리고 무엇보다…… 단오가.

"내일입니다. 오후까지는 반드시 돌아오시옵소서. 저는 채비를 마치고 마마를 기다리고 있겠습니다."

신운호가 인사를 전했다. 그러나 그들의 운명은 맞물렸던 그 순간부터 엇갈리고 있었다.

"부르지도 않았거늘, 자네가 어쩐 일인가?"

유하가 떠난 후, 생각에 잠겨 있던 신운호를 찾아온 것은 다름 아닌 장태화였다.

"지나가다 들렀습니다. 한동안 대감을 뵙지 못하였단 생각이 들어서 말입니다."

"일이 있으면 어련히 연통하였을 것을. 훈련원에는 별일 없겠지?"

신운호의 말에, 장태화가 모호하게 눈을 내렸다.

"글쎄요."

"무슨 대답이 그런가? 자네가 도맡고 있는 관아 아닌가."

"소인, 관아를 옮기게 되어 그렇습니다."

"그게 무슨 소린가?"

신운호가 미심쩍은 얼굴로 되물었다. 임금이 정무를 보지 못한 지 꽤 긴 시간이 흘렀다. 임금이 부재한 상황에서 관속을 옮기거나 진봉을 하는 경우는 극히 드물었다.

"이런 상황에서 다른 관아로 가게 되었단 말인가?"

"예. 소인도 잘 모르겠습니다만, 그리되었습니다."

"그렇군. 어디로 옮겼나?"

"의금부로 가게 되었습니다."

"의금부?"

신운호는 기가 막힌다는 표정이었다. 의금부란 왕명을 받들어 죄인들을 추국하고 잡아들이는 관아가 아닌가. 임금이 자리보전만 하고 있는 상황에서, 어찌 왕명을 내리느냐 말이다.

"내 어찌 된 일인지 한번 알아보도록 하겠네. 별일이로군."

"대감께서 알아보신다고 하여 답이 나오겠습니까?"

"뭐라?"

신운호가 장태화의 얼굴을 쏘아보았다. 이설에 대해 생각하느라 미처 깨닫지 못한 미묘한 기류가 확 느껴졌다. 평소보다 확연히 느른한 태도를 보이는 장태화가 낯설었다.

"나는 이 나라의 좌의정일세. 내가 나섰음에도 알 수 없는 일이라면, 그건 조정의 일이 아니겠지."

"그러시군요."

갑자기 장태화가 자리에서 일어섰다. 달리 간다는 말도 없이 도포 자락을 펄럭이는 모습에 신운호가 인상을 찌푸렸다.

"장태화. 자네…… 무언가 재미있는 일을 벌이는 모양이로고."

"재미있는 일 같은 것이 있을 리가요, 대감."

"그래, 손에 단것 하나 쥐었다고 순식간에 오만방자하게 구는 건 멍청한 노비들이나 하는 짓이지."

늙은 여우, 젊은 범의 눈이 맞부딪친다.

"이만 돌아가 보겠습니다, 대감."

"경거망동 말고 부를 때를 기다리게."

"예…… 대감."

문지방을 넘어서는 장태화의 얼굴은 차갑게 굳어 있었다. 저를 개처럼 여기는 신운호를 향한 그의 인내심은 진즉 바닥에 이르렀다. 그러나 아직 때가 아님을 그는 잘 알고 있었다.

'손에 단것 하나 쥐었다고 오만방자해지는 것은 멍청한 노비들이나 하는 짓이라고 하셨습니까.'

장태화는 몸을 낮추고 때를 보며 평생을 살아왔다. 고작 며칠을 참지 못해 일을 그르쳐서는 아니 될 일이다.

"하지만, 손에 쥔 것이 천하를 호령할 만큼 대단한 것이라면 어쩌시겠습니까."

중얼거리던 장태화가 씩 웃음을 지었다.

"이 정도의 방자함 정도는 눈감아 주셔야지 않겠습니까?"

집으로 돌아가는 그의 발걸음은 몹시도 가벼웠다.

"건강하신가?"

"예, 마마. 대단히 강건하십니다. 벌써 여러 차례 젖을 드셨고, 울음소리도 일찍이 들어 본 적 없을 만큼 크십니다."

"단 하나의 어긋남이 없이 잘 모셔야 한다."

"명심하겠사옵니다, 대비마마."

오래도록 주인 없이 비워져 있던 후궁전. 이제 이곳은 박 귀인의 소생인 원자 아기씨의 거처가 되어 있었다. 전각의 풍경을 바라보던 대비가 깊은 한숨을 내쉬었다.

온 왕실이 애타게 바라고 또 바라던 아들. 그러나 지금은 참으로 어려운 시기였다. 하다못해 서너 해만이라도 일찍 태어났다면 이렇듯 골치 아픈 상황이 발생하지는 않았을 것이다. 왕손의 탄생은 크게 경하할 만한 일이었으나, 제구실을 할 수 없는 핏덩이가 세자로 책봉된들 막막하긴 매한가지였다.

왕실에 필요한 것은 당장 왕위를 승계받을 수 있는 왕손의 존재였다.

이설과 같은.

자경전을 향해 무거운 걸음을 옮기던 대비가 흰 장막이 쳐진 박 귀인의 처소를 무심히 바라보았다.

그토록 바라던 아들의 울음소리를 들을 새도 없이 세상을 떠난 박복한 여인. 박 귀인은 강한 야심을 숨기지 않던 사람이었다. 그런 그녀의 집념이 끝내 아들을 태어나게 했는지도 모른다. 그러나 박 귀인의 운은 제 목숨까지 돌보아 주지는 못했다.

'이제 세상에 미련을 버릴 때가 되지 않았습니까, 주상?'

대비의 아들 역시 그러했다. 조선 땅 위에 존재하는 누구보다 야심이 강하고, 권력욕으로 가득하며, 난폭하고 또한 피를 좋아하는 자. 그녀의 배로 낳은 흉포한 괴물.

자경전 안으로 걸음을 들이던 대비가 미간을 찌푸렸다. 나인과 상궁들이 죄다 어디로 간 것인지, 누구 하나 눈에 띄지 않은 탓이었다.

그녀가 수십 년간 기거해 온 익숙한 장소가 낯설다. 길었던 비가 개고, 제법 볕이 따스함에도 주변을 떠도는 알 수 없는 스산함은······.

"오셨습니까, 어머니."

"주상!"

이창. 병상에 누워 있는 동안 수척해진 얼굴은 그의 날카로운 골격을 더욱 도드라지게 만들었다.

깊숙이 들어간 눈. 그 눈동자는 욕망으로 가득 찬 기묘한 빛으로 번들거린다. 마치 뱀의 그것처럼, 혹은 해묵은 비늘을 벗어 던지고 날아오를 준비를 마친 용의 눈빛처럼.

"좌의정 신운호가 꽤나 재미있는 놀음을 벌이고 있다는 얘기를 들었습니다. 어머니께서 뒤에 계셨다지요?"

"주, 주상······."

"놀라지 마시옵소서, 어마마마. 형제들을 도륙했다고 하여, 설마 한 나라의 임금 된 자가 어마마마까지 해하기야 하겠습니까?"

"주상."

"하지만 그냥 넘어갈 순 없어요. 이설을 찾으라 명하셨다고요? 형님의 사라진 아들을……. 하하! 어마마마, 아무래도 벌을 받으셔야겠습니다."

광기에 젖은 눈이 붉다. 이창은 그 충혈된 눈으로 제 어미를 쏘아보았다.

"여기서 한 발짝도 나가지 마옵소서. 어머니는 이곳에 유폐되실 겁니다."

모든 피붙이를 죽인 자, 이창은 마지막 남은 혈육인 어머니를 향해 선언했다.

"이곳이 어머니의 집이자 무덤이 될 것이옵니다."

* * *

안개가 온 천지를 뒤덮었다. 그 뿌연 운무는 이화원의 안뜰마저 점령해 버렸다. 깊은 산중에서나 볼 수 있을 법한 풍경이었다. 무릎께까지 차오른 두툼한 운무가 허옇게 흩날렸다.

기묘한 새벽의 와중, 툇마루 위에 미동도 없이 앉아 있는 사내. 질척한 습기는 사내의 옷자락뿐 아니라 눈가에도 배어 있었다.

"가야지."

시열이 중얼거렸다.

"떠나야지, 이제."

시열이 제 옆에 놓여 있는 보따리를 쳐다보았다. 단출하기 그지없는 짐이었다. 개켜진 옷가지 위에는 늘 들고 다니던 부채가 하나, 그리고 둘둘 말려진 그림 족자가 하나. 그 외에는 서책도, 다른 잡동사니도 없었다.

이 보따리를 들고 이화원의 대문을 벗어나면, 정녕 끝이다.

갓끈을 매는 그의 손이 느릿느릿 움직인다. 그는 턱 밑에 지어진 매듭을 한참이나 매만졌다. 이마저 끝나면 이화원과는 영영 작별이었다. 산. 유하와 단오와 육호 아재, 그리고 홍주와도.

마침내 시열이 보따리와 두루마리를 집어 들었다. 자리에서 일어서려는 순간 고요를 깨는 낮은 소리가 들렸다. 보지 않아도, 소리의 방향만으로 알 수 있는 그곳.

"가십니까."

열린 문틈, 시열과 홍주의 시선이 교차했다. 여인의 눈 안에 떠오른 것은 원망도 슬픔도 아니었다. 홍주의 눈동자는 생기를 잃은 채 그를 물끄러미 바라볼 뿐이었다.

시열은 아무 말도 하지 못했다. 이대로 그녀를 지나쳐 이화원의 대문을 벗어나는 것이 무엇을 뜻하는지 그는 잘 알고 있었다.

아무 죄 없는 가여운 여인의 가슴에 비수를 꽂는 일. 이미 갈기갈기 찢긴 상처에 약을 발라 주곤, 그것이 아물기가 무섭게 또다시 생채기를 내는 잔인한 일이다.

과거 정인을 잃은 후, 홍주는 사 년 동안을 암흑 속에서 살았다. 제가 떠난 후, 그녀는 얼마나 긴 시간을 고통 속에서 보내게 될까. 십 년, 혹은 이십 년, 어쩌면 평생을?

"붙잡는다고 붙들리지 않으시겠지요?"

"……"

"애원한다고, 한번 변한 마음이 다시 변하지 않겠지요?"

"……"

"이것이 정녕 끝이겠지요……."

내내 대꾸하지 못하던 시열이 그제야 고개를 끄덕였다.

보내는 여인은 오히려 담담한 표정이었다. 이미 많은 것을 체념하며 살

앉기에 그런 것일까. 차라리 욕이라도 퍼붓는다면, 뺨이라도 후려갈긴다면 나을 것만 같았다. 그러나 속을 알 수 없는 눈동자는 오롯이 시열만을 담고 있을 뿐이다.

"살펴 가십시오."

방문이 닫힌다. 사라져 가는 홍주의 모습. 그렇게 천천히 사그라지는 여인의 모습. 그가 사랑하는, 그녀의 모습.

"홍주 낭자."

마지막이다. 마지막으로 이름이나마 한 번 불러 보고 싶었다.

"나를 용서하지 마시오."

홍주의 얼굴이 문 안 어둠에 갇히는 순간, 눈이 마주쳤던가.

시열이 몸을 돌렸다. 삼 년의 시간이 부유하는 이화원. 그 안뜰을 지나는 발걸음을 따라 술띠에 매달린 노리개가 흔들렸다. 차마 그것만은 두고 갈 수가 없었던, 홍주가 건넨 유일한 물건이었다.

'나는 괴물인 게다.'

태생부터 어긋난 삶. 이 모든 불행은, 괴물이 된 자신에게 부끄러움조차 느끼지 않았던 생에 대한 업보이겠지.

이화원 대문을 벗어나 걷던 시열은 단 한 차례 뒤를 돌아보았다. 서서히 날이 밝고 있었다. 밤이 지나면 아침이 밝는 것이 세상의 이치라던가. 그래 봤자, 애당초 세상의 이치 따위와 동떨어져 있는 괴물에게는 해당되지 않는 이야기일 것이다.

"……너희들."

시열이 걸음을 멈추었다. 먼발치에 서 있는 두 사내의 그림자가 길었다.

"삼 년을 함께했으니."

산의 목소리가 들렸다.

"떠나더라도, 인사라도 나누는 것이 옳지 않겠어?"

시열은 모진 말이 하고 싶었다. 이 마당에 옳고 그름 따위가 무슨 상관이란 말인가. 모든 것을 끝내고 싶다. 모조리, 다. 그러나 이상하게 목이 메었다.

"거창한 송별회라도 치러 주게? 내내 코빼기도 보이지 않던 유하 너까지……. 황송하기가 그지없구나."

"산에게 대충 이야기는 들었다만……. 정녕 이렇게 급하게 떠나야만 하는 게냐."

유하 역시 작별을 준비하기 위해 이화원으로 돌아왔다. 곧 이화원은 무척이나 쓸쓸한 곳이 될 성싶었다.

하지만 조만간 빈자리는 새로운 과거생들로 채워질 것이다. 이화원에 들어오고자 하는 선비들은 여전히 많았으니 유하도, 시열도 곧 잊히리라. 그들 이전에 이화원을 스쳐 지나간 과거생의 이름을 단오가 말하지 않듯이.

"산에게 들었다면 너 역시 알고 있겠네. 내가 김시열이 아니라는 것도, 너희 모두를 속였다는 것도."

"네게도 나름의 사정이 있으리라고 믿어."

유하다운 말. 유하이기에 할 법한 말. 그를 바라보던 시열이 시선을 내렸다.

그래. 시열에게도 나름의 사정이 있었다. 홍주와 모든 이들을 그 한마디로 납득시킬 수 있다면 얼마나 좋을까. 사정이 있었다고, 그 역시 바라지 않은 일이었다고.

"어디로 가?"

산의 물음에 시열은 고개를 저었다.

"몰라."

"어디로 갈 건지 정하지도 않고 나선 게냐?"

"조선 팔도에 내 몸 하나 뉠 곳이 없을까."

"후회하지 않을 자신 있어?"

"후회……. 무엇에 대한?"

"네가 이화원에 두고 가는 것들."

산의 말을 들은 시열의 입에서 헛웃음이 흘러나왔다. 그러나 그건 너무나 쓰게 느껴지는 비소였다.

"두고 가는 것들이라……."

평생 유일한 사랑이었던 여인을 두고 간다. 벗이라고 불렀던 이들을 두고 간다. 삼 년간 마음에 담았던 모든 이들을 두고 간다.

"후회해."

시열이 중얼거렸다.

"하지만 어쩔 수가 없어."

그리고 이제는 모질었던 생도, 운명도 모두 두고 갈 것이다. 스윽, 그의 무심한 손길이 제 목 언저리를 만졌다.

그새 완전히 날이 밝았다. 한 점 남지 않은 어둠이 오히려 낯설다. 괴물의 운명. 새카만 어둠에서 벗어날 길은 하나뿐이겠지. 땡중은 그것을 '내세'라고 말했던가.

"잘 살아. 삶에 휘둘리지 말고, 나처럼 괴물이 되지 말고."

"그게 무슨 소리냐."

"유하 너 말고, 산 말이다."

"나?"

저를 바라보는 산의 눈길을 시열은 묵묵히 마주 보았다. 그리고 천천히 유하에게로 옮겨 가는 시선. 이제 모두와 작별이었다.

"갈게. 단오에게 미안하다고 전해 줘."

걸음을 옮기던 시열이 잠시 멈칫했다. 하고픈 말들. 그러나 영영 털어

놓을 수는 없겠지. 그 비밀을 봉인한 채 흙으로 돌아가는 것만이 그가 할 수 있는 유일한 일이었다. 애당초 그렇게 피고 지도록 예정된 운명이었는지도 모른다.

뒤를 돌아보지 않은 채, 그가 낮은 목소리로 말했다.

"고마웠어. 산, 유하."

그리고 떠나갔다.

"오라버니?"

우물로 향하던 단오가 걸음을 멈췄다. 우물가를 서성이던 산이 그녀에게로 다가왔다.

산의 어두운 표정을 본 단오는 예감했다. 요 며칠 새 그녀에게 흘러들어 오는 소식은 죄 나쁜 것들뿐이었다.

"무슨 일이 있나 보네요."

또, 무언가 속상할 일이 생겼나 보다.

"시열이……."

"떠났어요?"

"그래. 떠났다."

지난 삼 년을 아울러 보면, 단오는 늘 겉돌던 산보다 유하나 시열과 훨씬 가깝게 지냈다. 단오가 상처받지 않기를 바랐지만, 서운하지 않을 리 없었다.

"시열이 네게 전해 달라고 했어. 말하지 못하고 떠나서 미안하다고."

"언제 가셨어요?"

"아침 일찍 떠났다."

단오를 보는 산의 눈길이 걱정스러웠다. 그러나 그녀는 속내를 짐작하기 힘든 표정이었다. 오래지 않은 과거, 저런 얼굴을 한 단오를 보았던 것 같다. 이화원을 지키고야 말겠노라고 선언하던 날. 그때 단오의 표정도 꼭 지금 같았었다.

"괜찮으냐?"

단오는 입을 꾹 다문 채 우물물을 길어 올리는 중이었다. 그녀는 아무런 말도 듣지 못한 사람처럼 담담한 표정이었다.

"안 괜찮을 것은 또 뭐겠어요."

"괜히 속으로 삭이지 말고, 속상하면 표현을 해."

"속상하지 않아요. 시열 오라버니께서 떠나리란 것, 이미 알고 있었잖아요. 지금이 아니라도 언젠가는 떠날 분이었어요."

애써 표정을 지우는 단오의 입술 끝이 파르르 떨렸다. 산이 단오의 어깨를 감쌌다.

"차라리 우는 것이 낫겠다."

"아니요. 안 울어요."

슬픔을 억지로 참는 여인을 보는 건 힘든 일이었다. 차라리 울음을 터뜨리거나 투정 부리는 편이 산에게는 나았다.

"괜찮지 않다고 해서 달라지는 것도 없잖아요. 떠나기로 마음먹은 사람인데, 바짓가랑이를 붙들고 늘어질 수도 없는 노릇이고……."

단오가 산에게서 떨어졌다.

"이제 이화원으로 돌아가서 제 할 일을 할 거예요. 남은 사람들을 챙길거예요. 오라버니도, 어머니도, 육호 아재도, 그리고…… 홍주 언니도."

홍주가 과연 버틸 수 있을까. 단오의 입 밖으로 나오는 홍주의 이름이 작게 떨렸다.

"누군가가 떠났다고 내 가족을, 가족과 같은 사람들을 내팽개쳐 놓을수는 없잖아요."

시열을 향한 서운함, 야속함. 오랜 인연이 허무하게 끝나 버렸다는 것에 대한 슬픔. 어느 때인가 그 모든 감정들이 우르르 닥쳐드는 순간이 있을 테지. 어쩌면 꽤나 눈물을 쏟을지도 모르겠다.

하지만 그것이 지금이어서는 안 된다. 이화원에 남아 있는 사람들을 챙기는 것이 단오의 할 일이었기 때문에.

"가요, 오라버니."

"단오야."

"예?"

"유하 얘기는 들었어?"

"알고 있어요. 곧 떠나신다는 거요."

산은 시열이 떠나간 뒤편에서 유하와 나누었던 대화를 떠올렸다. 유하는 그렇게 말했다. 그 역시 오늘 이화원을 떠날 것이라고. 작별 인사를 하러 들렀노라고.

"오늘……. 떠난다고 하더라."

"오늘이요?"

의연하던 단오의 걸음이 우뚝 멈추었다. 시열이 떠났다. 유하도 곧 떠날 것이다. 늘 함께였던 셋 중, 이제 남은 건 산 하나뿐이라는 사실을 상기하는 순간 마음 한구석이 뻥 뚫린 것처럼 허해졌다.

산에게 약한 모습을 보이기는 싫었다. 강한 척은 못 하더라도, 또 눈물을 보이기는 싫은데…….

"이리 와."

산이 단오를 가만히 끌어당겼다. 산의 너른 품이 그녀의 얼굴을 숨겨 줬다. 눈물도, 슬픔도 내보이지 않을 수 있도록.

"이제 오라버니만 남았네요."

"그래. 나만 남았구나."

"오라버니도 어느 순간 바람처럼 사라져 버리고 말 것 같다는 생각이

들 때가 있어요."

"그럴 것 같으냐?"

"모두 약속이라도 한 듯 하나둘 떠나니까……."

그럴 리 없다는 듯, 산이 단오의 등을 토닥거렸다. 따듯한 손이다. 등이 아닌 마음을 쓰다듬어 주는 손이었다. 그러나 단오의 마음속 먹구름은 쉬이 걷히지 않았다.

"우리가 처음 했던 약속, 기억해? 너는 내게 변치 말라 말했었다."

"그럼요. 기억해요."

"내가 너에게 뭐라고 했었는지도 기억이 나느냐."

"예. 절더러 오라버니를 두고 가지 말라 하셨지요."

산이 고개를 끄덕였다. 그것이 그가 단오에게 바란 유일한 것이었다.

"그 약조, 너는 지킬 것이냐?"

"당연히 지킬 것이에요."

"그럼 된 것이다. 너는 늘 내 곁에 있을 것이고, 나는 네게 변하지 않으리라 약속했으니."

산의 입술이 단오의 이마와 뺨을 스쳤다.

"다시 한번 약조하지만, 나는 변치 않는다."

산이 건네는 굳건한 맹세 속에서, 단오는 그의 어깨에 머리를 기댔다. 산의 강인한 어깨, 포근한 온기. 그 안에서 단오는 잠시나마 따듯하게 위로받았다. 그러나 이화원 대문이 눈에 들어오는 순간부터 금세 마음은 다시 갑갑해졌다

얼마 전까지만 해도 이런 날이 올 줄은 몰랐었는데.

눈물이 고이는 건 슬퍼서가 아니라, 그리워서였다. 산, 유하, 시열. 그들 모두가 이화원의 풍경 속에 영원히 머물러 있을 것만 같았던 그 시간이 그리워서, 사무쳐서.

* * *

푸른 어둠이 길목마다 밀려들었다. 해가 진 후에야 활기를 찾는 곳, 춘
하관으로 속속 사내들의 발길이 모여들었다.

"이보게, 행수. 기명이 화령이라 했지? 자네 나이가 어찌 되는가?"

"어이하여 젊으신 선비께서 다 늙은 기생의 나이를 물으십니까."

"늙었다니, 당치 않은 소리를! 내 수없이 많은 기생들을 보았지만, 자네
처럼 빼어난 미인은 어린 것 중에서도 본 적이 없네."

무관임이 분명해 보이는 우락부락한 사내. 그가 화령의 손을 붙잡았다.

"말해 보게. 몇 살인가?"

"모르긴 몰라도 선비님보다 열 살은 더 많을 것입니다. 몇 년 안에 퇴기
로 물러날 몸이니, 더 이상 묻지 마옵소서. 부끄럽습니다."

"하면, 행수에서 물러나게 되면 갈 곳은 있는가?"

"달리 갈 곳이 어디 있겠습니까. 어차피 관에 속한 관기 처지입니다. 좋
은 분을 만나, 첩살이라도 할 수 있다면 감지덕지한 일이겠지요."

기실 어느 사내에게나 하는 빈말일 뿐, 진실은 아니었다. 하지만 화령
에게 단단히 반한 사내는 그 말이 퍽 기뻤던 모양이었다. 은근한 손길이
그녀의 허리를 감쌌다.

"그러면 내 첩으로 들어오게!"

"아이참, 선비님도……."

기생으로 살아온 세월이 어느덧 열다섯 해. 사내들의 지분거림에 이골
이 난 그녀였다. 화령은 웃음을 흘리며 그의 손을 떼어 냈다.

"내 말을 치기나 허풍이라 여기는 것이로군. 내 당장이라도 자네를 기
적에서 빼 줄 수 있어. 내게는 그만한 재력이 있네. 오늘 밤만 지나가

면……."

"오늘 밤에 어디서 금덩이라도 떨어진답니까?"

"내 아주 중요한 일을 맡았거든."

사내의 목소리가 짐짓 낮아졌다.

"중요한 일이 무엇이기에요?"

사실 궁금하여 건넨 질문은 아니었다. 화령은 허세 부리는 사내들을 지나치게 많이 봐 왔고, 그만큼 그들을 싫어했다.

"새벽에 아주 중한 죄인 하나를 인도받기로 하였어. 내일쯤 되면 세상이 발칵 뒤집힐 걸세."

"어떤 죄인이기에……. 세상이 뒤집힙니까?"

"하하, 내 말이 믿기지 않나 보구먼. 곧 알게 될 것이네. 장안이 떠들썩해질 것이야. 역모를 일으키려는 자를 무릎 꿇려 전하 앞에 데려다 놓을 테니!"

"전하께서는……. 몸져누워 계시지 않습니까?"

화령의 목소리가 일순 떨렸다. 사내가 주변을 곁눈질했다. 하나같이 멀찍이 떨어져 있는 데다, 각자의 놀음을 즐기는 데 흠뻑 빠진 객들을 확인한 후에야 그는 비로소 입을 열었다.

"전하께서는 이제 괜찮으시네. 쾌차하시었어. 아직 비밀로 하고 계실 뿐이지."

잠시, 둘 곳을 잃은 화령의 시선이 흔들렸다.

"역모를 일으키려는 자라니. 그게 대체 누구입니까?"

"자네 같은 여인이 어찌 그자에 관해 알겠나. 말해 주어도 모를 걸세."

"궁금하여서요. 제게도 알려 주시어요."

화령의 목소리가 조금 더 나지막해졌다. 까닭 모를 불안감으로 떨리는 목소리였으나, 술 취한 사내에게는 그저 유혹적인 속삭임처럼 들릴 따름이었다.

"자초지종을 죄다 말하기엔 긴 얘기일세. 누구인지만 알려 주지. 그는 왕가의 자손이라네."

놀란 화령이 흠칫 숨을 들이마셨다. 무척 대단한 비밀을 알려 주겠다는 듯, 그가 화령의 귀에 입을 가져다 댔다.

"그자의 이름은 이설이라고 한다네."

12장. 파수꾼

허리띠를 꽉 잡아매는 것으로 모든 준비가 끝났다. 제 몸을 내려다보던 장태화가 마른 입술을 적셨다.

궐을 출입할 때 입는 시복, 훈련원에서 입는 철릭, 외출용인 도포. 그의 복장은 셋 중 어느 것과도 달랐다. 머리부터 발끝까지 검정 일색. 이는 그가 실로 오랜만에 꺼내 입는 무인복으로, 실전을 위한 옷이었다.

이마에 질끈 동여맨 망건을 쓱 매만진 그의 시선이 문 옆에 기대진 장검으로 향했다.

"가자."

이날을 얼마나 오래도록 기다렸던가.

"결국 만나게 되는 겐가."

파수꾼. 너무 오랫동안 마음에 품어 온 탓에, 친근하게까지 느껴지는 그 이름.

장태화가 검을 들었다. 이제 중년이 된 그였지만, 검을 쥐는 순간만큼은 천하의 무사들을 발밑에 호령하던 젊은 시절에 못지않았다. 검을 쥔 손에 절로 힘이 들어갔다.

장태화는 꿈과 같아 도무지 믿기지 않았던 그 순간을 떠올렸다. 그건, 뜻밖의 부름을 받았던 며칠 전의 기억이었다.

＊　＊　＊

시종을 따라 궁궐로 들어선 장태화는 긴장을 애써 숨기고 있었다. 좌의정이나 호조의 부름이 있을 때 궁궐을 찾긴 했지만, 하급 벼슬아치인 장태화에게 궁궐 담장은 감히 넘볼 수 없을 만큼 높았다.

장태화를 인도하는 내관의 걸음은 멈추지 않고 계속 이어졌다. 그 뒤를 따라 걸으며, 장태화는 궁궐이 높을 뿐 아니라 드넓은 곳이기도 하다는 것을 새삼 깨달았다.

사방은 이미 어두웠으나 당연하게도 누구도 그들을 제지하지 않았다. 장태화를 부른 이를 막을 수 있는 자는 조선 어디에도 존재치 않을 것이기 때문이었다.

"금상께서 기다리십니다."

강녕전의 문이 열리는 소리는, 좀처럼 두려움을 가진 적 없는 사내 장태화의 모가지마저 움츠러들게 만들었다.

"전하, 판관 장태화 들었사옵니다."

희미한 등잔불 한두 개가 문틈으로 들어온 바람을 타고 거세게 일렁였다.

용상 위에 앉아 있는 사내. 벽에 달라붙은 새카만 암흑마저 그의 명을 기다리고 있는 것처럼 숨을 죽인다. 그 누구도 범접할 수 없는 가장 강한 자. 폭군, 야수, 천륜을 저버린 자라는 이름으로 불리는 조선의 임금.

"왔느냐."

이창의 목소리가 들려온 순간, 머리를 바닥 깊이 조아린 장태화의 어깻죽지가 흠칫 떨렸다.

"얼굴을 보여라."

장태화는 일말의 망설임도 없이 왕의 부름에 응답했다.

"장태화라고 하였나. 네가 좌의정의 개로구나."

대답을 해야 할까. 어차피 이곳에 발을 디딘 순간, 더 이상 좌의정의 개로서는 살 수 없을 터다.

"내 묻겠다. 어떠냐. 이제 임금의 수족이 되어 봄이?"

좌의정을 섬기며 살아온 긴 세월. 그러나 큰 꿈을 품은 자에게는 과정에 지나지 않을 시절이었다. 장태화는 해묵은 낡은 개집을 벗어나 새로운 주인의 발밑에 무릎을 꿇었다.

"성은이 망극하옵니다. 전하!"

같은 개의 신세라면 임금의 발치에 몸을 누이는 것이 나았다. 한낱 개 한 마리라도 그 주인이 임금이라면, 수천의 백성들보다 귀한 대접을 받는 법이었다.

"이설이 있는 곳을 아느냐?"

장태화는 빠르게 판단을 내렸다. 장태화가 아는 것은 오직 파수꾼의 정체뿐, 정유하가 이설이라는 가정에 그는 아직 확신을 더하지 못했다. 그러나 그의 새 주인은 구구절절 긴 이야기를 들어 주지 않으리라.

"알고 있사옵니다."

"으흐흐……."

이창의 웃음소리는 낮고 위협적이었다. 동시에 굉장히 즐거운 듯 들리기도 했다.

"잡아 와라. 잡아 와 의금부에 인계하거라."

임금은 그런 존재였다. 회유를 할 필요도, 설득을 할 필요도 없는 존재. 그는 그저 명을 내리면 되는 것이다. 그 명을 따르는 자는 살 것이고, 거역하는 자는 죽을 것이었다.

"분부 받잡겠사옵니다. 전하!"

장태화는 산 자가 될 생각이었다. 눈부시게 살아갈 자가.

"하나 더."

"예, 전하."

"반드시 살려서 데려와라. 불필요한 소동을 일으켜 남의 시선을 끌어서는 아니된다. 또한."

이창이 지그시 장태화를 내려다보았다.

"징표를 확인하라."

눈이 마주친 순간, 장태화의 등골에 서늘한 식은땀이 고였다. 혹자들이 왕을 일컬어 저주받은 자라고 했던가. 그러나 저 눈빛은 짐승의 것이 아니다. 그는 모든 것을 누리는 자, 원하는 것을 반드시 손에 넣고야 마는 자, 조선에서 가장 강한 자일지니.

그 눈빛은, 설령 괴물이 될지언정 군주의 자리를 절대 놓을 생각이 없는 지배자의 것이었다.

*　*　*

장태화가 안뜰에 꼿꼿한 자세로 서 있는 무사들을 훑었다. 무인들의 수는 총 열셋. 그들은 완벽한 태세를 갖춘 채 장태화의 명을 기다리는 중이었다.

임금께서는 이설을 잡아 오라 하셨다. 그 고귀한 야수는 이설과 징표에 관해 일러 주었을 뿐 타인에게는 관심을 두지 않았다. 이설의 주변 인물의 생사는 장태화의 뜻에 달려 있었다.

"표적은 몇 명입니까?"

"둘이다."

"영감, 고작 사내 둘을 붙드는 데 모두를 불러 모으신 겝니까?"

검은 복장을 갖추고 있던 사내가 자존심이 상한 듯 물었다.

"평범한 자를 쫓는 것이 아니다."

"저희 역시 평범한 자를 상대하기 위해 그 고된 훈련을 감내하진 않았습니다."

"육인회를 기억하느냐?"

"육인회라면, 사 년 전에……."

"그자를 잡으러 간다."

흥분과 기대에 차 있던 무인들의 태도가 설핏 굳어지는 것을 장태화는 느긋한 시선으로 바라보고 있었다.

그라고 해서 긴장이 되지 않을 리 없다. 그러나 기나긴 숙적을 만난다는 기대감이 일말의 불안을 압도했다. 어찌 설레지 않겠는가. 어찌…… 고대하지 않았겠는가. 복수를 갚을 수 있는 그날이 찾아왔음에, 어찌 감사하지 않겠는가.

"왜, 두려우냐?"

"두렵다니요!"

"사 년 전과는 다르다. 그때 우리는 자만했지. 육인회는 자신만만했고, 나 역시 그랬다.

"영감……."

"순식간에 일어난 일이었지. 나는 그자에게 손쓸 새도 없이 완벽하게 패했다."

장태화의 어조는 자조적이었다. 그러나 이는 인정할 수밖에 없는 사실이었다.

"일대일로는 상대가 되지 않을 것이다. 대단히 강한 자라는 걸 잊지 마라."

장태화의 시선이 한결 긴장한 듯 보이는 무사들에게로 향했다.

"하지만 방심보다 더 무서운 것이 무엇인지 아는가? 바로 겁을 먹는 것이지."

"겁을 먹다니요. 그렇지 않습니다."

"내 너희들을 어찌 가르쳤느냐? 반드시 이기라 가르쳤느냐? 혹은, 너희가 세상에서 가장 강하다 가르쳤던가?"

주먹을 꽉 쥐며, 사내는 장태화의 눈을 똑바로 응시했다.

"아닙니다. 영감께서는 나보다 강한 자가 있다는 걸 잊지 말라고 하셨습니다."

"그리고 뭐라 하였지?"

"저희에게 즐기라 하셨습니다. 나보다 강한 자와 목숨을 걸고 싸울 수 있다는 것을 영광스럽게 여기라고."

"그래. 그러면 되었다. 그런 무사와 겨뤄 볼 수 있는 것을 기쁘게 여겨야 한다. 나 역시 그런 마음으로 나갈 것이다."

장태화의 입가에 묘한 웃음이 걸렸다. 긴 시간 그는 무사의 삶에서 벗어나 있었다. 사병들을 훈련시키는 일 외에 딱히 마음을 두는 일도 없었다. 그저 신운호가 떠넘기는 잡일들로 소일해 온 무료한 삶이었다.

그러나 지금의 출정은 완전히 다른 성질의 것이다. 그에게는 인간이 가질 수 있는 가장 강력한 동기가 있었으므로.

"육인회의 복수를 해야지 않겠느냐."

복수심. 그 들끓는 감정이 그를 인도한다.

"예, 영감!"

열세 명의 건장한 사내가 동시에 검을 꽉 움켜쥐었다.

"좌의정께서 이번에는 대단히 큰 일을 맡기신 모양입니다."

사내의 물음에 장태화가 낮게 코웃음을 쳤다.

"좌상 대감은 명을 내릴 상황이 아니네."

"상황이 아니랍시면……."

장태화의 입에서 낮은 조소가 흘러나왔다.

"집에 연금되어 한 발짝도 내디디지 못하는 양반이 어찌 명 같은 걸 내릴 수 있단 말인가."

"연금이요? 좌의정을 연금할 수 있는 사람이 대체 누구……."

순간, 제 입 밖으로 내려던 말의 뜻을 깨달은 사내가 흑 숨을 들이켰다.

"일에 집중하게. 오늘 밤이 지나면, 그동안의 고생에 대한 보답은 차고 넘치도록 받게 될 테니."

파수꾼을 붙잡는다면. 그를 이기고, 살아남는다면.

"예. 영감!"

걸음을 옮기던 장태화가 품 안에 들어 있는 조그만 표창 두 개를 슬쩍 쓰다듬었다. 뾰족하게 솟아오른 날카로운 끝이 만져졌다.

그는 과거 파수꾼을 마주쳤을 때 이 물건 덕에 목숨을 구했다. 그리고 표창이 낸 상처는 다시 그들을 마주하게 만들었다.

"어디로 가십니까?"

사내의 물음에 장태화는 먼 하늘을 올려다보았다. 눈썹달의 위치를 가늠하는 그의 미간이 좁아졌다.

"이화원으로 간다."

오늘따라 서늘한 밤공기에는 여름의 흔적이 없었다. 마을 초입에 다다른 사내들은 말이 없었다. 그러나 그들은 모두 같은 순간을 떠올리는 중이었다.

"그때가…… 좋았어."

산의 목소리에, 묵묵히 걷던 유하가 고개를 들었다. 유하의 손에 들린 봇짐의 틈으로, 비죽 튀어나온 서책 끄트머리가 보였다.

"그래. 그때가 좋았다."

어느 때를 말하는 건지 굳이 묻지 않아도 알 수 있었다. 산과 유하, 시열

셋이 처음 이화원에서 마주쳤던 그날, 그 시절. 그로부터 시작된 이화원에서의 삶은 더없이 평화로웠다. 각자 마음속에 한두 가지 비밀들을 숨기고 있었으나, 그조차 평온한 한때를 깨지는 못했다.

산도, 유하도, 이미 이화원을 떠난 시열도. 누구도 속내를 드러내지는 않았으나, 그들은 하나같이 외로운 사람들이었다.

외로운 그들이 서로를 마주하며 외로움을 잊었던 날들. 같은 시간 속을 함께 거닐던 나날들. 각자의 마음이 한 여인에게 가닿았던 시간들……. 그리고 그들이 벗이었던 순간들. 그 시절이 꿈처럼 아득하게 느껴졌다.

"갈 곳은 정해진 거야?"

산의 물음에, 유하는 묵묵히 고개를 끄덕였다. 그의 목적지는 좌의정 신운호의 집이었다. 도착하는 즉시 유하는 신운호가 마련해 둔 은신처로 떠날 것이다.

유하는 잠시 머뭇거렸다. 그는 본인이 이설임을 신운호를 제외한 누구에게도 밝히지 않았다. 그가 옷섶 안에 넣어 둔 금 동곳을 손끝으로 살짝 매만졌다.

"이설이 누구인지 궁금하지 않아?"

"이제 와서 그런 게 궁금할 리가."

"기억해? 방설단이 처음으로 만들어졌던 밤, 폐가에서 이화원으로 돌아가던 길에 네가 했던 말."

산은 먼 과거의 기억을 더듬었다.

"내가 무슨 말을 했기에?"

"우리 중에 이설이 있다면 정말 재미있을 것 같지 않냐고, 산 네가 그렇게 말했었지."

"내가 그런 말을 했었나……."

산이 미간을 좁혔다. 그래. 그랬던 것 같다. 하지만 그건 정말이지 장난

같은 소리였다.

단오와 함께 무언가를 한다는 데 들떠서 생각 없이 내뱉었던 말. 이설. 그 이름으로 인해 그들의 삶이 뒤틀리고 망가질 줄은 꿈에도 몰랐기에 할 수 있었던 말.

"그게 뭐 어쨌다고."

산이 걸음을 멈췄다. 비밀을 품은 눈동자가 그렇게 맞닿는다. 하나는 비밀을 털어놓고자 하고, 하나는 다시금 물러나 익숙한 껍질 안으로 들어가려 했다.

"정말로 우리 중에 이설이 있다면?"

"대체 무슨 소리를 하려고 그러는 거……."

산이 말끝을 흐렸다. 어둠 속에서 들려오는 다급한 발소리 때문이었다. 저만치 앞에서 모습을 드러낸 인영은 뜻밖에도 여인의 것이었다.

"저건……."

산이 눈을 가느다랗게 떴다.

"화령이로군."

그 말이 끝나기가 무섭게, 어둠을 뚫고 줄달음쳐 달려온 화령은 마치 쓰러지듯 유하의 품으로 뛰어들었다.

"떠나셔야 합니다. 지금 당장이요!"

화령의 목소리는 몹시 다급했다. 그녀의 조급한 손길이 유하의 옷자락을 잡아끌었다. 그 광경을 지켜보는 산 역시 당황한 기색이 역력했다.

화령은 옷을 갈아입을 새도 없이 한달음에 달려온 듯한 모양새였다. 겹겹이 몸을 감싼 화려한 옷가지에 무거운 어여머리를 한 채로, 그녀는 거친 숨을 몰아쉬고 있었다.

"행수. 어찌 이러시는가!"

"목소리를 낮추세요. 어서 떠나셔야 합니다. 장태화가 오고 있습니다.

선비님을 잡으러, 사병들을 이끌고요!"

"장태화가 왜 나를 잡으러 온다고 이러시오?"

"그들은 선비님이…….."

무엇인가를 잘못 밟은 듯, 화령은 잠시 비틀거렸다.

"이설이라고 여기고 있습니다."

화령의 입을 통해 봉인을 푼 비밀이 짙은 어둠 속으로 곤두박질쳤다.

"왕이 깨어났어요. 그가 이설을 찾고 있습니다. 왕은 유하 선비님이 이설이라고 믿고 있어요."

"나는 갈 곳이 있네. 그대가 걱정하지 않아도 되네."

"하지만 장태화는요! 그가 선비님을 이설이라 여기고 있다지 않습니까! 곧 발각되실 겝니다!"

"그것이 사실이지 않은가."

"예?"

툭 내던진 유하의 답. 화령의 낯빛이 삽시간에 새하얗게 질렸다.

"내가…… 이설이니까."

마침내 유하는 제 입으로 잃어버린 이름을 꺼내고 말았다.

"그럴 리가."

순간, 피식- 하는 낮은 소리가 산의 입술 사이로 흘러나왔다. 전혀 믿을 수 없다는 듯 황당한 웃음이었다.

"잠깐."

갑자기 유하가 떠나온 길을 돌아보았다. 화령의 말엔 그의 신경을 거스르는 지점이 있었다.

"장태화가 나를 찾으러 오고 있다고?"

그 말이 의미하는 것은.

"단오."

유하의 말이 떨어지기가 무섭게 산은 외마디 소리를 내뱉었다. 다음 순간, 산은 무서운 속도로 이화원을 향해 달려가기 시작했다. 그를 뒤따르는 유하의 옷자락을 화령이 붙들었다.

"못 가십니다! 못 가세요! 가시면 아니 됩니다!"

"놓으시오!"

"선비님은 이설이 아닙니다!"

화령이 울부짖었다. 그러나 그녀의 말은 유하의 귀에 담기지 않았다. 단오가 위험하다. 이화원이 위험에 처해 있었다. 유하에게도 중요한 것은 오직 그뿐이었다.

유하가 화령을 거칠게 뿌리쳤다. 비틀대는 화령을 뒤에 남긴 채, 유하는 그새 점처럼 작아진 산을 따라 내달렸다.

"단오…… 단오야."

미친 듯 내달리는 산의 입술 틈으로 단오의 이름이 흘러나온다. 어찌 예상치 못했단 말인가. 위험이 코앞까지 닥쳐와 손짓하고 있는데, 한가로이 웃음이나 흘리고 있었다는 걸 스스로도 믿을 수가 없었다.

어둠에 잠긴 주변 풍경들이 휙휙 지나쳐 간다. 마침내 멀리 이화원의 대문이 보이기 시작했다. 이화원의 대문은 진즉 활짝 열려 검은 입을 벌리고 있었다.

저 안에서 그를 기다리는 것은 대체 무엇일까.

"단오야!"

검을 뽑아 든 산이 이화원 안으로 뛰어들었다. 그러나 그를 맞이한 건 선득하도록 동요 없는 고요뿐. 등줄기가 서늘하다 못해 몸서리가 쳐졌다. 온 방의 문은 활짝 열려 있었다.

"단오야!"

산은 단오의 방으로 뛰어들었다. 그녀의 방 역시 텅 빈 채였다. 순간 멀찍이서 들려오는 낮은 소리에, 그는 뒤뜰로 날듯이 달려갔다. 산이 곳간 문을 열어젖혔다.

"육호 아재!"

재갈이 물린 채 손발이 묶여 있는 육호와 단오의 어머니를 본 산이 망설임 없이 검을 휘둘렀다. 재갈과 끈이 잘려져 나갔다.

"단오가, 다, 단오랑 홍주가……."

단오의 어머니는 채 말을 잇지 못했다. 육호가 다급히 입을 열었다.

"그, 그자들이 단오랑 홍주를 끌고 갔네!"

"어디로요?"

"폐가로 간다고 했어! 자네들 셋 모두 폐가로 와야 풀어 줄 것이라며……. 다, 다른 이에게 말하거나 자네 셋이 오지 않으면 단오랑 홍주를……."

죽인다고 했네, 라는 말을 육호는 차마 하지 못했다. 그의 말이 끝나기가 무섭게 다시 걸음을 옮기던 산이 흘낏 뒤를 돌아보았다.

"단오와 홍주 낭자는 반드시 제가 데려오도록 하겠습니다. 걱정 마세요."

어차피 그들이 원하는 건 단오와 홍주가 아니었다. 그녀들은 그저 미끼일 뿐, 그들이 원하는 건 이설이었다. 산이 폐가를 향해 달리기 시작했다. 달음질은 점점 빨라졌다.

단오를 구하러 간다. 홍주를 구하러 간다. 그들이 원하는 것을 주기 위해, 간다.

* * *

부스럭, 인기척이 들려왔다. 간신히 잠들었던 시열이 눈을 반짝 떴다.

"공, 지금 여기서 나자빠져 있을 때가 아닌 줄 아옵니다만."

어둠 속에 희미하게 보이는 사내의 그림자. 승려임을 한눈에 알 수 있는 민머리를 본 시열이 고개를 돌렸다.

"나를 죽여."

"대체 왜 또 쓰잘머리 없는 소리를 하십니까."

"나는 이제 이렇게 살지 않을 거야. 한양을 떠나는 대로 어디 산자락 같은 데 가서 굶어 뒈질 생각이니, 내 결정이 마음에 들지 않거들랑 땡중이 날 좀 죽여 주게. 나도 그게 편할 듯싶으니."

"타고난 업보라는 것이 쉬이 버려지는 것이라 여기십니까?"

"업보? 닥치시게! 이런 삶을 내가 선택했나?"

시열이 이불을 머리끝까지 끌어 올렸다.

"공, 본디 세상에 나란 존재는 없는 것입니다. 공의 껍데기에 연연하지 마시오."

"그때 나는 열 살이었네!"

시열이 버럭 소리를 지르며 몸을 일으켰다. 그의 눈이 붉다.

"처음으로 손에 피를 묻혔을 때. 그것이 살길이라는 꼬임에 빠졌을 때! 나는 고작 열 살 먹은 어린애였을 뿐이라고!"

"안타까운 일이지만, 어쩌겠습니까. 모두 전생의 업보라 여기시지요."

"당장 꺼지게. 그 아가리를 피 칠갑으로 만들기 전에."

시열의 말은 험악했고, 말투는 환멸 그 자체였다. 그러나 승려는 익숙한 듯 조금도 동요하지 않았다. 그가 몸을 돌렸다.

"뭐……. 공께서 아셔야 할 듯하여 들르긴 했습니다만. 정 뜻이 그러시다면야."

"한 번만 더 내 눈앞에 나타나면 죽여 버릴 걸세. 진심이니, 그리 알게."

"그렇지요. 평안하시옵소서, 공."

문지방을 넘던 승려가 무심한 한마디를 던졌다.

"여인들만 안되었군요."

73

다시 이불을 뒤집어쓰던 시열이 멈칫했다.

"여인들?"

"예. 장태화가 이화원에 들이닥쳤지 뭡니까. 심지어 의금부에서도 곧 장태화에게 죄인을 인도받으러 간다고 하고요."

"여인들이라니, 무슨 소리야?"

승려가 시열의 얼굴을 가만히 바라보았다. 가혹한 운명을 타고난 사내. 세상모르던 어린 시절, 이미 살생의 굴레를 짊어진 사내. 승려 자신이 그의 어깨에 짐을 지웠다.

"그 집 딸들 말입니다. 단오와 홍주라는 이름이었던가요? 장태화의 수하들이 그 자매를 폐가로 끌고 갔지 뭡니까."

"홍주……."

기괴한 침묵이 잠시 동안 방 안을 짓눌렀다. 이윽고 시열의 입에서 고통스런 비명이 터져 나왔다. 그것은 짐승의 포효 같기도 했고, 괴물의 울부짖음처럼 들리기도 했다. 그가 다급한 손길로 머리맡에 놓여 있던 그림 두루마리를 펼쳐 들었다.

손을 뻗으며, 시열은 잠시 눈을 감았다.

비밀 속에 웅크려 몸을 감춰 온 세월. 그 세월의 찰나, 너무나 찬란해서 믿어지지 않을 만큼 반짝였던 여인이 떠오른다.

촤르르, 소리와 함께 끝까지 펼쳐진 길쭉한 화폭의 끄트머리, 그만큼이나 눈부시게 벼려진 검 한 자루가 튀어나왔다.

* * *

"산!"

뒤늦게 이화원으로 들어서는 유하를 맞닥뜨린 산이 잠시 걸음을 멈췄다. 찰나조차 지체할 여유가 없었지만…….

"장태화가 단오와 홍주를 데려갔다."

"대체 왜 여인들을!"

"너와 나, 그리고 시열까지 셋이 폐가로 오면 둘을 풀어 준다고 했대. 하지만 믿지 않는다."

"어쨌든 가 봐야지. 어서!"

산이 짧게 한숨을 내쉬었다.

"유하, 나 혼자 간다."

"말도 안 되는 소리 하지 마. 단오가 거기 있어. 네가 나였다면 어떻게 했을 것 같아?"

언쟁할 시간이 없었다. 대답 대신 산은 폐가를 향해 달리기 시작했다. 유하의 말이 옳았다. 글만 읽었을 뿐인 유하가 이런 상황에서 무슨 도움이 될까 싶었지만, 적어도 그들은 같은 마음이었다. 같은 여인을 걱정하는 것이다.

이윽고 멀리 폐가가 모습을 드러냈다. 유하는 물론이거니와 제집처럼 폐가를 드나들던 산에게마저 허물어진 대문의 모습은 위협적으로 느껴졌다.

마침내 낡은 문이 열렸다. 끼익, 귀를 긁는 음산한 소리. 그 틈으로 모습을 드러낸 것은, 검은 복장의 사내에게 속절없이 붙들린 단오의 창백한 얼굴이었다. 단오의 목에 들이밀어진 칼날이 달빛을 받아 시퍼렇게 번뜩였다.

"오라버니."

들릴락 말락, 조그만 단오의 목소리.

"저는, 괜찮아요."

그러나 칼날은 단오의 턱 바로 앞에 있었다. 두려움을 내보이지 않으려

앙다문 단오의 입술이 잘게 떨렸다.

"내가 왔으니, 여인들은 놓아 줘. 무엇을 원하는지 말하라!"

산의 목소리가 새카만 어둠을 찢었다. 이윽고 성큼 걸어 나오는 중년의 사내.

"어찌 이제야 오시는가."

장태화가 둘을 마주 보았다.

"김시열은 어디 가고 둘뿐이신가?"

장태화가 빈틈없는 시선으로 산과 유하의 주변을 훑었다.

저 둘 중 분명 이설이 있을 것이다. 둘 중 하나는 이설일 것이고, 나머지는 운 나쁘게 이화원으로 흘러 들어온 한량일 터였다. 목숨을 잃어야 할 만큼, 지독하게 운이 나쁜.

임금께서 원하시는 제물은 이렇게 준비됐다. 남은 건 하나, 장태화 본인이 그토록 고대하던 '파수꾼'은?

"김시열은 어디 있나 묻지 않느냐?"

"시열은 떠났소."

"떠나다니?"

"모르오. 짐을 꾸려 이화원을 완전히 떠났소."

장태화가 눈을 가느다랗게 떴다. 그는 산의 말을 믿지 않았다.

"단오와 홍주를 풀어 주시오!"

유하의 목소리에 장태화는 낮게 코웃음을 쳤다.

"무엇을 믿고 덥석 풀어 준단 말인가. 먼저 무기를 버리시게."

장태화와 산의 시선이 마주쳤다. 어둠 속에서도 선명히 보일 만큼 거칠게 빛나던 산의 눈은, 무참하게 붙들려 있는 단오의 얼굴을 본 순간 빛을 잃었다.

"안 돼요, 오라버니."

조그맣게 달싹이는 입 모양. 단오가 고개를 흔들었다. 산은 단 한 순간도 검을 놓지 않는 사람이었다. 그 검만이 이 순간 유일하게 그를 보호할 수 있는 물건임을 단오는 알고 있었다.

산의 눈길이 잠시 단오의 얼굴에 머무른다. 모두 제 탓이다. 비밀을 드러내지도, 완전히 감추지도 못한 채 운명에 놀아나고만 제 탓. 어쩌면 이것이 마지막이 되지는 않을까.

챙, 하는 날카로운 소리와 함께 산의 장검이 바닥에 떨어졌다.

"포박하라."

"예!"

"단오를 먼저!"

유하가 외쳤지만, 산은 더 이상 읍소하지 않았다. 단오의 목숨이 걸려 있는 지금 달리 선택의 여지가 없었을 뿐, 검 따위 버렸기로서니 순순히 그녀를 풀어 줄 리 없다는 사실을 산은 진즉 알고 있었다.

"기다리시게. 내 약속은 지킬 것이야."

장태화가 입꼬리를 끌어 올렸다.

"하지만 둘로는 안 되네. 시열이 도착하면 약속을 지키겠네. 곧 꽤 재미있는 놀이가 시작될 것 같구먼."

장태화의 어조는 어딘지 모르게 들떠 있었다. 그 고조된 음성을 듣던 단오가 숨을 몰아쉬었다.

눈물이 고여 시야가 흐렸지만 단오는 이를 악물었다. 눈물을 보여서는 안 된다. 훌쩍이며 벌벌 떨고만 있기에, 상황은 너무나 좋지 않았다.

산이 검을 내던지자, 단오를 위협하던 사내는 그녀를 구석으로 밀어 보냈다. 홍주가 있는 그곳에 단오 역시 풀썩 주저앉았다. 요동치는 가슴을 애써 진정시키며 그녀는 산과 유하에게로 시선을 돌렸다.

장태화의 수하들이 산과 유하에게로 덤벼든다. 사내들이 둘의 어깨를 짓눌렀다. 그들의 무릎이 풀썩 꺾이고, 질긴 포승줄이 몸을 뒤덮었다.

"괜찮다."

산의 목소리가 그녀에게 와 닿았다.

"다치진 않았느냐?"

결박당하는 와중에도 산의 시선은 여전히 그녀에게 있었다. 울음을 삼킨 단오가 고개를 끄덕였다.

시열이 떠나고, 유하가 떠나고, 산마저 그들을 배웅하기 위해 자리를 비운 이화원. 단오는 평상에 앉아 지난 시간을 추억하고 있었다. 밤이 이슥하도록 생각에 잠겼던 탓에, 그녀는 누군가 입을 틀어막은 이후에야 정신을 차렸더랬다.

검은 복장을 한 사내들이 순식간에 이화원을 점령했다. 그들이 홍주와 어머니, 육호를 끌고 나왔다. 단오에게는 재갈이 물렸고, 몸뚱이는 사내에게 떠메졌다.

밤길을 타 넘어 폐가로 끌려오는 내내 단오가 떠올린 건 단 한 사람, 산의 얼굴이었다. 그러나 이렇게 참혹하게 마주하기를 바란 것은 아니었다.

"걱정하지 마라."

산의 말에, 단오는 떨리는 고개를 주억거렸다. 폐가에 와서야 맞닥뜨린 장태화는 단오에게 어떤 설명도 해 주지 않았다. 얌전히 있지 않는다면 홍주를 죽이겠다는 무시무시한 협박 외에는.

"그런 꼴을 하고서도 사랑 놀음을 할 기운이 나나 보군."

장태화의 조소가 날아들었다. 산이 장태화를 쏘아보았다.

장태화는 어디까지 알고 있을까. 그리고 장태화 뒤에 버티고 있는 자는 정녕······.

"시열은 시열이고, 일단 우리의 문제부터 해결해야겠지."

"원하는 게 무엇이냐."

내뱉는 산의 목소리. 그러나 그마저도 장태화에게는 발톱 잃은 짐승의 허세로 들릴 뿐이다.

"이설."

장태화가 장검을 뽑아 들었다. 번쩍, 파르라니 빛나는 검이 산과 유하의 턱 아래를 아슬아슬하게 스치고 지나갔다.

"누가 이설이냐?"

그리고 그에 대한 대답은,

"나다. 내가 이설이다."

두 사내의 입에서 동시에 튀어나왔다.

"하하!"

장태화가 헛웃음을 터뜨렸다. 그의 눈썹이 사납게 꿈틀거렸다.

"이 와중에도 장난질을 치고 싶은가 보구나. 정녕 계집의 목을 따야 진실을 말할 겐가?"

장태화의 눈은 그의 손에 들린 검보다 더 서슬 퍼랬다. 산의 잇새에서 고통스러운 신음이 새어 나왔다. 이내 유하가 목소리를 높였다.

"내가 이설이라 말하지 않느냐. 나를 데려가라. 임금이 찾는 이설, 호성 대군 이평의 아들은 바로 나다!"

"정유하, 자네."

장태화가 유하의 코앞까지 얼굴을 들이밀었다. 유하의 유난히 흰 피부, 온화한 인상이었으나 마냥 순박하지만은 않은 눈꼬리, 반듯하게 정리된 이목구비.

"그래. 자네는 호성군을 닮았어."

"그렇다. 내가 이설이다."

"그렇다면, 보이시게."

"무엇을 말이냐."

"징표를."

유하가 단오를 바라본다. 도무지 이해할 수 없는 상황 앞에, 단오는 혼란에 빠진 얼굴을 하고 있었다.

한동안 단오는 누구보다 열심히 이설의 자취를 쫓았다. 그러나 대체 어디에서 찾아야 할지, 왕손의 자취는 막막하기만 했다. 그리고 지금, 항상 그녀 곁에 있던 두 사내가 동시에 자신이 이설이라 주장하는 것이다.

유하는 저도 모르게 헛헛한 한숨을 내쉬었다.

"장태화, 여인들을 살려 주게. 부탁이네."

"내 분명 약조를 지킨다고 하지 않았는가."

장태화의 대답이 떨어졌다. 단오를 살려 주겠다는 그의 약조. 그가 정말 약속을 지킬지, 유하는 확신할 수 없었다. 그렇다고 다른 방법이 있는 것도 아니었다.

징표를 주리라. 이설, 모두의 안전을 위해 진즉 죽는 편이 나았을 이의 목숨을 기꺼이 건네줄 것이다. 그러니 장태화, 제발 단오만은 살려 주기를.

"내 옷섶 안에 있소."

장태화의 칼날이 슥 움직였다. 잘려 나간 옷고름 사이로 묵직한 물건이 툭 떨어졌다. 장태화가 번쩍이는 금붙이를 집어 들었다.

해의 형상. 임금께서 말씀하신, 호성군의 징표.

"그렇다면, 어디 볼까."

다시 한번, 칼날이 스륵 춤을 춘다. 단오가 외마디 비명을 질렀다. 동시에 유하의 허벅지 부근의 천 조각이 잘려 나갔다. 찢겨져 너풀대는 옷자락 사이. 그곳에는 호성군의 자손임을 상징하는 선명한 붉은 점이 자리를 잡고 있었다.

"반갑네, 이설."

장태화의 목소리가 올렸다. 마침내 원하던 것 중 하나를 손에 넣은 장태화의 눈빛이 기쁨으로 일렁거렸다.

그리고 산의 눈 역시 거칠게 파도치는 중이다. 경악에 찬 동공이 확장한다. 산은 제 눈앞에서 벌어지는 일이 믿기지 않았다. 도무지, 도무지 믿을 수가 없었다.

"영감!"

그때, 삐걱대는 문소리와 함께 망을 보고 있던 사내가 여인 하나를 끌고 들어왔다.

파리한 낯빛. 검정 일색인 풍경 속, 홀로 지나치도록 붉게 치장한 여인. 화령이 사내의 손을 뿌리쳤다.

"화령, 자네가 여긴 또 어인 걸음인가."

저 썩은 대문을 타 넘는 순간 목숨을 건지긴 힘들 것이거늘.

그러나 서슬 퍼런 장태화도, 주변에 그득한 검은 복장의 사내들도, 찐득한 어둠도 그녀의 기세를 꺾지는 못한 듯했다. 허리를 꼿꼿이 세운 화령이 장태화를 노려보았다.

"유하 선비님은 이설이 아닙니다."

"귀찮군. 그런 장난질 말일세."

"판관 영감! 어찌 제 말을 믿지 않으시오?"

"저자는 호성군의 징표를 가지고 있어. 이설의 몸에 있다는 붉은 점 역시 내 확인했네. 다른 말이 필요한가?"

화령이 고개를 세차게 내저었다.

"잘못 아신 겁니다! 유하 선비님의 착각일 뿐입니다!"

"무엇을 착각한단 말이야!"

짜증이 난 듯, 장태화가 노호했다. 그러나 화령은 그가 아닌 유하를 보고 있었다.

비밀과 눈속임이 뒤섞여, 진실이 보이지 않는다.

"유하 선비님은……."

입술이 달달 떨렸다. 그러나 이제는, 오래도록 사무치게 묻어 두었던 비밀을 발설할 시간.

"호성대군의 서자이니까요."

"뭐라?"

"호성대군께서 노비 계집에게서 얻은 아들. 낳자마자 어미 품을 떠나 멀리 보내졌던 아이가……. 바로 유하 선비님이니까요."

"호성군의 아들을 낳은 노비 계집. 그럼 그 여인이……."

장태화가 주위를 쓱 훑어보았다. 유하의 모습이 보였다. 새하얗게 질린 얼굴로, 화령을 바라보는 그의 얼굴이.

"화령 자네란 말이군."

화령의 고백 앞에, 장태화의 입매가 꿈틀거렸다. 예상했던 것보다 더욱 흥미로운 이야기가 밤을 뒤흔들고 있었다. 장태화의 머릿속은 뒤엉킨 실타래처럼 복잡해졌다. 그의 미간이 파르르 떨렸다.

"그럼 이설은 대체 누구인가?"

또다시 되돌아온 질문.

"내가 이설이다."

산의 목소리 끝에 피식, 하는 웃음이 따라붙었다. 결국 밝혀지고 말 일이었거늘. 이렇게 끝을 보고 말 것을. 그것이 무에 대단한 비밀이라고 모든 이들을 위험에 빠지게 만들었단 말인가.

갑자기 장태화가 검을 휘둘렀다. 검은 정확하게 산의 허벅지 위를 스치고 지나갔다. 펄럭, 잘려진 옷자락이 나부꼈다.

"아무것도 없지 않아!"

장태화의 거친 고함 소리가 폐가의 안뜰을 뒤흔들었다. 산의 드러난 허벅지는, 점은커녕 티끌 하나 없이 말끔하기만 했다.

장태화의 얼굴이 붉게 달아올랐다. 허벅지의 점, 호성군의 징표. 정유하는 그 모든 것을 가졌다. 그가 이설이라는 것을 증명할 완벽한 증좌들이 눈앞에 있었다.

정유하가 이설이다. 임금 역시 그가 이설임을 믿어 의심치 않을 것이다. 화령의 말이 설령 사실인들, 정유하는 분명 호성군의 핏줄이 아닌가!

화령의 말이 흘러 나가지만 않는다면. 화령이 저 입을 다물기만 한다면.

"답은 하나로군."

애석하게 되었지만.

"이러길 원치는 않았는데 말일세."

번쩍, 장태화의 손에 들려 있던 장검이 시린 빛을 뿜었다.

검은 한 치의 틀림없이 여인의 목을 베고 지나갔다. 누구도 장태화의 행동을 예측하지 못했다. 화령조차 미동치 않았다. 풀썩, 여인의 무릎이 꺾였다.

"안 돼!"

유하의 목소리가 울려 퍼졌다. 온몸을 결박당한 그가 무릎으로 기어 화령에게 다가갔다.

"안 돼. 안 돼!"

"쉬잇……."

여인이 눈꺼풀을 들어 올렸다. 화령의 목에서 들끓어 오르는 듯한 기묘한 소리가 들려왔다. 그녀의 목에 난 상처에서 뿜어져 나오는 피가 사방에 뿌려졌다. 선혈에 젖은 유하의 손 위로, 화령은 뺨을 맞대었다.

"왜 말을 하지 않았어! 왜! 내 분명 물었거늘……. 대체 왜!"

"……부끄러워서요."

화령의 목소리는 잘게 헐떡였다.

"왕손이시니까요. 이리…… 미천한 여인이…… 어미라는 것이…….

부끄러워서……."

"무엇이 부끄럽단 말이야, 무엇이! 내가 그토록 찾아 헤맸는데, 그렇게
보고 싶어 했는데……."

뜨거운 눈물이 유하의 볼을 타 넘었다. 그의 눈물이 화령의 얼굴 위로
떨어졌다.

"안 돼! 죽으면 아니 돼요……."

유하가 화령의 얼굴을 붙들었다. 떠나는 여인을 붙잡으려는 듯이.

"어머니……. 제발 죽지 마요……."

어머니. 그 말을 듣는 순간, 화령의 눈이 흐려졌다.

주마등처럼 스쳐 지나가는 세월. 천한 노비로 태어난 몸으로, 감히 대
군마마의 사랑을 받았다. 그 과분하던 사랑의 결과물로 태어난 아이. 남부
럽지 않은 삶을 살게 하리란 약조에, 그녀는 젖먹이를 떼어 놓았었다.

이리 훌륭하게 자라났을 줄이야. 이리 아리따운 선비로 자라나셨을 줄
이야.

"어머니……."

화령이 입술을 달싹인다. 더 이상 울대에 힘이 들어가지 않았다. 세상
이 아득하게 물들어 간다.

"……아드님."

빛이 꺼진 그녀의 눈동자가 까맣게 잠겼다. 처음으로 불러 보는 아들의
존재만을 남긴 채. 생명이 떠나가는 순간, 비로소 마주한 아들의 얼굴이
그녀의 마지막 세상이 된다.

"어머니! 어머니!"

유하가 울부짖기 시작했다. 그 순간만큼은, 장태화의 수하들마저 숨을
죽였다.

"장태화!"

유하가 장태화에게 달려들었다. 그러나 그는 온몸을 결박당한 처지였다. 몸을 일으키려던 유하가 흙바닥에 나뒹굴었다. 화령의 피로 칠갑이 된 유하의 손이 바닥을 긁었다.

"진정하게. 내 단오와 홍주를 살려 주겠다고 약조하지 않았나."

장태화의 무심한 목소리.

"화령은 애당초 그 약조에 없었네."

"아악!"

유하의 울부짖음, 산이 거친 숨을 몰아쉬는 소리, 단오와 홍주의 억눌린 흐느낌이 맴도는 폐가의 안뜰. 피 냄새가 진동하는 밤의 와중.

그가 왔다.

누구도 그가 왔음을 알지 못했다. 장태화의 수하들도, 화령의 죽음에 분노하던 유하와 산, 볼모가 된 여인들도. 또한 장태화마저 그러했다.

그는 폐가의 처마 끝에서 안뜰 한가운데로 풀쩍 뛰어내렸다. 장태화가 고개를 돌린 순간, 이미 검은 장태화의 목을 겨누고 있었다.

"시열!"

산이 이름을 불렀으나, 시열은 미동치 않았다.

"올 줄 알았네."

진동하는 피비린내 사이, 두 눈이 맞닿았다.

"파수꾼이여."

장태화의 수하들이 잔뜩 긴장한 태세로 대열을 바로잡았다. 시열의 시선이 재빨리 안뜰을 훑었다. 싸늘한 주검이 된 화령의 치맛자락은 참혹한 밤에 어울리지 않게 곱디고왔다.

그 곁에 망연자실한 표정으로 앉아 있는 유하, 그리고 고개를 든 채 저를 바라보는 산.

산, 너는 내가 누구인지 아나?

그리고 그들에게서 조금 떨어진 구석에는 손이 묶인 채 주저앉아 있는 여인 둘이 있었다. 시열은 홍주에게로 향하는 시선을 애써 거두었다.

"어찌 알았나?"

파수꾼. 김시열의 진짜 얼굴인 그 이름을.

"우리가 마주쳤던 그날, 기억하나?"

장태화가 제 배를 가리켰다. 그의 검은 옷자락 속에는 깊이 베인 길쭉한 상처가 숨겨져 있었다.

"자네가 내게 이것을 주었지. 그리고 나 역시 자네에게 무언가를 남겨 주었을 걸세."

시열이 쓴웃음을 흘렸다. 표창이 박혔던 흔적이 그의 가슴팍에 남아 있었다. 보나 마나 의원이 고한 것일 터였다.

불어오는 바람이 피비린내를 자욱하게 퍼뜨렸다. 장태화도, 그의 수하들도, 산과 유하, 단오와 홍주마저도 오직 시열만을 보고 있었다. 밤을 타넘어 제게 치덕치덕 엉겨 붙는 시선이 거추장스러웠다. 이 음침한 고요를 어서 빨리 깨 버리고 싶었다.

그토록 떨쳐 내고 싶었던 파수꾼의 운명. 그러나 자욱하고도 익숙한 피냄새를 맡은 그의 본능이 서서히 아우성치기 시작한다.

"길게 말할 시간이 없어. 단오와 홍주를 풀어 주게. 그러면 내 기꺼이 자네의 목숨을 살려 주겠네."

시열의 손이 미세하게 움직였다. 칼날은 한층 더 장태화의 목 가까이 다가왔다. 그 칼날에 비친 달빛마저 붉다.

"허세가 지나치지 않은가. 과거 방심했던 내가 아닐세. 내 사병들이 보이지 않나?"

"사병이 열이든, 백이든 상관없어. 당신과 나 사이에 있는 건 이 검 하나뿐이잖나."

시열의 목소리는 고요했다.

"할 말은 이것뿐이다. 단오와 홍주를 풀어 줘. 아니면 자네는 죽네. 셋을 세겠다. 하나!"

"영감!"

장태화의 심복이 한 걸음 앞으로 나섰다. 장태화의 얼굴이 무참히 구겨졌다. 그가 손을 들어 보였다.

"둘!"

부드러운 선을 그리며, 순간 멀어지는 칼날.

"알았네!"

셋, 이라는 숫자가 나오려는 찰나, 장태화가 외쳤다.

"풀어 줘라."

"예, 영감!"

사내 하나가 단오와 홍주의 손을 묶은 끈을 잘라 냈다.

"단오야."

"예……. 시열 오라버니."

넋이 나갈 것 같은 기분이었으나, 단오는 시열을 똑바로 보기 위해 노력했다.

"금부 병사들이 이리로 오고 있어. 홍주 낭자를 데리고 이화원으로 돌아가라. 혹시 누군가 우리의 행방을 물으면 아무것도 모른다고 말하면 된다."

"오라버니……."

"자, 어서 가. 문밖에 사내 시신이 있어. 두려워 말고, 홍주를 데리고 가."

사내의 시신이란 분명 문밖에서 망을 보던 장태화의 수하를 말하는 것이리라. 장태화가 바득 주먹을 움켜쥐었다.

"가!"

단오가 주춤주춤 자리에서 일어섰다. 그녀는 부들부들 떨고 있는 홍주의 손을 붙들었다. 단오가 산의 곁을 지나치는 순간, 그들의 시선이 맞닿았다. 끄덕, 산이 고개를 움직였다.

"어서 가라. 금방 갈게."

"산 오라버니……."

"어서!"

단오는 홍주를 이끌고 대문을 향해 줄달음쳤다. 스산한 소리와 함께 대문이 열린 후에야 시열은 검을 거두었다.

장태화가 잰걸음으로 제 수하들 곁에 자리를 잡았다. 시열이 짧게 숨을 뱉는다. 더 이상 지체할 시간이 없었다.

순간, 시열은 장태화와 수하들의 무리 한가운데로 뛰어들었다. 너무나 빨라서 그 누구도 예측할 수 없는 속도였다. 순식간에 사내 둘이 목에서 피를 뿜으며 바닥에 나동그라졌다. 시열의 손에 쥐어진 검이 허공에 호선을 그렸다.

장태화와 수하들이 주춤주춤 그의 검이 닿지 않는 먼 반경으로 물러났다. 그사이, 시열의 검이 산과 유하를 결박하고 있던 포승줄을 잘라냈다.

"산, 한둘만 부탁한다."

바닥에 떨어져 있던 산의 검을 시열이 발로 툭, 밀어냈다. 그사이 장태화 역시 태세를 정비했다.

검을 빼 든 장태화의 뒤, 총 열 명의 사내. 그리고 그를 마주 보는 시열과 산.

"시열 너……."

"닥치고 좀. 얘기는 나중에."

시열이 유하를 흘낏 돌아보았다. 유하는 여전히 화령의 시신 곁을 떠나지 못했다.

"산."

"응."

"가자."

시열의 검이 먼저 허공을 갈랐다. 장태화와 수하들의 검 역시 서늘한 빛을 뿜었다. 검과 검이 마주치는 소리가 밤공기 속에 공명했다.

누구도 보지 못한 몸놀림. 파리한 칼날이 그리는 화려한 검무(劍舞) 앞, 사내들은 이내 경외감에 사로잡혔다.

시열이 머문 자리마다 누군가의 생이 끝이 났다. 오직 사 년간 단 한 사람을 상대하기 위해 수련한 자들은 정작 그 앞에서 한 번의 검술도 내보이지 못했다.

무사들은 기꺼이 죽음과 맞섰다. 누구보다 강한 자, 감히 범접할 수 없을 만큼 강력한 자와 칼을 겨룰 수 있는 사실이 벅찬 환희를 불러일으켰다.

설령 그 끝에 놓인 것이 죽음이라도 그들은 후회치 않으리라. 오직 검만을 바라보며 살았던 생. 어차피 그들은 늘 죽음을 향해 질주하고 있었다. 그것은 무사로서 누릴 수 있는 최대의 경지였다. 신검(神劍)의 손에 죽음을 맞는다는 사실, 그것이 무너져 가는 폐가의 뜰에 흩어진 삶을 위안했다.

솟구친 피가 흙바닥을 적셨다. 메말랐던 안뜰의 흙은 피의 강 덕에 무참하도록 검게 물들었다. 긴 수련 따위 상대가 되지 않음을 사내들은 검을 부딪치자마자 깨달았다. 그들은 기꺼이 제 숨통을 꿰뚫는 패배를 받아들였다.

파수꾼. 저자는 분명 괴물이리니, 저것은 인간의 검술이 아니다.

"끝이다."

시체의 산, 피의 강. 시열의 칼날은 장태화를 향하고 있었다. 장태화의 손에 들려 있던 검이 속절없이 내동댕이쳐졌다.

무수한 자들 중 살아남은 건 장태화 하나였다.

"하, 하하!"

장태화의 입에서 속된 웃음이 터져 나왔다. 이는 분명한 경외감이었다.

파수꾼을 맞이한 그 누구도 방심하지 않았다. 모두 최선을 다했다. 그저 저런 괴물이 있으리라는 것을 상상조차 하지 못했을 뿐이었다.

"죽이시게."

그가 무릎을 꿇었다. 기꺼이 죽어 주리라.

"자네가 이겼네."

그때, 문가에서 들려오는 다급한 목소리.

"언니!"

산과 시열, 유하가 동시에 대문 쪽을 바라보았다. 미처 예상치 못한 일이었다. 진즉 떠났으리라 여겼던 단오와 홍주가 여전히 그곳에 머물러 있었던 것이다. 홍주의 팔을 잡아끌던 단오가 속절없이 발을 동동 굴렀다.

홍주는 차마 그 대문을 넘어서지 못했다. 문밖에 사내의 시신이 덩그러니 놓인 풍경은, 사 년 전 그녀의 정인의 마지막 모습과 완벽하리만치 똑같았다. 그 모습을 보는 순간 홍주의 다리에 힘이 풀렸다. 무심코 눈을 돌린 홍주는 끝내 보고 말았다. 시열, 아니 파수꾼의 살육을.

장태화의 눈이 번쩍 빛났다. 시열에게 눈을 떼지 않던 그의 시선이 천천히 움직인다.

"단오, 홍주. 내 얘기 좀 들어 보겠나?"

"가! 단오야!"

시열의 외침에, 주춤하던 단오가 다시 홍주의 손을 잡아끌었다.

"홍주야, 가여운 홍주야. 사 년 전, 네 정인 최현을 죽인 자가 누군지 궁금하지 않느냐?"

넋을 잃은 채 주저앉아 있던 홍주가 천천히 고개를 돌렸다. 충격으로 빛이 꺼진 눈이 다시 뜨였다. 가까스로 잊었다 생각했던 정인의 이름 앞에서.

"언니!"

그러나 홍주는 장태화를 보고 있었다.

"얄궂은 운명 아니냐? 네 정인을 죽인 자와 정을 나눈다는 것이……."

홍주의 입이 벌어졌다. 몸에 달라붙는 후덥지근한 밤공기와 진동하는 피 냄새 속, 그녀의 시선이 천천히 시열에게로 향했다.

누군지 알 수조차 없는 사내. 그녀가 사랑했던, 사랑한다고 믿었던 사내.

제발, 아니라고 말해 주기를.

"선비님……."

"언니! 가야 해!"

"이보게 파수꾼, 아니면 아니라고 말을 해 보시게. 자네가 최현을 죽인 게 아니라고! 홍주의 정인의 목을 베어 만신창이로 만든 것이 자네가 아니라고 말해 보란 말일세!"

회피하고 또 회피한 끝에, 끝내 시열은 홍주를 바라보고 말았다.

"아니지요?"

"시열의 가슴팍에 비쭉비쭉 튀어나온 괴상한 흉터가 있었을 거야. 그것을 누가 냈는지 아나? 내가 낸 흉터라네! 사 년 전 그 밤, 저자가 현을 죽인 밤 말이지!"

"아, 아니지요?"

시열이 시선을 거둔다. 차마 그녀를 마주 볼 수 없었다. 모두가 스스로 쌓은 죄업. 그는 응당 받아야 할 벌을 받고 있을 뿐이다.

"……용서하시오."

이 얄팍한 말 한마디로, 모든 것을 떨칠 수는 없을 테지만.

용서하지 마시오. 평생 절대로 나라는 사내를 용서하지 마시오.

"단오야⋯⋯. 어서 홍주를 데리고 가."

시열이 고개를 떨어뜨리는 순간, 장태화의 손이 재빨리 움직였다. 그가 옷섶 안에 품고 있던 표창을 꺼내 들었다. 그의 손을 떠난 날카로운 물체가 시열을 향해 돌진했다.

챙! 섬뜩한 파열음.

"젠장할."

순간 튀어나온 산의 목소리와 함께, 그의 검 자루에 명중한 표창이 바닥으로 툭 떨어졌다. 동시에 산의 검 자루가 반으로 쩍 갈라졌다. 밋밋한 검 자루 아래, 금빛으로 양각된 이글대는 해의 형상이 모습을 드러냈다.

표창이 날아와 꽂히는 날카로운 소리가 시열의 정신을 일깨웠다. 고개를 든 시열의 검이 장태화를 향해 뻗어 나갔다. 번쩍이는 검은 그의 턱 바로 아래에서 정지했다. 그러나 장태화가 바라보고 있는 것은 시열도, 제 목을 겨누고 있는 날붙이도 아니었다.

반쪽이 난 채 바닥에 나뒹구는 검 자루, 그리고 그 아래 모습을 드러낸 '징표'.

"네가⋯⋯. 네가⋯⋯."

어둠 속에서 드러난 번쩍이는 태양. 장태화는 그 징표를 바라보고 있었다.

해는 지배자를 의미한다. 그들 주변을 새카맣게 뒤덮은 밤. 그 밤을 밝히는 달 역시 해가 없으면 빛나지 못한다. 달빛은 지배자의 머리를 비추고 있었다. 표창이 꽂힐 때 얕은 상처가 난 산의 손에서 떨어진 핏방울이 태양 위로 흩뿌려졌다.

"하하하하!"

장태화의 입에서 광포한 웃음소리가 터져 나왔다. 저렇게 모습을 숨기고 있었던가. 초라한 검 자루와 같은 행색을 한 채, 모두의 눈을 속이고 있었단 말인가!

"그랬던 게로군. 그랬던 게야! 무과생 흉내를 내며 객주에 숨어들어 있었던 게지!"

장태화가 희번덕 눈을 굴렸다. 천 리 길 머나먼 곳에 있는 줄로만 알았던 죽음이 그의 목을 겨누고 있었다. 그러나 장태화는 그 검에는 신경조차 쓰지 않는 모습이었다.

"부모의 복수를 원했던 게로군! 임금에게 살육당한 아비와 어미의 원수를 갚길 원했던 게야! 그렇지? 부모의 원수를 찾아가, 그 명줄을 끊어 놓고 싶었던 것 아닌가?"

산을 향해 쏟아 내던 말들. 이제 장태화의 시선은 시열의 얼굴 위에 멈추었다.

"그리하여, 나는 파수꾼을 원했던 걸세."

번들대는 광기가 그의 눈동자에 깃들었다.

"나 역시 그랬을 뿐이네. 자네의 손에 살육당한 나의 사병들! 그들의 목숨값을 치르게 하길 원했을 뿐이라고. 이설 저자가 부모의 복수를 원하듯 말일세."

"무슨 소리를 하려고 장광설을 늘어놓는 거지?"

시열의 물음에 장태화의 입끝이 움찔거렸다.

"사 년 전 그 밤 자네의 손에 죽어 나간 자들이 여섯, 지금 여기서 살육당한 이들이 열셋. 나도 곧 자네의 손에 죽겠지. 하나 묻겠네. 내가, 여기서 죽어 간 무인들이 자네에게 무슨 잘못을 했나? 대체 무엇 때문에 사람들을 살육하는 겐가?"

시열의 손끝이 희미하게 떨린다. 그건, 그의 평생을 가장 괴롭게 했던 질문이었기 때문에.

"눈부신 검술이었네. 조선 하늘 아래 누구도 자네를 이길 수는 없겠지. 하지만 내 눈은 못 속이네. 자네, 피 냄새를 좋아하지? 눈앞에 걸리적거리는 자들의 목숨을 빼앗으며 희열을 느끼지 않나? 사람을 도륙하며, 양심의 가책을 느껴 본 적 있냐고 묻는 걸세. 내 단언컨대, 그런 적 없을 걸세. 없을 거야!"

"닥쳐!"

"최현을 기억하지? 홍주의 정인 말일세! 그를 죽인 것에 대해, 홍주에게 미안하게 여겼나? 하지만, 거기까지였겠지. 홍주가 아닌, 자네 손에 목숨을 잃은 숱한 자들에게 미안함을 느낀 적 있냔 말일세. 없을 걸세! 자네는 무사가 아니니까."

"닥치라고!"

"자네는 백정이야. 사람을 도살하는 괴물일 뿐이라고!"

시열의 손에 들린 검이 하늘을 향해 치켜 올라갔다. 그러나 검은 내리쳐지지 못한 채 그대로 허공에 머물렀다.

"죽이게. 나는 두렵지 않네. 어차피 곧 의금부에서 들이닥칠 걸세. 의금부 관원들이 자네를 잡을 수 있을까? 내 생각엔 힘들 것 같군. 하지만 그 자들을 살육한 업보는 자네의 평생을 따라붙어 다니겠지."

"……"

"어찌 망설이나? 죽이게! 죽이라고! 망설이지 말고 그 칼을 내리치시게! 괴물에게는 그것이 어울린다네!"

시열의 손이 부들부들 떨리기 시작했다. 이상하도록 손에 들고 있는 검이 무겁다. 번뜩이는 칼날에 수많은 원혼이 매달려 있는 것만 같았다. 그 악다구니가 어깨를 잡아당기는 것처럼 칼자루는 묵직하기만 했다.

그제야 귀에 들려오는 여인의 억눌린 흐느낌 소리. 그것이 홍주의 울음 소리임을 깨달은 시열의 팔이 끝내 힘없이 늘어졌다.

그 순간, 내내 피에 젖은 어미의 볼을 쓰다듬고 있던 사내, 유하가 비척대며 일어섰다. 그가 평생 붓을 쥐었던 손으로 바닥에 떨어진 장검을 집어 들었다.

유하는 마치 유령처럼 비틀비틀 다가왔다. 서투른 손이 검을 치켜들었다. 뻘겋게 핏발이 선 장태화의 눈과 유하의 젖은 눈이 마주쳤다.

"안 돼!"

시열이 비명과 같은 소리를 토해 냈다. 빛처럼 빠른 속도로 시열의 검이 움직였다.

"크아악!"

유하의 검이 채 닿기도 전에 장태화의 몸이 털썩 고꾸라졌다. 시열의 칼날이 베고 지나간 그의 목에서 시뻘건 피가 쏟아져 나왔다. 피가 울컥울컥 분출되는 음산한 소리가 들렸다.

장태화의 몸이 꿈틀거렸다. 평생 수련을 게을리하지 않은 몸은 쉬이 숨이 끊기지 아니하고 바닥을 기었다. 손이 바닥을 긁어 제 피로 끈끈해진 흙을 그러모은다. 가까스로 들이마신 숨은 폐부에 닿지 못하고 검붉은 핏덩이가 되어 바닥에 흩뿌려졌다.

끝끝내 바닥에 널브러진 장태화의 몸이 크게 경련했다. 숨이 끊어지는 마지막 포효를 끝으로, 그의 눈동자에 가득 차 있던 광기가 우수수 밤의 장막 속으로 빨려 들어갔다.

유하가 들고 있던 검이 바닥으로 떨어지는 소리. 그리고 수많은 이들의 피로 얼룩진 시열의 검 역시 바닥에 내동댕이쳐졌다.

"무슨 짓이냐, 유하……."

시열의 입술이 파르르 떨렸다.

"이런 건…… 나 같은 괴물이나 할 법한 짓이라고……."

시열이 천천히 고개를 돌렸다. 보지 않으려고 그렇게 기를 쓰건만 그의 눈길은 속절없이 홍주에게 향하고야 말았다.

그녀의 텅 빈 눈동자가 어릉거렸다. 너무 밝아서 원망스러운 달빛이 그 눈물 위로 반짝였다.

잠시 꿈을 꾸었었지. 저 여인의 눈동자가 눈물이 아닌 제 자신으로 가득 차기를 바랐던 때가 있었다. 피를 좇는 괴물이 아닌 평범한 사내가 되어, 여인의 품에 뺨을 비비며 안온한 봄날을 지내리란 헛꿈을 꾸던 때가…….

채 백 일도 지속되지 못한 찰나의 화양연화(花樣年華).

그 시절만이 그의 황폐한 인생 속 유일한 아름다운 날들이었다. 그 순간의 그는 절대 괴물이 아니었으리라.

떠올린다. 사 년 전, 그가 그녀의 마음을 망가뜨렸던 그 밤의 기억을.

소나기가 내렸다. 축축하게 젖은 옷자락이 자꾸만 팔에 달라붙었다.

처마를 도닥이는 빗소리 속에, 말끔한 차림의 선비는 주막 툇마루에 앉아 추적추적 쏟아지는 비를 바라보고 있었다. 그 선비의 곁에 앉아 있는 젊은 사내 역시 같은 처지인 듯싶었다.

바람에 흩날리는 빗줄기가 옷자락을 적시는 밤. 그 비의 음률을 뚫고 낮은 콧노래 소리가 들렸다. 왠지 처연한 느낌이 드는 곡조였다. 말끔한 선비가 사내에게 흘낏 시선을 던졌다. 서글픈 노래를 흥얼거리는 젊은 사내에게.

"비가 좀처럼 그치질 않습니다."

선비는 선뜻 대답할 말을 찾지 못했다. 사내가 먼저 말을 걸 줄은 몰랐던 터다.

"비가 얼른 그쳐야만 할 것인데요. 저를 기다리는 이가 있는데……."

선비가 무심히 사내를 보았다. 눈이 마주치자, 사내는 옅게 웃음을 지었다.

"실례지만, 혼인을 하셨습니까?"

"안 했소."

"춘추가 어찌 되시는데 아직 장가를 들지 않으셨습니까?"

선비가 심드렁한 표정으로 대꾸했다.

"스물하나요."

"멀리서 오신 겝니까?"

"뭐, 그렇다 칩시다."

"스물하나에 아직 혼인을 아니 하셨다니, 고향에 정인이라도……."

"그런 건 대체 뭣하러 꼬치꼬치 캐묻는 거요?"

"아……. 송구합니다."

젊은 사내가 얼굴을 붉혔다.

"너무 들떠서 말을 가리지 못했습니다. 용서하시오."

사내가 선비의 눈치를 살폈다. 주막의 처마 아래서 비를 피하며 보낸 시간이 제법 길었다. 한창 지루하던 참에 또래로 보여 말동무나 삼을까 싶었는데, 역시 말을 과하게 많이 한 듯했다.

"흐음."

그치지 않는 비를 바라보던 선비가 입을 열었다.

"무엇 때문에 그리 들뜨신 게요?"

"아……."

말상대를 해 주는가 싶어, 사내는 쑥스러운 듯 미소 지었다.

"곧 혼인을 하여 그렇습니다. 혼례까지 꼭 이틀밖에 남지 않았거든요. 내자(內子)가 될 여인의 선물을 사서 돌아가는 길인데, 어찌 이리 비가 그치지 않는 것인지……. 목이 빠져라 저를 기다리고 있을 것인데요."

사내가 옆에 놓인 꾸러미를 가리켰다. 그가 조심조심 안에 들어 있던 물건을 꺼내 들었다.

"혼인날에 전해 줄 것입니다. 어여쁘지요? 팔불출 같은 소리지만, 여인의 모습은 이 신보다 훨씬 곱답니다."

꽃신. 비에 젖은 밤과는 어울리지 않는 화사한 꽃신 위로 잠시 달빛이 머문다.

"정경부인들의 물건을 만드는 장인에게 주문하여 받은 물건이랍니다. 다행하게도 오늘 다 되었다고 연통이 와서……."

"비싸 보이는구려."

"예, 하급 무관인 제 녹봉에는 턱없이 비싼 물건이지요. 하지만 괜찮습니다. 내일 큰일을 도모할 것입니다. 그 일이 끝나면 두둑한 보수를 받게 될 겁니다."

"큰일이라면?"

"아…… 그것이."

젊은 사내는 망설이는 듯 보였다. 타닥타닥, 들려오는 빗소리. 그는 잠시 동안 선비의 모습을 곁눈질했다. 선비는 흠잡을 데 없이 깔끔한 옷매무새에, 표정도 태도도 느긋하고 여유로웠다. 아마도 술잔을 기울이다가 비 때문에 귀가가 늦어진 반가 도령쯤 되리라.

어차피 다시 만날 일도 없을 인연. 속내 조금 털어놓는다고 문제 될 것이 무어 있겠는가.

"저는 고아입니다. 갈 곳 없이 비렁뱅이처럼 다니던 저를 거둬 주신 분이 계십니다. 훈련원에서 계시는 분인데……."

장태화. 그가 사내를 거두어 주었다.

"그분께서 제 무예 실력을 높이 사셨습니다. 하여 그분의 지휘를 받는 육인회의 일원이 될 수 있었지요. 육인회는 은밀하고 중한 일들을 처리합니다. 내일 해결할 일도 그런 것이지요."

"무슨 일이기에 그러시오? 나는 평생 글자만 읽은 사람이라서, 무인이라고 하니 무척 신기하고 흥미롭습니다그려."

"하하. 보통 양반 나리들은 대부분 그리 여기지요. 검을 들고 힘을 쓰는 일을 겁내 하시고 말입니다."

"나도 그렇다오. 검이라니, 무서워서 원. 아무튼 그 말을 듣고 나니 무척 달라 보이는구려. 무인의 기상이 느껴지오."

"하하! 그렇습니까?"

우쭐해진 사내가 호쾌하게 웃어 보였다. 내내 심드렁하던 선비의 태도가 갑자기 살가워진 것을. 그는 제게 감탄했기 때문이라고 여겼다.

"그래, 내일 있을 일은 무엇입니까?"

정말로 흥미롭다는 듯 눈을 빛내며 묻는 선비의 모습. 사내는 어깨를 으쓱하며 그답지 않게 거드름을 피웠다.

"대단히 큰일입니다. 저희는 왕손을 쫓고 있어요!"

"허……. 왕손?"

"예. 임금의 형님, 돌아가신 호성군 말입니다. 그분의 아들을 저희가 쫓고 있습니다. 내일 그자를 잡아 장태화에게 인도하여……."

실수로 장태화의 이름을 입에 담았다. 사내가 이를 무마하듯 급히 헛기침을 했다.

"아무튼 그렇습니다."

"고작 여섯으로 그자를 잡을 수 있겠소? 더 많은 병사를 끌고 가야 하는 것 아니오?"

"허허……."

젊은 사내가 헛웃음을 터뜨렸다.

"기껏 열여섯 살 먹은 애송이 하나 붙드는 데 위험할 것이 무어 있겠습니까?"

"역시 무사들은 다르군요."

공치사를 던지는 선비의 눈빛이 반짝였다. 툭툭 끊이지 않고 처마를 두드리던 빗소리가 거짓말처럼 잦아들었다.

"비가 그쳤나 보오."

"그런가 봅니다. 어서 돌아가야겠습니다."

"그러십시다. 말동무를 할 수 있어 즐거웠다오."

"저, 선비님."

"예?"

자리에서 일어나던 선비가 사내를 돌아보았다.

"존함이 어찌 되십니까? 비 내리는 한때나마 이리 스쳤으니, 함자라도 알았으면 해서요. 혹시 압니까. 나중에 또 다른 인연으로 마주치게 될지……."

"제 이름이요?"

선비는 잠시 고민했다. 그에게도 물론 이름이 있었다. 그러나 그는 오랫동안 제 본이름을 잊고 살았다.

종호, 덕로, 경묵……. 그가 지난 세월 동안 사용했던 여러 이름들이 머릿속에 잠시 스쳐 지나간다. 이내 그는 며칠 전 우연히 마주쳤던 어떤 난봉꾼의 자제 이름을 떠올렸다.

"시열. 내 이름은 김시열이라오."

"아아, 그렇습니까. 제 이름은……."

사내가 손을 내밀었다. 손을 맞잡았을 때, 그는 평생 붓질만 했으리라 여겼던 선비의 손아귀가 의외로 거칠다는 생각을 했다.

"최현이라고 합니다."

통성명을 나눈 그들은 비가 그친 밤을 뚫고 각자의 갈 곳을 향해 걸음을 옮겼다.

얼마나 걸었을까. 시열이 뒤를 돌아보았다. 손에 소중한 듯 꾸러미를 챙겨 들고 걸어가는 최현이라는 사내. 그의 뒷모습을 바라보던 시열의 입술 틈으로 휘익, 낮은 휘파람이 흘러나왔다.

"내일 다시 만납시다."

파수꾼은 그렇게 사냥감을 결정한다. 그 사냥으로 그가 빼앗은 것이, 혼인을 앞둔 사내의 목숨만이 아니었음을 그때 그는 알지 못했다.

비가 갠 밤하늘, 모습을 드러낸 달을 바라보며 정인이 오기를 고대하던 여인의 마음에도 비수를 꽂았음을. 그리고 그로 인해 그 자신도 갈기갈기 찢어질 것임을.

부질없는 기억.

당장 내일의 목숨조차 기약할 수 없는 하루살이 인생이었다. 과거를 추억하는 것은 사치에 지나지 않는다. 시열이 깊은 숨을 내쉬었다.

"가야 해."

그가 주변을 휙 둘러보았다.

"의금부에서 이설을 인계받으러 오고 있어. 머잖아 이곳에 도착할 거다. 시간이 없어. 어서 움직여야 한다."

산과 유하, 단오는 별말 없이 시열을 바라볼 뿐이었다. 시열의 태도 변화는 너무나 확연해서 모두를 당황스럽게 했다. 그러나 지금은 그런 걸 따질 때가 아님을 모두 알고 있었다.

"아까 말했다시피, 단오는 홍주를 데리고 이화원으로 돌아가. 별일 없을 게다. 아무것도 모른다고 말하면 된다. 알았지?"

"예, 오라버니."

단오가 고개를 끄덕 움직였다. 두렵고 혼란스러웠지만, 그녀는 애써 마음을 굳게 먹었다.

단오는 일단 이곳을 벗어나고 싶었다. 수없이 많은 사내들, 장태화, 거기에 화령까지. 얼마 전까지 얼굴을 맞대고 대화를 나눴던 이들이 죽어 널브러져 있는 모습은 참혹하기 그지없었다.

모든 일들은 너무나 실감 나지 않아, 오히려 현실로 느껴지지 않았다. 그 덕에 가까스로 버텨 낼 수 있는 것일지도 모른다.

"산, 유하, 우리는 떠나야 해. 일이 잠잠해질 때까지 모습을 숨겨야 한다."

"언제까지?"

산이 되물었다.

"나도 몰라. 저들이 이설을 찾는 걸 포기할 때까지. 포기를 할지 안 할지는 모르겠다만."

시열의 대답에, 산의 시선은 잠시 단오의 얼굴에 머물렀다. 어쩌면 잠시 작별일지도 모르겠다. 부디 네가 없는 나의 시간이 잠시이기를.

"금방 돌아갈게."

시선이 닿는다. 단오의 눈에서 툭, 눈물방울이 떨어졌다. 그녀가 이를 악물고 눈물을 삼켰다.

"기다리고 있을게요."

"그래. 조금만 기다리면 돼."

눈물을 흘린 것을 무마하려는 듯, 단오는 입꼬리를 애써 끌어 올리며 웃어 보였다. 고개를 쭉 뺀 시열이 검은 문 밖을 노려보았다.

"진짜 시간이 없어. 어서 가자."

그러나 요지부동인 사람이 있었으니, 시열은 차마 그 눈을 바라보지 못했다.

"당신……."

홍주가 거친 숨을 몰아쉬었다. 그녀의 눈빛이 정처 없이 흔들렸다. 시열을 바라보는 것이 고통스러웠다. 그렇다고 바닥으로 시선을 돌리자니, 그곳엔 참혹한 죽음, 또 죽음들.

수십의 최현이 홍주를 노려본다. 피투성이 눈을 한 채로.

"언니, 일단 나가자, 응?"

"시열 선비님…… 당신이……."

최현. 사랑했던 그이를.

폐가로 끌려온 이래, 무수하게 오가는 대화를 홍주는 이해할 수 없었다. 그녀는 긴 시간 세상과 인연을 끊은 채로 살았다. 그렇기에 이설이니, 임금이니, 왕손이니 하는 이야기들이 무엇을 의미하는 건지 그녀는 알지 못했다.

그 많은 이야기 중, 홍주는 최현이라는 이름만을 알아들었을 뿐이다. 그리고 그이를 죽인 이가 다름 아닌 시열이라는 사실을 이해했을 뿐이었다.

눈이 마주친다. 시열의 눈가는 핏발이 선 듯 붉었다. 홍주는 눈을 질끈 감았다.

바라보고 싶지 않아서, 용서할 수 없어서, 미워서, 죽이고 싶을 만큼 미워서…… 또한 그것이 시열이라서.

"언니……."

단오가 홍주를 잡아끌었다. 그러나 홍주는 움직이지 않았다.

"왜…… 저였어요?"

시열은 아무 대답도 하지 못했다.

"왜 저였어요? 왜 저여야만 했냐고요!"

"언니!"

단오가 홍주의 어깨를 붙들었다. 그러나 홍주는 이미 완전히 이성을 상실한 상태였다. 살아 있는 사람의 것 같지 않은 눈빛. 그 텅 빈 눈이 시열을 본다.

사랑했던 이를 죽인 사내. 그녀의 찬란했던 청춘을 무너뜨린 사내. 그리고 그 암흑의 나날 중, 그녀에게 세상을 되돌려 주었던…… 제가 사랑했던 사내.

"당신 때문이야! 모든 게 당신 때문이라고! 왜 현을 죽였어! 왜!"

홍주가 울부짖기 시작했다.

"죽었어야 했어. 나도 죽었어야 했어……. 나도 죽이지 그랬어……. 그때 나도 죽이지 그랬어요……."

그녀의 몸이 바닥으로 허물어져 내린다. 바닥에 흥건한 피가 그녀의 치맛자락을 물들였다.

"그때 죽었다면, 당신을 모르고 살았을 텐데……."

시열은 묵묵히 바닥을 내려다보고 있었다. 그녀를 죽였다. 실제로 칼을 꽂지 않았으나, 그는 홍주를 죽였다. 홍주의 삶은 그로 인해 갈기갈기 찢겼다.

그래. 미안하다는 소리 따위를 할 수는 없었다. 한 여인의 인생을 완전히 파괴해 놓고 용서하라는 알량한 말을 어찌 할 수 있겠는가. 어찌 뻔뻔하게 말 한마디 건넬 수 있겠는가…….

"가야 해……. 단오야. 더 지체하면 정말로 모두가 위험해져."

"언니……. 제발 부탁할게. 언니……."

단오가 힘껏 홍주의 팔을 잡아끌었다. 그러나 홍주는 꿈쩍도 하지 않았다. 바닥에 흩어진 시신들처럼 그녀 역시 모든 생기를 잃었다.

"의금부 관원들이……."

말을 잇던 시열이 멈칫했다. 예민한 청력 너머, 밤을 뚫고 들려오는 소리.

"바로 근처까지 왔어."

13장. 악야(惡夜)

그 긴 밤의 와중, 유하는 내내 말이 없었다.

예기치 못한 홍주의 행동으로 그들은 꼼짝없이 폐가에 머물러 있었다. 이제 의금부 관원들의 소리는 달리 밤 귀가 밝지 않은 유하에게도 들릴 만큼 가까워졌다.

"많이 오네."

시열이 낮게 중얼거렸다. 산이 고개를 끄덕였다.

"스물? 서른? 장태화의 수하들보다 훨씬 많은 것 같다."

"최소 스물네댓쯤. 더 될지도 모르겠다."

"너와 나 둘이서 다 해치울 수 있을까?"

"글쎄다. 자신은 없어. 이렇게 수가 많은 건 처음이라······."

"자신이 없어도······."

산이 목소리를 낮춘다. 단오에게 들리지 않도록.

"단오랑 홍주만은 살리자."

산과 시열의 굳은 눈 속 의미심장한 시선이 교차했다. 코앞까지 위험이

다가온 지금, 저런 상태의 홍주를 데리고 도망칠 수는 없는 노릇이었다.

시열이 바닥에 내동댕이쳤던 검을 주워 들었다. 산 역시 검을 고쳐 쥐며 자세를 바로잡았다. 날 선 긴장이 그들의 등골을 훑었다.

그 소름 끼치는 순간을 이겨 내기 위해 시열은 무심히 농을 내뱉었다. 오래전 나날처럼. 산과 시열이 주거니 받거니 투덕대던 그 순간처럼.

"제법이더라, 산."

"너야말로."

"웃겨. 지금 너 따위가 나를 평가하는 거냐?"

"감히 파수꾼 따위가 내게 꼬박꼬박 말대답을 하는 게 더 웃기다고 생각지 않나?"

"이봐, 내 말을 안 하고 있어서 그렇지 너보다 형이야. 앞으로 형이라고 부르도록 해."

"닥치지 그래."

피식, 시열이 쓰게 웃었다.

파수꾼. 그 이름을 등에 짊어진 순간부터 그는 산이 미웠다. 늘 산의 뒤를 그림자처럼 따라다녔던 삶이었다. 어린 시절부터 정처 없이 세상을 떠돌던 산을 따라 시열도 곳곳을 누볐다.

그러나 예상치 못했던 이화원행. 그는 이설의 그림자가 아닌 벗이 되어야만 했다. 산은 파수꾼의 존재조차 몰랐지만, 어쨌든 시열은 산에게 속해 있었다.

산과 하나나 다름없었던 날들을 보내며 시열이 느꼈던 건, 산의 운명도 저 못지않게 가혹하다는 사실이었다. 그랬기에 시열은 늘 산에게 애증을 느꼈다. 늘 그의 안위를 살피고 챙기면서도 비아냥대고 못살게 굴곤 했다.

시열은 산을 사랑했고, 또 미워했다.

"가자."

시열이 성큼 걸음을 내디딘다. 산 역시 한 걸음을 옮겼다. 치켜올린 그들의 검날 위로 달빛이 주륵 미끄러졌다.

"검이 허옇게 빛나는 날은 이긴다더라."

시열이 중얼거렸다. 그는 평생 검을 놓지 않으며 살았다. 이설을 위해?

그랬던가. 제가 파수꾼이라는 괴물의 삶을 살고 있는 것이, 오직 이설 때문이던가.

"좋겠다, 산."

"무엇이?"

"내가 있어서. 나 같은 파수꾼이⋯⋯."

시열의 말이 뚝 끊겼다. 시열과 산의 시선이 어둠 속을 비틀대며 걸어가는 사내의 뒤통수에 머물렀다. 유하가 멀어져 가고 있었다.

"유하!"

산의 목소리에, 유하가 몸을 돌렸다.

"어딜 가는 거야?"

시열이 물었다. 그는 다가올 싸움을 준비하느라 유하에겐 신경을 쓰지 못했다. 화령이 죽은 이후, 유하는 내내 유령과 같은 표정으로 말이 없었다. 그런 그가, 갑자기 무엇에라도 홀린 듯 대문을 향해 나아가는 이유가 무엇이란 말인가.

"산, 시열."

유하가 천천히 손을 내밀었다. 징표. 달빛을 받아 빛나는 자그마한 동곳. 그것은 유하의 아버지이자 산의 아버지이기도 한 호성대군 이평의 마음이 담긴 물건이었다.

"어차피 저들은 포기하지 않을 거야. 이설을 잡을 때까지."

"무슨 짓을 하려는 거야?"

산이 다급히 외쳤다. 그러나 유하는 그저 평온한 모습이었다.

"나는⋯⋯ 얼마 전까지만 해도 내가 이설이라고 굳게 믿었어. 모든 것이 나를 가리키고 있었거든. 장태화 역시 그러했어. 그러니 임금도 내가 이설이라는 것을 믿어 의심치 않을 게다.”

“유하!”

“산, 시열, 화령을……..”

그리 부르면 아니 되겠지.

“어머니의 시신을 수습해 줘. 부탁할게.”

엷은 웃음이 유하의 얼굴에 천천히 배어든다. 그의 눈은 단오의 얼굴 위에 머물렀다.

서글프도록 고요한 새까만 눈동자. 그 안에 제 모습이 담기던 순간이 애달프게 스쳐 지나갔다.

“오라버니…….”

“단오야.”

내가 너를 위해 할 수 있는 건, 이것밖에 없어.

단오의 말간 얼굴, 앙다문 도톰한 입술, 눈물이 그렁그렁한 눈동자. 찰나 동안이나마 그는 그 모습을 눈에 담았다. 비록 단오의 마음이 제 것은 아니지만. 그의 마음은 영영 그녀의 것이리라.

“행복하자.”

정말로 그것이면 될 것 같아. 나는, 그거면 족할 것 같아.

유하가 몸을 돌렸다. 그가 거침없이 대문을 밀어 열었다.

“유하! 안 돼!”

산이 앞으로 튀어 나가려는 순간, 시열이 그를 붙들었다. 산이 그의 손을 뿌리치려 애썼지만 시열의 몸은 꼼짝도 하지 않았다.

“시열, 놔!”

“그냥 둬.”

“무슨 소리야?”

"단오와 홍주를 지키는 게 우선이야."

"차라리 내가 간다. 놓으라고!"

"산, 그가 그걸 원해. 유하는 단오를 위해 가는 거야."

산의 입에서 애끓는 한숨이 새어 나왔다. 시열 역시 지그시 눈을 감았다.

파수꾼. 그에게 중요한 것은 애당초 산이었다. 그토록 떨쳐 내고 싶은 운명이라고 여기면서도, 시열은 본능적으로 결정을 내렸다. 유하와 산 중에 하나를 선택해야 하는 기로에서 그는 망설임 없이 산을 택했다.

문득 자기 자신이 혐오스러워 시열은 이를 잘근 깨물었다. 그러나 이렇게 지체할 시간이 없었다. 혹시라도 모를 일을 대비하여 모습을 숨겨야 했다.

순간 밖에서 들려오는 소리. 유하는 의금부 관원들을 맞닥뜨리고 있었다.

"뭐 하는 놈이냐!"

폐가 앞 길목에 버티고 서 있는 키 큰 사내를 본 관원이 대뜸 고함을 내질렀다. 족히 서른 가까이는 될 행렬 선두에 서 있던 말을 탄 관원이 황당한 표정으로 사내를 내려다보았다.

"길을 비켜라!"

"이설을 찾으러 온 것일 테지."

"뭐? 누구냐!"

사내가 말에서 뛰어내렸다. 그가 유하에게 대뜸 검을 겨누었다.

"당신들이 찾는 사람."

그리고.

"이창이 그토록 찾아 헤매는 사람."

유하가 천천히 손을 내밀었다. 검을 쥔 사내가 움찔했다. 그러나 유하는 개의치 않았다.

서서히 펴지는 손. 그의 손바닥 위에 덩그러니 놓인 '징표'.

"징표를 가져왔다."

순간, 은밀한 명을 받은 의금부 관원의 눈빛이 신중해졌다.

"내가 이설이라는 말이다. 나를 찾아온 것이 아닌가?"

"자, 장태화는?"

"죽었네. 복면을 한 사내가 나타나 모두를 죽였지."

관원이 한 걸음 뒤로 풀쩍 물러섰다. 그가 유하와 그의 손에서 번쩍이는 동곳을 번갈아 바라보았다.

"무엇이라고 하던가. 이설은 징표를 가졌다고, 그리고 그의 허벅지에는 붉은 점이 있다고 하던가?"

관원의 시선이 아래로 떨어졌다. 칼에 찢겨 너풀대는 바지 자락. 그 틈으로 보이는 붉은 점.

"잡아가시게, 나를."

무릎을 꿇는 유하를 관원은 경악한 표정으로 내려다보았다. 그는 '두 가지 징표'를 확인하라던 왕의 지엄한 명령을 떠올렸다.

두 가지 징표. 하나는 정유하의 손에 들려 있었고, 다른 하나는 그의 몸에 새겨져 있었다. 그렇기에 그의 정체를 의심하는 것은 아니었다. 하지만 그의 행동은 전혀 이해가 가지 않았다.

"포박하라!"

멀리 보이는 폐가의 대문. 관원은 발이 빠른 병졸에게 안을 살펴보라고 지시했다.

"영감! 영감!"

수하는 허옇게 질린 귀신 같은 몰골이 되어 돌아왔다.

"시신이 열 구가 넘습니다! 장태화 역시 죽어 있습니다!"

"살아 있는 자는?"

"없습니다. 시신뿐입니다!"

"흐음……."

관원은 이내 결정을 내렸다. 애당초 그가 받은 명은 이설을 건네받아 오라는 것이었다. 괜히 복잡한 일에 휘말릴 필요는 전혀 없었다. 그는 이설을 잡았다. 그걸로 족했다.

"돌아간다!"

"시, 시신들은요?"

"관아에 연통을 넣어라. 시신들을 수습할 사람들을 보내라고. 우리는 이설을 데리고 돌아간다!"

"예, 알겠습니다."

그들의 대열은 지나온 곳으로 되돌아가기 위해 방향을 틀었다. 오랏줄에 묶인 유하를 바라보던 관원은 끝내 호기심을 이기지 못했다. 그가 유하에게 넌지시 물었다.

"이설, 자네는 죽을 것이네. 전하께서 자네를 살려 둘 리 없잖은가."

"알고 있소."

"그걸 뻔히 알면서 어찌 제 발로 잡혀 들어가는 겐가?"

유하가 스르르 눈을 감았다. 그의 입가에 엷은 미소가 떠올랐다. 묘하게도 마치 꿈을 꾸는 것 같은 표정이.

"그만 끝내고 싶어서."

내가 끝을 맺음으로써 그녀를 지킬 수 있다면. 그녀가 안전하고, 행복할 수 있다면.

"이대로 멈추고 싶어서."

아무리 띄워 보내도 돌아오지 않을 마음. 이렇게나마 그녀를 위해 쓰고 싶어서.

뜨뜻미지근한 밤바람이 불었다. 안뜰에 즐비한 시신에서 기인하는 비릿한 피 냄새가 그 바람에 실려 왔다. 단오는 억지로 마른침을 삼켰다. 입을 열었다간 당장이라도 토악질이 나올 것 같아서였다.

산과 시열, 단오와 홍주는 폐가의 뒤편에 몸을 숨겼다. 흐느끼던 홍주는 이제 완전히 넋을 잃었다. 혹시라도 큰일이 생길까 두려워서, 단오는 홍주의 손을 좀체 놓지 못했다.

단오는 홍주를 이해했다. 언니의 마음이 지금 어떨 것인지 상상조차 가지 않았다. 그러나 또한, 홍주만 안타깝게 여기기엔 제 마음 역시 너덜너덜해진 상태였다.

유하는 어떻게 되었을까. 그는 과연 어떤 상황에 처한 걸까. 두려운 생각, 끔찍한 생각들이 머릿속에 점멸했다.

'대체 나 따위가 뭐라고, 나 따위가……'

유하는 그녀를 위해 떠났다. 단오를 구하기 위해 그는 목숨을 걸었다.

단오의 시선이 산과 시열에게로 향했다. 둘의 얼굴이 달빛 아래 희미하게 이지러졌다. 그들의 표정은 싸늘하게 굳어 있었다. 검을 쥔 산의 손등 위에 퍼런 힘줄이 튀어나온 것을, 단오는 가만히 바라보고 있었다.

"돌아갔다."

얼마간의 시간이 흘렀을까. 시열이 입을 열었다. 문밖에서는 이제 아무런 소리도 들리지 않았다.

유하의 의도대로 된 것이다. 의금부 병사들은 유하를 데리고 돌아갔으리라. 그리고 이제 유하를 기다리는 것은, 시커멓게 출렁이는 약사발이거나 혹은 망나니의 벼려진 칼날일 터였다.

"가자."

이윽고 시열이 몸을 일으켰다. 그의 눈길은 잠시 홍주에게 머물렀다. 또다시 울부짖으며 정신을 잃지나 않을까, 짧은 걱정이 스쳤지만 그는 애써 머릿속을 까맣게 지워 버렸다.

차라리 빨리 움직이는 것이 나았다. 그녀에게는 시열과 지척에 있는 지금이 지옥 같을 테니까.

"일단 이화원으로 돌아가자."

입을 꾹 다문 단오가 고개를 끄덕이며 뻐근한 무릎을 폈다. 그녀가 제 언니의 손을 꾹 쥐며 잡아당겼다. 귀신처럼 해쓱한 얼굴이던 홍주도 별말 없이 단오가 이끄는 대로 자리에서 일어섰다.

몇 걸음 옮겼을까. 피로 물든 폐가 뜰에 접어든 산이 걸음을 멈추었다.

"시열. 단오와 홍주 낭자를 이화원으로 데려다줘."

"너는?"

"유하의 부탁을 들어줘야지."

"아, 그래."

검은 옷을 입은 주검으로 뒤덮인 안뜰에서 유난히 눈에 띄는, 서글프도록 선연한 홍색. 바람이 아무리 그 몸을 타 넘어도 허무하게 흩날리는 건 그저 붉은 옷자락일 뿐이다. 화령은 미동치 않는다.

희디흰 그녀의 얼굴을 산은 물끄러미 내려다보았다.

"이렇게 두고 갈 수는 없지 않겠느냐."

산이 고개를 들었다. 그가 성큼 단오를 향해 다가왔다. 이내 단오의 몸은 그의 품 안에 파묻혔다.

"먼저 가 있어. 화령을 보내 주고 금방 갈게."

무언가 대답을 해야 할 것 같은데, 입술만 달싹거릴 뿐 답은 나오지 않았다.

"단오야."

"예."

단오는 가까스로 대답했다. 그녀가 산을 마주 보았다. 굳건한 팔, 너른 품, 그의 체취. 완전히 익숙해져서, 눈을 감고도 알아볼 수 있던 것들이 갑자기 낯설게 느껴졌다.

단오가 아는 산은 한결같은 사람이었다. 그와 연모의 정을 나눈 이후, 그는 늘 봄바람처럼 그녀의 곁을 맴돌았다. 언제든 눈을 돌리면 그 시선이 닿는 곳에는 산이 있었다.

이화원에 기거하던 이들의 표정이 달라지고, 태도가 달라지고, 끝내 짐을 챙겨 떠나 버린 순간에도 산만은 늘 굳건히 그녀를 지켜 주었다. 단오에게 산은 변치 않는 이였고 유일하게 믿을 수 있는 사람이었다.

혼란스러운 마음이 고스란히 드러나는 그녀의 눈동자가 거세게 흔들렸다.

"용서해 줘."

"……."

"너에게 털어놓지 못한 것, 너를 속인 것. 나를 용서해다오."

"산 오라버니……."

말을 잇던 단오가 금세 조용해졌다. 산. 이것은 그의 이름이 아니다. 그녀가 아는, 그녀가 사랑하는 사내 산은 실체가 없는 인물이었다.

지난 몇 달간 단오가 그토록 찾길 원했던 사람. 잡힐 듯 말 듯, 손을 뻗으면 풀쩍 뛰어 도망가곤 하던 사람. 그녀의 곁에 산이라는 이름으로 숨어들어 마음을 적셨던 사람.

이설. 그것이 산의 진짜 이름이었다.

시열이 나지막하게 헛기침을 했다. 그와 동시에 단오의 허리를 감싸고 있던 산의 팔이 떨어져 나갔다.

"시열, 부탁한다."

"마을 초입에서 기다릴게. 가자, 단오야."

시열은 홍주의 이름을 차마 입에 올리지 못했다. 단오 역시 산을 아주 잠시 바라봤을 뿐이었다.

단오는 홍주의 손을 꼭 쥔 채 걸음을 옮겼다. 피 냄새 자욱한 살육의 현장을 떠나는 발끝에 힘이 잔뜩 들어갔다. 정신은 이미 아득했다. 잠시라도 방심했다간 바로 혼절하고 말 것만 같았다.

대문 밖에 널브러져 있는 시신을 본 홍주의 몸이 휘청했다.

"홍주……."

시열이 반사적으로 홍주를 향해 팔을 뻗었다. 그러나 그의 말이 채 끝나기도 전에, 내내 텅 빈 눈을 하고 있던 홍주의 손이 득달같이 시열의 손을 쳐 냈다. 몸에 붙은 징그러운 벌레를 떼어 내듯이.

"가자."

툭, 떨어진 제 손을 시열은 재빨리 거뒀다. 감정을 지운 무미건조한 그의 음성이 울렸다. 질끈 눈을 감은 채 죽은 사내의 몸을 넘어가는 길목, 단오가 잠시 뒤를 돌아보았다.

'그래요. 그렇게 거기 서 계실 줄 알았어요.'

산은 묵묵히 서 있었다. 주검으로 가득한 폐가의 뜰 한가운데 굳건히 선 채로, 산은 단오를 응시했다.

진즉 말했어야 했다. 이유가 무엇이든 간에 그는 단오를 속였다.

"용서해다오."

그가 낮게 중얼거렸다. 들렸을까. 그녀에게 이 애타는 마음이 전해졌을까.

참혹한 발밑과는 딴판으로 평온하기만 한 달빛 틈으로 교차한 시선. 단오가 이내 몸을 돌렸다. 멀어지는 그녀의 뒷모습을 산은 하염없이 바라보고 있었다. 그녀의 뒷모습이 점처럼 작아져 보이지 않을 때까지.

이설은 이제 없다. 단오를 보는 눈은 언제나 그랬듯 강산의 것이었다.

* * *

무척 길게 느껴지는 먼 길이었다. 오랏줄에 몸이 칭칭 묶인 채, 병졸들을 따라 길을 걷던 유하가 고개를 들었다.

순간 무엇인가가 거칠게 얼굴을 뒤덮었다. 앞이 보이지 않았다. 유하의 머리에는 몽두(蒙頭)[2]가 씌워졌다. 갑자기 찾아든 암흑 탓에 유하는 몇 번이나 발을 헛디뎠다.

죽을 것을 알면서 기꺼이 나선 걸음이었으나 어찌 두렵지 않겠는가. 약관, 고작 스물. 푸르른 청춘인 유하에게 그건 너무나 짧은 시간이었다. 그는 어느 순간 목을 꿰뚫을지 모르는 죽음이 두려웠다. 또한 그럼에도 불구하고 후회치 않았다.

몽두 탓에 앞이 캄캄해지자 오히려 마음은 편안해졌다. 유하가 제일 먼저 떠올린 건, 단오의 얼굴이었다.

'행복하자.'

그 말을 전할 때 보았던 단오의 모습이 기억난다. 하얗게 질려 있던 그녀의 얼굴. 안쓰러울 만큼 창백하던 그 뺨이 분홍빛으로 생동하던 시간들이 떠올랐다.

단오가 행복해질 수 있다면 그것으로 충분했다. 그것이 정녕 제가 아닌 다른 사내의 품속이라도.

곧이어 화령의 얼굴이 생각났다. 처음 마주한 순간부터 왜인지 눈길이 가던 여인. 마지막 순간에서야 부를 수 있었던 이름, 어머니.

유하가 평생 바랐던 건 오직 두 여인뿐이었다. 하나는 연모하는 이, 그리고 다른 하나는 저를 낳아 준 어미였다. 적어도 둘 중 하나는 생의 마지막, 고단한 길 끝에서 그를 안아 주리라. 도닥여 주리라…….

"무릎을 꿇어라!"

순식간에 주변이 소란스러워졌다. 보이는 것이 없으니 어떤 상황인지 알 수가 없어, 유하는 잠시 걸음을 멈췄다.

---

2) 중죄인의 얼굴을 가리던 물건.

"헉!"

갑자기 누군가 유하의 무릎 뒤쪽을 걸어찼다. 유하는 나동그라지듯 바닥에 무릎을 꿇었다. 순식간에 몽두가 벗겨졌다. 사방을 밝힌 횃불보다 먼저 눈에 들어온 것은, 코앞까지 다가와 저를 유심히 바라보는 사내의 번들대는 눈빛이었다.

갑작스러운 빛에 눈이 부셔 눈을 질끈 감았던 유하가 다시 눈을 떴다. 그의 얼굴 바로 앞에까지 닥쳐 있는 사내의 입에서 음험한 웃음소리가 흘러나왔다.

사내의 검붉은 옷자락은 분명 곤룡포일 것이었다. 신경질적인 웃음소리가 점점 커진다. 들썩이는 가슴 아래, 곤룡포의 보(補)에 자리를 잡은 용이 꿈틀거렸다.

"왔구나. 내가 누구인지 아느냐?"

이창의 손가락이 유하의 턱을 스쳤다.

"정녕 모르는 것이냐, 혹은 모르는 척을 하는 것이냐?"

무척이나 재미있다는 듯, 이창의 입에서는 킬킬대는 웃음소리가 끊이지 않았다.

"내가 너의 숙부다. 호성군 이평! 아아, 호성대군이라 불러 드림이 마땅하겠지. 그 고귀한 분이 다름 아닌 내 친형님이시지."

유하는 묵묵부답이었다. 날름거리는 추국장의 불꽃에 익숙해진 그의 눈이 앞에 버티고 선 사내에게로 향했다.

"가여운 녀석. 그립지 않았느냐? 하나뿐인 피붙이, 죽은 아비의 아우가?"

제 손으로 목숨을 거둔 형님의 이름을 말하는 이창의 태도에는 일말의 거리낌도 없었다. 열에 들뜬 이창의 시선이 유하의 얼굴을 훑었다. 죽은 물고기의 흰 배때기처럼 창백한 흰자위는 광기로 번들거리고 있었다.

"닮았어! 형님을 쏙 빼닮았구나! 징표를 가졌다지? 붉은 점을 가졌을 것이고? 그러나 그런 것 따위가 무슨 소용이 있느냐 말이다. 네 그 허연 낯이 뻔한 증좌인 것을!"

"미친놈."

내내 침묵을 고수하던 유하가 욕지거리를 내뱉었다.

"와하하하하!"

이창의 입에서 거친 웃음소리가 터져 나왔다. 광기 서린 웃음이 섬뜩했다.

"그래. 아비의 복수를 하고 싶었느냐? 어미의 목숨값을 치르라 하고 싶었어? 안타깝구나. 네가 그 자리에 있지 않았던 게. 네 부모가 얼마나 간절히 내게 목숨을 구걸하였는지, 얼마나 구차하게 죽음을 맞이했는지 네 녀석은 절대 모를 것이다."

"닥쳐라!"

임금의 앞. 궐 안 그 누구도 임금의 면전에서 할 수 없었던 말이 유하의 입에서 튀어나왔다. 놀란 관원들이 달려왔다.

"두어라."

"예, 전하."

이창의 손이 유하의 턱을 들어 올렸다. 유하의 얼굴은 속절없이 허공을 향했다. 이창이 거머쥐고 싶어 하는 것은 단지 유하의 얼굴만이 아닌 듯, 그의 거친 손길에서 불길이라도 지핀 듯한 열기가 느껴졌다.

살육을 거듭하여 왕좌를 움켜쥔 자, 그리고 죽음에서 살아 돌아온 자. 그가 원하는 것은 무엇일까.

"열심히 나불대거라."

그가 유하의 턱을 틀어쥐었다. 비쩍 마른 손마디의 완력은 예상외로 엄청났다.

"기쁘지 않느냐. 내 덕에 그토록 원하는 부모를 곧 만나게 될 것이니."

이창이 이를 드러내며 웃었다.

"저승에서 함께하게 될 것이다. 기다려라."

* * *

"단오야! 홍주야!"

"아이고, 왔느냐!"

이화원 대문이 열리는 소리가 들림과 동시에 왈칵 방문이 열렸다. 곧이어 어머니와 육호가 마당으로 뛰쳐나왔다.

두 딸의 이름을 부르며 달려오는 어머니는 신도 신지 않은 버선발이었다. 그러나 어머니가 딸들을 껴안으려는 찰나, 홍주는 그대로 그녀를 지나쳐 버렸다.

홍주는 돌아보지 않았다. 마치 유령처럼, 처음부터 이 모진 풍경 속에 들어 있지 않았던 것처럼. 홍주는 이화원 구석에 숨어 있던 시절의 얼굴을 한 채 제 방으로 돌아갔다. 그녀의 방문이 닫혔다.

그 모습을 바라보던 시열은 결국 질끈 눈을 감았다. 그가 그녀를 죽였다. 사랑하는 여인 홍주를 죽인 것은 다름 아닌 과거의 시열이었다.

"단오야!"

시열이 황급히 단오의 팔을 붙들었다. 다리의 힘이 풀린 듯, 순간 단오마저 그대로 바닥에 주저앉았다.

폐가에서 목격한 숱한 죽음이 그녀의 머릿속을 점령했다. 어떤 정신으로 이화원으로 돌아왔는지 기억조차 나지 않았다.

"괜찮아요."

단오는 정신을 붙들려고 애썼다. 의연한 척 몸을 가누고는 있었지만, 끔찍한 기억은 계속 그녀를 어지럽혔다.

그 폐가의 입구. 도무지 그곳을 벗어나지 못하는 홍주를 꼭 끌어안은 채, 단오는 눈을 질끈 감았었다. 시퍼런 칼날이 사람을 베는 소리, 흩뿌려지던 피의 비. 생을 마감하는 이들이 내뱉는 단말마의 비명…….

그 생지옥의 중심에 단오가 아끼는 두 사람, 산과 시열이 있었다.

"일어날 수 있겠어?"

시열의 손이 단오의 팔을 슬쩍 잡아당겼다. 그의 옷자락에 튄 핏방울을 본 순간, 단오의 정신은 다시금 아득해졌다.

"단오야!"

어머니의 목소리가 들려온다. 점점 세상이 하얗게 물든다. 깊디깊은 밤이거늘, 이 눈부신 흰 빛은 어디서 온 것인지. 너무나 하얘서 세상은 곧 캄캄해졌다.

단오의 시야에 빛이 파삭 사그라진 순간, 그의 얼굴을 본 것 같다. 산, 혹은 이설. 이제 차마 누구라고 불러야 할지도 알 수 없는 그를.

"단오야, 단오야!"

정신을 잃은 단오를 육호가 들어 옮기고, 그 뒤를 그녀의 어머니가 뒤따라갔다. 이화원의 안뜰에는 시열만이 우두커니 남았다.

"후…….."

시열의 입에서 깊디깊은 한숨이 흘러나왔다. 여전히 밤이었다. 밤은 이제 겨우 절반이 흘러갔을 뿐이다. 평상 위에 털썩 주저앉은 시열의 눈은 먼 밤하늘에 걸려 있는 달의 궤적을 좇았다.

산이 화령의 시신을 수습하는 데는 시간이 걸릴 것이다. 그렇다고 이화원에서 그가 오기를 기다릴 수는 없는 노릇이었다. 일단은 떠나야 했다. 스스로의 안위를 위해서도, 그녀들의 어머니와 육호와 단오와, 그리고 홍주의 안전을 위해서도.

"홍주…….."

저도 모르게 입에 담은 이름이 무심하게 흩어졌다. 그가 멍하니 홍주의 방문을 바라보았다.

방문은 굳게 닫혀 있었다. 처음 작은 호기심으로 저 방문을 훔쳐보던 그때도 그랬던 것처럼. 그러나 영영 그때와 같은 마음을 가질 수는 없으리라.

달칵, 소리가 들렸다. 이윽고 천천히 방문이 열렸다.

"낭자……."

할 말이 없지는 않았다. 저 역시도 살생의 죄를 짓고 싶지는 않았다고, 처음부터 제 선택이 아니었다고. 운명에 끌려가던 내게 새로운 꿈을 불어넣은 것은 홍주 당신이라고. 그녀를 향한 마음만은, 속속들이 진실이었노라고.

그러나 결코 꺼낼 수 없는 말들.

이내 어둠 속에서 엷은 빛깔 옷소매가 불쑥 튀어나왔다. 홍주는 아무런 말도 하지 않았고, 시열에게 눈길조차 주지 않았다. 홍주가 내던진 무엇인가가 쿵쿵 툇마루를 지나쳐 바닥으로 굴러떨어졌다. 제 발치까지 데굴데굴 굴러온 그것을 시열은 가만히 내려다보았다.

그가 선물했던 꽃신. 그 생생한 연초록이 선뜩하도록 시리다.

쿵, 문이 닫히는 소리가 들려왔다. 바닥에 나뒹구는 게 주인 잃은 꽃신만은 아닐 것이다. 시열의 마음, 기억, 그들이 함께였던 순간들. 그 모든 것들이 흙바닥에 너부러졌다.

그러나 원망하지 않았다. 원망할 수 없었다.

시열이 저고리의 끈을 풀었다. 그 안에 매달려 있던 노리개를 그는 가만가만 쓰다듬었다.

항상 간직하겠다고 했었지. 그녀를 위해서 결코 죽지 않으리라고 약속했었다. 그러나 이제 모두 부질없는 일.

바닥에 내팽개쳐진 꽃신을 묵묵히 내려다보던 시열이 손을 뻗었다. 그가 노리개를 조심스럽게 홍주의 문 앞에 내려놓았다. 흘깃, 노리개에 시선을 던진 시열이 조급하게 걸음을 옮겼다. 대문을 통과하는 그의 등 뒤엔 머물 곳을 잃은 마음들만이 덩그러니 놓여 있었다.

얼마나 걸었을까. 미적지근한 바람에 시열의 옷자락이 들썩였다. 순간, 풀썩 피어오르는 비릿한 피 냄새.

"우욱!"

갑자기 밀려든 욕지기에 시열은 허리를 숙인 채 구토했다. 무수히 피를 본 그였으나 지금껏 한 번도 일어난 적 없었던 일이었다.

미칠 듯이 속이 메스꺼웠다. 아니, 메스꺼운 건 제 역겨운 인생이던가. 격렬한 토악질과 함께 눈물이 뿌옇게 솟아올랐다. 뜨거운 눈물이 하염없이 흘러내렸다.

사랑하던 여인은 없다. 달빛도, 별빛도 그에게서 등을 돌렸다. 주위를 감싸는 것은 내내 떨치려 애썼던 원혼들의 아우성처럼 소름 끼치는 밤뿐이었다.

반야는 춘하관 구석에 딸린 제 방 안에 있었다. 문밖에서 이제 익숙해진 여흥의 소리가 들려왔다.

"이게 전부네."

반야가 나직이 중얼거렸다. 반야가 쓰던 방은 깨끗이 정리되어 있었다. 방바닥에 놓인 조그만 보따리가 그녀가 들고 갈 짐의 전부였다. 기생으로서 입던 화려한 비단옷 따위를 가져갈 이유가 없었기에, 보따리에 든 물건은 얼마 되지 않았다.

챙긴 것 중 기방 생활을 떠올리게 할 유일한 물건. 화령이 건네준 노리개를 반야는 가만히 내려다보았다.

"인사라도 하고 가려고 했는데……."

무엇이 그리 다급한지, 화령은 어디 간다는 말도 없이 갑작스레 밤 걸음을 나섰다. 금방 돌아오려니 하는 마음에 한참을 기다렸으나 화령은 내내 소식이 없었다.

정녕 날이 밝을 때까지 기다려야 하는 건가. 발딱 자리에서 일어선 반야가 대문을 향해 걸음을 옮겼다.

"미운 정도 정이라더니."

화령이 준 은 노리개를 품 안으로 넣는 마음 한편이 괜히 저릿했다. 화령은 반야에게 쓴소리나마 말을 걸어 주는 유일한 사람이었다. 말 한마디 곱게 하지 못한 게 내심 걸렸지만, 작별이 코앞인 마당에 뭐 어쩌겠는가.

이제 객도 끊길 시간이라, 대문 앞을 지키던 문지기도 보이지 않았다. 새카만 어둠이 내린 길목을 고개를 쭉 빼고 바라보던 반야가 고개를 갸우뚱했다.

"저게 무엇이래?"

멀리서 천천히 걸어오는 그림자가 보였다. 분명 사내처럼 보이기는 하는데, 그 모습이 몹시 괴이했다.

사내는 무언가를 끌어안은 채였다. 순간 달빛 한 줄기가 사내의 얼굴을 비추었다.

"산 선비님?"

산에게 다가서던 반야가 우뚝 걸음을 멈췄다. 그가 안고 있는 것이 사람, 그것도 낯익은 사람이란 걸 깨달았기 때문이었다. 붉디붉은 치마폭이 바람에 휘날렸다.

"행수?"

반야의 심장이 발치까지 쿵 떨어졌다. 한 발짝만 더 가면 화령의 얼굴이 잘 보일 것 같았다. 그러나 가위에라도 눌린 듯 몸이 움직이지 않았다.

"화령을…… 데리고 왔소."

"행수가 왜 이래요? 수, 술이라도 취한 건가⋯⋯."

순간 화령의 팔이 축 처졌다. 이상하게도 둔탁하게 늘어지는 팔. 그 소맷부리를 바라보던 반야의 얼굴이 일그러졌다.

"이게⋯⋯ 무엇이래⋯⋯."

저고리는 기이할 정도로 검붉었다. 그녀는 화령이 이런 색 옷을 입은 것을 본 적이 없었다. 처음 맡는 이상한 냄새가 코끝을 스쳤다.

반야의 눈은, 오늘따라 너무 희어서 종잇장 같은 화령의 얼굴로 향했다.

"피⋯⋯."

화령의 목에 덕지덕지 들러붙은 붉은 자국들. 저게 대체 무엇일까. 엷은 달빛 아래 섬뜩하리만치 푸른 입술, 그리고 밤보다 더 검디검은, 아무런 것도 담아내지 못하는 저 눈동자. 아름답던 화령이 어찌 저리 생기를 잃은 것일까.

"행수가⋯⋯ 왜 이래요?"

제 눈앞에 있는 것이 무엇인지 알 수가 없었다.

"행수는⋯⋯ 떠났소."

산이 무겁게 입을 열었다.

"어딜 떠나요?"

반야의 멍한 시선이 다시 화령에게 가닿았다. 떠났다는 말은 또 무슨 소린가. 화령은 반야의 눈앞에 있었다. 뻔히 여기 있는 사람이, 대체 어디로 떠난단 말인가.

그리고 반야는 깨달았다. 떠난 것은, 몸뚱이가 아니라는 것을.

"행수가 죽었다고요?"

반야가 툭, 내뱉었다. 화령은 나이가 무색하도록 아리따운 여인이었다. 그녀는 입버릇처럼 한두 해 후에는 퇴기로 물러나 가야금이나 뜯으며 살겠다고 말하곤 했다.

불과 몇 시진 전만 해도 기방을 누비던 화령과 이야기를 나누지 않았나. 그런 화령이 왜 죽느냔 말이다.

"행수."

볼을 만져 본다. 화령의 볼은 심장이 덜컹하도록 차디찼다. 그제야 반야는 화령의 저고리가 붉은 것이 온통 피로 물들어 있기 때문임을 깨달았다.

"왜……."

반야가 멍하니 중얼거렸다.

"가끔 생각나면, 소식 전하라면서요……."

반야가 화령의 얼굴을 어루만졌다.

"그때 빌렸던 백분도 돌려줘야 하는데……."

핏기가 완전히 사라진 새하얀 얼굴 위로 반야의 눈물이 쏟아졌다. 반야의 입에서 아득한 흐느낌이 새어 나왔다.

화령의 시신을 바라보는 산의 표정이 엄숙해졌다. 반야의 울음만이 격렬할 뿐, 화령은 미동 없이 평온하기만 했다. 그 모습이 깊은 슬픔을 불러일으켰다.

과거 호성대군의 집에 속한 사노비였을 때의 화령은 간난이란 이름으로 불렸다던가. 화령은 산이 알지 못하는 부모에 관한 기억을 가진 유일한 이였다. 그녀는 까마득한 과거, 아이였던 산과 잠시나마 같은 지붕 아래 살았던 사람이기도 했다.

화령 자신이 낳은 아이를 떼어 놓은 채, 산을 바라보아야 했을 그 마음이 어땠을까. 미안했다. 너무 늦었지만, 부질없지만.

"화령의 시신을 잘 수습해 주시오, 유하의 부탁이라오."

"유하 선비님은요?"

"유하는……."

춘하관 안쪽에서 수런거리는 소리가 들려왔다. 반야의 울부짖는 소리가 안까지 들린 모양이었다.

산이 몸을 돌렸다. 상황이 상황인지라, 남의 눈에 띄는 것은 피하고 싶었다.

"유하 선비님은요!"

걸음을 옮기는 산의 팔을 반야가 붙들었다.

"유하는 의금부에 잡혀갔소."

"의, 의금부라니요?"

산의 시선은 고요한 표정으로 누워 있는 화령에게로 향했다.

아들을 구하고 싶은 것이었겠지. 그리하여 제 목숨이 허무하게 스러질지도 모른 채, 저렇게 무거운 어여머리를 짊어지고서 한달음에 달려갔을 것이다. 유하를 살리기 위해서, 아들을 떼 놓아야 했던 아픈 과거를 속죄하기 위해서.

그러니, 저 가여운 여인의 뜻 하나는 이루어 줘야 하지 않겠는가.

"걱정 마시오."

산이 걸음을 옮긴다. 멀거니 서 있는 반야에게 들리는 그의 목소리는, 울음을 참는 듯 처연했다.

"유하는 내 반드시 구해 낼 것이니."

산이 마을 입구에 도착했을 즈음엔 푸른빛이 어둠을 밀어내고 있었다. 밤이 지나면 새벽이 온다. 그게 세상의 당연한 이치였다. 산 역시 언젠가는 밝은 날이 있을 것이라 여기며 하루하루를 버텨 왔다.

따뜻한 봄날을 바란 건, 과한 욕심이었을까. 얼어붙은 겨울을 살던 제게 단오라는 봄은 가당치 않았던 것일까.

조선 팔도 그 어디를 떠돌아도 운명이라는 짐은 지겹도록 그를 따라다녔다. 살아 있는 한, 그 운명을 거스를 수는 없는 건가…….

"화령은 잘 보내 줬어?"

시열은 기척도 없이 불쑥 나타났다. 시열 역시 슬퍼 보였다. 그의 눈가가 붉었다.

"춘하관에 데려다주었어."

"그래. 잘했어. 안됐네, 화령."

어색한 침묵이 흘렀다. 새벽 미명 너머로 이름 모를 새소리만이 구슬펐다.

"언제부터였어, 시열?"

"무엇이?"

"나를 따라다닌 것."

"너무 까마득해서 나도 기억이 잘 안 나네. 아마 네가 청주를 떠날 때쯤이었던 것 같은데……."

시열이 말끝을 흐렸다. 그것은 먼 과거의 이야기였다.

"내가 열네 살 때의 일이다."

"그래. 그랬던 것 같아."

"무엇 때문에 나를 따라다닌 거야?"

"글쎄다……. 산, 내게는 선택권이 없었어."

"네가 선택한 일이 아니라고? 파수꾼의 삶이?"

산의 물음에, 시열이 쓰게 웃었다.

"파수꾼의 삶을 선택하다니……. 나를 그 정도 미친놈으로 알았단 말이야? 산, 세상 그 어떤 인간도 파수꾼의 삶을 선택하진 않아. 그건 그저…… 숙명 같은 거였다."

"숙명이라니?"

시열의 시선이 머나먼 하늘을 바라본다. 그새 제법 날이 밝았다. 파르라니 시린 하늘은 어린 시절 뛰어놀던 바닷가 풍경을 닮았다.

"바다 근처에 있는 작은 암자였어. 무예에 능한 땡중이 하나 있었지. 암자에는 나 말고도 또래의 동자승들이 여럿 있었다. 우리는 매일같이 검을 쓰고 무예를 익혔어. 나는 어려서부터 그중에서 가장 실력이 뛰어났지. 같은 동자승들이 나를 무엇이라 불렀는지 알아?"

이제는 기억조차 나지 않는 동글동글한 얼굴들. 그것을 떠올리던 시열의 입가에 흐린 웃음이 스쳐 지나갔다.

"그애들은 날더러 왕이라고 했고, 나를 전하라고 불렀다. 검을 쓰는 일로는 세상 그 누구도 나를 따를 자가 없다면서."

그때는 그 재능이 얼마나 큰 짐이 될지, 생각조차 해 보지 못했다.

"땡중은 늘 우리에게 말했지. '그분'을 지켜야 한다고."

"그분?"

"그게 왕손을 뜻한다는 사실을 알게 된 건, 열 살 무렵의 일이었다. 우리들은 모두 잠을 자고 있었어. 갑자기 밖에서 우당탕하는 소리가 났지. 자객들이 암자에 침입했다. 동자승 모두가 죽었어."

시열이 담담하게 말을 이었다.

"나만이 살아남았다."

"너만이 살아남았다는 건……."

끄덕, 시열의 고개가 움직였다.

"내가 그 자객들을 죽였어, 살기 위해서. 그게 파수꾼을 선별하기 위한 시험이었다는 건, 먼 훗날이 되어서야 알았다."

"아……."

산의 입에서 외마디 소리가 흘러나왔다. 스스로를 구하기 위해서, 열 살 먹은 아이의 몸으로 살생을 했다는 말인가.

"도망칠 수는…… 없었나?"

"난 걸음을 떼던 순간부터 늘 파수꾼의 숙명에 대해 들으며 자랐다. 그 삶 말고 다른 것에 대해서는 알지도 못했어. 글쎄. 도망칠 수 있었을 거야. 내가 원했다면…… 얼마든지 도망칠 수 있었겠지."

시열의 어조는 담담했다. 멀쩡한 두 다리와 몸뚱이가 있었고, 누군가 그를 가두어 둔 것도 아니었다. 그는 언제든 떠날 수 있었다. 그가 그것을 '원했다면.'

"그렇지만 그걸 원했던 적이 없어. 아니, 그런 것을 원할 수 있으리라고도 생각해 본 적이 없다. 그냥 숨을 쉬고 살아가듯 당연하게 파수꾼의 삶을 좇아 왔지. 그것 말고 다른 삶은 생각해 본 적 없어."

홍주를 만나기 이전에는.

한숨을 쉬던 시열이 산을 흘깃 바라보았다. 산의 얼굴에 드러난 표정은 복잡하고도 미묘했다.

"산. 미안해할 필요 없어. 너도 나도 지독한 운명을 짊어지고 살 뿐이야. 너 때문에 내가 파수꾼의 삶을 살았다고 생각지 마라."

잠시 망설이는 기색을 보이던 시열이 입을 떼었다.

"그건 그렇고, 단오가 쓰러졌어."

그 말에, 산이 고개를 들었다.

"많이 놀랐을 테지……. 곧 정신을 차려야 할 텐데."

"괜찮다고 말은 하더만……."

"단오 습관이야. 괜찮지 않으면서도, 남을 안심시키려고 괜찮다고 말하는 게……."

산이 낮은 한숨을 내쉬었다. 산을 보던 시열이 그의 어깨를 툭툭 두드렸다.

"그래도 이화원엔 별문제 없을 거야. 폐가에 시체의 산을 만들어 놨으니, 우리도 당분간 이화원 쪽으로는 발걸음을 하지 않는 게 나을 거다. 유하 일도 있고……."

"그 당분간이 얼마쯤일 것 같아?"

"모르지. 몇 달이려나. 더 긴 시간일지도……."

산의 입가가 뻣뻣하게 굳었다. 단오와의 이별이 길지 않으리라고 생각했는데.

둘 사이, 잠시 고요한 침묵이 흘렀다. 그사이 해가 떠올랐다. 어둠이 사라진 자리, 환하게 밝아 오는 마을의 모습을 산은 뚫어져라 바라보았다. 길목마다 흐드러지게 피어난 꽃들. 단오와의 시간, 그 기억들을 뿌연 흙먼지 가득한 길 위에 남겨 놓은 채, 어쩌면 영원히…….

산이 자리에서 벌떡 일어났다. 시열이 힐끔 그런 산에게 시선을 던졌다. 그럴 줄 알았다는 듯, 시열이 헛웃음을 지었다.

"다녀와. 아직까진 별일 없을 게다. 작별 인사라도 해."

시열의 말이 채 끝나기도 전에, 산의 걸음은 한달음에 그 길목을 내달렸다.

단오와 함께 걷던 길. 길 위에 굴러다니는 자갈돌 하나하나에마저 새겨진 그들의 시간들.

어쩌면 오랜 이별일지 몰라. 다시는 못 볼지도 모른다. 이것이 정녕 마지막일지도 모르겠다. 그렇게 산은 단오에게 달려가고 있었다.

"으응……."

이마에 맺힌 땀방울이 눈꺼풀 위로 또륵 굴러떨어졌다. 단오가 나지막한 신음을 내뱉었다.

"단오야, 정신이 드느냐?"

느릿하게 눈꺼풀을 들어 올린 단오가 멍하니 눈을 끔벅였다.

정신을 잃었던 걸까. 흐릿한 시야에 잔뜩 걱정스러운 표정을 한 어머니의 얼굴이 보였다. 머리가 어질어질했다.

"어머니……. 저, 얼마나 오래 누워 있었어요?"

"두 시진 가까이 지났다. 가만히 누워 있거라. 어찌 이런 일이……. 다친 데는 없는 것이냐?"

습관처럼 괜찮다는 말을 하려던 순간, 가혹한 밤의 기억이 떠올랐다.

진동하던 피비린내, 휘몰아치는 검의 춤 아래 쉽게 스러지던 목숨들. 쌓여 가던 시신들과 죽어 가는 이들의 신음. 장태화의 죽음과 화령의 죽음. 그리고 마치 유령처럼, 꿈속의 한 장면인 것처럼 점점 멀어져 가던 유하의 뒷모습.

'행복하자.'

유하가 남긴 마지막 말이 귓가에 아우성쳤다. 행복하자……. 본인은 사지를 향해 떠나가면서, 행복하라는 말을 남기다니.

"행복하라고?"

단오가 힘없이 중얼거렸다.

"단오야. 무어라고 한 거냐?"

"아, 아니에요, 어머니……."

"대체 무슨 일이 있었던 게냐. 어서 말을 좀 해 보아라. 홍주는 또 방문을 걸어 잠그고 나오지를 않으니……."

다시금 머리가 지끈거려, 단오는 지그시 눈을 감았다.

"어머니……. 잠시만 혼자 있게 해 주세요."

단오의 목소리는 퍽 간절했다. 어머니가 한숨을 내쉬었다.

방문이 닫히자, 단오는 자리에서 몸을 일으켰다. 입에서 절로 앓는 소리가 흘러나왔다. 두드려 맞은 것처럼 온몸이 뻐근했다. 몸에 힘이 들어가지 않았다.

폐가에 있던 당시에는 어떻게든 버텨야 했기에 이를 악물었다. 저보다는 홍주를 먼저 챙겨야만 했다. 집으로 돌아온 순간 긴장이 풀어진 건,

어찌 보면 당연한 일이었다.

"유하 오라버니."

단오가 조용히 중얼거렸다. 그의 뒷모습이 자꾸만 눈앞에 어른거렸다. 그리고 그 고통스러운 시간 속, 저를 바라보던 산의 눈빛을 단오는 기억한다. 그는 지금 어디 있을까.

여름인 데다 문이 닫혀 있어 몹시 후덥지근했다. 자꾸 피 냄새가 올라오는 것 같아 속이 메스꺼웠다. 선선한 공기라도 들어왔음 싶어, 단오는 방문을 열었다.

"단오야."

문밖에 서 있는, 산. 단오의 입은 좀처럼 떨어지지 않는다. 푸른 새벽빛에 드러난 산의 얼굴 역시 고요히 그녀를 바라보기만 했다. 무수하게 많은 말은 입가에 맴돌 뿐 밖으로 나오지 않았다. 둘은 그렇게 서로를 바라보고 있었다.

그리 긴 시간은 아니었지. 늘 툴툴대던 차가운 사내는, 마른하늘에 갑작스레 쏟아지는 폭우처럼 그녀의 마음에 들어왔다. 단오는 문득, 봄 냄새가 진동하던 어느 밤 추격을 피해 숨어들었던 낡은 처마 밑 풍경을 떠올렸다.

소나기. 그 밤의 빗줄기.

그칠 줄 모르고 끝없이 떨어지던 그 빗방울처럼, 산은 단오에게로 쏟아졌다. 산은 그녀의 마음을 적시고 쓰다듬고 어루만졌다. 그리하여 단오는 그를 사랑하게 되었다.

"내게 변치 말라고 했었지."

산의 낮은 목소리.

"이설로 살았던 평생은 내게 아무 의미도 없어. 그 밤 벼랑 아래 매달린 너를 마주쳤던 그 순간부터, 나는 강산으로 살기 시작했다."

이설에게 삶이란 늘 고통스럽고 버거운 짐이었다.

"나는 때로 복수를 꿈꿨고, 때로 운명을 저주했어. 이설이라는 이름은 내게 굴레인 동시에 부질없는 희망이기도 했다. 이설이라는 이름자 하나 말고는, 아무런 것도 없는 삶이었기에……."

빈껍데기뿐이었던 이설의 삶. 그러나 강산의 삶은 그렇지 않았다.

"강산이라는 이름으로 살기 시작한 순간, 네가 내게 왔어. 그 이후로 나는 행복해졌다."

강산의 삶은 아름다웠다. 단오가 있어서. 아름다운 네가, 아름다운 네 안에 나를 머물게 해 주어서.

"속이려고 했던 것이 아니었어. 강산에게 마음을 주었던 네가 이설에게도 그러할지 자신이 없었다. 강산이라는 사내로, 오직 너만을 꿈꾸며……. 그렇게 살고 싶었어. 그것이 내 평생을 통틀어 가졌던 유일한 꿈이었다."

꿈이었다. 꿈이어서, 움켜쥐려고 욕심을 부린 순간 흩어져 버릴까 두려워서, 또 한 번 우매한 짓을 하고 말았다.

"강산은 한 번도 변치 않았다. 강산은 오직 단오 너뿐이었어. 너를 만난 그 순간부터 늘 그러했다."

부디, 단오야. 이런 나를, 몽매하기 그지없는 강산이라는 사내를.

"그러니 단오야. 나를 용서해 줄 수 있겠느냐……."

산을 바라보던 단오가 자리에서 일어섰다.

의구심을 품었던가. 그녀가 사랑했던 사내가 강산인지, 이설인지 갈피를 잡을 수 없다고 생각했던가. 단오는 새삼스런 눈으로 눈앞의 얼굴을 바라보고 있었다.

이름을 알 수 없다. 종잡을 수 없다. 그러나 그저 바라보는 것만으로도 마음은 젖어 들어 묵직해졌다. 모를지언정, 그이기 때문에. 그녀가 사랑하는 얼굴이기 때문에.

"진즉 말해 주시지 그랬어요."

그리하였다면 단오는 잠시나마 흔들리지 않았을 것이다. 산, 혹은 설. 그 이름을 놓고 갈팡질팡하며 괴로워하지 않았을 것이다.

가혹하던 밤의 와중, 내내 마음을 괴롭히던 질문에 대한 답이 그제야 보이기 시작했다.

"오라버니, 저는요······. 정말로 상관없다고 말했을 거예요. 내 앞에 있는 사내가 강산이든, 이설이든······. 진즉 말씀해 주셨다면, 그렇게 마음에 담아 두고 끙끙 앓지 말고, 일찌감치 제게 털어놓았다면······."

단오가 손을 뻗었다. 하룻밤 새 수척해진 것 같은 산의 뺨을 단오는 가만가만 쓰다듬었다.

"이렇게 만져지는데, 늘 나를 지켜 주겠다고 말하는 사람인데······. 나를 진심으로 연모하는 이인데······. 그리고 내 마음 역시 그러한데······."

산의 얼굴을 매만지던 단오가 그의 손을 내려다보았다. 그 손에는 장태화가 던진 표창이 스친 상처가 선명했다.

간밤에 몇인가의 생명을 앗아 갔던 손. 그녀를 지키기 위해 살생을 한 그의 손. 그 손을 단오는 지그시 잡았다.

"나는요, 이름 같은 거 중요하지 않다고 말했을 거예요. 그러니까 용서 같은 거 구하지 말아요. 내가 마음을 준 강산은 변하지 않았으니까. 우리의 마음은 하나도 변하지 않았으니까······."

울컥, 무엇인가가 북받쳐 오른다.

"단오야······."

"이리 와요."

단오는 산의 머리를 끌어당겨 품에 안았다.

"그동안 얼마나 힘들었을까. 얼마나 마음고생을 했을까······."

고작 열여덟. 하지만 때로 산에게 그녀의 심지는 굳건한 나무처럼 느껴지곤 했다. 늘 지켜 주겠다 말하였으나, 오히려 그 변치 않음에 기대어 위로받는 것은 산 자신이었다.

그리하여, 마지막으로 남아 있던 마음속 빗장이 스러진다.

"그러니 용서해 달라느니, 미안하다느니, 고맙다느니……. 그런 말 하지 말아요."

산의 한 팔 안에 쏙 들어오는 작은 몸뚱이. 그러나 그 안에 숨어 있는 마음은 크고도 깊었다. 산은 잠시 너른 단오의 마음 안에서 숨을 가다듬었다.

간밤, 칼날에 베어져 나가던 목숨들. 본인의 의지와는 관계없이 짊어져야 했던 삶의 무게. 비밀로 점철된 생에 관한 괴로움. 산은 모든 것을 내려놓았다. 단오 안에서, 그 진심 안에서.

입술이 닿았다. 작은 꽃잎 같은 입술을 머금는 순간 그를 고통스럽게 하던 많은 일들이 사라졌다. 산에게는 단오와 그녀의 따뜻하고 보드라운 입술만이 남았다.

그러나 아무리 그 입술을 탐하고 또 탐해도, 깊은 곳에서 끓어오르는 갈증은 가시지 않았다. 숨결의 마지막 하나까지 그녀에게 닿길 바랐다. 그리고 그녀 역시 완전히 산의 것이 되기를 원했다.

끝없이 입술을 어루만지고 쓰다듬었으나 몸 안에서 피어난 불길은 사그라들 기미가 없었다. 활활 타올라 바싹 말라 버린 것처럼, 영원토록 그 불씨가 꺼지지 않을 것처럼. 그 갈증의 이유는 달리 있지 않았다.

"할 이야기가 있어."

단오의 부푼 입술 틈으로 짙은 한숨이 흘러나왔다. 산은 열기에 물든 단오의 얼굴을 눈에 담았다.

"단오야, 나는 잠시 떠나 있을 게다."

"떠난다고요?"

"곧 관아의 사람들이 폐가에 들이닥칠 게다. 그 일이 잠잠해질 때까지 나와 시열은 모습을 숨기고 있을 생각이야."

숨을 고르던 단오의 표정이 금세 어두워졌다. 그러나 그녀는 마지못한 듯이나마 고개를 끄덕였다.

아마도 이전처럼 평온한 이화원의 삶으로 돌아갈 수는 없을 것이다. 그건 어쩔 수 없는 일이었다.

"얼마 동안이나요?"

"나도 잘 모르겠다. 그저, 긴 시간이 되지 않기를 바라."

그 말을 들은 순간, 참았던 눈물이 단오의 눈에 가득 고였다.

"단오야."

산의 손이 그녀의 볼 위를 스쳤다. 흐르는 눈물이 거칠거칠한 손끝에 방울졌다.

"나는 반드시 너에게 돌아올 거야."

단오를 끌어안고 여린 등을 도닥이며, 산은 잠시 생각에 잠겼다. 시열이 말하길, 꽤 오랫동안 단오를 볼 수 없을지도 모른다고 했던가. 산은 시열이 말끝을 흐린 이유를 이미 짐작하고 있었다.

그새 날이 밝았다. 빼꼼 얼굴을 드러낸 태양이 단오의 방문 언저리를 비추었다.

"돌아가야겠다."

시간을 지체하다가 혹여 병졸들이라도 들이닥치면, 단오마저 위험에 빠뜨리는 꼴이었다. 이제는 떠날 시간이었다.

"이대로 가요?"

단오의 조급한 손이 그의 옷깃을 잡아챘다.

"정녕 이렇게 가요?"

"내가 이화원에 있으면 너와 가족들마저 위험해져."

무엇인가를 예감한 것일까. 단오의 손이 떨리고 있었다.

"단오야."

차마 그 손길을 뿌리칠 수가 없어서, 산은 좀처럼 걸음을 떼지 못했다.

"오시(午時)³에 마을 초입 버드나무 앞으로 오도록 해. 내가 다시 이곳에 오는 건 위험하니……. 알겠느냐?"

그제야 단오가 산의 옷자락을 놓았다. 붉어진 눈동자로 그들은 서로를 바라보았다. 갑작스럽게, 산은 단오를 꼭 끌어안았다.

아주 짧은 순간이었다. 그 찰나를 그는 영원토록 잊지 못할 것이다. 그녀의 눈빛, 떨리는 몸, 살결의 감촉과 체취를. 그가 사랑하는 여인의 온기를.

"갈게."

눈물이 차오른다. 산은 그 말만을 남긴 채 몸을 돌렸다.

"오시에 버드나무로 갈게요!"

"그래."

걸음을 뗀다. 여전히 그녀가 시선을 거두지 못할 것을 알면서도. 그의 모습이 이화원 대문을 벗어나고, 나무 사이로 사라져도 단오는 그 자리에 가만히 서 있을 것이다.

그러나 돌아볼 수는 없었다. 산의 뺨 위로 끝내 눈물이 떨어졌다. 그는 오시에 수양버들 아래 있지 않을 생각이었다. 어쩌면 마지막이 될지 모르는 순간에조차, 그는 단오에게 거짓을 말했다.

'단오야, 나와 시열은…….'

시열 역시 당연히 동의할 일. 그리고 사실, 시열 없이 혼자서는 도무지 해낼 수 없는 일.

'유하를 구해 낼 것이다.'

그것은 너무나 무모하여, 둘 중 누구의 목숨도 장담할 수 없는 일이었다.

---

3) 오전 11시부터 오후 1시.

그러나 산은 돌아갈 것이다. 피붙이가 모두 살해당했을 때도, 평생 저를 옥죄던 운명과의 싸움에서도, 끝없이 뒤를 쫓던 이창의 위협에서도 그는 살아남았다.

단오를 위해, 그는 반드시 살 것이었다.

14장. 진심

"참(斬)하라!"

이창이 깨어난 순간부터 궁궐에는 피바람이 몰아쳤다.

많은 자들이 죽었다. 그 대부분은 임금의 부재를 걱정한 탓에 대비, 혹은 좌의정과 다음 왕에 대한 밀담을 나눈 자들이었다.

운이 좋은 자들은 사약을 받았다. 그러나 운 나쁜 자들은 사대부의 죽음이라고는 믿을 수 없는 참혹한 죽음을 맞았다. 목이 잘리거나, 몸이 찢기는 것. 이창이 좋아하는 방식이었다.

그러나 좌의정 신운호는 아직 살아 있었다. 그는 연금되어 집에 갇혀 있었으나, 이창은 그를 사사하라 명하지 않았다. 이는 자비라기보다는 수(數)였다. 신운호는 선대 임금 때부터 조정을 담당하였던 중심인물이기 때문이었다.

신운호와 대비는 어차피 살날이 얼마 남지 않은 노인이었다. 이창은 그들에게 찰나의 고통보다 더 큰 절망을 안겨 주길 원했다.

그것을 위해 가장 먼저 준비해야 할 일.

"도승지."

"예, 전하."

"늦은 감이 있으나, 원자의 탄신연을 열어야겠다."

"준비하겠나이다, 전하."

그의 유일한 아들. 왕위를 물려받을 적자의 탄생을 하례하는 날.

"그리고 말이다."

"예, 전하."

"그날, '그자'를 처형하라."

"분부 받잡겠사옵니다, 전하!"

그날, 이창은 그가 무수한 피를 흩뿌리며 손에 넣은 왕위를 탐했던 자, 이설의 명줄을 끊을 작정이었다.

* * *

"이쯤 놓고 가지."

"그래야겠네. 너무 날씨가 더워서, 이러다간 자네랑 내가 먼저 송장이 되겠어."

사내들의 이마에서 땀이 비 오듯 흘러내렸다. 걸음을 멈춘 그들이 들것을 땅에 내려놓았다. 그 뒤를 따르던 반야와 몇몇 기생들의 걸음도 우뚝 멈췄다.

습기를 머금은 흙은 부드러웠다. 금세 땅에는 사람 하나가 들어갈 만한 구덩이가 생겼다. 멍석을 걷어 내자, 피로 물든 여인의 시신이 드러났다.

"쯧쯧."

혀를 차던 사내가 시신을 툭 걸어찼다. 흙바닥을 반 바퀴 구른 시신은 그대로 구덩이 안으로 곤두박질쳤다.

"흐흑……. 행수!"

화령의 마지막 길. 서글픈 뒤안길을 따라온 기생들의 입에서 흐느낌이 터졌다.

화려한 비단옷, 아찔한 분 냄새, 뭇 남정네들을 쥐락펴락하던 미색과 마음을 움직이는 화술. 그러나 이제 모두 부질없는 일일 뿐이다. 세상 어떤 기생도 짐승만도 못하다는 천출의 굴레를 비껴갈 수 없다는 진실만이 확고했다. 꽃 한 송이 없는 초라한 장지가 그 방증이었다.

"저년은 매일같이 행수와 드잡이를 해 대더만, 여기까진 뭐 하러 따라 나왔대?"

"눈물 한 방울 흘리지 않는 저 꼬락서니를 좀 보아. 독한 년 같으니라고!"

매몰찬 비난이 들린다. 그러나 반야의 얼굴은 미동조차 없었다. 반야는 눈물 한 방울조차 흘리지 않은 채, 흙바닥에 고요하게 누워 있는 피투성이의 여인을 바라보고 있을 뿐이었다.

무더운 날씨였다. 시신이 빨리 부패되는 계절. 비릿하던 피 냄새는 그새 코를 찌르는 역한 썩은 내가 되어 천지에 진동했다. 따라온 기생 중 하나가 우욱 토악질을 했다.

"이만 파묻읍시다."

사내가 들고 있던 가래로 흙을 뿌렸다. 유일하게 화령다운 모습이 남아 있는 흰 얼굴에 점점이 흙 얼룩이 졌다. 머리에 얹은 가체 탓에, 화령의 턱은 하늘을 향해 들려져 있었다. 피에 젖은 가체를 누구도 탐내지 않은 탓이었다.

"어머어머, 저년이 왜 저래?"

"반야 저년이 미쳤나!"

기생들이 외마디 소리를 질렀다. 반야가 구덩이 안으로 뛰어들었기 때문이었다.

"무거울 것 아니야."

반야가 중얼거렸다. 반야의 손이 슬쩍, 화령의 얼굴을 쓰다듬었다. 손끝이 바르르 떨리고 있었다.

"얼마나 마음이 급하였으면……. 이 무거운 가체도 떼어 내지 못하고 밤길을 달려갔어요? 늘 이것 때문에 모가지가 쑤신다고 했잖아. 그래서 도통 잠을 잘 수가 없다고 투덜대지 않았어……."

부패한 살 냄새가 후각으로 밀려들었다. 그러나 반야는 꿋꿋이 손을 움직였다. 마침내 묵직한 어여머리가 뚝 떨어졌다. 유난히 젊어 보이는 외모 탓에, 실제 나이를 가늠하기 힘들던 화령의 귀 뒤에 희게 세어 가는 머리칼이 보였다.

그런 것이었겠지. 뼛속까지 미천한 삶. 저렇게 여기저기 침범해 온 세월의 흔적마저 감추고 숨긴 채, 겉모습이나마 고고하게 보이려고 애써 온 것이겠지. 그렇게 살아남으려 발버둥 치는 것이 기생의 삶이겠지.

"아프지 말고 편히 쉬어요. 유하 선비님은 괜찮으실 거예요. 산 선비님이 반드시 구해 내신다고 약속하셨으니까."

반야가 구덩이에서 벗어나자, 불만스러운 표정으로 이를 바라보고 있던 사내들이 흙을 퍼 올리기 시작했다. 마침내 화령의 시신은 완전히 흙에 가려져 보이지 않게 되었다.

"행수, 미안해요……."

돌아가는 반야의 걸음 위로, 그제야 터진 눈물이 툭툭 떨어졌다.

'왕손이시니까요. 이리…… 미천한…… 여인이 어미라는 것이……. 부끄러워서…….'

'무엇이 부끄럽단 말이야, 무엇이! 내가 그토록 찾아 헤맸는데. 그렇게 보고 싶어 했는데…….'

'아드님…….'

"어머니!"

눈을 번쩍 뜬 유하가 숨을 거칠게 몰아쉬었다. 그러나 눈을 떠도 여전히 캄캄한 암흑 속이었다. 무심코 손을 들자, 무엇인가가 손마디에 딱 하고 부딪쳤다.

"아아……."

그제야 제가 옥사에 갇혀 있음을 깨달은 유하가 낮은 탄식을 내뱉었다. 목에 매달고 있는 무거운 칼로도 모자라 양발은 오랏줄에 묶여 있었다. 때문에 그는 옴짝달싹할 수 없는 처지였다.

유하는 모르고 있었지만, 그가 있는 곳은 옥이 아니었다. 그곳은 승은을 입은 상궁 등의 거처로 쓸 요량으로 지어진 구석진 전각이었으며 또한 궁궐 안이었다.

"드시게."

문이 열렸다. 사내 하나가 유하의 앞에 소반을 내려놓았다. 문틈으로 보이는 빛이 반가워 유하는 잠깐이나마 눈을 깜빡거렸다.

"이곳은……."

어디입니까, 라는 물음을 던질 새도 없이 사내는 몸을 돌려 나가 버렸다. 다시 방 안은 캄캄해졌다.

내내 갇혀 있었던 데다 낮밤을 가늠할 수도 없는 처지라 유하는 시간의 흐름을 완전히 잊었다. 이창은 단 한 번 그와 대면했을 뿐 다시 나타나지 않았다. 유하는 무엇 하나 알 수도, 볼 수도 없는 상황에 처해 있었다.

"어머니……."

속절없이 흐르는 시간 동안 숱하게 잠이 몰려왔다. 잠이 들면 꼭 꿈을 꾸곤 했다.

화령을 처음 만났던 순간, 묘하게 눈길을 끌던 그녀의 모습. 스멀스멀 번졌던 의심들. 그녀에게 대체 제가 누구냐고 물었을 때 화령의 뺨을 타고 흘러내리던 눈물…….

어쩌면 유하 자신도 알고 있었을 것이다. 단지 심증을 뒷받침할 물증이 없었을 뿐. 그럼에도 유하는 먼저 말을 꺼내지 못했다. 화령이 몸을 던지기 전까지는, 유하를 위해 죽음을 선택하기 전까지는.

"어머니."

평생을 선비로서 살며 받아 온 모든 가르침들이 부질없게 느껴진다. 세상은 유하에게 그렇게 가르쳤다. 여인이란 나약하고, 수동적이고, 입을 다물고 있어야 한다고. 그것이 조선의 여인들이 가져야 할 미덕이며, 그렇지 못한 여인은 부덕한 존재라고.

그러나 유하의 생을 송두리째 바꾼 두 사람 모두 여인이었다. 한 여인은 그를 위해 목숨을 던졌다. 또한 다른 여인을 위해 유하는 목숨을 버리기로 결정했다.

문득 단오의 얼굴이 떠오른다. 유하는 조금도 후회하지 않았다. 외로웠던 삶, 늘 빛이 되어 주었던 그녀이기에. 기꺼이 단오를 위해 죽으리라.

"행복하자고."

그랬었다. 그녀에게. 그녀를 위해.

산과 함께, 행복하게 잘 지내고 있느냐, 단오?

＊ ＊ ＊

나무 그늘에 드러누워 있던 시열의 눈으로 쏟아져 들어오는 하늘. 푸른 잎새 사이로 보이는 하늘은 구름 한 점 없이 청명했다.

시열은 밤낮 구분 없이 눈이 밝았다. 자리에서 일어나 고개를 쭉 빼면, 멀찍이 이화원의 솟을대문까지 눈에 담을 수 있을 것이다. 지금 시열은 그것이 싫어 굳이 바닥에 누워 있는 중이었다.

"홍주 낭자는…… 뭐 하고 있디?"

"글쎄다."

"그래……."

어차피 괜한 질문이었다. 홍주가 어찌하고 있을 것인지는 시열 자신이 누구보다 잘 알지 않는가.

그냥 둘 것을. 자꾸 그녀에게로 향하던 눈길, 끌려가던 마음. 그저 시간 속에 흩어지도록 내버려 둘 것을……. 그러나 후회한들 되돌릴 수 없는 일이었다. 그는 좀 더 생산적인 방향으로 생각의 흐름을 틀었다.

"유하의 일을 처리하려면 일단 좌의정을 찾아가 봐야 해. 뭔가 알고 있는 것이 있을 게다."

"하지만 이창이 좌의정을 가만뒀을 리가 없어."

"그랬겠지. 뭔들 쉬운 일이 있겠냐? 일단 무슨 수를 써서라도 접선을 해야 해."

갑자기 시열의 입에서 킬킬 웃음이 터져 나왔다. 그러나 진짜 우스워서 웃는 것처럼 보이지는 않았다. 그건 어딘지 탄식과 비슷한 태도였다.

"운명이란 게 정말 얄궂다고 생각지 않나, 산?"

"우리가 만난 순간부터 모든 것이 그러했지."

"그 화살 말이다. 넌 무슨 생각으로 그걸 쏘았던 거야?"

"알고 있었어?"

시열이 씩 웃음을 지었다.

"알고 있다마다. 그렇지만 화살에 매어진 서찰에 뭐라고 쓰여 있었는지까지는 알 수 없었지. 말해 봐라. 뭐라 써서 보냈나?"

"별거 없었다. 내가 이설이다, 라는 글 한 줄뿐이었어."

"대체 왜?"

"좌의정이 장태화를 부리고 있었으니까. 언젠가 내가 때가 되면 알아서 나타날 테니, 판을 흐리고 다니는 걸 멈추라는 의미였어."

시열이 납득이 간다는 듯 고개를 끄덕였다. 단지 그것을 받은 이의 생각이 의도와 달랐을 뿐이다.

"좌의정은 그 서찰을 보낸 사람이 유하였다고 철석같이 믿었던 게로군."

"유하가 아버님의 징표라는 걸 가지고 있었으니까."

"그래, 그런 점이 참 알 수 없게 느껴진다는 거야. 네 아버님의 생각을 도무지 모르겠다는 거고."

"이미 돌아가신 분의 속내를 우리가 어찌 알겠냐."

무거워진 분위기를 깨려는 듯 시열이 흠, 헛기침을 했다.

"사실 내가 너에 관해 모르는 건 단 한 가지도 없을걸. 좌의정에게 화살을 쏘아 보냈던 일뿐이겠어? 밤이면 밤마다 단오를 불러내서 둘이 으슥한 곳에서 온갖 남세스러운 짓을……."

"야, 입 다물어!"

소리를 버럭 지르며, 산이 벌떡 자리에서 일어섰다. 그 바람에 산 앞에 놓여 있던 서찰이 풀썩 바람에 날렸다. 산이 날아가려는 종잇장을 붙들었다.

웃음을 흘리던 시열이 산의 모습을 곁눈질했다. 산은 이화원에서 돌아오자마자 내내 무엇인가를 열심히 쓰고 있었다. 검이 아닌 붓을 쥐고 있는 산의 모습이 낯선 건 시열에게도 마찬가지라, 그는 흰 종이를 열심히 힐끔거렸다.

"뭘 봐?"

"살다 살다 별꼴을 다 보네. 유하 흉내라도 내는 참이냐?"

"무슨 소리를 하는 거냐."

"대체 무슨 글을 그렇게 쓰고 앉았냐고. 이화원에 들어온 이래, 네가 글자 한 자라도 쓴 적이 있었나? 난 네가 정말로 일자무식인 줄 알았다니까. 이설을 찾아다닐 때 하나같이 글솜씨가 뛰어났다는 둥 그런 소리를 하는

146

데, 속으로 코웃음을 쳤지.”

산에게 대뜸 다가간 시열의 그의 손에 들린 흰 종이를 낚아챘다.

“이리 내!”

“어허! 너와 나는 한배를 탄 처지 아니냐. 일거수일투족을 함께해야 하는 사이이니 서로 간에 비밀이 없어야…….”

“이리 내놓으라고!”

날쌔게 몸을 놀려 산에게서 벗어난 시열이 서찰에 빽빽이 들어찬 글자들을 소리 내 읽기 시작했다.

“그리운 단오에게……. 아오, 징글징글해! 이 와중에도 사랑 타령이라니……. 하여간에…….”

웃음을 터뜨리던 시열이 갑자기 말을 뚝 멈췄다.

“네가 이것을 볼 즈음에 나와 시열은 멀리 떠나 있을 것이다……. 응? 이게 대체 무슨 소리야?”

산이 짜증스러운 표정으로 서찰을 빼앗았다. 그가 한숨을 내쉬었다.

“단오가 오시에 이곳으로 찾아오기로 했어.”

“단오가 여길 왜?”

“아까 찾아갔을 때, 그게 마지막이 될지도 모른다는 말을 차마 할 수가 없었다. 여기서 작별 인사를 하자고 했어.”

“장소가 이화원이든 여기든 그게 무슨 상관이 있냐? 내가 너를 모를까 봐? 눈물 바람 하는 단오를 두고 네 걸음이 떨어질 것 같아?”

시열이 쓴 입맛을 다셨다.

“너희 둘이 얼마나 애틋한지 나도 알아. 하지만……. 아, 어쩌려고 단오를 여기까지 불렀어. 단오가 위험해질 수도 있다고.”

“그래, 나도 알아. 그래서 여기로 부른 거다.”

“그건 또 무슨 소리야?”

산이 고개를 들어 머리 위로 솟아오른 해의 위치를 가늠했다. 시간은 얼추 사시(巳時)[4] 즈음이었다.

산은 손에 들고 있던 서찰을 가만히 내려다보았다. 그는 오래도록 글이라는 것을 쓰지 않았다. 그렇기에 짧은 시간 동안, 제 절절한 마음을 모두 담아내기는 어려웠다. 그러나 마음이 닿기를. 부디 그녀를 걱정하는 마음을 단오가 알아주기를. 그의 사랑을 알아주기를.

산이 서간을 나무둥치 근처에 내려놓았다. 그가 근처에 나뒹굴던 납작한 돌덩이를 집어 들었다. 서간이 날아가지 않도록 잘 갈무리하기 위함이었다.

"산, 너……."

"그래."

산이 고개를 끄덕였다.

"가자. 단오가 오기 전에. 어서 떠나자."

"흐음."

시열이 개운치 않은 표정을 지었다.

"괜찮겠어, 산?"

"안 괜찮을 건 또 뭐겠어. 어차피 나는 단오에게 돌아갈 거다. 유하의 일만 잘 마무리가 지어지면……."

반드시, 돌아갈 것이다.

"뭐 해, 시열? 어서 움직이자니까."

"그러니까 내 말은, 괜찮겠냐고."

"괜찮다니까? 왜 자꾸 똑같은 말을 반복하는 건데?"

"그러니까 내 말은."

시열이 먼 곳을 곁눈질했다.

---

4) 오전 9시에서 11시 사이.

"지금 저기 단오가 오고 있거든."

바쁜 발 아래로 뿌연 흙먼지가 일었다. 단오는 이화원을 벗어나자마자 내내 달리고 있었다.

산과 만나기로 한 오시까지는 아직이었다. 그러나 이상하도록 조급한 마음이 그녀의 걸음을 재촉했다. 이윽고 멀찌감치 거대한 버드나무가 보일 무렵, 단오는 가쁜 숨을 내쉬었다. 지체 없이 나무 아래로 향하던 단오는 계속 주위를 두리번거렸다.

산은 어디에 있을까.

"오라버니!"

단오가 소리 높여 그의 이름을 부른다.

"산 오라버니!"

다시 한번 불러 보지만, 답 없는 메아리만 산기슭을 떠돌았다.

망연히 그 자리에 서 있던 단오가 휴우 한숨을 내쉬었다. 쓸데없는 노파심일 것이다. 아직 약조한 시각이 되지 않았다. 어찌 이리 마음이 약해진 건지 모르겠다.

"으응?"

나무 아래, 납작한 돌덩이에 눌려 비죽 튀어나온 새하얀 귀퉁이. 그 서찰을, 단오는 떨리는 손으로 집어 들었다.

<그리운 단오에게.

네가 이것을 볼 때쯤, 나와 시열은 멀리 떠나 있을 거야.

자꾸만 너에게 거짓을 말하는 나를 용서해. 너의 안전을 위한 선택이었음을 이해해 주기 바란다.

나는 시열과 함께 유하를 구해 내고자 한다. 나는 절대로 다치지도, 무슨 일을 당하지도 않을 작정이야. 그러니 부디 나를 믿어다오. 나는 기필코 유하를 구하고 너에게 돌아갈 거야.

단오야. 이건 어차피 사내들의 일이야. 여인인 너를 잠시 떼어 둠을 아쉽게 여기지 말아라. 반드시 뜻을 이루고 돌아가겠다.

걱정하지 말고 슬퍼하지도 마. 우리는 곧 만날 거야. 그리고 잊지 말아라.

내가 너를 진심으로 연모함을, 내게는 오직 네가 전부임을. 네가 없으면 나라는 사내는 아무것도 아님을.

단오야. 나는 처음부터 너의 것이었어. 그러니 나를 기다려 줘.>

불안의 실체를 마주한 단오가 몸을 떨었다. 산은 오지 않을 것이다. 아무리 기다린들, 오늘 그는 오지 않을 것이었다.

"거짓말쟁이……."

어찌 모르겠는가. 혹시라도 그녀에게 해를 끼칠까 봐 두려워 이런 작별을 택하였음을.

산은 이별이 길지 않을 것이라 적었다. 행간마다 절절히 넘치는 그의 마음이 진심이라는 것 역시 알 수 있었다. 그러나 한 치 앞도 모르는 사람의 앞날. 정녕 기다리는 것 말고는 할 수 있는 일이 아무것도 없을까. 마음이 아득해졌다.

단오는 풀썩 자리에 주저앉았다. 이화원에서 나올 때 들고나왔던 작은 짐 꾸러미가 바닥에 툭 떨어졌다. 마음의 준비가 된 것이 산만은 아닐 터인데, 여인이라는 이유로 결국 단오 홀로 남았다.

"아……."

깊은 탄식을 내뱉으며 그녀는 하늘을 올려다보았다. 사무치는 마음과는 달리, 오늘따라 하늘은 유난히도 푸르다. 그 속절없는 푸른빛을 단오는 하염없이 올려다보고 있었다.

반야는 그저 걸었다. 생각에 잠긴 채, 발길 닿는 대로. 무엇을 해야 할지, 할 수 있는 것이 무엇인지도 잘 떠오르지 않았다. 마음 붙일 곳 하나 없는 제 처지가 참으로 쓸쓸했다.

반야는 가족의 행방은 물론 생사조차 알지 못했다. 날을 세우는 성정 덕에 동무라고 부를 만한 사람도 없었다. 유일하게 마음을 터놓을 수 있는 상대였던 유하는 의금부로 끌려갔다. 그리고 화령은 싸늘한 주검이 되었다.

"바보같이······."

그녀가 하릴없이 중얼거렸다. 그건 화령에게 던지는 말인 동시에 자책이기도 했다.

조금만 살갑게 대할 것을, 한 번만이라도 고맙다 말할 것을, 바락바락 핏대 세우지 말 것을······.

한참을 걷던 그녀가 고개를 들었다. 눈을 깜빡여 눈물을 흘려보내며, 반야는 자신이 어디에 와 있는지를 상기했다.

"단오······."

그랬었다. 단오를 보러 가는 길이었다.

"행수가 말한 그대로네. 나는 정말 못된 년이었나 봐요."

끓어오르는 속을 털어놓을 이 하나 없어, 결국 단오에게로 가는 길이라니.

반야는 장태화의 명에 따라 단오를 속였고, 이용했다. 단오를 향한 반야의 감정은 복합적이었다. 반야는 자유로운 양인인 단오가 부러웠다. 무엇보다 그녀가 유하의 사랑을 받는다는 사실이 미치도록 샘이 났다.

하지만 이제 부러움도, 질투도 부질없다. 반야에게 남은 건 말 한마디 터놓고 싶다는 바람 하나뿐이었다.

하필 왜 단오를 떠올렸는지는 잘 모르겠다. 단오가 가진 사랑받는 데 익숙한 사람 특유의 너그러운 심성 때문일까. 비록 단오를 이용했을지언정, 친구라고 부를 수 있는 상대를 처음 가져 본 제 이기적인 마음 탓일까······.

"단오야?"

마을 입구에 들어서던 반야가 걸음을 멈췄다. 버드나무 고목이 만들어 낸 거대한 그늘 아래, 바닥에 주저앉아 하늘을 올려다보는 여인의 모습.

"단오야!"

반야는 단오를 향해 내달렸다. 갑자기 알 수 없는 불안이 밀려들었다. 왜 단오마저도 저런 모습을 하고 있는 건지…….

바삐 흘러가는 구름을 멍하니 바라보던 단오가 고개를 돌렸다.

"반야?"

"단오야! 너 여기서 대체 무얼 하고 있어?"

"으응……."

"무슨 일이 있었어? 혹시 유하 선비님 말고 다른 분에게도 사달이 난 게야?"

"아니야, 그런 거. 그냥……."

단오가 쓴 한숨을 내쉬었다.

"할 수 있는 일이 없어서 그래. 산 오라버니랑 시열 오라버니가 유하 오라버니를 구하러 간대. 이렇게 서찰을 남겨 두고 갔어."

단오가 손에 쥐고 있던 서찰을 들어 보였다.

"산 선비님이 걱정돼서 그러는 게로구나? 혹시라도 변고를 당할까 봐?"

"아니. 그런 걱정은 안 해."

불길한 생각마저 싫다는 듯, 단오는 고개를 흔들었다.

"내가 아는 산 오라버니는 당연히 이렇게 할 사람이야. 벗이 위험에 처했는데 모른 척 눈감는 사내라면, 애당초 마음을 주지도 않았을 거야."

"그걸 알면서 왜 그리 서운한 표정을 짓고 있어?"

"내가 할 수 있는 일이 없다는 게 서글퍼서."

반야가 끌끌 혀를 찼다. 그녀가 단오의 어깨를 도닥였다.

"그게 서운해서 그런 게야? 너를 두고 가 버렸다고? 선비님들이야 당연히 그럴 수밖에 없다는 걸 알잖아. 여인을 데리고 갔다가 다치기라도 하면 큰일이니, 너를 생각하느라 그러신 거겠지."

"그래, 알아…….잘 아는데도……."

단오가 반야의 얼굴을 바라보았다. 오늘따라 유난히 수척한 반야의 얼굴에는 거뭇한 눈그늘이 져 있었다.

"유하 오라버니는 나 때문에 제 발로 의금부에 잡혀갔어. 어쩌면 목숨을 잃을지도 몰라. 그런데 나는 할 수 있는 일이 아무것도 없대. 여인이니까, 그냥 이렇게 하염없이 기다리는 것 말고는……."

"으응……."

유하가 단오를 위해 스스로를 희생했다는 사실이 반야의 마음을 찔렀다. 그렇지만 시샘하는 마음은 들지 않았다.

반야가 느끼는 건 기묘한 동질감이었다. 기생이라는 굴레에 갇혀 있던 반야 역시 늘 벽에 부딪히기를 반복했다. 그래서 반야는 단오가 느끼는 무력감을 조금이나마 이해할 수 있었다.

"단오야, 나 이제 기생 아니야. 자유의 몸이 되었어."

"정말? 너무 잘됐어!"

"맞아. 진짜 잘됐어. 그러니 혹시라도……. 유하 선비님을 위해 할 수 있는 일이 있다면 꼭 연통을 넣어 줘. 나도 돕고 싶어. 나는 갈 곳이 정해질 때까지 춘하관에 있을 거야."

"그래. 그렇게 할게."

"그럼 나는 이만 가 볼게."

몸을 돌리던 반야가 눈을 크게 떴다. 저 멀리 언덕 쪽에서 걸어오는 사내의 그림자는…….

"그래도 좋겠다, 단오 너는……."

"무어가?"

"네가 연모하는 이의 마음도 너와 같아서."

단오의 어깨를 툭, 두드린 반야가 몸을 돌렸다. 자리에서 일어선 단오가 멈칫했다.

자리를 피해 주려는 듯, 종종걸음으로 반야가 떠나간 자리.

"산 오라버니."

처음부터 그녀의 것이었다던 사내의 시선이 단오의 얼굴을 쓰다듬었다. 성큼, 그가 단오에게 다가왔다.

"왜 울고 있어."

먼발치에 있던 산의 눈에 비친 단오는, 바닥에 주저앉은 채 하늘을 보다가 다시 고개를 푹 수그리곤 했다. 그래서 산은 틀림없이 단오가 울고 있다고 여겼다. 슬픔에 잠겨 어쩔 줄 모르고 있으리라고.

그런 까닭에, 그냥 떠나려던 마음과 달리 그의 발은 홀린 것처럼 단오에게로 돌아오고 말았더랬다.

"안 울어요."

"거짓말……."

산이 슥 허리를 숙여 단오의 코앞까지 얼굴을 들이밀었다. 그러나 그저 침울한 기색이 보일 뿐 눈물의 흔적은 보이지 않았다. 산의 입에서 허망한 웃음이 흘러나왔다.

"괜히 왔다."

"뭐가요?"

"서찰을 읽고 눈물을 펑펑 흘리고 있는 줄 알았잖아. 그래서 한달음에 여기까지 쫓아왔거늘……."

"거짓말쟁이는 제가 아니라 오라버니예요. 오시까지 오라더니. 그렇게 철석같이 약조를 해 놓고……."

"왔잖느냐. 약조를 지키러. 오시에 딱 맞춰 오지 않았어."

산이 단오를 품에 안았다. 서운한 듯 쌕쌕대던 단오는 그의 품 안에서 이내 고요해졌다.

"이상해."

"뭐가 이상하다는 게냐?"

"생각이 정말 많았는데……. 약속을 안 지킨 산 오라버니가 밉기도 하고, 그렇게밖에 할 수 없었던 이유가 이해 가기도 하고, 내가 할 수 있는 게 없다는 사실에 속도 상하고……."

"그랬는데?"

스르르, 녹아 없어진 것만 같았다. 머릿속을 괴롭히던 모든 생각들이, 산의 품에 안겨 있는 동안은.

"오라버니가 옆에 있으니까 다 잘될 거라는 생각이 들어요. 정말로 그런 생각이 들어."

"잘될 것이다. 단오야, 내 말을 믿어."

산이 단오의 눈을 바라보았다. 한동안 그는 두려워했었다. 진심이 전해질지, 솔직하지 못했던 제 마음을 단오가 알아줄 것인지. 그러나 이제 산은 두렵지 않다.

말을 하지 않아도 눈빛만으로 통하는 진심이 그들의 마음에 새겨졌다.

"그러니 단오야…… 서찰에 쓴 것처럼, 조금만 기다려. 나를 믿고 기다리면 된다. 유하의 일은 잘 해결될 테니."

단오가 고개를 끄덕였다. 조금 묘한 표정이었으나, 그녀는 울거나 보채지 않았다. 이제 진짜로 떠날 때라고, 산은 생각했다.

결심이 필요한 때였다. 산과 시열은 비장한 마음으로 유하를 위한 싸움을 준비해야만 했다. 그의 걱정과는 달리 의외로 단오는 의연한 모습이었다. 뭔가 고심하는 것처럼 미간을 모은 그녀의 모습은 조금도 약해 보이지 않았다.

"산."

산의 등 뒤에서 시열의 목소리가 들려왔다. 얼굴을 빼꼼 내민 시열이 단오에게 눈인사를 했다. 그러나 시열도, 단오도 이전처럼 환한 표정으로 인사를 나누지는 못했다. 동시에 홍주를 떠올렸기 때문이었다.

"이제 시간이……."

어슬렁어슬렁 그들에게 다가온 시열이 흘낏 높이 솟아오른 해를 곁눈질했다. 갈 시간이 되었다는 의미였다.

"단오야, 이제 시열과 나는 떠나야겠다. 우리는……."

"오라버니들."

산이 마지막 인사를 전하려는 찰나, 단오가 입을 열었다.

"저, 드릴 말씀이 있어요."

"무슨 말이기에 그러느냐?"

단오가 고개를 바짝 쳐들었다. 그녀의 눈빛이 결연해졌다.

"저도 오라버니들과 함께 가겠어요."

맥이 탁 풀리는 기분이 들어, 산은 깊은 한숨을 내쉬었다. 아니 된다. 아니 될 일이었다.

"안 된다."

"저도 돕고 싶어요. 함께 가게 해 주세요."

"단오야, 네 마음을 모르는 건 아니지만……. 어찌 여인이 이리 험한 일에 뛰어들겠다고 하는 것이냐. 안 된다."

"오라버니."

단오의 눈빛이 점점 또렷해진다. 곁에 서 있던 시열이 쓴 입맛을 다셨다.

봄 무렵인가. 장태화를 처음 마주쳤던 날, 단오의 모습이 꼭 저랬던 것을 시열은 기억하고 있었다. 그 이후 그들의 운명은 한 치 앞도 내다볼 수 없는 소용돌이에 휘말렸다.

"한 가지만 물을게요. 제가 여인이라서 오라버니들께 폐를 끼쳤던 적이 있나요? 곤란하게 하거나, 큰 실수를 하거나, 훼방을 놓거나, 위험에 처하게 하거나……."

"그런 의미가 아니지 않느냐. 이건 사내들의 일이다."

"저는 사내와 여인이 같다는 말을 하려는 것이 아니에요. 유하 오라버니가 저를 위해 위험을 무릅썼듯, 저 역시 저 나름의 몫을 하고 싶을 뿐이라고요. 제가 사내와 똑같을 수는 없겠지요. 하지만 저라서, 여인이라서 할 수 있는 일이 있을 것이라고 저는 믿어요."

"위험한 일이야. 네가 끼어드는 것을 나는 원치 않는다."

"제가, 원해요."

그녀가 산을 올려다보았다. 그 안에 담긴 것은 뜨거운 진심이었다.

"저는 그걸 원해요."

"안 된다고 말하지 않아."

그러나 단오는 물러서지 않았다.

"애당초 저로부터 시작된 일이었어요. 제가 이화원을 포기하지 못했기 때문에, 장태화와 거래를 했기 때문에……."

"그것과는 별개의 일이야! 이창은 오래전부터 나를 찾고 있었다."

"그렇다고 해도, 유하 오라버니가 저 때문에 사지로 걸어 들어갔다는 사실은 변하지 않아요."

"그렇다고 해도! 나는 네가 이 일에 개입하도록 둘 수 없어. 네가 위험해지는 것을 볼 수 없다는 의미다."

"제가 여인이기 때문에요?"

단오의 눈빛이 형형하다. 산은 그 눈을 가만히 응시했다. 아니라고 말해 보았자 그녀는 이미 답을 알고 있는 것이다.

"그래, 네가 여인이기 때문에."

"제가 어떤 식으로 도움이 될지도 모르면서요? 그저 여인이라서 안 된다고요? 한낱, 여인이라서?"

"그런 뜻이 아니다."

"저는 사람의 도리를 하려는 거예요. 저를 위해 목숨을 건 유하 오라버니에게 보답을 하고 싶을 뿐이라고요. 여인이라서 아니 된다니요. 당연한 일을 하려는 것뿐인데……."

산이 눈을 감았다. 무엇인가가 들어찬 듯 속이 갑갑해졌다.

"그건 네가, 나의 여인이기 때문이다. 내가 단오 너를 연모하기 때문이야."

여인이라서가 아니었다. 단오가 그저 알고 지낼 따름인 여인이었다면, 산은 조금도 개의치 않았을 것이다. 그는 기꺼이 도움에 감사했을 것이었다.

그러나 단오였기에, 단오가 그의 여인이었기에.

"세상 어떤 사내가 사랑하는 여인을 위험한 일에 끌어들이겠냐는 말이다. 어찌 이리도 내 마음을 몰라!"

들끓는 속을 내보이는 것 같은 거친 음성이었다. 단오가 입술을 잘근 깨물었다.

제가 그의 여인이라서, 산이 그녀를 사랑하였기 때문에. 그 마음을 모르는 것은 아니었으나…….

"저를 사랑하신다면, 제가 원하는 걸 할 수 있게 해 주세요."

단오의 눈빛이 거세게 일렁였다.

"제 스스로 내린 결정이에요. 저를 믿어 주세요."

유하는 그녀가 아니었다면 사지를 향해 걸어가지 않았을 것이다. 그녀는 그에 대한 책임을 산과 시열에게 넘기고 싶지 않았다. 산을 사랑하지만, 그의 등 뒤에 숨어 가만히 기다리는 것을 선택하지는 않으리라.

그녀의 삶. 윤단오의 삶이었다. 제 삶의 주인이 그녀 자신임을, 단오는 너무나 잘 알고 있었다.

"사랑하신다면, 제 진심을 보아 주세요."

폭풍이 이는 듯한 단오의 눈. 산은 잠시 말을 잃었다.

"오라버니."

가만히 그녀를 바라보던 산의 입에서 깊은 탄식이 흘러나왔다. 돌이켜 보면, 그는 진즉 그런 생각을 한 적이 있었다. 도무지 단오를 이길 수가 없다고. 이길 자신이 없다고.

산이 힐끗 시열을 바라보았다.

"뭘 또 나를 쳐다보고 그래. 이미 결정했으면서."

쫏쯔, 혀를 차던 시열이 어깨를 으쓱했다.

"뭐, 윤단오 정도면 어중이떠중이 강산보다야 도움이 될 것 같기도 하고."

"뭐?"

발끈하는 산의 말에 아랑곳하지 않는다는 듯, 시열이 휘적휘적 걸음을 옮기기 시작했다.

"산, 단오. 가자!"

"어쩜 이리…… 똑같지."

춘하관으로 돌아온 반야가 중얼거렸다.

"춘하관도, 기생들도, 빌어먹을 푹푹 찌는 날씨도 그대로인데……."

화령만이 없다.

이내 방구석에 놓여 있던 백분통에 시선이 닿았다. 반야는 그것을 집어들어 보따리 안에 넣었다.

"행수, 빌린 거지만, 가져가도 되죠?"

화령은 반야더러 생각날 때 춘하관을 찾아오라고 말했었다. 하지만 화령 없는 이곳, 다시 찾을 일이 무에 있을까.

"반야!"

갑자기 문이 덜컥 열리며, 기생들이 우르르 들어왔다. 맨 앞에 서 있는 여인은 삼월이라 불리는 나이 많은 기녀였다.

"왜 함부로 남의 방문을 열고 그래요?"

"반야 너, 손에 든 꾸러미는 무엇이냐?"

"무엇이긴, 알아서 뭐 하게요? 이제 자유의 몸이니 떠나려는 길이에요."

"그 꾸러미 좀 보자!"

삼월이와 기생들이 대뜸 반야의 손에 든 꾸러미를 잡아챘다. 우악스러운 손길에 반야가 질색하며 고함을 질렀다.

"이게 무슨 짓이요!"

"당장 내놓으래도!"

실랑이 탓에 보따리 안에 든 물건들이 와르르 쏟아졌다. 백분통이 바닥에 나뒹굴며 분가루가 자욱하게 휘날렸다.

보따리에 들어 있는 물건들은 대수롭지 않은 것들뿐이었다. 그러나 그 와중에 떨어진 묵직한 물건을, 삼월이는 대뜸 집어 들었다.

"이 도둑년!"

삼월이가 반야의 머리채를 잡아챘다. 기생들이 덤벼들어 반야의 몸을 붙들었다.

"도둑년이라니! 그건 행수가 준 물건이야!"

"어디서 감히 거짓을 고하느냐? 이런 고약한 년을 보았나!"

삼월이의 손에 들린 물건. 그것은 화령이 반야에게 건네주었던 노리개였다.

"무슨 말도 안 되는 소리를! 화령이 내게 준 거라고!"

"웃기는 소리 하지 마라! 네년이랑 화령이 매일같이 암탉처럼 싸워 댄 것을 하늘이 알고 땅이 알거늘! 화령이 무슨 이유로 네게 이런 귀한 것을 준단 말이냐? 저 물건은 화령이 기생이 되기 전부터 지니고 있었던 거야! 아끼던 물건이라고!"

160

"그건 나도 몰라! 아무튼 그건 내 것이다. 훔치지 않았어!"

"이년 보게."

갑자기 삼월이가 코웃음을 쳤다. 은으로 된 나비 장식이 달린 노리개는 춘하관의 행수, 화령이 가장 소중히 여기던 것이었다. 게다가 꽤 값진 물건이기도 했다.

관기이던 화령은 죽었다. 그 말인즉슨.

"화령이 관기라는 것을 잊었느냐? 화령의 물건은 모두 관에 속한 물건이라고! 당연히 이 노리개도 나라의 것이지! 당연히 춘하관의 새 행수가 물려받을 물건이란 말이다!"

"그럼 새 행수를 데리고 와요! 내 설명할 테니!"

반야의 말이 끝나기가 무섭게, 삼월이가 입을 열었다.

"내가 춘하관의 새 행수다, 요 도둑년아."

"뭐라고?"

"저렇게 귀한 물건을, 그것도 나라의 물건을 훔쳤으니 네년을 당장 관아에 끌고 갈 수도 있어."

반야가 질린 표정으로 고개를 들었다. 싸늘한 시선들이 그녀를 향하고 있었다.

"네 편을 들어 줄 기생은 단 하나도 없다. 어서 결정하도록 해라."

"무엇을 결정하란 말이오?"

"노리개를 훔친 죄로 관아로 끌려가서 맞아 죽든가, 아니면 춘하관에서 우리의 수발을 들며 노리개값을 갚든가."

"훔친 것이 아니라지 않아!"

악을 쓰는 반야를 바라보던 삼월이의 입꼬리가 비죽 올라갔다.

"여기 있는 모두가 네가 저걸 훔쳐 갔다고 고할 것이다. 그러기에 진즉 좀 고분고분 굴지 그랬느냐?"

"어찌 짓지도 않은 죄를 뒤집어씌우는 게야! 정녕 하늘이 무섭지 않아?"

"하늘?"

삼월이와 기생들이 요란한 웃음을 터뜨렸다. 한참이나 깔깔대던 삼월이가 반야를 노려보았다.

"땅보다 더 천한 기생 주제에 하늘이 무섭지 않냐고? 당장 하루 뒤 목숨이 어떻게 될지도 모르는 게 기생이다. 하늘을 무서워할 여유 따위가 어디 있느냐? 기생답지 않게 늘 거만하게 하늘을 올려다보고 산 너 같은 게 미친년이지!"

삼월이가 표독스럽게 덧붙였다.

"두고 보아라."

삼월이가 눈짓을 하자, 반야를 누르던 기생들이 손을 떼었다.

"천출들이 얼마나 비참하게 사는지, 앞으로 우리가 가르쳐 줄 테니. 가자, 얘들아."

"예, 행수!"

쾅, 소리와 함께 방문이 풀썩거렸다. 멍한 표정을 짓고 있던 반야가 그대로 바닥에 털썩 주저앉았다.

치맛자락이 펄럭였다. 바닥에 쏟아진 희디흰 분가루가 자욱하게 주변을 뒤덮었다. 불현듯 반야가 손을 내밀었다. 손끝에 새하얗게 묻어나는 백분. 그것을 그러모아 쥐는 손아귀가 파들파들 떨렸다.

쓰디쓴 마음과는 조금도 어울리지 않는 그 달콤한 향내. 끝끝내 이를 악물고 참았던 눈물이 쏟아지기 시작했다.

시열은 멀찌감치 앞서 걸어가고 있었다. 어디로 향하는지, 당장의 목표가 무엇인지 모르면서도 산과 단오는 묵묵히 그의 뒤를 따랐다.

"오라버니."

긴 침묵을 먼저 깬 것은 단오였다. 아까의 언쟁으로 인해 마음이 상한 것이 아닐까 싶어, 단오는 산의 눈치를 살폈다. 그러나 산은 좀처럼 속을 알 수 없는 표정이었다.

"오라버니 마음…… 모르는 것 아니에요. 오라버니 뜻에 따르지 못 해서 미안해요."

"이미 결정된 일이다. 미안해할 것 없어."

산의 말투는 조금쯤 무거웠다. 산 스스로도 그것을 깨달은 듯, 그는 가라앉은 분위기를 바꾸고자 그녀의 어깨에 손을 올렸다.

"잠시 잊고 있었다."

"무엇을요?"

"내가 사랑하는 여인이……."

서찰에 썼던 말을 입 밖으로 꺼내기가 조금은 어색한 듯 산은 흠, 하고 목을 가다듬었다.

"내가 사랑하는 여인이, 웬만한 사내들은 상대도 되지 않을 만큼 겁 없고 배포 큰 사람이었다는 걸 말이다."

"드세고, 되바라지고, 혹은 여인답지 못하다고 여기시는 거예요?"

"아니. 전혀."

산의 입가에 잔잔한 미소가 번졌다.

"그저……. 여인이라는 틀 안에 가두어 너를 마냥 내 것이라고만 생각했던 것 같아서. 네가 옳다고 생각한 이상, 그 뜻을 굽히지 않는 것을 보고 많이 배웠다."

"저에게 배웠다고요?"

"그래. 나는 그리하지 못했으니까……. 늘 한 발짝 물러나거나, 숨어 있는 것이 옳다고 생각하였으니까."

"그건 오라버니와 제 사정이 다르기 때문이잖아요. 제가 같은 상황이었더라도 그렇게 했을 거예요."

"이것 보아라. 항상 괜찮다며 나를 토닥이는 건 네 몫이지 않아."

단오가 흐음 콧소리를 냈다. 산과 속 깊은 대화를 나누는 사이 무겁던 그녀의 마음은 한결 가벼워졌다.

"그게 제 매력이니까요. 그렇지요?"

해맑게 되묻는 단오를 바라보던 산의 입에서 즐거운 웃음이 흘러나왔다.

그러하다. 참으로 그릇이 큰 여인을 곁에 두었다. 그것을 뻔히 알면서도, 지금껏 그녀를 마냥 연약하고 감싸 주고픈 존재로만 여겼던 게 아닐까.

"그래. 그래서 내 너를 이리 사랑하는가 보다."

산이 단오의 어깨 위에 놓였던 팔을 거두었다. 그리고 그녀의 손을 꼭 붙들었다. 나란히 보폭을 맞추며 그들은 오후의 풍경 속을 함께 걸었다.

한 치 앞도 알 수 없는 운명 그 어디쯤. 그와 그가 사랑하는 여인, 그 둘이 함께 세상에 녹아들어 살아가는 꿈을 꾼다. 한때 산은 단오를 제 안에 가두어 두는 것만이 사랑이라고 여겼다. 그러나 둘이 함께 걷는 사이, 산의 사랑은 훌쩍 자라나 키가 커졌다.

'사랑하신다면, 제 진심을 보아 주세요.'

단오의 간곡한 말을 떠올리며, 산은 그녀의 손을 더욱 힘주어 잡았다.

제 안에 마냥 가두어 두지 않으리라. 단오가 자유로이 날아오를 수 있도록, 스스로의 힘으로 날개를 펼칠 수 있도록 묵묵히 지켜봐 주리라. 그리고 자유로운 단오의 곁, 산이 머물 자리. 그곳에서 그는 언제나 단오를 지킬 것이었다.

그러기 위해, 그는 뜻을 이루고 살아남을 것이다. 그것이 산이 바라는 완벽한 결말이었다.

"힘들지 않아?"

"아니요. 괜찮아요."

산의 질문이 날아오기가 무섭게 단오는 손을 휘휘 내저었다. 바득바득 고집을 피워 따라온 처지, 다리 좀 아프다고 앓는 소리를 하기는 싫었다.

산과 단오는 앞서가는 시열을 따라 산길을 걷고 또 걸었다. 어느덧 시각은 느지막한 오후로 접어들고 있었다.

"그래? 나는 다리가 아파 더는 못 걷겠는데. 시열!"

그새 저만치 멀어진 시열을 목청껏 부르는 산의 목소리. 뒤를 돌아본 시열이 마뜩잖은 표정을 지었다. 그러나 그런 시열을 본체만체, 산은 엉거주춤 서 있는 단오를 이끌어 곁에 앉혔다.

그들에게 다가온 시열이 물었다.

"아직 갈 길이 멀어. 단오야, 영 못 걷겠어?"

"저는 괜찮은데……."

"단오는 멀쩡해. 내가 죽겠어서 그래. 다리도 쑤시고 허리도 아프고……."

정말 죽겠다는 듯, 짐짓 인상까지 찌푸리며 허리를 쿵쿵 두드리는 산을 보던 시열이 쯧쯔 혀를 찼다.

무수한 시간 동안 산의 일거수일투족을 보아 온 시열 아닌가. 산은 고작 반나절 남짓 걸었다고 엄살을 떨 위인은 절대 아니었다. 단오를 쉬게 하고자 괜히 죽을상을 하고 있는 것이 빤히 보여, 시열은 콧바람을 내뿜으며 웃었다.

"어이구, 어련하시겠어. 그렇게 다리며 허리가 부실하셔서야. 자고로 사내는 허리 힘이 좋아야 하거늘, 이래서 어디 장가라도 가겠냐?"

"내 허리뿐 아니라 혼인까지 걱정해 주다니, 역시 너뿐이로구나."

"어휴, 말이나 못 하면. 그래. 오래 걷긴 걸었다. 잠시 쉬어 가자."

시열도 바닥에 아무렇게나 주저앉아 다리를 쭉 폈다.

"눈꼴시어서, 원."

툭, 내뱉으며 하늘을 바라보던 시열이 해의 위치로 시간을 가늠했다.

그들은 야트막한 산기슭을 따라 걷는 중이었다. 앞으로 두 시진이면 해가 질 것이다. 사내 둘이라면야 산중에서 밤을 지새워도 상관없을 테지만, 그들 곁에는 단오가 있었다.

"바삐 걸으면 해 지기 전에 도착할 수 있을 게다."

"어디로 가는데요?"

"은신처라고 해 두지, 뭐. 비어 있는 집이야."

"예, 오라버니."

단오가 고개를 끄덕였다. 한참을 더 걸어야 한다는 말을 들은 순간 절로 튀어나온 한숨을 그녀는 애써 억눌렀다. 그들에게 짐이 될 수는 없다. 마음을 굳게 먹어야만 했다.

"그건 그렇고…… 어머님께 허락은 얻고 온 것이야?"

"서찰을 남겨 놓고 왔어요."

"직접 말씀드리고 오는 것이 낫지 않았을까 싶은데……."

"홍주 언니에게 서찰을 건넸어요. 어머님께 잘 말씀드려 달라고……."

단오가 말끝을 흐렸다. 홍주의 이름이 튀어나온 순간 금세 어두워지는 시열의 표정을 보았기 때문이었다.

"단오야, 홍주 낭자 일은……."

먼저 입을 열었음에도 시열은 할 말을 잊은 듯 어물쩍거렸다.

"제가 지난 과거까지 어림짐작할 수는 없겠지만……. 오라버니에게도 어쩔 수 없는 사정이 있었던 것이라고 생각하고는 있어요."

"아니다……. 용서받을 수 없는 일이야."

시열이 고개를 휘휘 내저었다. 용서받을 수 없는 일. 어떤 말로도 변명할 수 없는 일. 그걸 알면서, 어찌 뻔뻔하게 단오 앞에서 홍주의 이름을 말했는지 모를 노릇이었다. 시열이 자리에서 벌떡 일어섰다.

"그만 가자. 이러다 해가 지겠다."

날렵한 걸음걸이로 멀어지는 시열의 뒷모습을 바라보던 단오가 나지막한 한숨을 쉬었다. 휴식을 취한 덕에 한결 몸이 가벼웠음에도 이상하게 걸음이 무거웠다.

"단오야."

"예, 오라버니."

"너에게 시열을 이해하란 소리는 하지 않을게. 하지만 이 말은 하고 싶어."

산의 목소리는 나지막하고 조심스러웠다.

"운명이란 내가 선택할 수 있는 것이 아니다. 누군가는 우리가 상상도 못 하는 짐을 지고 살아가기도 해."

단오가 물끄러미 산을 바라보았다. 상상도 못 할 짐. 그것은 분명 그의 어깨에도 얹혀 있었을 것이다.

"오라버니처럼요?"

"나의 삶은……. 글쎄다. 늘 불행하다고 여기며 살았지. 하지만 시열의 삶과 비교할 수는 없을 게다. 아마 내가 시열과 같은 운명을 타고났더라면, 지금쯤 나는 미치광이가 되어 있을지도 모르겠다."

"저는 그저…… 홍주 언니가 괜찮기를 바랄 뿐이에요."

"그래. 나도 그러기를 바라. 운명이 지나치게 가혹했을 뿐이야. 시열에게도, 홍주 낭자에게도."

"언니가 행복해지기를 바랐는데……."

눈물이 날 것 같아, 단오는 이를 악물었다. 이화원을 떠나오던 순간을 기억하는 단오의 표정이 먹먹해졌다.

* * *

"언니."

방문을 두드리는 소리에 홍주는 고개를 들었다.

문틈으로 새어 들어오는 빛. 밖은 분명 환한 한낮일 터다. 하지만 홍주에게 시간이란 부질없는 것이 되었다. 또다시.

"언니…… 괜찮아?"

문틈으로 보이는 단오의 눈에는 걱정이 가득했다.

"무슨 일이야?"

가여운 동생, 단오. 단오는 못난 저 때문에 어려서부터 이화원의 가장 노릇을 해야만 했다. 그간 양심의 가책이 없었다면 거짓이리라.

유령처럼 방 안에 틀어박힌 채 지내 왔던 세월들이 떠올랐다. 홍주라고 해서 그런 삶을 원했던 것은 아니다. 그러나 저로 인해 단오는 이화원이라는 짐을 오롯이 짊어져야만 했다.

"언니, 잘 들어."

퀭한 눈으로 홍주는 그녀를 응시했다. 무슨 말을 하려는 것일까. 더럭 겁부터 나는 것이, 저는 어쩔 수 없는 바보 천치인가 보다.

"언니, 나는 당분간 돌아오지 않을 거야."

"돌아오지 않는다고?"

끄덕. 단오는 망설이지 않았다.

"내가 무얼 할 수 있을지는 모르지만, 유하 오라버니를 구해 내는 데 힘을 보태려고 해."

동생. 두 살 터울이 지는 동생인 단오는 어려서부터 홍주를 압도했다. 강직한 아버지를 빼닮은 단오, 그리고 조용조용한 어머니의 심성을 닮은 홍주. 그러나 단지 부모 중 누구를 닮았다는 사실만으로는 설명할 수 없을 만큼 둘은 달랐다.

그래서 홍주는 알고 있었다. 어찌 여인인 네가 그런 일에 끼어드느냐 말해도 단오는 듣지 않으리라는 걸. 단오는 제 평생을 스스로 결정하며 살아왔기 때문이었다.

단오는 숨 쉬는 것 하나조차도 버거워하던 홍주 자신과는 너무나 다른 동생이었다.

"언니, 나 언니한테 부탁이 하나 있어."

"부탁?"

어둡던 홍주의 표정에 의아한 빛이 떠올랐다. 그녀는 지난 몇 년의 시간을 되짚고 있었다.

그 긴 세월이 흐르는 사이, 단오가 제게 무엇을 부탁한 적이 있던가? 무엇인가를 해 달라고, 그만 세상으로 나와 달라고, 이화원이라는 짐을 혼자 짊어지는 것이 힘드니 도와 달라고…….

아니다. 단오는 그 어떤 부탁도 한 적이 없었다.

"언니. 꼭 이겨 내야 돼."

멍하니 그녀를 바라보던 홍주의 입술이 하릴없이 달싹였다. 무슨 말이든 대답하고 싶은데, 좀처럼 말은 입 밖으로 나오지 않았다.

단오는 누구도 지우지 않은 책임을 위해 위험을 감수하며 떠나려는 중이었다. 그리고 그 와중에도 그녀는 저를 걱정하는 것이다. 평생 단 한 번도 언니 노릇이라고는 해 본 적 없는 못난 저를.

"언니, 약속해 줘. 꼭 버텨 내고, 이겨 낸다고. 나 없는 동안 씩씩하게 지내겠다고. 그래야 내가 안심하고 떠날 수 있어."

"단오야……."

결국 입 밖으로 나온 말은 그것 하나뿐이었다. 홍주가 가까스로 고개를 끄덕였다.

"언니, 어머니께 이 서찰을 전해 줘."

단오가 내미는 서찰을 홍주는 떨리는 손으로 받아 들었다.

"단오야."

"응?"

잠시, 홍주는 입술을 깨물었다. 망설임의 이유는 다름이 아닌 부끄러움 때문이었다. 삶을 개척하는 단오 앞에서, 삶에 끌려가는 것조차 못해서 자꾸만 방 안으로 숨어드는 제가 부끄러워서.

"무사히 다녀와야 해. 내 걱정은 하지 말아."

"그래, 언니."

단오는 그제야 자리에서 일어섰다. 방을 나서 뜰을 가로질러 가는 단오의 뒷모습을 홍주는 한참이나 바라보았다. 대문이 닫히고, 홍주가 다시 제 방을 향해 몸을 돌리던 순간이었다.

제 방 문턱 아래, 덩그러니 놓여 있는 노리개 하나.

언젠가 시열이 했던 말이 떠오른다. 그녀의 선물을 항상 지니고 있겠노라고. 그런 시절이 있었더랬다.

"정녕 끝일 테지……."

떨리는 손으로, 홍주는 노리개를 집어 들었다. 그러나 더 이상 눈물은 나지 않았다. 오히려 홍주의 입에서는 쓰디쓴 헛웃음이 흘러나왔다.

무의미한 삶. 반 푼어치도 못 되는, 구차한 삶. 시열에게 주기 위해 고운 원석들을 고르고 또 골라 노리개를 만들던 그 순간이 떠올랐다. 그때 이미 그녀는 사랑을 예감했던가.

"아둔한 것……."

홍주가 중얼거렸다. 시열은 최현을 죽인 이였다. 현에게 칼을 꽂아, 그를 처참한 시신으로 만든 사람이었다.

그녀는 반사적으로 먼 과거의 정인, 현을 떠올린다. 하지만 아무리 떠올리려 애써 보아도 그 얼굴은 흐릿하기만 할 뿐 기억나지 않았다. 까맣게 막막하기만 한 사내의 그림자 속엔 자꾸만 시열의 얼굴이 들어찼다.

시열이 말하길 용서하라 했던가, 혹은 용서치 말라 했던가. 그 말 역시 기억나지 않고 자꾸 가물거린다. 용서받지 못할 것은 어쩌면 시열이 아닌 저 자신이리라.

참다못해 홍주는 제 가슴을 쿵쿵 쳤다. 제발 나가 주었으면, 이 못난 천치의 마음속에서 제발, 제발 좀 나가 주었으면…….

* * *

임금의 하루는 일찍부터 시작되었다. 선대 임금들이 그러하듯, 이창 역시 밖이 푸르스름한 이른 새벽 잠에서 깨었다.

역대 모든 임금들의 일과는 대비전 문안으로 시작되어 왔다. 이창 역시 대비의 침소인 자경전을 향하고 있었다. 그러나 이는 실로 드문 방문으로, 그는 오랫동안 대비전 문안을 가지 않았다.

그는 모후인 대비를 자경전에 유폐했다. 마지막으로 대비를 보았을 때 이창은 친히 선언했었다. 자경전이 그녀의 집이자 무덤이 될 것이라고.

"대비마마, 주상 전하 납시었사옵니다."

그랬기에, 꼭두새벽 대비전에 찾아든 이창을 맞이한 대비의 얼굴에 떠오른 것은 반가움이 아닌 체념이었다.

지난한 세월. 대비는 제 아들이 그녀의 다른 아들을 죽이는 패륜의 목격자였다. 비탄으로 가득한 삶이었기에 죽음이 두렵지는 않았다. 그저 폭군의 광기가 어떤 피바람을 불러일으킬지가 두려울 뿐이었다.

"그간 평안하셨습니까, 어마마마."

"예. 모두 주상 덕분이지요."

노골적인 비아냥을 들었음에도 이창은 뜻 모를 웃음만을 흘렸다. 무심한 눈길로 어미는 제 아들을 보았다. 어느 순간 피에 굶주린 괴물이 되어 버린 아들을, 조선의 임금을.

"칠월 초하루에 큰 연회를 열 생각입니다."

"연회라니요?"

"박 귀인이 죽은 데다 소자마저 몸이 편치 않아, 원자의 탄신연조차 열지 못하지 않았습니까. 하여 탄신연과 원자 책봉식을 겸한 연회를 열까 하옵니다."

대비는 말이 없었다. 그저 아무런 감정이 담기지 않은 눈으로 아들을 바라볼 뿐이었다. 그런 어미의 눈을 마주 보는 이창의 입가엔 희미한 미소가 걸려 있었다.

"어찌 아무런 말씀도 없으십니까, 어마마마."

"늙은이에게 허락을 구하러 오신 것이 아님을 알기 때문이지요, 주상."

"어마마마. 어찌 그런 말씀을 하시옵니까."

"주상께서 말씀하셨듯 어미는 이 안에서 죽을 것이오. 그리 오래 걸리진 않을 겝니다. 성대한 연회가 되기를 빌겠습니다. 이만 돌아가세요."

"어마마마."

대비는 아들을 외면했다. 인정하고 싶지 않았으나, 어쨌든 그는 제 배로 낳은 자식이었다. 그녀는 이창의 성정을 누구보다 잘 알고 있었다.

이창은 분노 외의 감정에 무뎠다. 슬픔이나 기쁨 같은 감정은 그를 흔들지 못했다. 그러므로 그의 분노를 자극하여 하루빨리 이 가혹한 생에서 벗어나는 것만이 대비가 품을 수 있는 유일한 희망이었다.

"그렇게는 아니 됩니다."

"무엇이 아니 된다는 뜻이오, 주상?"

"어마마마께서는 연회를 관람하셔야 합니다. 공들여 준비한 연회라 하지 않았습니까. 홀로 지내시는 동안 느꼈을 외로움마저 잊게 할 만큼 성대한 연회가 될 것입니다."

"나는 가고 싶지 않소."

"그리 말씀하지 마세요, 어마마마. 가셔야 합니다. 가셔야 하고말고요. 아! 좌상 역시 참석할 것이옵니다."

대비가 미심쩍은 눈길을 던졌다.

"좌상이요?"

"예. 소자가 참석하라 명을 내렸사옵니다."

좌의정 신운호 역시 연금 중인 것으로 알고 있었거늘. 임금의 속내란 도무지 알 수 없는 것이었다.

대비가 눈을 질끈 감았다. 보나 마나 이창은 억지로라도 저를 끌어내 연회에 참석시키려 들 것이다. 그녀는 입을 굳게 다무는 것으로 대답을 대신했다.

"내가 죄인이로구나……."

괴물을 낳은 대가란 이다지도 가혹한 것인가. 이창이 떠난 후, 대비의 주름진 얼굴 위로 눈물 한 방울이 툭 떨어졌다.

그러나 그녀가 모르는 것이 한 가지 있었으니, 그것은 이창이 말한 연회의 의미였다.

이창이 대비와 신운호를 위해 준비한 것은 탄생을 축하하는 연회가 아니었다. 그것은 죽음을 기념하는 연회가 될 예정이었다.

산과 시열, 단오는 다 쓰러져 가는 초가집에 여장을 풀었다. 방은 오직 하나뿐이었고 음식은 변변치 않았지만 불평을 할 수는 없었다.

무엇보다 단오로서는 생전 처음이었던 고단한 여정. 결국 그녀는 몸을 누이자마자 깊이 잠들었고, 다음 날 해가 중천에 있을 무렵에야 깨어났다.

"……기껏 두셋이 다였다. 그저 집을 벗어나지 못하게 감시하는 정도로 보였어."

"시열 네 말대로라면야……. 그 정도라면 충분히 할 수 있어."

"문제는 신운호의 태도일 것인데……."

갓 깨어난 단오가 눈을 깜빡였다. 심각한 대화를 나누는 듯한 산과 시

173

열의 목소리가 막 잠에서 벗어난 단오의 정신을 일깨웠다.

"일어났어?"

"예!"

기척을 눈치챈 산이 물었다. 반사적으로 대답한 단오가 후다닥 자리에 일어나 앉았다.

"무슨 말씀을 나누고 계세요?"

단오의 물음에 시열이 입을 열었다.

"며칠 후, 칠월 초하루에 궁에서 큰 연회가 있을 예정이야. 온 저자가 들썩이고 있어. 급하게 준비하는 연회다 보니 음식이며 옷감이며 값이 배로 뛰었다고 해."

시열은 일찌감치 밖에 나가 동정을 살피고 온 참이었다. 이창이 즉위한 이래 이토록 큰 규모의 연회가 열리는 것은 처음이었다. 그런 까닭에 저자는 발 디딜 틈 없이 북적이고 있었다.

"무슨 연회이기에……."

"원자 책봉식 겸 탄신연이다."

"임금이 힘겹게 얻은 귀한 아들이라 하였잖아요. 그러니 책봉식을 갖는 것은 당연하지 않겠어요?"

"그건 이상할 것도 없는 얘기지. 한데……."

시열은 잠시 망설였다. 그가 흘낏 단오를 바라보았다. 눈이 마주친 순간, 그 속내를 읽은 단오가 자세를 고쳤다.

"함께하기로 했잖아요. 말씀해 주세요."

"꼭…… 들어야겠어?"

"예, 말씀해 주세요. 모든 것을 알고 있어야 저도 도울 방도를 생각할 수 있을 것 아녜요."

단오의 결연한 눈을 본 시열은 결국 고개를 끄덕였다. 그가 무겁게 입을 열었다.

"장안에 이름난 망나니가 그날 궁에 들어가기로 되어 있다."

잠시 그들 사이에 침묵이 떠돌았다.

"망나니가?"

내내 조용하던 산이 되물었다. 망나니가 궁궐 출입을 하다니, 이는 듣도 보도 못한 일이었다.

왕족이나 고관대작들이 역모와 같은 큰 죄를 범하였을 때, 그들은 보통 사약을 받아 사사되거나 자결을 명받는다. 그마저도 궁궐 안에서 죽을 수는 없었다. 궁 안에서 죽을 수 있는 자격은 오직 왕의 직계 가족에게만 있었기 때문이었다.

후궁이든, 나인이든, 아무리 높은 벼슬아치든 간에 살날이 얼마 남지 않은 자들은 궁궐을 벗어나 죽음을 맞이해야만 했다. 그게 이 나라의 법이었다.

그런데 망나니라니. 육신을 훼손하는 가장 참혹한 방식의 죽음을 부르는 자, 망나니가 궁궐에 들어가다니.

"그것도 그렇게 성대한 연회가 있는 날 말이다. 산, 무언가 눈속임처럼 보이지 않아?"

"……연회의 와중에, 누군가를 없앨 작정인가 보군."

"궁궐 연회라면 무인들 역시 넘쳐 날 것이다. 굳이 망나니를 불러들이는 이유가 뭘까?"

"글쎄. 아마도 누군가를 죽임으로써 본보기를 보이려는 의도가 아닐까."

"그 누군가가……."

무심코 내뱉던 시열이 입을 닫았다. 동시에 단오의 심장이 튀어 나갈 듯 쿵쾅거리기 시작했다.

"누군가라면……."

그녀는 차마 그 이름을 입에 올리지 못했다. 마침내 시열의 입에서 그의 이름이 흘러나왔을 때, 단오의 마음 깊은 곳에서 뜨거운 무언가가 울컥 치밀어 올랐다.

"그래, 유하일 것이다."

산과 시열, 단오는 퀴퀴한 냄새가 나는 작은 방에 종일 틀어박혀 있었다. 유하를 구하기 위한 다양한 방책들이 쉼 없이 그들 사이를 오갔다. 그들은 필사적으로 방법을 찾아내려 애썼다.

반쯤 떨어진 문짝 틈으로 비치던 햇살은 뉘엿뉘엿 서녘을 물들인 노을이 되어 물러갔다. 어느덧 푸른 밤이 몰려왔다.

하루가 너무나 짧았다. 하루, 이틀, 사흘이 지나면 칠월 초하루가 된다. 전례 없는 대규모 연회에 온 도성이 들썩이는 와중이었다.

그들의 시간은 쏘아진 화살 같았다. 화려한 연회 뒤에 벌어질 일이 무엇인지 알고 있었기에 두려움도 함께 커져 갔다.

"임금은 유하 오라버니가 이설이라고 굳게 믿고 있겠죠?"

"아마도 그렇겠지."

음식을 구하러 나간 시열이 자리를 비운 밤. 산과 단오는 삐걱대는 소리가 나는 툇마루에 나란히 걸터앉았다. 구름에 가린 달마저 제 마음 같아, 단오는 가만히 한숨을 내쉬었다.

"이설이 아니라는 것이 밝혀진대도 달라질 일은 없을 거고요?"

"이설이 아닐 뿐, 왕손임은 변하지 않으니까. 설령 아무 관계 없는 사람인들 일이 이렇게 된 이상 살려 두진 않을 것이다."

"오라버니는, 알고 있었어요? 유하 오라버니가…… 형제라는 걸."

같은 아비, 다른 어미에게서 태어난 배다른 형제.

"전혀. 꿈에도 생각지 못했다."

"유하 오라버니도요?"

"유하는 그저 본인이 이설이라고 믿었을 뿐이야. 그러니 유하도 몰랐을 거다."

단오는 골똘히 생각에 잠겼다. 그녀가 가만히 산의 얼굴을 들여다보았다.

"닮았나?"

단오가 중얼거렸다. 유하는 그가 즐겨 입던 새하얀 도포 자락 같은 사내였다. 그리고 산은 그가 애지중지하는 검을 빼닮은 사람이었다.

"닮은 것 같기도 하고."

"닮았다고?"

"예전에 시열 오라버니가 그런 말을 한 적이 있었어요. 산 오라버니랑 유하 오라버니가 꼭 쌍둥이처럼 군다고. 그때는 무슨 의미인 줄 몰랐는데⋯⋯."

시열 역시 아무 의미 없이 던졌을 말이었으나, 그것은 용케도 과녁에 명중했다.

"유하랑 내가 대체 어디를 닮았단 말이냐."

"모르겠어요. 눈빛이⋯⋯."

"눈빛이 닮았다는 건, 태생 때문이 아니라 살아온 환경 때문일 것이다."

"유하 오라버니는 서출이라서 마음고생을 했다고 들었는데. 산 오라버니는⋯⋯ 생각해 보니, 아무 얘기도 듣지 못했네요. 아직도 믿어지지 않아요. 오라버니가 그 사람이라는 것이."

"이설이라는 것이?"

"그렇게 오라버니조차도 영 모르는 낯선 이를 칭하듯이 부르니까요."

그랬었나. 산은 다시금 머릿속으로 그 이름을 떠올려 보았다.

이설. 제 이름. 그러나 그는 그 이름으로 살아 본 적 없다.

"아무런 의미가 없는 이름이기에 그렇다. 내가 어찌 살았는지 궁금해?"

"네. 알고 싶어요."

산이 먼 밤하늘을 올려다본다. 종이 위에 먹이 스미듯, 구름에 흐려진 달빛이 흐르고 있었다.

저를 둘러싼 사람들, 환경들. 그것들이 평범치 않다는 것조차 몰랐던 어린 시절이 떠오른다. 그의 아비가 임금의 적자였노라고, 너는 유일하게 남은 단 하나의 왕손이라고, 그리고 이설이 네 이름이라고. 이것이 몇 년 전 전해 들은 진실의 전모였다.

그는 차라리 몰랐으면 좋았으리라고 여겼다. 그렇기에 누구에게도 비밀을 털어놓은 적이 없었다. 그렇지만 단오, 그가 사랑하는 여인 앞에서만큼은 평생을 짓눌러 온 묵직한 비밀을 내려놓고, 잠시 마음을 뉘어도 되지 않을까.

"특별할 것 없는 삶이었어. 어려서는 유모의 손에 자랐고, 여덟 살 무렵에 청주에 있는 양반의 양자로 들어갔다. 말이 좋아 양자였지, 그 집엔 그저 몸종이 필요했던 것 같아. 가히 행복한 삶은 아니었다."

그러나 때로 그 시절마저 그리웠다. 그 자신이 살아 있어선 안 되는 사람이라는 것을 깨달은 이후, 산은 도망치듯 떠나왔다.

"열세 살에 유모가 죽었다. 임종 직전에야 내가 누구인지, 내 부모님이 어떤 분인지 이야기를 해 주더군. 그때 이 검을 받았어."

호성군의 '징표'. 지난밤, 검 자루가 쪼개져 드러난 해의 형상은 한밤중에도 선명한 빛을 발하고 있었다.

"오라버니가 이설이라는 것을 알게 되어 청주를 떠난 거예요?"

"그 이유는 아니었어. 그때는 나도 그것이 어떤 의미인지 잘 알지 못했지. 밤에 자객들이 들이닥쳤다."

"자객이라면……. 이창이 보낸 자들이었나요?"

"그랬을 것이다. 그날, 양부모와 그 식솔들 모두가 몰살됐다. 그때부터였어. 오직 검 하나만을 바라보며 살게 된 게."

그 시절, 몸종처럼 부려지던 산은 노비와 다를 바 없이 생활했다. 습격이 있던 밤, 주인을 버리고 우르르 도망치는 노비들 틈에 끼어 그는 가까스로 목숨을 건졌다.

"좋은 양부모는 아니었다. 그 집 사람들 역시 누구 하나 잘 대해 주지는 않았지. 하지만……."

산의 눈빛이 아득해졌다. 이제는 잘 기억조차 나지 않는 사람들. 그 집에서 그는 늘 외로웠다.

유하 역시 똑같은 삶을 살았다 말했었지. 그들의 눈빛이 닮은 건, 아마 그 이유 때문일 것이다.

"내게 살갑지 않았다고 해서, 그렇게 비참한 죽음을 맞이할 이유는 없었다. 그들은 나를 거둔 죄로 죽었어."

그리하여 산은 떠났다. 곁에 누군가를 두지 않으리라는 결심을 한 것도 그 즈음이었다.

정처 없이 팔도를 누비며 떠돌던 발걸음, 우연히 찾아들었던 깊은 밤의 산길. 낭떠러지에 매달려 있던 해사한 소녀를 마주치기 전까지는 그러했었다.

"이설이라는 이름은 지겹도록 나를 따라다니는구나. 나는 그 이름을 진즉 버렸거늘……. 내게 단 한 번도 좋은 기억을 남긴 적이 없는 이름이었다. 또한 두렵기도 했어."

"무엇이요?"

"내가 이화원에 자리를 잡은 이유로, 죄 없는 다른 이들이 해를 입을까 두려웠다. 양부모가 그러했듯이 말이다……. 그래서 필사적으로 숨기고자 했어. 이설이라는 이름이 단오 네 입에서 튀어나왔을 때, 내가 얼마나 놀랐는지 아느냐?"

운명처럼, 이설이라는 이름은 단오를 통해 다시 산에게로 되돌아왔다.

"이제는 나도 잘 모르겠다. 내가 누구인지. 그것이 어떤 의미가 있는지."

산이 쓰게 웃었다. 이설로부터 도망치는 것이 가능하리라 여겼던 자신이 한없이 무지하게 느껴졌다. 어찌 도망치겠는가. 그 스스로가 이설이거늘.

문득 단오는 그가 약해 보인다는 생각을 했다. 산이 품고 있었던 비밀의 무게가 이제야 실감이 났다. 고작 열 서넛 소년에게는 지나치게 가혹했을 마음의 짐. 단지 마음이 무겁다는 게 전부는 아니었을 것이다.

비밀은 사람을 외롭게 하고 고립되게 만든다. 그가 내보였던 날카로운 말들은 그 비밀을 숨기기 위한 갑옷이었으리라.

그래서 단오는 산을, 외로웠을 시절의 그를 안아 주고 싶었다.

"오라버니는 강산이에요. 그리고 이설이기도 해요. 이름이 무엇인지는 중요치 않아요."

단오의 얼굴이 산에게 다가간다. 사랑하는 여인 앞에서 종종 약해지곤 하는 그의 입술에 단오는 부드러운 입맞춤을 남겼다.

평생 처음으로 비밀을 꺼내 보인 탓에 비어 버린 마음을 위로하는 입술의 감촉이 간지러웠다. 산이 입 끝을 움찔거렸다.

"사람들이 오라버니의 이름을 어떻게 부르든, 오라버니는 똑같은 사람이에요. 내 마음을 가진 사람, 내가 연모하는 사람."

단오가 두 팔을 벌려 산을 안았다. 그녀로서는 상상조차 할 수 없는 생의 무게가 얹혀 있는 산의 등을 그녀는 부드럽게 두드렸다.

"우리에겐 아직 할 일이 남았어요. 생에 대한 고민은, 유하 오라버니를 구해 낸 다음에도 충분히 할 수 있어요."

산의 표정이 미묘하게 달라졌다. 힘이 빠져 있던 어깨가 활짝 펴졌다.

"그래, 단오 네 말이 맞아."

강산, 혹은 이설. 어차피 그가 평생 안고 갈 이름. 과거를 버린다고 진실이 달라지는 건 아니다.

굳센 팔로, 산은 단오를 끌어안았다. 자세를 꼿꼿이 가다듬었다. 팽팽하게 긴장된 근육들이 사납게 일어섰다. 여인의 입술을 소유하며, 그는 다짐했다. 약한 마음을 내보이는 건 오늘이 마지막이라고. 당분간 한순간도 나약해지지 않으리라고.

행복한 세상을 꿈꾼다. 그 세상을 가지려면 반드시 강해져야만 했다. 그가 사랑하는 여인, 단오는 곧 그의 세상이었다.

폭풍이 지나간 후에, 훗날 단오와 함께라면 기꺼이 나약해질 수 있으리라. 강해질 필요 따위 없는 나약한 자의 행복을 그때는 한껏 누릴 수 있을 것이었다.

15장. 운명을 거스르는 시간

"덥구먼."

"그러게나 말일세. 지루해서 미칠 것 같네."

느지막한 오후, 북촌 한가운데 위풍당당하게 자리 잡은 솟을대문 앞. 그 앞을 지키고 있던 무인 복장의 사내 셋은 무료하기 짝이 없는 표정이었다.

"늙은 좌의정 하나를 감시하는 데 굳이 셋씩이나 필요한 이유가 뭔지. 노인네 하나 지키는 게 무슨 대수라고. 그저 집으로 돌아가 낮잠이나 잤으면 좋겠구먼!"

"어허, 자네, 말조심하게."

"무슨 말을 조심해?"

"아직 모르나? 내일모레 궐에서 원자 책봉식을 하지 않는가?"

"그게 뭐 어째서? 우리 같은 하급 벼슬아치 나부랭이는 구경도 못 할 것을."

사내가 답답하다는 듯 눈을 흘겼다.

"좌의정에게 전갈이 갔네. 모레 입궐하여 연회에 참석하라고 말일세."

"뭐? 그렇담, 끈 떨어진 연이 아니었어?"

좌의정을 노인네라 칭했던 사내가 황급히 되물었다.

"끈 떨어진 연은 무슨. 어찌 되었든 간에, 전하께서 쓰러져 계실 때 조정이 돌아간 건 좌상 대감의 덕이지 않았나? 이번 연금은 아마도 감히 내 뜻을 거스르지 말아라, 하는 경고 정도였던 것 같네."

"그럼 곧 연금이 해제되겠구먼."

"그래. 그러고 나면 우리도 이 지겨운 일에서 해방이네."

"그놈의 끈, 참 질기기도 하구먼. 아무튼 말조심이나 해야지."

구름 한 점 없는 하늘. 이글이글 쏟아지는 태양 빛이 작열했다. 사내들이 쉼 없이 흐르는 땀을 닦았다.

신운호는 내내 제 방에만 틀어박혀 두문불출이었다. 연금 중인 그를 굳이 찾는 사람 역시 없었다. 그런 까닭에 신운호를 감시하도록 명받은 관원들이 할 일이라곤 종일 뙤약볕 아래 멀뚱멀뚱 서 있는 것 하나뿐이었다.

정작 갇혀 있는 자는 고고히 태평하거늘, 그를 지키는 자들은 몸을 비틀며 지루함과 싸우고 있었다.

"저놈은 뭐지?"

그때, 저만치서 휘적휘적 걸어오는 선비를 발견한 사내가 눈살을 찌푸렸다.

"선비는 선비인데…… 꼬라지가 왜 저래? 행색이 비렁뱅이나 다름없구먼."

말 그대로, 선비는 꽤나 남루한 차림이었다. 아니, 남루하다기보다는 우스꽝스럽달까?

윗부분이 움푹 꺼진 볼품없는 갓은 주변이 다 헤져 너덜거렸다. 도포랍시고 입은 것은 하도 낡아, 길에 내버려도 아무도 주워 가지 않을 판이었다. 심지어 도포 자락에 시커멓게 든 흙물이라니…….

"형님!"

갑자기 비루한 꼴의 선비가 괴성을 지르며 관원들에게로 달려왔다.

"형님! 형님!"

거지꼴을 한 자가 막무가내로 달려드는 통에, 대경실색한 관원들은 질색하며 옆으로 물러났다.

"이런 정신 나간 놈을 보았나. 얻다 대고 형님이래?"

"형님! 배가 고픕니다! 밥 좀 주십시오!"

"에라이, 미친놈이로구만! 가뜩이나 짜증 나는데 별게 다 꼬이네. 썩 저리 꺼져라!"

"형님! 밥이요, 밥!"

관원 셋 중 둘은 재수 옴 붙었다는 듯 굴었지만, 나머지 하나는 비교적 침착한 표정이었다.

"뭐 하는 놈이냐? 비렁뱅이가 이렇게 더운 날 옷을 죄다 챙겨 입고, 영 수상한데."

"그냥 정신 나간 놈이겠지. 수상할 건 또 뭔가."

"이상하잖은가. 여기가 어딘데. 북촌에서도 고관대작들만 사는 동네에, 어디서 이런 몰골을 한 자가……"

"흠. 듣고 보니 그렇긴 하네."

"안 되겠다. 네놈, 잠깐 이리 와 봐라!"

관원 중 하나가 사내의 팔을 붙잡았다. 우악스러운 관원의 태도에 놀랐는지, 횡설수설 밥 타령을 하던 사내는 그만 제풀에 바닥에 나동그라지고 말았다. 그때였다.

"오라버니!"

저만치서 목청껏 '오라버니'를 외치며 달려오는 여인 하나.

"오라버니! 대체 여기까지 어떻게 오신 거예요! 정녕 소녀는 오라버니

때문에 속이 타서 살 수가 없습니다!"

양갓집 규수임이 분명한 단정한 차림새의 처녀가 바닥에 나동그라진 미친 사내를 끌어안았다.

"나리님들! 송구합니다……. 소녀의 오라비인데…… 보시다시피 광증이 있어서……."

여인의 커다란 눈에 금세 눈물이 가득 고였다.

"오라버니가 나리님들께 또 폐를 끼친 건 아니겠지요? 만일 그랬다면, 부디 저를 보아서라도 한 번만 용서해 주세요. 모두 오라버니를 잘 돌보지 못한 제 탓입니다."

사내들은 순식간에 꿀 먹은 벙어리처럼 눈만을 끔뻑거렸다. 닭똥 같은 눈물을 뚝뚝 흘리는 여인의 모습은 무척이나 애처로웠다. 몇 날 며칠을 북촌 담벼락만 바라보며 살던 그들의 눈에, 그 모습은 마치 선녀의 강림처럼 보였다.

"어이쿠……. 그, 그런 사정이 있었던 게로군요. 그만 우시오, 낭자."

관원 하나가 바닥에 웅크리고 앉아 눈물을 떨구는 여인을 위로했다. 그 와중에도 미친 오라비라는 자는 초점 없는 눈빛으로 '밥! 밥' 하며 밥을 내놓으라 끊임없이 우짖는 중이다.

"참으로 친절한 나리님이시네요."

울먹이며 말하는 여인이 쓸쓸한 미소를 짓는다. 그 모습이 퍽이나 아름다워, 사내들은 그녀에게서 시선을 떼지 못했다.

"원래부터 이렇게 모자란 오라비는 아니었어요. 과거에 연달아 두 번 낙방하더니, 어느 날부터 사람이 이상해지더니만……. 흑!"

"밥을 주시오! 밥을 주시오!"

다시금 울음을 터뜨리려는 여인을 본 사내들이 허겁지겁 그녀에게 다가섰다. 여인의 눈물을 닦을 면포를 건네주랴, 미친 오라비에게 주머니에

꿍쳐 두었던 주전부리를 꺼내 주랴, 사내들은 한참이나 부산하게 법석을 떨었다.

미친 오라버니와 곱디고운 동생. 괴상한 남매의 출현으로 소란스러워진 관원들의 뒤편. 소리 없이 나타난 검은 그림자 하나가 신운호의 집 담벼락을 넘었다.

물론 그 앞을 지키던 사내들은 그 사실을 꿈에도 모른 채, 눈물을 쏟아내는 단오와 밥 타령을 하는 산에게 온 정신이 팔려 있었더랬다.

신운호는 제 방에 정좌해 있었다. 문갑 위엔 서책이 놓여 있었으나 그것은 그저 손 가는 대로 펼쳐 놓은 것일 뿐. 그가 읽는 건 책이 아닌 제 기억이다.

신운호가 기나긴 세월 동안 권력의 정점을 지킬 수 있었던 이유는, 역설적으로 그가 권력을 탐하지 않았기 때문이었다. 그는 사사로이 제 권력을 지키기 위해 노력하지 않았다. 신운호가 지키기 원했던 것은 자신의 권력이 아닌 조선의 권력이었고, 지금의 조선은 그가 평생을 바친 결과물이었다.

지금 그는, 결과물에 만족하는가?

"전하……."

궐에서 날아온 교지에는, 칠월 초하루에 있을 연회에 참석하라는 명이 적혀 있었다.

"대체 그 속에 도사리고 있는 것이 무엇입니까."

교지를 가지고 관원이 방문하였을 때, 그는 사약을 받을 마음의 준비를 마친 상태였다. 그러나 사약 대신 입궐을 명받다니. 임금의 속은 참으로 종잡을 수 없다.

거이기양이체(居移氣養移體).

사람은 그가 처한 위치에 따라 달라진다는 말. 이는 조선의 임금이 바뀔 때마다 신운호가 되뇌어 온 말이었다. 신운호는 자리가 사람을 만드는 법이라고 믿었다. 자질이 부족한 군주이더라도, 왕좌에 앉은 이상 그는 최선을 다해 보필하여 왔다.

그러나 지금의 임금 이창은 좀처럼 통제되지 않았다. 타고난 야수의 본성이 이창을 임금의 자리로 이끌었을 뿐, 불행히도, 임금이라는 자리는 이창을 변화시키지 못했다. 이창이 임금의 자리를 변화시켰을 뿐이다.

폭군. 그것이 현재 조선 임금의 이름이었다.

"내 생각이 틀렸던 것인가……."

그가 마른 입술을 축이며 깊은 한숨을 내쉴 때였다. 스륵. 인기척도 없이 문이 열렸다. 문틈으로 미끄러지듯 들어오는 검은 옷의 사내를 신운호는 담담히 바라보았다.

"나를 죽이러 온 것이냐?"

차분한 물음을 던지며, 신운호는 사내의 얼굴이 제법 낯익다는 생각을 했다. 어디서 보았던가. 갑자기 사내가 허리를 깊숙이 숙인다.

"대감의 도움이 필요하여 왔습니다."

한순간, 신운호의 눈이 번뜩였다.

"먼저 신분을 밝히시게."

"그러지요. 혹자들은 저를 그리 부릅니다."

그가 옷섶 안에서 서찰 하나를 꺼내 좍 펼쳐 들었다.

"파수꾼, 이라고."

펼쳐진 흰 종이 위, 네 글자.

〈我 李設也. 내가 이설이다.〉

그 네 글자를 신운호는 뚜렷이 기억하고 있었으니, 그것은 이설이 몸소 쏘아 보낸 화살에 매달려 있던 서찰의 대담한 필체 그대로였다.

시열이 신운호와 독대한 시간은 일 다경[5] 남짓. 그 짧은 시간 동안 단오는 문 앞을 지키던 사내들의 혼을 쏙 빼놓았다.

인상적이었던 등장 외에 산이 한 일은 많지 않았다. 사실 산은 사내 하나가 자꾸만 쥐여 주는 강정이며 약과를 받아먹느라 입을 열 틈조차 없었다.

"이만 가 보아야겠어요. 어머님께서 걱정하실 것 같아서요. 나리님들, 참으로 감읍합니다."

곁으로 툭 떨어진 돌멩이 하나를 곁눈질하며 단오가 입을 열었다. 이는 시열과 미리 약속된 것으로, 무사히 일을 마쳤다는 신호였다.

"낭자……. 그냥 가시지 마시고, 함자라도……."

"제 이름을요?"

세 관원 중 가장 젊은 사내가 설레는 눈빛으로 단오를 바라보았다. 그 순간.

"퉤!"

갑자기 산의 입에서 괴상한 소리가 튀어나왔다.

"으악! 아이고, 이 미친놈……."

산의 입에서 튀어나온 씹다 만 음식물을 고스란히 뒤집어쓴 사내가 오만상을 찌푸렸다. 그러나 산은 듣는 둥 마는 둥, 혼자만의 열연을 펼치는 중이었다.

"퉤, 퉤!"

"소, 송구합니다, 나리! 저희는 이만 가 보겠습니다! 오라버니, 가요. 어서요!"

단오가 산의 팔을 잡아끌었다. 종종걸음으로 멀어지는 두 남매-라고 그들은 굳게 믿었다-를 바라보던 사내들이 고개를 절레절레 저었다.

저리 참한 처녀에게 저런 미친 오라비라니. 처녀가 참으로 가여워, 사

---

5) 15분.

188

내들은 그 뒷모습을 보며 한참이나 혀를 찼다.

"뭐가 그리 재밌느냐?"

돌아가는 길, 혹여 사내들에게 들릴까 싶어 소리를 죽여 큭큭 웃고 있는 단오를 곁눈질하던 산이 물었다.

"재미있을 수밖에요. 다시 봤어요, 오라버니."

"나는 하나도 재미없었다."

"재미없기는요. 정작 눈물 바람은 저 혼자 다 했잖아요. 오라버니는 강정을 몇 개나 드셔 놓고선! 그거 엄청 맛있어 보이던데."

산이 퉁명스럽게 대꾸했다.

"먹고 싶어서 먹은 거 아니다."

"정말 감쪽같았어요. 누가 봐도 미치광이 같았을 거예요."

"그거, 칭찬이야?"

"그럼요. 칭찬이고말고요."

그러나 어딘지 기분이 개운치 않아, 산은 미간을 찌푸렸다.

"아무리 그렇다기로소니, 내게 모자란 오라비라 하였지?"

"관원들을 속여야 하는 판에, 무슨 말이든 못 할까. 저야말로 억지로 눈물을 짜내느라 얼마나 힘들었는지 아세요?"

"눈물만 짜냈느냐? 웃는 거 다 봤다."

"지금 투기하시는 거예요?"

"그래. 다시는 나 말고 다른 사내에게 웃어 주지 마라."

순순한 산의 인정. 단오는 그만 웃음을 터뜨렸다.

"진심이 아니라는 거 뻔히 알면서."

"그래도."

스윽, 산의 손이 단오의 볼을 부드럽게 어루만졌다.

"싫은 건 싫은 거다."

"대장부께서 이리 투기를 하시다니."

"그리 말한다고 내가 그만할 것 같아?"

단오가 두 손 두 발 다 들었다는 듯 어깨를 으쓱했다. 그제야 산의 입에서 피식, 웃음이 흘러나왔다. 그의 눈이 진중해졌다.

"단오 네 덕에 잘 넘어갈 수 있었다. 네가 아니었다면 나는 이미 포도청에 끌려갔겠지."

"제가 도움이 됐다고 말해 주시는 거예요?"

"그렇다마다. 네 말이 맞았어. 너와 함께해서, 얼마나 다행인지 모르겠다."

단오의 눈이 기쁨으로 반짝였다. 짐이 되지 않겠다는 말, 저만이 할 수 있는 일이 있으리란 다짐을 증명한 것 같아 뿌듯했다.

단오가 산을 위아래로 훑어보았다. 늘 무인 복장을 하던 산의 새로운 모습이 생경해서였다. 비록 비루한 차림새이긴 했지만, 단오는 갓과 도포를 입은 그의 모습이 제법 마음에 들었다. 물론 옷에서 풍기는 퀴퀴한 냄새마저 마음에 든 것은 아니었지만.

"이렇게 입은 것도 잘 어울려요."

"잘 어울린다니, 뭐가 잘 어울린다는 게냐."

산이 흘낏 뒤를 돌아보았다. 잰걸음으로 걸은 덕에 더 이상 신운호의 집은 보이지 않았다.

그가 찌그러진 갓과 남루한 도포를 벗어 던졌다. 다 떨어진 갓과 도포는 시열이 비렁뱅이에게 푼돈을 주고 얻어 온 것이었다.

"시열이 녀석, 제일 냄새가 지독한 것으로 가져온 게 분명해."

"야!"

등 뒤에서 날아오는 목소리.

"내 그 도포를 구하려고 얼마나 고생했는지 알고나 하는 소리냐? 어이구, 왜 옷을 다 벗어 던졌담? 내 너를 위해 특별히 가장 흉물스러운 것으로 구해 왔는데."

"시열 오라버니!"

어느새 나타난 시열을 보며 단오가 반갑게 소리쳤다. 단오는 한껏 들뜬 상태였다. 큰일을 도모하는 데 작게나마 힘을 보탰다는 사실이 그녀의 기분을 붕 뜨게 만들었다.

"신운호와 이야기는 잘되었어?"

"시간이 촉박했지만……. 뜻은 모두 전했다."

"그가 무어라 하더냐?"

"흠……."

시열의 눈이 가늘어진다. 짧은 독대였다. 단오와 산을 기다리는 동안, 그는 신운호가 남겼던 말의 의미를 내내 곱씹었었다.

"그걸 나도 잘 모르겠어."

"모르겠다고?"

"그가 한 말이 무슨 의미인지를 모르겠어. 신운호의 속내를 좀처럼 알아차릴 수가 없었다."

"오라버니, 그 사람이 뭐라고 하였는데요?"

"그가 말하기를……."

'자네, 파수꾼이라고 하였나?'

'그렇습니다.'

'내 하나 묻지. 파수꾼은 무엇을 위해 존재하는가?'

'왕손을 보호하기 위해 존재합니다.'

'그렇다면 나는 어떤 사람일 것 같은가?'

'종묘사직을 지키는 것을 신조로 삼는 분이라 알고 있습니다.'

'그래. 나는 조선을 가장 중히 여기네. 왕이란 곧 국가와 같은 것이지. 내게 조선이란 곧 임금일세.'

'그 임금이 죽이려는 자는 종묘사직을 지킬 수 있는 유일한 사람입니다.'

'그러나 그는 왕손일 뿐이야. 왕은 아니지.'

'그게 무슨 뜻입니까?'

'허허……'

신운호가 딴청을 피우는 것처럼 너털웃음을 짓는다. 그러나 그와 눈이 마주친 순간 시열은 등골이 서늘해졌다. 노인의 눈에서 뿜어져 나오는 빛은 모든 것을 꿰뚫고 있는 것처럼 형형했다.

"신운호는 제법 오랫동안 나를 쳐다봤어. 눈빛이 대단하더군. 암튼, 그가 그다음에 꺼낸 말은……."

'나는 오직 왕을 위해 존재하는 사람일세. 내 도움을 받을 수 있는 것은, 오직 임금뿐이라네.'

신운호의 말. 그 말을 되뇌던 시열이 고개를 흔들었다. 혼란을 느낀 탓이었다.

"그 말을 할 때, 그는 정말 기묘한 표정을 짓고 있었다."

"왕을 위해서만 존재하는 사람이라……. 결국 우리를 도와줄 생각은 없다는 의미일까?"

"아니. 그가 덧붙인 마지막 말이 더욱 이상했어."

"뭐라고 했기에?"

'도와주겠다. 자네가 할 수 있다면.'

"도와준다고 했다고?"

"그래. 뭘 할 수 있냐는 건지 연거푸 물었지만 끝내 허허 웃을 뿐 대답은 하지 않았어."

산과 대화를 나누며 걷던 시열이 발길을 멈췄다. 몇 걸음 뒤, 단오가 우뚝 선 채 움직이지 않는다는 것을 깨달았기 때문이었다.

"단오야, 뭐 해? 어디 갈 데가 있다 하지 않았어? 이러다 해가 진다."

192

"오라버니."

"단오 너, 얼굴이 왜 그러느냐?"

산이 성큼 단오에게 다가왔다. 그녀는 큰 충격을 받은 것 같은 표정이었다. 무언가 말하려는 듯, 벌어진 입술이 파르르 떨렸다.

"좌의정이 한 말의 의미, 저는 알 것 같아요."

"그게 무엇이기에?"

단오가 제 가슴팍에 손을 얹었다. 쿵. 쿵. 심장이 당장이라도 밖으로 튀어 나갈 듯 요동친다.

이제야 그녀는 뼈아프게 깨달았다. 큰일. 막연히 큰일을 도모한다, 라고 생각하던 일. 그 말의 진짜 의미를. 그것이 얼마나 거대한 것인지를.

"오직 왕을 위해 존재하는 사람이다, 내 도움을 받을 수 있는 자는 오직 임금뿐이다……. 도와주겠다. 자네가 할 수 있다면."

신운호가 했다는 말을 천천히 읊는 단오의 얼굴이 파리하게 질려 간다.

"자네가 할 수 있다면."

단오가 다시 한번 그의 말을 되뇌었다.

"그건, 임금을 시해하라는 뜻이에요."

그리하여, 새로운 왕을 세우라는 의미.

신운호가 던졌고, 단오를 통해 완성된 그 말의 무게가 주변을 짓눌렀다.

"임금을……."

단오의 말을 시열은 멍하니 곱씹었다.

"시해하라고?"

경악에 찬 표정이 그의 얼굴에 천천히 떠올랐다. 신운호와의 독대를 떠올리며 그는 잠시 숨을 멈췄다.

어찌 몰랐던 것인가. 어찌 그토록 빤히 보이는 속내를 모르겠다고 여겼던 걸까.

왕이 될 자가 아니면 도와줄 수 없다는 말. 좌의정의 요구는 단순명료했다. 굳건하게 자리를 지키고 있는 임금 이창이 있었기에 그 말은 오직 하나를 뜻하고 있었던 것이다.

새로운 왕.

"파수꾼이 왕을 시해한다니……."

갑자기 시열이 홀린 듯 내뱉었다.

신운호의 뜻을 눈치채지 못했던 건, 그가 파수꾼이기 때문이었다.

파수꾼.

알 수 없는 운명의 소용돌이 한가운데에 던져지기 전까지, 그는 파수꾼이라는 이름을 달고 있는 스스로에 대해 고민해 본 적이 없었다. 어리디어린 열 살 소년 시절부터 그것은 그의 숙명이었다.

타고난 운명은 아니었으나 그는 환경에 의해 파수꾼으로 길러졌다. 오직 왕손을 보호하여야 한다는 일념만으로 살아온 인생. 그 자신은 애당초 존재하지 않았다. 그의 생의 목표는 오직 남의 생존이었다. 그에게 지켜야할 왕손의 안위는 제 목숨보다 귀한 것이었다.

왕가의 피가 흐르는 자의 목숨을 해한다는 모순 앞에, 그는 한참이나 말을 잃었다.

"산, 유하를 구해 내는 것으로 족해. 왕을 해하려 들었다간 일이 더욱 커진다."

"유하는 궁궐 안에 갇혀 있어. 누군가의 도움 없이 유하를 빼내는 것은 불가능한 일이다."

"산……. 그 일을……. 하겠다는 거냐?"

긴장이 역력한 시열의 말투에 초조함이 배어났다.

순간 산이 휙, 손에 쥐어져 있던 검을 돌렸다. 검집에서 튀어나온 칼이 허공을 한 바퀴 빙글 돌았다. 그건 그의 아버지의 유품이었다. 왕가의 핏줄을 이어받았다는 징표는 검 자루에 선명하게 번쩍이고 있었다.

가만히 그 태양의 형상을 노려보던 산이 쓴웃음을 짓는다.

무엇을 위해 이 검을 목숨처럼 애지중지하며 살아왔는가. 얼굴도 기억 나지 않는 아비와 어미의 복수를 위해? 원래 제 것이었으나, 산산이 조각 난 운명을 제자리로 돌리기 위해?

"해야지."

그런 거창한 이유 따위는 필요치 않다. 유하가 피를 나눈 형제라는 사 실도 중요하지 않았다. 그에게 핏줄이란 온갖 불필요한 고통만을 야기하 는 존재일 뿐이었으니까.

그에게 중요한 것은.

"마음을 나눈 벗을 구해야 하지 않겠느냐."

그뿐이었다.

"무엇이 두려우냐, 시열."

"두려운 것이 아니야."

시열이 천천히 고개를 저었다. 그가 제 손을 내려다보았다. 무수히 피 를 묻혔고, 누군가의 삶을 무수히 파괴한 손을.

"나는…… 그 반대를 위해 살아왔어. 글자를 깨친 이후부터, 처음 검을 잡았던 순간부터……. 나는 이설, 너를 위해 존재하는 사람이야. 내가 원 하든 원하지 않았든. 나는 그렇게 살았다."

문득 다시 고개를 젓는다. 두렵지 않다고? 아니다. 두려웠다. 생전 느껴 보지 못한 유형의 두려움이 밀어닥쳤다.

"나는 얼마 전부터서야 파수꾼에서 벗어나길 바랐어. 나는 도망을 꿈꿨 다. 맞서 싸우거나 운명을 뒤집으리란 생각 따윈 해 본 적이 없어. 웃기지 않아? 평생 왕손인 너를 보호하기 위해 그토록 많은 이들을 죽인 내가, 이 제 와서 그 칼끝을 왕에게 겨눈다는 것이……."

혼란과 공포. 텅 빈 눈으로 시열은 산을 바라보았다.

이설. 그를 위해 시열은 이미 수많은 살육을 했다.

"나, 무엇을 위해 살았던 거지?"

시열이 쓰디쓴 웃음을 뱉었다. 숙명이라고, 반드시 해야 하는 일이라 믿었기에 그는 검을 휘두를 때 거리낌이 없었다. 고뇌 없이 쉽게 휘둘렀던 검이 그대로 되돌아오리란 걸 모르는 채로.

이제 검은 시열을 겨누고 있다. 그리고 그의 평생을 난도질한다.

"시열, 너는 나에게 그렇게 말했었지. 떠날지도 모르겠다며, 행복해지고 싶다고."

"그래, 그랬었지."

갑자기 산이 시열의 손을 꾹 잡았다. 예상치 못한 온기에, 시열은 번쩍 고개를 들었다.

"남을 위해서 하는 일이 아니다. 나는 나 스스로를 위해서, 너는 너 자신을 위해서, 그리고 우리가 진심을 나눴던 벗을 위해서."

맞닿은 시선.

늘 산이라 불러왔으나 마음속으로는 늘 이설이었던 사내를 시열은 가만히 바라보았다.

"시열, 파수꾼의 삶을 끝내."

지그시 서로를 바라보는 시간이 길었다. 굳은 표정이던 시열은 한참이 지난 후에야 고개를 끄덕였다.

전혀 몰랐으나, 몰랐다고 해서 시열을 향한 산의 죄책감이 덜어지는 것은 아니었다. 시열은 그의 존재로 인해 평생을 저당 잡혀야만 했다.

"그리고 행복해져, 시열."

산, 시열, 유하, 그리고 단오까지. 그들 모두가 행복해질 수 있는 유일한 기회. 그들은 그것을 잡기로 결정했다.

"오라버니."

내내 생각에 잠겨 있던 시열은 다녀올 곳이 있다는 말을 남기고 자취를 감췄다. 산과 시열이 대화를 나누는 동안 내내 침묵을 지키고 있던 단오가 입을 열었다.

"정녕 이 방법뿐인 게지요?"

"지금으로서는, 그래."

산이 불쑥 손을 내밀어 단오의 머리를 부드럽게 끌어당겼다. 그제야 그는 단오가 떨고 있음을 깨달았다. 제 상념에 빠져, 곁에 있는 여인이 받았을 충격을 헤아리지 못했던 것이다.

산이 단오의 어깨를 가볍게 도닥였다. 단오는 입술을 잘근잘근 깨물고 있었다.

"그 사람, 나쁜 사람이지요? 임금이라는 자 말이에요. 오라버니의 부모님을 돌아가시게 했고, 오라버니 역시 그자 때문에 평생 쫓기듯 살아야만 했고……. 사람들이 모두 그러잖아요. 임금은 폭군이라고, 제정신이 아니라고."

"단오야."

단오의 속내를 읽은 산이 조용히 그녀의 이름을 불렀다.

"악인이지. 하지만 세상을 살며 선과 악을 구분 짓는 것은 쉽지 않은 일이야. 그자도 누군가에게는 좋은 사람일 수도 있어. 그건 나도, 시열도 마찬가지다."

힘 빠진 단오의 어깨가 축 늘어졌다. 고집을 부린 끝에 함께하겠다고 따라온 길. 산과 시열의 결정이라면 그녀 역시 따라야만 했다. 그러나 단오는 누군가의 생명을 해하는 일 같은 건 생각해 본 적 없었다.

힘든 결정이었다. 그럼에도 불구하고 해야 하는 일이라면, 악인에게 벌을 내린다는 명분이라도 생기기를 바랐다. 하지만 산은 단오가 원하는 답을 내 주지는 않을 모양이었다.

"굳이 명분을 따지자면, 내게는 부모님의 원수를 갚는 일이지. 시열에게는 파수꾼의 삶에 종지부를 찍는 일이 될 거야. 그러나 단오 너는 그렇지 않아. 너는 임금이니, 왕손이니 하는 것과는 관계없는 사람이다."

"하지만……."

"그러니 우리에게 맡겨 두어. 네가 여인이라서가 아니다. 네가 못 미더워서가 아니야. 나와 시열, 둘만이 할 수 있는 일이기 때문에 그래."

또한 둘만으로는 조금도 결과를 예측할 수 없는 일이기도 했다.

임금의 수족들로 가득 찬 궁궐. 단둘이서 할 수 있는 일은 과연 얼마만큼일까. 어쩌면 살아남는 것만도 꽤나 힘든 목표가 될지 모른다.

"아까 시열 오라버니에겐 남을 위한 일이 아니라고 하셨잖아요. 스스로를 위한 일이라고. 그리고 벗을 구하기 위한 일이라고."

"그 말이 사실이니까."

"유하 오라버니는 제게 친오라비나 다름없는 분이에요. 저 역시 남을 위해 행하지 않아요. 제 마음이 괴로웠기에 굳이 고집부려 오라버니를 따라왔어요. 무언가 제가 할 수 있는 일이 있을 거예요."

"또 고집을……."

산은 낮은 한숨을 뱉었다. 그러나 문득 떠오르는 북촌에서의 풍경. 천연덕스럽게 눈물을 뽑아내며, 장정 셋을 순식간에 무장 해제 시켰던 단오의 모습이 그의 뇌리를 스쳤다.

그 일이라면, 위험은 크지 않을 것이다. 또한 반드시 필요한 일이기도 했다.

"도와줄 만한 일이 하나 있다. 북촌에서 그랬듯 말이다. 하지만……. 너 혼자서는……."

"누군가의 도움이 필요한 일이에요?"

"그래. 혼자서는 어려울 것이다."

말이 떨어지기가 무섭게 단오의 대답이 따라왔다.

"있어요, 도와줄 사람."

"중요한 일이다. 믿을 수 있는 사람이어야 해. 또한 위험한 일이야. 대체 누가……."

"중요한 일, 위험한 일. 뭐든 기꺼이 하겠다고 나설 아이를 알고 있어요. 믿을 수 있는 친구예요. 연통만 바로 닿는다면……."

"그게 누구기에……."

산의 말이 채 끝나기도 전에, 단오는 자리에서 벌떡 일어섰다.

"다녀올게요."

그리하여, 단오의 걸음은 부리나케 움직였다. 춘하관을 향해서.

"반야에게 연통을 하고 싶어서 왔네."

아직 해가 떨어지기엔 이른 시각이었으나, 다행히 춘하관의 문지기는 문 앞에 나와 있었다.

"반야와 연통을요? 반야는 아직 춘하관에 있습니다만……."

"그래? 마침 잘되었구먼. 좀 불러 주시게."

자유의 몸이 되었으니, 춘하관에 소식을 남겨 놓으라던 반야였다. 그랬으면서 어찌 아직 춘하관을 떠나지 않은 걸까. 단오는 고개를 갸웃했다.

어쨌든 한시가 급한 상황이었다. 바로 반야를 만날 수 있어서 다행이다.

"흠……. 그것이……."

문지기가 난감한 듯 입맛을 다셨다. 초조한 마음에 단오는 문지기의 옷자락을 붙들었다.

"어서 좀 불러 달래두. 단오가 찾아왔다고 전하면 알아들을 것이네."

"반야는 지금 처지가 좀 그렇습니다요."

"반야의 처지가 왜?"

"그게……. 반야는 지금 갇혀 있는뎁쇼……."

"갇혀 있다고?"

되묻는 단오의 앞에서, 문지기는 영 불편한 표정으로 고개를 주억거렸다.

"얼마 전 반야가 내게 다녀갔단 말일세. 반야는 분명히 자유의 몸이 되었다고 했어. 그런 사람이 어찌 갇혀 있다는 겐가!"

"화령의 노리개를 훔쳤다는 죄목입니다만……. 물론 반야는 훔친 게 아니고 화령에게 받은 것이라고 말하고 있긴 한데……. 화령의 물건은 곧 관아의 물건인지라, 그 죄로 제 방에 갇혀 있습지요."

중얼중얼 변명이라도 하듯 반야의 처지에 대해 읊조리던 문지기가 아차, 하는 표정으로 입을 다물었다.

그가 눈을 굴렸다. 기껏 스물도 안 돼 보이는 젊은 처자이거늘, 지난번부터 눈앞의 아씨만 보면 이상하게 기세에 눌려 주눅이 드는 것이다.

"내 직접 물어봐야겠네. 불러 주시게."

"하지만 아씨. 새 행수가 알면 노발대발할 것입니다요."

안절부절못하던 문지기가 무릎을 탁, 쳤다.

"그러지 마시고 아씨님, 직접 반야의 방으로 가 보시는 게……. 아직 기생들이 밖에 나다니기엔 이른 시각이니까요."

문지기가 소리가 나지 않게 대문을 슬쩍 열었다. 문지기의 뜻을 알아챈 단오가 얼른 대문 안으로 들어섰다.

춘하관 내부는 아직 고요했다. 단오는 종종걸음으로 텅 빈 안뜰을 가로질렀다.

"반야."

기억을 어림짐작하여 찾아낸 반야의 방. 살짝 열린 문틈으로 그녀의 이름을 부르던 단오가 멈칫했다.

"다, 단오야!"

소스라치듯 몸을 일으킨 반야가 황급히 제 얼굴을 감추었다. 그러나 손틈으로 보이는 입술에 꺼먼 피딱지가 앉은 것마저 숨길 수는 없었다.

"반야! 얼굴이 어찌 이런 것이야?"

"그게……"

"문지기에게 대충 이야기는 들었는데……. 갇히다니. 어찌 자유의 몸이 된 이를 가두었다는 거야?"

"단오야, 쉿."

단오의 손을 이끈 반야가 문을 닫았다. 어둑한 방 안, 가물가물하게 보이는 반야의 눈은 한참을 운 듯 퉁퉁 부어 있었다. 늘 강한 아이라고 여겼던 반야의 모습이 낯설어, 단오는 잠시 머뭇거렸다.

"이게 내 운명인가 봐."

"반야……"

반야가 쓸쓸히 웃었다. 억울하였다. 숨을 쉬지 못할 만큼 억울했다. 간밤, 반야는 이불 속에 얼굴을 파묻은 채 울고 또 울었다.

마침내 얻었던 자유. 그러나 그것은 손에 넣었다고 여긴 순간 멀찍이 달아나 버렸다. 긴긴밤 한없이 토해 낸 울음 탓에, 반야의 안에는 아무것도 남은 게 없다. 모든 것을 체념한 표정이 반야의 얼굴에 떠올라 있었다.

"어떡하지. 어떻게 이런 일이 있지……"

반야에게 도움을 청하러 온 길. 하지만 건넬 수 있는 위로라고는 무력한 말 한마디뿐이다. 단오가 반야의 손을 꼭 붙잡았다.

"내 걱정은 하지 말아. 여태껏 기생이었으니, 어쨌듯 살아지겠지……. 그보다 유하 선비님은 어떻게 되었어? 무사하셔?"

"유하 오라버니는……"

차마 입이 떨어지지 않아 단오는 말을 삼켰다. 반야는 고통스러운 상황에 처해 있었다. 어찌 그녀 앞에서 도와 달란 말을 꺼낼 수 있단 말인가.

"산 오라버니랑 시열 오라버니가 반드시 구해 내실 거야."

"두 분이서?"

"나도 무언가 할 일이 있을 것 같았는데……. 혼자서는 쉽지는 않겠지. 사실은……. 네 도움을 구하러 온 길이었어."

"나는 나갈 수가 없어. 새 행수가 가만두지 않을 거야."

새로 행수가 된 삼월이는 반야가 자유의 몸임을 증명하는 문서마저 빼앗아 갔다. 삼월이는 춘하관 밖으로 걸음을 했다간 당장 추노꾼을 불러다가 잡아들일 것이라는 엄포도 잊지 않았다.

도망노비, 그것도 그저 노비가 아닌 기생. 도망기생이 추노꾼에게 잡힌 이후의 생은 오직 하나뿐이었다. 유곽으로 팔려 가 창기로 평생을 보내다, 비참하게 죽는 것.

"그래. 분명 다른 방법이 있을 거야. 일단 네 몸을 챙겨. 나는 괜찮아."

괜찮다고 말은 했지만 앞이 막막했다. 단오는 잠시 동안 말이 없었다. 먹먹한 침묵이 둘 사이를 떠돌았다.

단오가 일어나야겠다는 생각을 할 때쯤. 반야가 입을 열었다.

"단오야. 화령이 어찌하여 죽은 것인지, 혹시 너는 알고 있니?"

"나……. 사실 그 자리에 있었어."

"화령이 죽는 자리에 있었다고?"

"응……."

잊으려고, 생각하지 않으려고 애썼던 그 밤의 기억. 단오는 고개를 떨어뜨렸다.

"단오야. 나한테 말해 주면 안 될까. 화령이 왜, 어떻게 죽었는지……."

단오가 고개를 들었다. 반야는 화령과 오랜 시간을 보냈을 것이다. 제 마음이 힘들다고, 이런 부탁마저 외면할 수는 없었다.

"장태화가 일을 꾸몄어. 그는 유하 오라버니가 이설이라고 믿었던 것 같아. 그때 화령이 나타나서……. 유하 오라버니는 이설이 아니라, 호성군과 자신 사이에서 태어난 서출이라고 하였지."

반야는 묵묵히 단오의 말을 듣고 있었다.

"장태화가 화령을 죽였어. 아마도 입막음을 하기 위해서였던 것 같아……."

"장태화가……."

반야가 힘없이 중얼거렸다.

"화령이 유하 선비님의 어머니였다고?"

"그래. 유하 오라버니도 화령이 죽는 순간에서야 그걸 알았어."

화령과 유하의 관계. 한때 반야도 같은 의심을 품었던 적이 있었다. 화령의 마지막 모습이 떠올라, 반야의 마음 깊은 데서 뜨거운 것이 치밀어 올랐다.

눈물이 날 것 같다. 그러나 그 열기를 반야는 입을 꾹 다물고 감내했다. 그래서 그 밤길을, 그 무거운 어여머리를 지고서, 제 목숨이 아까운 줄도 모르고, 오직 한 사람을 위해…….

"화령이…… 그리워."

툭, 반야의 눈에서 눈물 한 방울이 떨어졌다.

"단오야, 너 알고 있니? 나, 유하 선비님을 연모하였어."

"네가 유하 오라버니를?"

예상치 못한 이야기. 단오의 얼굴에 놀란 기색이 번졌다.

"그래. 감히 주제도 모르고……. 천한 노비, 천한 기생 따위가."

"그런 말이 어디 있어. 유하 오라버니는 그런 생각 하는 사람 아니야. 오라버니를 연모한다면, 너도 알고 있지 않아?"

"그래……. 나도 알아. 내게 꾸며 낸 것이 아닌 진심을 보여 준 이는 많지 않았거든. 화령, 유하 선비님, 그리고 단오 너……."

화령은 죽었다. 반야는 화령과 부대끼며 살아온 몇 년의 세월 동안 고맙다는 말 한마디조차 해 주지 못했다.

반야는 유하의 모습을 떠올렸다. 깊었던 밤, 그에게 안기기를 원하던 반야를 밀어내던 부드러운 손길. 너를 품을 수 없는 처지임을 이해하여 달라고, 마음에 품은 이가 있기에 다른 이를 몸에 품지 못한다고, 반야 너도 언젠가 다른 좋은 이를 만나 은애받으며 살게 되리라고……

타고난 심성이 온화한 유하는 모두를 그렇게 대했을지도 모른다. 반야뿐 아니라 단오에게도, 주변 누구에게도.

그러나 반야에게는 오직 그뿐이었다. 기생이 된 이후, 그렇게 따뜻한 말을 건네준 사람은 유하 하나뿐이었다.

"단오야."

반야가 숨을 들이마신다. 이미 충분히 비참한 삶. 어차피 기생이란 땅보다 낮은 곳에 있는 천한 목숨이라 하였던가. 그렇다면 더 이상 비참해질 것도 없지 않은가.

"내가 어떻게 하면 돼?"

"무엇을 말이야?"

"나도 도울게. 나도 유하 선비님을 돕고 싶어."

"하지만……. 그럴 수 있겠어? 네 상황이 이런데……. 갇혀 있다고 했잖아."

"괜찮아. 네가 드나드는데도 아무도 모르잖아. 하루 정도 시간 못 낼라고. 난 정말로 괜찮아. 어차피 나를 찾는 사람도 없어."

아픈 거짓말, 두려운 거짓말을 쓰게 삼킨다. 그러나 반야는 결심을 굳혔다.

작은 힘이나마 보태고 싶었다. 화령을 위해서, 그녀가 그토록 소중하게 여긴 아들을 위해서. 그리고 그녀가 진심으로 연모한 사내, 유하를 위해서.

* * *

야트막한 산 중턱. 시열은 사람 키만큼이나 자라난 빽빽한 산야초들을 헤치며 앞으로, 앞으로 나아갔다.

거친 산길을 얼마나 걸었을까. 무수한 초록 사이로 은신처처럼 보이는 작은 암자 하나가 모습을 드러냈다.

"공께서 친히 여기까지 어쩐 일이십니까?"

한 손으로 휘휘 날벌레를 쫓던 사내는 태평한 표정이었다. 시열이 암자 앞에 늘어선 바윗돌 위에 털썩 걸터앉았다. 그의 무심한 시선이 승복을 입은 사내에게 가 닿았다.

"단 한 번도 질문한 적 없는 것을 물으러 찾아왔네."

"공, 묻지 마옵소서."

대뜸 내뱉는 승려의 말. 시열의 표정이 미묘하게 일그러졌다.

"내가 무어라 말할 줄 알고?"

"파수꾼이란 눈을 뜨고는 할 수 없는 일이니까 그렇지요."

"그게 무슨 소린가?"

"당연하게 여겼던 삶에 의심을 품는 순간, 파수꾼은 제가 괴물이라는 것을 깨닫게 되니까요."

어쩌면 저 말고 다른 이도 그랬던 적이 있었던 걸까. 승려의 정곡을 찌르는 말에, 시열의 생각은 더 깊어졌다.

"그래도 묻겠네. 나는 이미 결정을 내렸어."

"내 손에 묻은 것이 피가 아닌 물이라 생각하십시오. 그러면 됩니다."

"아니, 그렇지 않네. 내 손에 묻은 것은 피야. 수십 수백의……."

"어찌 그리 약한 소리를 하시오. 어울리지 않습니다, 공."

승려가 먼 산을 보았다. 그가 보고 있는 서쪽 하늘은 그새 불길처럼 시뻘건 물이 들었다.

"난, 파수꾼으로 살지 않을 걸세."

흐음, 하는 소리가 승려의 입에서 흘러나왔다. 잠시 말이 없던 승려는 곧 탄식과 같은 한숨을 지었다.

"공, 파수꾼의 삶을 벗어나려 하지 마십시오. 공에게 좋은 일이 아닙니다. 그러므로 제 답은 공 역시 그만두실 수 없다는 것이오."

"파수꾼을 그만둔 자들은……. 어찌 되었나?"

승려가 지그시 눈을 감았다.

"대부분 죽었습니다."

"대부분?"

승려가 눈을 떴다. 여전히 표정 없는 눈길로 그가 시열을 바라보았다.

"파수꾼의 생에서 벗어난 이들도 있었습니다. 왕손께서 죽든가, 혹은 검을 쓰지 못할 만큼 몸이 상하든가 하는 경우였지요. 호성군을 지키던 먹쇠라는 파수꾼이 있었습니다."

"먹쇠……?"

먹쇠. 시열은 방설단의 여정 어디쯤에서 마주쳤던 그 이름을 기억하고 있었다.

"예. 그는 호성군이 죽던 밤, 눈을 다쳐 시력을 잃었습니다. 그는 죽지 않았습니다. 평범한 촌로로 살아가고 있지요."

"누가 그의 눈을 멀게 했나?"

"이창의 파수꾼이 그리하였지요. 늘 말씀드리지 않았습니까. 공께서는 오직 이설만을 보필하시면 되는 것이오."

이내 승려가 덧붙였다.

"우리는 우리의 할 일만을 할 뿐입니다."

시열의 눈이 가늘어진다. 그는 제 귀에 박힌 말 중 거슬리는 무엇인가를 찬찬히 되뇌는 중이었다.

"또 하나. 왕손이 왕위에 오르게 된다면 공도 자유로워지실 겝니다. 우리가 할 일을 궁궐의 무인들이 대신할 테니까요."

시열이 고개를 든다. 그가 가만히 중의 눈을 마주 보았다.

"그런데 자네 지금, 우리, 라고 하였나?"

대답은 돌아오지 않았다. 한참 동안 산사의 고요는 깨어지지 않았다.

"내 그럼 마지막으로 하나 더 묻겠네."

시열이 자리에서 일어났다. 어둠이 몰려온다. 저 어둠이 순식간에 숲을 뒤덮을 것이다.

"땡중, 자네는 누구의 파수꾼인가?"

내내 무표정하던 승려의 입술이 기묘하게 뒤틀렸다. 멈칫, 열리던 입이 다시 굳게 닫혔다. 그를 바라보던 시열이 툭 내뱉었다.

"그대는 나와 겨루어 이길 자신이 있는가?"

이제 돌아갈 시간이다.

빠른 걸음으로 사라지는 시열의 뒷모습을 승려는 한참이나 바라보았다. 승려는 아득한 과거의 일을 떠올리고 있었다.

이창이 호성군을 죽이던 밤, 이창의 파수꾼과 호성군의 파수꾼이 맞닥뜨렸다. 승리한 자의 주인은 왕이 되었고, 패배한 자의 주인은 죽었다.

"그 업보가 이제 내게 돌아오는 거겠지요."

승려가 나지막하게 중얼거렸다. 파수꾼의 운명이란 현생에서 벗어날 수 없는 것이라고, 그는 늘 시열에게 이야기했었다. 그러나 그의 주인이 왕위에 오른 이후 십오 년이 흐르는 동안, 그 자신 역시 제가 파수꾼이라는 사실을 잊고 살았다.

그가 느릿느릿 몸을 일으켰다.

* * *

"마지막 밤이다."

"마지막이라고 하지 마세요."

"이 밤이 지나고 내일이 오면 모든 것이 끝날 테니까."

"끝이라고 말하지 말라고요."

밤이 깊었다. 산과 단오, 시열은 은거 중인 버려진 집의 툇마루에 나란히 앉아 있었다. 산과 단오가 주거니 받거니 나누는 대화를 듣던 시열이 실없이 웃었다.

연회는 하루 앞으로 다가왔다. 이제 그들에게 주어진 시간은 단 하루뿐이다. 산도, 시열도, 단오도 종일 입을 꾹 다문 채 준비에 골몰했다.

종일 자리를 비웠던 시열은 어둑해진 후에야 모습을 드러냈다. 검을 쥔 채 한참이나 제 자신을 몰아붙이던 산은 신운호에게 연통을 하기 위해 북촌에 다녀왔다.

그사이 단오도 마을에 들렀다가 돌아왔다. 그녀가 들고 온 건 검은 천이 얼핏 엿보이는 꾸러미였다.

"내일 이 시간, 우리는 무얼 하고 있을까."

시열이 다리를 쭉 뻗으며 중얼거렸다. 낡은 마루가 삐걱거렸다. 누구도 대답을 하지 않아, 그들 사이에는 한참 동안 밤벌레가 쓰륵쓰륵 우는 소리만이 떠돌았다.

"모두 함께 있을 거예요."

단오의 목소리가 긴 침묵을 깼다. 문득 그녀의 표정이 아련해졌다.

단오가 앉아 있는 버려진 집. 이곳은 그녀가 애지중지 쓸고 닦아 온 이화원과는 완전히 딴판이었다. 그럼에도 불구하고 그 낡은 풍경 속, 단오는 마치 환영이라도 보는 듯한 표정을 짓고 있었다.

"저도 있을 것이고, 산 오라버니도 있을 것이고, 시열 오라버니도 있을 것이고……."

그리고 그들이 마지막을 준비하게 만든 사람.

"유하 오라버니도 있을 거예요."

"그래, 그럴 것이다. 너도, 나도, 시열도, 유하도…… 모두 함께 모여 있 겠지."

단오는 문득 이른 봄의 기억을 떠올렸다. 누구도 그녀의 평안과 행복을 해하지 못할 것이라 여겼던 순간을.

그로부터 그리 오랜 시간이 지나지 않았다. 그러나 예상치 못했던 소용 돌이는 열여덟 여인의 삶을 송두리째 뒤바꾸었다. 고민이라고는 궁핍한 살림과, 저녁 찬거리와, 시집가라는 어머니의 성화 따위가 전부이던 시절. 그때가 문득 사무치게 그리워졌다.

"유하 녀석, 마주치면 몽둥이질을 흠뻑 해 줄 생각이다. 대체 저 하나 구하자고 우리같이 바쁜 사람들이 죄다 몰려들어서……. 어이구, 망할 놈. 내 그놈이 언젠가 이렇게 성가신 일을 벌일 줄 알았지. 젊은 녀석이 영감 탱이처럼 꽉 막혀 가지고."

"젊은 녀석이라니. 시열 너야말로 영감탱이처럼 말하는구나."

"영감탱이라니! 고작 스무 살 먹은 산 네가 세상에 관해 뭘 안다고."

시열의 핀잔에 산이 헛웃음을 내질렀다.

"이제 할 게 없어서 나이 먹은 유세야?"

"말은 바른대로 해야지. 그동안 젖비린내 나는 산 너랑 유하 상대하느 라, 나이를 한두 살도 아니고 무려 다섯이나 깎았다고."

단오도 새삼스러운 눈길로 시열을 바라봤다. 그저 조금 나이 들어 뵈는 외모라 여겼는데, 실상은 나이 차가 꽤 컸던 것이다.

"육호 아재 눈썰미가 제법 좋았나 보네요. 늘 시열 오라버니에게 겉늙 었다 하시더니……."

"겉늙다니! 스물다섯에 나 정도 얼굴이면 어딜 가도 미남자란 소리를 듣는다."

"미친놈이란 소리를 듣겠지."

"산, 내일 일을 마친 이후부터는 나를 형님이라 불러라. 어차피 내일 이후로는 더 이상 얽힐 일도 없을 테니까!"

"얽힐 일도 없는데 뭘 또 형님이라 부르래. 그냥 안 보고 살면 될 것을."

능청스럽게 되받아치는 산은 실실 웃음을 흘리고 있었다.

"내 언젠가 너에게 반드시 형님이란 소리를 듣고 말 테다. 두고 보라고."

"그러시든가."

"어이쿠, 말이나 못 하면. 쯧쯧, 어린것이……."

시열이 자리에서 벌떡 일어났다. 그가 흥, 코웃음을 치며 방으로 걸음을 옮겼다.

"주무시러 가세요?"

단오가 다정하게 말을 붙였다. 얼핏 우습게 여겨지는 시열의 말들이 긴장을 떨쳐 내려는 그 나름의 방책임을 그녀는 잘 알고 있었다. 산과 시열의 다툼에 늘 뒤끝이 없는 까닭 역시 그러하리라.

"시간이 늦었어. 너희도 사랑 타령 적당히 하고 자도록 해."

"우, 우리가 뭘 어쨌다고요……."

"내가 장님에 귀머거리냐. 암튼 일찍 자라고."

방으로 들어간 시열이 문을 닫았다. 반쯤 떨어져 나간 문짝이 덜컹거렸다.

문이 닫히는 순간, 시열은 문득 뒤를 돌아보았다. 마치 세월을 낚는 한량들처럼, 걱정거리라고는 아무것도 없는 유유자적한 도령들처럼. 그렇게 산과 투덕거릴 시간이 또 올까. 정녕 이것이 마지막이 되지 않을까.

"내가 지금 무슨 생각을……."

시열이 혼잣말을 했다.

"산, 저 망할 놈은 뭐 하러 마지막이라는 소리를 해서 자꾸 생각나게 한담."

중얼중얼 투덜거리며, 시열은 캄캄한 방구석에 모로 누웠다. 마지막이라는 말이 이상하리만치 귓가를 떠돌았다.

"마지막⋯⋯."

정녕 마지막이라면, 그리운 여인이 하나. 그러나 그리워할 자격 같은
건 없다.

새까만 어둠 속에 자꾸만 환영처럼 홍주의 얼굴이 떠올랐다. 지워야지,
지워야지. 시열은 눈을 질끈 감았다.

오후 느지막이 자잘한 빗줄기가 흩뿌렸다.

열에 들뜬 땅을 식히지는 못할 감질나는 비. 여전히 밤공기는 후덥지근
했다. 비를 따라다니는 달무리의 잔영이 밤하늘에 궤적을 그렸다.

"시전에서는 무엇을 사 온 것이야?"

"아⋯⋯. 별것 아니에요."

단오는 괜스레 말끝을 흐렸다. 산도 더 이상 묻지 않았다. 그가 자신의
싸움을 준비하듯, 단오 역시 제 할 일을 하는 중일 터다.

산은 종일 고민했다. 물론 답은 나오지 않았다. 애당초 답이 없는 문제
였으니까. 시열은 강하다. 시열에 비할 바는 아니었지만, 산 역시 실력을
갖춘 무사였다. 그러나 상대가 수십, 어쩌면 수백의 무인들이라면⋯⋯.

"어찌해야 하는지 잘 기억하고 있지?"

"예, 오라버니."

"다시 말해 봐라."

"제 몫의 일이 끝나면, 저는 여기로 되돌아와서 오라버니들을 기다릴
거예요."

"나와 시열이 오지 않으면?"

계획을 재차 확인하는 산의 말. 단오는 조금 머뭇거렸다.

"그건⋯⋯."

"나와 시열이 오지 않으면?"

"그런 일은 없을 거잖아요."

"준비란 완벽해야 하는 것이다."

고집스러운 산 앞에서, 단오는 낮은 한숨을 내쉬었다.

"저녁까지 오라버니들이 돌아오지 않으면, 저는 이화원으로 돌아가요."

"그리고 또?"

"섣불리 행동해선 안 된다고, 절대로 다치는 일이 있어서도 아니 된다 하셨어요."

"그래. 잘 기억하고 있구나. 그렇고말고. 절대 다쳐서는 안 된다."

마치 영리한 아이를 칭찬하는 훈장이라도 된 것처럼 산은 단오의 등을 다정스럽게 두드렸다. 그러나 그의 눈빛은 자꾸만 흔들렸다. 밤이 깊어 표정을 감출 수 있음에 감사할 뿐이다.

"아무 일 없을 거예요, 그렇죠?"

단오의 목소리에 숨길 수 없는 초조함이 배어 나왔다. 문득 산이 물었다.

"단오야, 그만할까?"

"그만하다니요?"

"그리 걱정이 된다면 그만두겠냐는 말이다. 유하의 일은 그의 운명이려니 생각하고 내버려 두고, 우리는 우리대로, 시열은 시열대로……. 아무 일 없었던 것처럼, 그렇게……."

산이 단오의 손을 붙잡았다.

"그만둘까?"

단오는 입술을 달싹일 뿐 말을 잇지 못했다. 가까스로 그녀의 입에서 대답이 흘러나왔다.

"아니요. 그만두지 않아요."

"하하……."

산의 입술 새로 낮은 웃음이 흘러나왔다. 종잡을 수 없는 그의 웃음을 단오는 가만히 바라보고 있었다.

"그래. 너는 그런 여인이다. 그만두지 못해. 어떤 위험을 떠안게 된다 해도, 유하가 저 안에 있는 한 너는 포기하지 않을 것이다. 그리고 불행히도……."

산이 후, 한숨을 내쉬었다.

"나 역시 그러하다."

차라리 너와 내가, 우리가 그러지 않을 수 있는 사람이었더라면.

"너나 나, 혹은 시열이라도. 셋 중 하나만이라도 말이다. 눈 질끈 감고 벗 따위 모른 척할 수 있는 사람이었다면 좋았을 것을……. 그랬다면 이런 걱정은 하지 않아도 되었을 것 아니냐."

제 손끝을 만지작대던 단오가 고개를 들었다. 고작 지난봄까지만 해도 산을 세상에서 가장 무심한 사내라고 여겼던 그녀였다. 남에게 관심을 주지 않는 사람, 오직 산 자신밖에 모르는 이기적인 사람이라고……. 그런 믿기지 않는 때가 있었다.

"오라버니가 그런 사람이어서 좋아요."

벗과의 신의, 친오라비와 같던 이에게 받았던 마음을 외면한 채 살아갈 수 있을까. 흐르는 시간 속에서, 몸은 어찌 됐든 살아질 것이다. 그러나 소중한 이를 버렸다는 양심의 가책에서 자유로워질 수 있을까.

그녀는 그리하지 못한다. 몸만 남을 뿐, 마음은 죽어 버릴 것이다. 살아도 산 것 같지 않을 것이 분명했다. 산과 시열 역시 그러할 것이었다. 그들은 같은 마음을 가진, 같은 사람들이었기에.

"그런 분이기에……. 오라버니를 사랑하는 거예요."

그것이 설령 그들을 위험으로 내몰지라도. 이 순간이 그들의 마지막이 된다고 해도.

"그리고 걱정 따위 하지 않아요. 잘 해결될 거예요. 무엇이 걱정이라고 그래요. 오라버니랑 시열 오라버니가 있는데."

단오가 짙푸르게 물든 밤하늘을 바라보았다. 구름에 가려 달이 보이지 않았다. 그러나 단오는 달이 있다는 것을 뻔히 안다. 가린다고 가려지지 않는 것. 구름 틈으로 비어져 나오는 빛. 그게 바로 진실이다.

"나, 오라버니를 믿어요."

그러니 오라버니도 나를 믿어 주기를. 단오는 조용히 속으로 되뇌었다.

"단오야."

산이 단오의 손을 가만히 잡았다. 따뜻한 손의 온기에 단오의 눈시울이 뜨거워졌다.

큰일을 앞둔 상황에 주책맞게 눈물을 보여서는 안 될 일. 눈물을 참기 위해 단오는 이를 앙다물었다.

"약조 하나 할까?"

"무슨 약조를요?"

"내일이 지나고, 모든 것이 원래대로 돌아가면……."

말은 쉬이 입 밖으로 나오지 않았다. 산은 단오를 한 팔로 끌어안았다. 여인의 보드라운 볼이 제 목 언저리를 간지럽혔다.

왜 하필 지금이어야 할까. 그리 적합한 순간은 아니었다. 그 말을 꺼낼 기회는 이전에도 많이 있었다. 앞으로도, 원하는 것을 이뤄 낸 후에 얻게 될 무수한 날이 있을 것이다.

그럼에도 하필 왜 지금 그 말이 하고 싶어졌을까. 어쩌면 마지막을 예감하기 때문임을 산은 잘 알고 있었다. 지금이 아니면, 그녀에게 이 얘기를 할 기회가 영영 오지 않을지도 모른다고.

그러나 산은 애써 그 생각을 지워 버렸다. 그저 이 순간 단오가 너무나 아름답기 때문이라고. 제 마음에 들어찬 그녀가 너무나 커져서, 더 이상 그 말을 담아 둘 자리가 없었기 때문이라고. 온 생을 바칠 수 있을 만큼 단오를 은애하기 때문이라고.

"단오야. 나와 혼인해 줘."

급히 숨을 들이켜는 소리가 들렸다. 단오의 숨결로 목 언저리는 금세 뜨거워졌다.

혹시 잠이 든 게 아닐까 싶을 정도로, 단오에게선 쌕쌕대는 숨소리만이 들려왔다. 그러나 잠든 것이 아님을 산은 보지 않아도 알 수 있었다. 맞닿은 가슴 깊은 곳, 그녀의 심장이 이토록 쿵쿵대고 있으니.

"어찌 대답을 하지 않아?"

"으음."

단오가 산의 품에 파묻혀 있던 몸을 일으켰다.

"혼인하자는 말 하나뿐이에요?"

"다른 말이 필요한 것이냐?"

"내가 읽었던 패설(稗說)에서는, 달도 별도 따 준다고 하는 게 사내라고 들 그러던데……."

"미안하지만 나는 달도, 별도 따 줄 만한 능력이 없다. 가진 게 없는 사람이거든. 부유하지도, 풍요롭지도 못할 것이다. 이화원에서 보내 온 삶 못지않게 힘들지도 몰라."

"그걸 묻는 게 아니에요."

"그럼 무엇을 묻는 것이냐?"

"제가 어찌 살게 될까 하는 것 말고. 오라버니는 저를 위해 무엇을 하실 수 있냐고 물은 거예요."

"나?"

산의 손이 단오의 볼 위에 부드럽게 얹혔다.

"나는 너를 사랑할 것이다. 아침에도, 낮에도, 밤에도. 젊은 날도, 늙은 이가 되어서도. 살아 있는 단 한 순간도 놓치지 않고 오직 너만을 사랑할 것이다. 지금 그러하듯, 나는 영영 변치 않을 거야."

그리고 이내 그의 손은 단오의 가슴팍 한가운데를 살며시 짚었다.

"내 마음, 너의 것이다. 줄 수 있는 건 그것뿐이지만, 나는 오직 너를 위해 살 거야."

그는 다시 물음을 던졌다. 간절한 눈빛을 하고선.

"단오야, 나와 혼인해 주겠느냐?"

단오의 커다란 눈동자가 그를 올려다보았다.

"그리할게요."

끄덕, 그녀의 고개가 움직였다.

"그게 제가 원하는 것이에요."

산의 입술이 단오의 입술 위에 내려앉았다. 그 순간만큼은 어떤 두려움도, 걱정도 들지 않았다.

간절한 입맞춤은 영원처럼 계속되었다. 마지막 밤을 밝히는 손톱달이 구름 틈으로 얼굴을 내밀었다. 그들의 사랑으로 찬란한 아름다운 시절이 밤하늘에 아로새겨졌다.

깊고 푸른 밤이 길었다.

* * *

칠월 초하루의 이른 아침. 평소 고요하던 궁궐 곳곳이 이날만큼은 분주하고 소란스러웠다.

임금의 유일한 아들을 위한 진연(進宴)[6]의 날. 임금이 보위에 오른 이래 이렇게 큰 규모의 연회가 치러진 적은 없었다.

각 처소의 궁인들은 이른 새벽부터 제 몫의 일을 하느라 발이 닳도록

---

6) 궁중 연회.

궁궐 안을 누볐다. 일찌감치 입궐한 무수리며 비자들의 행렬이 수라간과 우물가 사이를 끝없이 오갔다.

진연이 열릴 경회루 곳곳에는 붉은 휘장이 걸렸다. 깃발이 바람에 펄럭일 때마다 금실로 수놓아진 용의 몸은 마치 살아 있는 양 꿈틀거렸다.

원자의 탄신연과 책봉식을 겸하는 연회였으나, 그것은 표면적인 구실일 뿐이다. 긴 잠에서 깨어난 임금, 이창이 건실함을 보여 주고자 하는 것이 연회의 진짜 목적일 것이었다.

그 시각. 잠에서 깨어난 용, 이창은 피처럼 붉은 용포 자락을 휘날리며 궁 후원으로 향했다. 진연이 시작되기 전, 그는 후원에 만들어 놓은 은밀한 거처를 찾을 예정이었다.

"가시지요, 마마."

다시 한번 불러 보지만 늙은 대비의 표정은 미동치 않는다. 지밀상궁의 얼굴에 숨길 수 없는 당혹감이 드러났다.

"어찌 이러십니까, 마마. 이만 가셔야만 합니다."

비록 상징적인 존재였으나, 본디 대비는 궁궐 안에서 가장 존경받는 여인이었다. 임금이 아침저녁으로 문안을 올리며 고개를 숙이는 유일한 대상이기 때문이었다.

그러나 이창이 보위에 오른 이후 그런 전통은 모두 잊혔다. 아들인 왕에게 버림받은 어미. 대비는 뒷방 늙은이로 전락한 채 자경전에 유폐되었다.

"대비마마, 주상 전하께서 노하십니다!"

"아니 간다 하지 않는가!"

늙은 여인의 것이라고는 믿기지 않는 호통이었다. 지밀이 질끈 입술을 깨물었다.

어린 나이에 생각시로 궁에 들어와 평생 대비를 보필한 지밀상궁 역시 흰머리가 성성한 노년에 접어들었다. 그 긴 세월 동안 그녀가 배운 것은, 음험하기 짝이 없는 궁궐에서 살아남기 위한 온갖 방편들이었다.

"그렇게는 못 하십니다, 마마."

"뭐라? 말대꾸를 하는 것이냐! 어느 안전이라고……."

"일어나십시오, 마마."

지밀의 억센 손이 대비의 어깨를 붙들었다. 대비의 주름진 얼굴이 경악으로 물들었다. 지난 한생을 살아오는 동안 그 누구도 감히 그녀에게 이런 행동을 하지 못하였다.

오직 임금, 제가 낳은 괴물을 제외하고는.

"감히, 어디에 손을 대느냐! 내 당장 네년을!"

"전하의 명이 있었습니다."

웃전의 명줄이 곧 제 명줄이 되는 곳이 궁궐이었다. 그리하여 지밀은 오래전 깨달았다. 뒷방 늙은이의 가냘픈 명줄을 붙들고 있다간 저 역시 온전하지 못하리란 것을.

"전하께서 억지로 들쳐 메서라도 마마를 모셔 오라고 하명하셨나이다. 가시지요, 대비마마."

"놓아라! 놓으란 말이다!"

"밖에 아무도 없느냐! 마마를 뫼시어라!"

상궁 둘이 우르르 들이닥쳤다. 믿기지 않는 상황 앞에 대비는 숨을 몰아쉬었다.

임금이 자경전의 일거수일투족을 훤히 알고 있던 까닭에, 간자가 있음은 미루어 짐작하고 있었다. 그러나 한평생 대비를 위해 살아왔다고 여긴 지밀이 그 간자였다니. 자경전 전체가 이창의 소굴이었던 것이다.

"하늘이 무섭지 않느냐, 이년들!"

호성군의 징표. 그 이야기마저 임금에게 전해졌으리란 것을 깨달은 대비의 얼굴이 삽시간에 파리해졌다.

호성군의 아들 이설은 그녀가 생각하는 유일한 왕실의 적자였다. 그토록 찾기 원했던 손자, 이설. 그를 죽음의 구렁텅이로 몰아넣은 것이 대비 자신일지도 모른다니.

"안 된다, 안 돼……."

자꾸만 흐려지는 정신을 붙들려 애쓰며, 대비는 우악스런 손길에 떠밀려 자경전을 나섰다.

같은 시각, 신운호 역시 입궐할 채비를 하고 있었다. 제집에 연금되어 있던 한동안 입을 일이 없었던 시복. 의관을 차리는 그의 표정이 어두웠다.

"걸음이 무겁구나."

신운호가 무심히 중얼거렸다. 스물둘 젊은 나이에 과거에 급제하여, 평생 궁궐을 제집처럼 드나들며 살아온 그였다.

그 기나긴 세월 동안 궁궐의 주인은 총 세 번이나 바뀌었다. 그러나 신운호는 늘 그곳에 속해 있었다. 임금의 가장 가까운 곳, 편전(便殿)의 왼편에서.

이창은 패륜을 저지른 임금이었다. 천지에 흩뿌린 형제들의 피비린내가 채 가시기도 전에 그는 왕위에 올랐다. 많은 신료들이 벼슬을 버리고 초야에 묻히는 것을 선택했으나, 신운호는 그때도 여전히 편전을 지켰다. 그에게 중요한 것은 임금의 존재가 아닌 조선이라는 나라의 존폐인 까닭이었다.

'이창, 이설, 그리고 나. 셋 중에 누가 살고, 누가 죽을 것인가?'

지그시 눈을 감으며, 그는 은밀히 찾아들었던 객을 떠올렸다.

파수꾼은 신운호의 대범한 제안에 기꺼이 답을 해 왔다. 답을 써넣은 서찰은 아무도 모르는 새 그의 방문 앞에 놓여 있었다. 보내온 답은 간단

명료했다.

그러나 계속 그의 마음을 어지럽히는 것이 하나 있었으니, 그것은 서찰의 그 대담한 필체였다.

이설. 그분은 궁궐 안에 갇혀 있지 않은가. 그런데 어찌 그 밤, 본인이 이설임을 밝히는 화살에 매여 있던 서찰의 필체와 똑같은 글씨가 쓰여 있을 수 있단 말인가.

"이제 나도 늙어 눈이 흐려진 것인가."

복잡한 머릿속을 털어 내듯, 신운호가 고개를 저었다. 상념이 길어서는 안 된다. 고민은 여기까지여야만 했다.

한 시대를 풍미하였으나 사지에 내몰린 좌의정은, 목숨이 위태로운 왕손을 지키고자 하는 파수꾼의 손을 잡았다. 상대는 저주받은 자라 일컬어지는 폭군이었다.

패가 어지러이 소리 내며 던져진다. 그 앞면에 무엇이 있을지는 그도 장담하지 못했다.

오직 조선만을 위해 살아온 삶. 신운호는 조선을 강건히 만들겠다는 일념으로 두 임금에게 신하로서 할 수 있는 최대치의 충성을 다했다. 그리고 그는 이제 하나의 임금을 왕위에서 끌어내리고자 한다.

조선을 위해서, 그는 기꺼이 역모의 주동자가 되기로 결정했다.

16장. 태양이 용을 삼킬 때

건춘문 앞을 지키는 상문(尙門)⁷⁾은 평소의 두 배인 넷으로 늘어나 있었다. 진연을 맞이하여 입궐하는 자들이 많은 데다, 평소보다 꼼꼼하게 출입패를 확인해야 했기 때문이었다.

이른 시간부터 건춘문 앞에 늘어선 이들은 멀리 육조(六曹)거리 근처까지 줄을 서 기다렸다.

"승정원 주서, 구범우, 통과!"

"도총관 안정빈, 통과!"

"춘추관 사관, 김복동, 통과!"

마침내 긴 줄을 서 있던 벼슬아치들 모두가 건춘문을 통과했다. 상문들이 땀을 훔치며 숨을 돌리던 순간이었다.

"허어?"

상문 넷의 입이 동시에 떡 벌어졌다. 온몸에 달라붙던 끈덕진 더위마저 잊은 채, 사내들은 귀신에 홀린 듯한 표정으로 저만치서 걸어오는 여인

---

7) 문지기.

둘을 바라보고 있었다.

"저것이 정녕 여인인가, 여우인가?"

"기생이로군! 기생은 기생인데……."

입을 헤벌리고 있던 상문이 요란하게 입맛을 다신다.

"절대 보통 기생은 아니겠지. 우리 같은 무지렁이들은 감히 넘볼 수 없는 일패기생일 걸세!"

"내 평생 저렇게 어여쁜 여인을 한번 품어 볼 수 있다면 죽어도 여한이 없겠구먼."

"참으로 아리땁다……. 저런 여인들을 보고 경국지색이라고 부르는 거겠지. 그런데……. 어?"

상문이 외마디 탄성을 뱉었다. 궁궐을 지나칠 듯 보였던 여인들이 제쪽으로 걸어오고 있었기 때문이었다. 둘이 무슨 얘기를 하는지, 옥구슬이 굴러가는 듯한 웃음소리가 상문들의 마음을 들었다 났다 흔들었다.

"우리 지금 꿈을 꾸는 것은 아니지?"

"그러게. 여기가 기방 한가운데도 아닌데……. 어찌 저렇게 꽃단장을 한 기녀들이 밖을 나다니는 게지?"

그사이 여인 둘은 몇 걸음 앞까지 다가왔다. 어여머리, 전모, 붉은 연지와 비단. 바깥에서 보기 드문 화려한 단장을 한 여인들이 가까이 오자, 바람을 타고 농염한 향내가 훅 끼쳤다.

"나리님들."

기녀들은 둘 다 우열을 가릴 수 없을 만큼 미색이 빼어났다. 어여머리를 한 기생은 화려한 생김새에 묘한 눈초리를 가졌고, 전모를 쓴 다른 하나는 단아하면서도 청아한 용모에 수줍은 듯 뺨이 붉었다.

먼저 입을 연 것은 전모를 쓴 단아한 기녀 쪽이었다.

"입궐을 하려면 어찌해야 하는지 아십니까?"

정녕 궁금해서 묻는다는 듯 순진한 눈빛이었다. 예상치 못한 질문에 오히려 당황한 것은 상문들이었다.

"에에, 그러니까, 입궐을, 하시겠다는 말씀이시오?"

"혹시 장악원(掌樂院)에 속하여 계시오?"

"그, 그것도 아니면! 설마 후궁마마님……."

"어머, 나리님도 참."

어여머리를 한 화려한 생김새의 기녀가 까르륵 간드러지는 웃음을 터뜨렸다. 별소리를 다 한다는 듯, 그녀가 새하얀 손으로 상문의 팔을 툭 건드렸다.

"후궁마마님이라니, 어찌 그런 농을 하시어요. 참으로 재미있는 나리님이시네."

전모를 쓴 기녀가 미소를 지으며 말을 받는다.

"혹시 모르지요. 저 궁궐 안에 들어가면 우리 같은 기생들도 승은을 입어 후궁마마님이 될 수 있을지."

"너도 참, 순진하기는. 궁궐 안에 궁녀들이 수백이라 하는 얘기도 못 들었어? 우리 같은 것들은 들어가 봤자 전하의 눈에 띄지도 못할 거라고. 하늘의 별 따기만큼 구경하기 힘든 임금님보단, 나는 여기 계신 이런 나리님이 훨씬 좋더라."

여인이 다시 농염한 미소를 흘렸다. 그녀가 상문의 어깨를 툭, 건드렸다.

자신들도 모르는 새, 상문들은 두 기녀를 둘러싼 모양새로 서 있었다. 그러나 그중 하나만은 기녀들에게 딱히 관심을 보이지 않았다. 그는 넋이 나간 세 명의 상문과 달리 한 발짝 떨어져 흘끗 눈길을 던질 뿐이었다.

아무도 모르게, 어여머리 기생이 전모를 쓴 쪽에게 은밀한 눈짓을 보냈다. 그녀가 별 관심을 보이지 않는 상문에게 한 걸음 다가섰다.

"나리님."

"저 말이오?"

"예, 나리님 말이어요."

"왜 그러시는지……."

평소 여인에게 별 관심이 없는 상문은, 다가오는 기녀가 부담스러운 듯 말끝을 흐렸다.

"혹시, 부영각에 오신 적 있지 않으십니까?"

"부영각이 무얼 하는 곳이오?"

"기방입지요. 장안에 가장 소문난 기방!"

"저는 기방에는 걸음도 해 본 적이 없습니다만……."

"아, 그런데 어찌 이리 낯이 익지? 분명 어디서 뵈었던 분 같은데……. 고향은 어디시고요?"

전모 기녀가 하나를 붙잡아 두는 사이, 다른 쪽은 갑자기 부산스러워졌다.

"아앗! 내 출입패가 어디 갔지?"

"출입패요?"

"예. 멀찍이서나마 연회를 구경하고 싶어서, 높으신 양반 나리에게 부탁하여 출입패를 구하였는데……. 대체 어디 간 것이지?"

어여머리 기녀가 갑자기 제 몸 곳곳을 들춰 보기 시작했다. 정말로 큰일이 났다는 듯, 그녀는 발까지 동동 굴렀다. 그때였다.

"거기, 출입패를 보이시오!"

정신을 쏙 빼놓는 기녀의 행동에 덩달아 길바닥이며 주변에 떨어진 게 없나 뒤적대던 차, 무심코 고개를 든 상문의 시야에 들어온 사내의 뒷모습.

막 건춘문을 지나 궁궐 안으로 들어서던 당상관 복장의 사내 둘이 우뚝 걸음을 멈췄다. 주변의 공기가 삽시간에 얼어붙었다.

"거기 서시오! 출입패를 보이시오!"

그 순간, 갑자기 어여머리 기생이 제 입을 틀어막았다.

"헉! 저분들은……."

곧이어, 전모 쓴 기생의 눈 역시 두 배쯤 휘둥그레졌다.

"그분들이지?"

"어. 맞아. 그분들이셔."

"여기서 마주치다니. 얼른 도망가자."

두 기생의 목소리뿐 아니라 손까지 달달 떨리는 걸 본 상문이 물었다.

"저 사람들이 누구이기에 그러시오?"

질문이 떨어지기가 무섭게, 기녀가 상문의 귓전에 대뜸 속삭였다.

"모르세요? 그분들이잖아요."

"누구요?"

"돌아가신 박 귀인의 두 동생……."

그 말을 듣자마자, 상문의 얼굴이 새하얘졌다.

"박 귀인마마님의 동생? 진짜로?"

"예. 아시잖아요. 그 형제가 얼마나 무섭고 잔인한 분들인지. 기방에서 몇 번 본 적이 있는데, 그때도……."

"그때도?"

"별것도 아닌 일로 그 자리에서 사내종의 목을 베어 버렸다고요. 아, 끔찍해라……."

왕의 아들을 출산하고 세상을 떠난 박 귀인의 두 남동생. 그들은 장안에 모르는 이가 없을 정도로 악명을 떨치는 난봉꾼이었다.

형제는 쌍생아로, 외모는 달랐지만 잔혹한 성미만은 매형인 조선의 임금 못지않다는 소문의 주인공들이었다. 그들은 죄 없는 사람을 죽이고 여인을 겁간하는 등 온갖 행패를 일삼았지만, 왕의 총애를 받는 후궁의 동생이라는 이유로 어떤 처벌도 받지 않았다.

"나를 불렀나?"

박 귀인의 남동생이라는 두 사내 중 키 큰 쪽이 상문에게 물었다. 그 싸늘한 목소리에, 상문들의 등골에 얕은 소름이 돋았다.

"왜?"

"그, 그것이 말씀입니다요……."

출입패를 확인하는 건 상문의 당연한 임무였으나, 정승 판서 같은 높은 벼슬아치나 외척 같은 이들에게는 해당되지 않는 이야기였다. 사소한 일로 그들의 심기를 거슬렀다가 그 자리에서 파면된 상문의 수가 적지 않았다.

게다가 박 귀인의 남동생, 그토록 흉포한 형제라니. 잘못했다간 관직이 아닌 모가지가 날아갈 판이다.

"우리가 누군지 몰라?"

무뚝뚝한 목소리. 살기 어린 눈빛.

"그, 그럴 리가요! 압니다. 알고말고요! 어서 들어가십시오!!"

상문 하나가 다급히 허리를 숙이자, 곁에 있던 다른 사내들마저 엉겁결에 코가 땅에 닿도록 고개를 수그렸다. 슥, 상문과 두 기생을 훑어본 두 사내가 건춘문 안으로 모습을 감추었다.

"어휴. 십년감수했네."

상문들이 식은땀을 닦았다. 주변을 확인한 후에야 그들은 비로소 허리를 폈다.

"그나저나 출입패는 찾았소?"

"어디 보자, 혹시 저고리 안에 넣어 놓고 깜빡한 거 아니요?"

여유를 되찾은 상문이 기생에게 다시 농지거리를 건넸다. 그러나 어쩐 일인지, 내내 살갑던 두 기생에게서는 별다른 답이 돌아오지 않았다.

전모 쓴 기생이 몸을 돌렸다.

"기방에 흘렸나 봐요. 출입패를 되찾은 후에 다시 오겠습니다."

교태가 사라진 담백한 목소리. 호들갑스럽던 모습이 사라진 태도였다. 상문들이 아쉬움에 입맛을 다시는 새, 두 기생은 종종걸음으로 궁궐 앞을 떠났다. 뒤도 돌아보지 않은 채.

"단오야, 우리가 해냈어."

비로소 긴장이 몰려온 듯, 반야가 떨리는 목소리로 말을 건넸다.

"고생했어, 반야. 네 덕분이야. 정말 고마워."

"너야말로 해 보지도 않은 기생 흉내 내느라 고생했지. 잘했어. 이제 모두 끝났어."

반야가 단오의 어깨를 두드렸다. 그리고 곧이어 들려온 단오의 대답.

"아니, 아직 끝나지 않았어."

"안 끝났다고?"

반야의 물음에, 단오가 고개를 끄덕였다.

"나는 아직 할 일이 남았어. 일단 가자."

이를 앙다문 채, 바삐 걸음을 옮기는 그녀는 결의로 가득 찬 얼굴을 하고 있었다.

"아……."

외마디 소리를 뱉으며 유하는 잠에서 깨어났다. 식은땀이 흥건하여 등이 축축했다. 순간 그로서도 예상치 못한 눈물이 주룩 뺨을 타고 흘렀다.

"무슨 꿈을 꾼 거지……."

모르겠다. 방금 전까지 꿈속을 헤매었는데, 그 광경은 켜켜이 두꺼운 안개에 가린 것처럼 기억이 나지 않았다. 기억이 없음에도 눈물은 계속 떨어졌다. 벅찬 슬픔 탓에 가슴 언저리가 묵직했다.

"언제까지 나를 여기 가둬 둘 심산인가."

갑갑한 마음에 혼잣말을 해 보지만, 제 숨소리만 남은 방 안은 다시금 적막에 파묻혔다.

"자유를 잃은 삶은 죽는 것만 못하구나."

과거 유하는 미처 알지 못했다. 자유를 가진 삶이 얼마나 행복한지를. 얼마나 아름다운지를.

정헌 대감의 서출. 그것을 제 신분으로 여기고 살아온 평생. 겉으로는 반듯한 행색을 갖추고 살아왔으나 그는 늘 외로웠고, 정이 고팠다. 그래서 스스로를 불행하다 여겼다.

그 얼마나 천치 같은 생각이었던가. 캄캄한 방에 갇혀 지내는 동안 유하는 모든 것들을 그리워했다. 사람만이 그리운 게 아니었다. 문틈으로 하루 세 번 보이는 하늘 한 조각, 불어오는 바람, 돌멩이며 풀 한 포기마저 그리웠다.

그리고 그 모든 것들 이상으로 그리운 이름 하나.

"단오."

가만히 속삭여 본다.

그때, 멀찍이서 발소리가 들렸다. 유하는 제 상태를 감시하는 관원이 온 것이라 생각했다. 그가 찾아올 때면 한 치만큼 문이 열린다. 그 순간만이 잠깐이나마 하늘을 볼 수 있는 유일한 시간이었다.

덜컥, 문이 열렸다. 습관처럼 유하는 문틈으로 보이는 빛으로 눈을 돌렸다.

"그간 평안하였느냐?"

날아든 섬뜩한 음성에 유하는 잠시 말을 잃었다. 서슴없이 안으로 들어서는 이창의 용포가 펄럭였다. 어둠마저 집어삼키는 시뻘건 핏빛이 눈앞에 닥쳐왔다.

"저런, 많이 수척하여졌구나. 궁궐 음식이 입에 맞지 않으냐?"

"내 걱정을 해 주는 건가."

유하가 형구에 짓눌린 무거운 목을 곧추세웠다. 격한 감정을 숨기지 않으며 유하는 이창을 마주 보았다.

그러나 상대방의 눈에 깃든 것은 그저 조소뿐. 유하의 눈은 분노를 참지 못하고 거세게 흔들렸다.

"그러하다. 걱정을 해 주는 이가 있어 기쁘지 않은가? 아비 어미 없이 살아왔으니, 누구 하나 네 걱정 해 주는 이 따위 없지 않았느냐."

"고맙다는 말을 들으려고 나를 찾아온 것인가."

되묻는 유하를 내려다보던 이창의 입에서 킬킬대는 기묘한 웃음소리가 흘러나왔다.

"고작 그런 이유로 귀한 걸음을 했을 리 있겠느냐."

어떠한 예고도 없이 푸른빛이 번뜩였다. 공기를 가르는 날카로운 금속성의 소리가 들렸다. 순식간에 일어난 일임에도 그 장면은 이상하도록 또렷했다.

이창의 손에 들린 검. 그 검날이 창백한 빛을 뿜는 것을 유하는 초연한 눈으로 바라보았다. 그는 두렵지 않았다. 후회하지도 않는다. 이럴 것을 뻔히 알고 제 발로 걸어온 길이었다.

단지, 사무치도록 그립다. 단오가 그리웠다.

휙, 칼날이 허공을 갈랐다. 하늘로 솟구친 칼날이 내리쳐지는 순간 흰 빛이 번뜩였다. 유하가 질끈 눈을 감았다. 그러나 고통은 예상치 못한 곳에서 왔다. 이창이 내리친 칼날이 스쳐 간 허벅지에 타는 듯 선명한 아픔이 느껴졌다.

"어차피 죽일 생각 아니었느냐. 베라."

유하의 말을 들었음에도 이창은 대꾸하지 않았다. 이창은 눈을 부릅뜬 채 유하의 허벅지를 내려다보는 중이었다.

잘려 나간 옷 조각이 너덜거린다. 그 사이로 보이는 것은 이설의 상징이라던 손바닥만 한 붉은 점이었다. 마치 점이 아닌 흉터처럼 보이는 붉은 자국 위, 검에 베인 상처에서 선혈이 흘러내렸다.

"어찌 그런 눈으로 보는가."

다시 한번 묻지만, 이창은 이번에도 대답하지 않았다. 그가 갑작스럽게 몸을 휙 돌렸다. 바람에 펄럭인 용포 자락이 유하의 뺨을 할퀴고 지나갔다.

덜컥, 요란하게 문이 닫히고, 다시금 방 안은 어두컴컴해졌다.

"전하, 어찌할까요?"

"예정대로 처리하라."

"분부 받잡겠사옵니다!"

문밖에서 들려오는 이창과 호위의 대화는 간결했다. 예정대로 처리하라는 말의 의미는 굳이 생각할 필요도 없을 것이다.

유하는 가만히 눈을 감았다. 그에게 주어진 시간은 얼마쯤일까. 하루? 반나절? 혹은 한 시진? 아니면…….

칼날이 스친 자리가 화끈거렸다. 옷자락은 점점 뜨끈한 피로 젖어 들고 있었다.

끼익, 다시 문이 열리고, 다가오는 발소리. 걸어온 사내의 손에 들린 열쇠 꾸러미가 요란하게 쩔그렁댔다. 철컥! 유하가 여기 갇힌 이래, 내내 목을 짓누르던 형구가 떨어져 나갔다.

"일어나라."

사내의 거친 손이 유하를 억지로 일으켜 세웠다. 며칠간 형구에 짓눌린 데다 상처까지 입은 다리는 좀처럼 중심을 잡지 못해, 유하는 크게 비틀거렸다.

"밖으로 나가라."

유하가 비척대는 걸음을 옮겼다. 며칠 만에 맡아 보는 바깥 공기. 제 몰골과는 어울리지 않게 바람 내음이 달다.

"어디로 가는 것이오?"

"형장으로 간다."

그래, 이제 정말 끝인가 보다. 아픔도, 외로움도, 분노와 슬픔도 모두. 그가 사랑하였던 아름다운 것들과도 이제 정녕 끝인가 보다……

진연의 시작을 알리는 웅장한 연례악(宴禮樂)이 경회루에 울려 퍼졌다. 연례악은 곧 정재(呈才)로 이어졌다. 장악원 기생들의 춤을 바라보는 벼슬아치들의 시선에 찬탄이 어렸다.

그러나 경회루 가장 높은 자리에서 모든 벼슬아치들을 내려다보는 자, 이창은 화려한 정재에 눈길을 두지 않았다. 그의 시선은 경회루를 둘러싼 연못의 고요한 수면 위에 머물러 있었다.

'참으로 이상하지 않은가.'

그가 내내 되새기는 건, 후원 뒷방에 갇혀 있는 이설을 만나러 갔던 방금 전 기억이다.

형구를 찬 채 앉아 있던 이설. 이미 너덜너덜한 옷자락 사이로 언뜻 보이는 흔적을 확인하기 위해 그는 검을 휘둘렀었다.

'어찌 그것이 그 위치에 있는 것인가.'

그가 까마득한 기억을 더듬어 본다. 먼 과거, 호성대군 이평과 익성대군 이창의 기억. 돈독하달 수 없는 형제 관계였으나 아주 연을 끊은 것은 아니었다. 드물게 이창은 형님의 집을 방문하곤 했다.

'씨도둑은 못 한다는 말이 참이었다. 저놈의 붉은 점이 대체 어느 선왕 전하로부터 시작된 것인지 궁금하구나.'

'형님과 제게 있는 붉은 점. 형님의 아이들에게도 있습니까?'

'있다마다. 강이는 가슴팍에, 현이는 등에, 장희는 어깨에 있다. 설마 했는데, 막둥이 설이의 허벅지 뒤에도 떡하니 있더군.'

이창의 미간에 깊은 주름이 잡혔다. 형제 사이에는 평소 대화가 많지 않았다. 그렇기에 기억은 또렷했다.

이설의 붉은 점은 분명히 허벅지 뒤에 있다 하였거늘.

'그것은 버젓이 허벅지 앞에 자리 잡고 있었지.'

과거의 기억은 불가피한 일들마저 이창에게로 불러들였다.

저주받은 자, 폭군, 괴물, 야수. 세간에서 저를 부르는 이름. 이창은 제 별칭의 존재를 모르지 않았다. 혹자들은 이창이 밤마다 그의 손으로 죽인 원혼들에게 시달린다는 헛소문을 속닥거렸다.

웃기지 마라. 모두 우스운 거짓이다마다. 그는 제 형을 찔러 죽인 그날 밤부터 지금까지 늘 깊은 단잠을 잤다. 그런 까닭에 그가 형님의 얼굴을 떠올리는 것은 참으로 오랜만의 일이었다.

'그렇지만, 그는 너무나 형님과 닮았어.'

유난히 흰 피부, 반듯한 이목구비, 긴 눈매. 호성군이 어려서부터 왕의 재목이라고 불렸던 까닭은, 팔 할이 그 빌어먹을 반반한 외모 덕분이었다.

'오래전의 일이라, 내가 착각한 것일 테지.'

이창이 고개를 끄덕였다. 의심을 가지기에, 이설은 왕가의 특징을 너무 많이 지녔다. 저를 쏘아보던 오만 방자한 눈빛마저도 비명횡사한 제 아비를 꼭 닮은 그였다.

'그래, 착각일 것이야. 착각이고말고.'

"전하."

'그동안 참으로 용하게 모습을 숨기고 있었구나.'

"전하."

깊은 생각에 잠겨 있던 이창이 정신을 차렸다. 그사이 정재가 끝났다. 기생들은 뒤로 물러났고, 악공들도 연주를 멈추었다. 풍악이 사라진 고요한 경회루, 모인 이들 모두가 임금의 말을 기다리고 있었다.

"원자를 데려와라."

"예, 전하."

이내 조그만 사내아이를 품에 안은 보모상궁이 조심스러운 걸음으로 다가왔다. 태어나 어미젖 한 번 물어보지 못한 이창의 아들, 천(闡)이었다.

"내 경들을 이리 불러 모은 이유는 적자의 탄생을 축하하기 위함이요, 또한 원자의 존재를 만천하에 알리기 위함이다!"

이창이 아들을 향해 손을 내밀었다. 보모상궁이 그에게 자색 예복에 감싸인 아이를 건넸다. 이창은 아들을 높이 들어 올렸다. 몹시 부주의한 손길에, 놀란 보모상궁이 억눌린 신음을 뱉었다.

"보아라! 이 아이가 용종(龍種)이며 조선의 원자다!"

"천세, 천세, 천천세!"

대신들의 우렁찬 목소리가 경내를 가득 채웠다. 그 소리에 놀랐는지, 이창의 손에 붙잡혀 허공에 들려 있던 원자의 입에서 새된 울음소리가 터져 나왔다.

"천세, 천세, 천천세!"

원자의 울음소리는 점점 커져 갔다. 짜증스러운 소리였다. 시끄럽다. 제 아들을 들어 올린 채 서 있던 이창은, 문득 이대로 손을 놓아 버리고 싶다는 생각을 했다.

"데려가라."

벼슬아치들이 세 번의 천세를 마치자마자, 이창은 악을 쓰며 버둥거리는 아들을 보모상궁에게 내밀었다.

"시끄러우니 당장 경회루를 떠나거라."

"분부 받잡겠사옵니다, 전하."

중요한 절차는 끝났다. 나인들이 부지런히 잔칫상을 날라 왔다.

"전하, 어디로 가시옵니까?"

갑자기 자리에서 일어서는 이창을 본 도승지가 황급히 물었다.

"형장으로 간다."

이창이 즉위한 이래 이렇다 할 진연이 열리지 않았던 것은, 그가 풍류를 혐오하는 자였기 때문이었다. 가악, 춤, 그림, 시구. 그는 그 무엇도 즐기지 않았다.

그의 부친인 선왕이 좀 더 현명한 사람이었다면, 진즉 이창을 무장으로 등용하였을 것이다. 그리했다면 어쩌면 그는 형제를 죽이는 패륜만은 일으키지 않았을지도 모른다.

피를 탐하는 것. 그것이 이창이 가장 즐기는 풍류였다. 그 갈증은 짐승 따위를 사냥하는 것으로는 채워지지 않았다. 그럴 때마다 강녕전 안뜰에서는 하필 그 순간 이창의 눈에 띈 지독하게 운이 없는 나인이나 내관이 죽어 나갔다.

"모두 물리고, 도승지와 내금위만 따라오라."

"알겠사옵니다, 전하."

"설마 늦은 건 아닐 테지……."

중얼거리며, 이창은 조급하게 경회루의 계단을 내려갔다.

귀를 울리는 시끄러운 풍악, 팔을 휘저어 대는 기생들의 춤사위, 제 눈치를 보는 것이 생의 목표인 듯 보이는 벼슬아치들, 빽빽 울어 대는 귀찮기 짝이 없는 아들.

그에게 진연이란 몹시도 성가신 일일 뿐이다. 이제 이창은 진정 본인이 바라던 연회를 즐기러 가는 중이었다. 물론 그것은, 이설의 피로 점철된 연회일 것이었다.

"대비마마."

신운호가 황급히 머리를 숙였다.

"마마, 어찌 이리 옥안이 상하셨습니까……."

이미 오랜 세월을 산 여인이었으나, 신운호가 연금되어 있던 사이 대비의 얼굴은 십 년 이상 늙어 버린 듯했다.

신운호가 건춘문을 통과하자마자 내금위가 나타나 그를 인도했다. 당도한 곳은 궁궐 후원에 위치한 작은 전각 앞이었다. 그곳은 평생 궁궐 출입을 한 그로서도 처음 와 보는 장소였다.

궁 뒤쪽에는 승은을 입었으나 첩지는 받지 못한 승은궁녀들의 거처로 사용되는 전각들이 모여 있었다. 그러나 걷고, 또 걸어 도착한 장소는 그 후원에서도 가장 은밀하고 구석진 곳이었다.

"좌상. 대체 이게 무슨 해괴한 놀음인지 모르겠소이다."

하얗게 질린 대비가 떨리는 손을 모아 쥐었다. 그제야 신운호 역시 주변을 둘러보았다. 시야에 담기는 풍경은 대비의 말 그대로 기괴했다.

바깥에 놓인 의자 두 개, 흙바닥 위에 덩그러니 펼쳐진 멍석 하나.

"이는……."

신운호의 입에서 통탄의 한숨이 흘러나왔다. 평생을 궁궐에서 보낸 대비는 이 풍경이 상징하는 바를 모를 수밖에 없을 터였다. 궁궐 안에서 사람이 죽는 이유는 자연사가 대부분이기 때문이었다.

"여기는……. 형장이옵니다, 대비마마."

"형장? 형장이라면……."

"누군가를 처형할 모양입니다."

"대체 그게 무슨 소리요! 궁궐 안에서 어찌 그런 일이 있을 수 있단 말이오! 왕과 그 친족을 제외하고는 그 누구도 궁궐 안에서 눈을 감을 수……."

대비의 말이 뚝 끊겼다. 저만치, 관복을 입은 사내에게 이끌려 오는, 다리를 절뚝이는 젊은 사내. 거리가 멀어 얼굴을 분간할 수는 없었지만 피로 얼룩진 상처의 흔적이 그의 바짓단을 물들이고 있었다.

"좌상! 저, 저자는 대체 누군가?"

신운호는 차마 대답하지 못했다. 멍석 너머로 보이는 참혹한 사내의 얼굴 앞에 그는 말을 잃었다.

유하와 신운호의 눈이 마주쳤다. 관원이 우악스러운 손길로 그를 멍석 위에 꿇어앉혔다.

"누구냐 묻지 않느냐. 대답을 하게!"

대비의 몸이 사시나무 떨듯 흔들리기 시작했다. 시간이 멈춘 듯 느껴지는 그 기괴한 순간, 멍석 위에 무릎 꿇린 사내가 천천히 눈을 떴다.

"아……."

대비가 외마디 소리를 내뱉었다. 분명 처음 보는 사내, 난생처음 보는 얼굴이었다. 그러나 낯설지 않았다. 기이할 만큼, 너무나 기이하여 늙은 심장이 아프도록 고동칠 만큼.

"저분은……."

"어서 대답하지 못할까!"

격노한 목소리에 신운호는 끝내 입을 열고야 말았다.

"호성군의 막내 아드님, 원영군(元營君) 이설이옵니다."

툭, 초로의 여인의 팔이 축 늘어졌다.

"이설……. 설이가……."

정녕 저 아이가 이설이란 말인가.

제 동생에게 무참히 난도질당하여 죽은 아들을 껴안고 목 놓아 울던 밤 사라진 아이. 자경전으로 거처를 옮기던 날, 들보에 무명천을 묶어 선왕을 따라가려던 그녀를 이승에 발 붙이게 한 아이.

피투성이가 되어 앉아 있는 저 사람이 이설, 제 손자라니.

대비가 앞으로 달려 나갔다. 제가 누구인지도 모른다는 듯, 유하는 빈 눈으로 제 할미를 바라보고 있었다. 그 순간 관원들이 대비의 어깨를 붙들었다.

"무엄하다! 놓아라! 놓으란 말이다!"

대비는 마지막 힘까지 쥐어 짜내는 듯한 격렬한 고함을 터뜨렸다.

"자리에 앉아 기다리시라는 전하의 명이 있었사옵니다."

"무엇을 기다리란 말이냐! 설마, 설마……."

머릿속에 떠오르는 끔찍한 상상을 차마 입 밖으로 낼 엄두가 나지 않아, 대비는 입술을 들썩거렸다.

자경전에서 보내온 긴 세월. 제가 배 아파 낳은 자식이 폭군임을, 괴물임을, 천륜을 저버린 패륜아임을 누구보다 수없이 되새겼던 그녀였다. 그러나 어찌 이럴 수 있단 말인가. 어찌 인두겁을 쓰고, 이런 금수만도 못한 짓을 벌일 수 있단 말인가.

"대체 무엇을 기다리란 말이냐고 묻지 않느냐!"

대비의 추상같은 불호령이 떨어졌다. 늙은 여인의 목소리에는 평생 몸에 밴 권위가 서슬 퍼렇게 서려 있었다. 흠칫 놀라 대비에게서 손을 뗀 관원이 입을 열었다.

"대시수(待時囚)[8]가 있을 것입니다."

"뭐라……."

대비의 몸이 휘청였다.

"대시수라니! 감히 궁궐 안에서 대시수라니!"

그 말이 끝나자마자, 저만치서 고개를 푹 숙인 사내가 나타났다. 사내는 봉두난발에 누더기를 걸치고 있었다. 궁궐에서만 살아온 대비에게 사내의 모습은 도무지 이 세상 사람 같아 보이지 않았다.

짐승 같은 몰골이었다. 옷 여기저기 짙게 밴 적갈색 얼룩에서 비릿한 썩은 내가 풍겨 왔다. 그러나 그 무엇보다 모골을 송연하게 한 것은, 기골이 장대한 망나니의 손에 쥐어진 거대한 곡도(曲刀)였다.

---

8) 목을 절단하는 참형.

"시작할깝쇼?"

"그리하라."

퉤, 바닥에 침을 뱉은 망나니가 유하에게 다가섰다.

펄펄 날던 짐승들도 백정 앞에서는 꼬리를 내린다던가. 인간을 도축하는 자, 망나니에게서 뿜어져 나오는 흉흉한 기운에 관원마저 목을 움츠렸다.

그러나 유하는 미동치 않는다. 조금씩 다가오는 저자는 정녕 사람인가, 짐승인가. 혹은 제 육신이 이미 죽어 이승을 떠난 것인가.

참 이상하지. 이런 기분이 드는 것이.

유하가 후, 작은 숨을 뱉었다. 피를 많이 흘린 탓일까. 혹은 죽음을 앞둔 시점에서 진정한 마음의 평화가 찾아온 것일까. 자꾸만 눈앞이 흐려졌다.

깜빡, 깜빡. 유하는 느릿느릿 눈꺼풀을 들어 올렸다. 암흑 속에서 마지막을 맞이하기엔, 이 생이 너무나 안타깝지 않은가.

'이곳이 궁궐이로구나.'

비록 으리으리한 궁궐 한복판은 아니었으나, 나름의 운치가 있는 작은 전각들의 모습이 보였다. 어느 먼 과거, 얼굴도 알지 못하는 그의 아버지 호성군도 이곳을 거닐었을까.

"설아! 내가 너의 할미니라. 설아, 설아!"

울부짖는 여인의 소리가 귓가에 웅웅대며 울렸다. 긴 세월을 살아왔음이 드러나는 주름진 얼굴 위로 흩뿌려지는 눈물. 저것은 누구를 위한 눈물일까. 설, 설. 부르는 것이 정녕 내 이름이 맞던가. 저 여인이 평생 처음으로 맞이하는 혈육인 것인가…….

푸- 하는 거친 소리가 울린다. 망나니가 뱉어 낸 물줄기가 가랑비처럼 쏟아져 내렸다.

"차라리 나를 베어라! 이 금수만도 못한 것들, 하늘의 진노가 무섭지 않으냐!"

망나니의 춤사위, 붕붕 허공을 가르는 곡도. 대비는 몸부림치며 울부짖었다.

"나를 베란 말이다! 이 늙은이를 죽이거라! 아니 된다. 저 아이만은 정녕 아니 된단……."

대비가 풀썩 바닥으로 쓰러졌다. 눈동자가 희게 까뒤집어졌다. 왜소한 늙은 몸뚱이는 너무나 가벼워, 허물어져 내린 그 순간 바닥에서는 흙먼지 한 줌도 피어나지 않았다.

"대비마마!"

신운호의 다급한 목소리에, 관원은 손을 들어 망나니에게 잠시 멈추라는 신호를 보냈다.

* * *

이화원은 깊은 수심에 잠겨 있었다. 하루아침에 과거생 셋이 모두 자취를 감춘 데다, 단오마저 곧 돌아온다는 전갈만을 남기고 사라졌다. 더욱이 이화원 뒤편 폐가에서 수많은 시신이 나온 상황이었다. 불안은 극에 달했다.

고요한 이화원. 홍주는 침입자들에게 끌려갔던 그 밤 이후 며칠간 몹시 앓았다.

"홍주야. 방에서 쉬지 그러느냐. 열은 내렸다만……."

홍주의 방문이 열리는 소리에 고개를 든 육호가 말을 건넸다.

육호는 요 며칠 사이 눈에 띄게 수척해졌다. 그는 더 이상 내기 장기를 두러 가지 않았다. 그는 평상 위에 앉아, 열리지 않는 이화원 대문을 바라보며 멀거니 생각에 잠겨 있을 때가 많았다.

"일을 좀 하려고요. 단오도 없으니……."

말끝을 흐리며, 홍주는 대문을 향해 걸어갔다. 대문을 넘어 바깥으로 나가는 사이, 그녀는 숨을 고르며 한참을 망설였다.

이 대문을 나가지 못하는 이유는 오직 하나뿐이었다. 그 밤의 기억. 걸음조차 떼지 못하는 천치 같은 제 몸을 가볍게 안아 올려, 별빛이 쏟아지는 바깥으로 데려다주었던 시열의 기억이 떠오르기 때문에. 그러나 그녀는 이를 악물었다.

홍주는 단오와의 약속을 잊지 않았다. 언니로서 동생을 돌보기는커녕 기생하듯 단오에게 빌붙어 살았던 삶. 단오의 당부마저 외면한 채 다시 캄캄한 껍질 속으로 기어들어 갈 수는 없었다. 또다시 그러고 만다면, 어찌 동생을 볼 면목이 있겠는가.

"하늘이 붉다……."

우물로 향하는 길목, 무심코 하늘을 올려다본 홍주가 놀란 표정으로 중얼거렸다.

이상한 풍경이었다. 아직 저녁노을이 지기엔 이른 시각. 그러나 해를 품고 있는 구름과 그 주변 풍경은 스산하도록 검붉었다. 그 선연한 홍색은 이내 떠올리지 말아야 할 기억 하나를 불러들였다.

피. 폐가에서 목도했던, 천지에 진동하던 핏빛을. 시열의 검이 지나는 자리마다 왈칵왈칵 쏟아지던 시뻘건 선혈을.

"아아……."

다리에 힘이 풀려, 홍주는 그대로 주저앉고 말았다. 그 바람에 들고 있던 빈 물동이가 바닥으로 떨어져 산산조각이 났다. 저도 모르게 깨어진 조각을 향해 손을 뻗은 홍주의 손바닥에 날카로운 아픔이 느껴졌다. 주르륵 피가 흘렀다.

문득 독한 마음이 생긴다. 홍주는 깨진 항아리 조각을 제 목에 들이댔다.

'언니, 약속해 줘. 꼭 버텨 내고, 이겨 낸다고. 나 없는 동안 이화원에서 씩씩하게

지내겠다고.'

순간 떠오르는 단오의 당부. 홍주의 손이 아래로 떨어졌다. 그녀가 깊은 울음을 토해 냈다.

"제발요……."

제발, 진짜 천치가 되었으면. 제발 아무것도 기억 못 하는 백치가 되어 시열에 관한 걸 모두 잊었으면. 자신이 그런 모진 꼴을 당하고도 그를 잊지 못하는 정신 나간 계집이라는 사실마저 모조리 잊어버렸으면…….

그러나 울음은 멈추지 않는다. 하늘은 속절없이 붉었다.

"단오야."

엽전 몇 푼으로 빌린 주막 귀퉁이 방. 소셋물을 물리고 들어온 반야가 단오의 이름을 불렀다. 하지만 단오는 멍하니 생각에 잠겨, 들고 나는 인기척조차 듣지 못한 듯싶었다. 한 번 더 이름을 부를까 싶었으나 반야는 그냥 입을 다물었다.

그사이, 단오는 공들여 칠한 분이며 연지를 깔끔히 지웠다. 무거운 가채며 전모도 진즉 벗어 버렸다. 깊은 생각에 잠긴 그녀의 입에서 얕은 한숨이 흘러나왔다.

단오는 반야를 만나러 오기 전의 기억을 떠올리는 중이었다. 순식간에 뒷걸음친 기억은, 산과 시열과 단오가 각자의 길을 향해 떠나온 아침나절의 버려진 집으로 되돌아갔다.

'이제, 갈 시간이구나.'

단오의 얼굴에 와 닿는 산의 시선이 따사로웠다. 큰일을 앞둔 그의 마음은 참으로 복잡했을 것이다. 그러나 그 순간, 단오를 내려다보는 그의 눈빛만은 어찌나 다정하던지.

'나는 앞에 가 있을게.'

산과 단오 사이의 애틋한 분위기를 눈치챈 시열이 자리를 비켜줬다. 남겨진 산과 단오는 가만히 눈을 맞춘 채, 그렇게 서로를 바라보고 있었다.

'저녁에 만나요.'

그 말로는 부족한 것 같아, 단오는 힘주어 덧붙였다.

'기다리고 있을게요. 시장하실 시간이니 따뜻한 끼니도 준비해 놓을게요.'

'그래. 오랜만에 네가 해 주는 저녁을 먹겠구나. 유하 몫도 준비해 두는 거 잊지 마라.'

저녁 따위가 무슨 대수던가. 그러나 그런 소리라도 주워섬겨야 믿을 수 있을 것 같았다. 정녕 아무 일 없으리란 게, 무사히 돌아와 넷이 함께하던 시간으로 돌아갈 수 있으리란 게.

'이리 와.'

산이 단오를 향해 팔을 뻗었다. 가만가만 끌어안아 소중히 보듬을 의도였으나 마지막을 기약하는 순간이 그것을 어렵게 만들었다.

그는 단오를 힘껏 끌어안았다. 순간 숨이 막힌 단오의 입에서 낮은 소리가 흘러나오지만, 그녀 역시 산의 목에 팔을 휘감았다.

'아무 걱정 하지 마라.'

산은 단오의 향기를 양껏 들이마셨다. 단오의 것이라면, 무엇 하나 놓치고 싶지 않다. 달콤한 살 내음, 뺨을 맞댈 때 느껴지는 보드라운 감촉, 포근한 온기, 단오, 네모든 것.

'나는 반드시 돌아올 거야. 네가 여기 있다는 것, 여기서 내가 돌아오기를 기다리고 있다는 걸 나는 지금 이 순간부터 기억할 것이다. 그러니 걱정하지 마.'

눈물을 참기 위해 앙다문 단오의 입술 위에, 그는 짧게 입을 맞췄다. 보다 긴 입맞춤은 남겨 두기로 한다. 돌아온 이후를 위해, 아무 걱정 따위 없을 나중을 위해.

'정녕, 마지막은 아니겠지요?'

내내 참던 한마디가 단오의 입에서 튀어나왔다. 마지막이란 말이 그렇게 두렵고 아픈 것일 줄, 이전에는 미처 몰랐던 것을.

'단오야.'

산의 손이 단오의 등을 도닥였다.

'너는 나를 살아 있게 해. 살아가고 싶게 해……. 나에게는 너와 함께 하고 싶은 일들이 너무 많다. 그러니 어찌 감히, 내가 너를 두고 험한 일을 당할 수 있겠느냐. 어찌 이게 마지막일 수 있겠느냐.'

'오라버니…….'

단오의 눈가에 맺힌 눈물을 산은 엄지손가락으로 쓱 닦아 냈다.

'기다릴게요.'

단오가 고개를 끄덕거렸다.

'저도 똑같음을 잊지 마세요. 오라버니가 있어야 저도 살아요.'

그의 품 안에서, 잠시 단오는 눈을 감았다.

하루는 짧을 것이다. 저녁이 오면, 그들은 살아갈 것이다. 함께, 살아갈 것이다…….

'은애해요, 오라버니.'

* * *

"아……."

자그맣게 한숨을 내쉬던 단오는 그제야 반야의 존재를 깨달은 성싶었다.

"아, 반야."

"무슨 생각을 그리하고 있어?"

"그냥……. 아침에 너를 만나러 나설 때, 오라버니들이랑 한 이야기가 떠올라서. 잠시 넋을 놓았나 보아."

단오가 들고 온 꾸러미를 풀기 시작했다. 안에서 나오는 물건들을 보고 있던 반야의 표정이 한층 어두워졌다.

"단오야……. 꼭 이렇게까지 해야 해?"

"응. 이 방법밖에 없어."

"난 네가 너무 걱정돼."

"난…… 내가 할 수 있는 일을 할 거야. 그뿐이야."

더 할 말이 있는 것처럼, 입술을 달싹대는 반야를 보던 단오가 물었다.

"반야. 어찌 그런 눈으로 봐."

"그냥, 문득 그런 생각이 들어서. 너는 참 대단한 아이구나. 이래서, 유하 선비님이 너를 그리 연모하였나 보다……."

"대단하지 않아……. 그리고 그런 소리 마."

"미안해. 자꾸 우는 얼굴 해서. 가자."

반야가 발딱 몸을 일으켰다. 단오 역시 자리에서 일어선 순간, 반야는 단오를 답싹 끌어안았다.

"고마워, 단오야."

단오는 반야를 바라보았다. 용기가 필요한 순간. 반야가 전해 준 작은 온기는 불안한 마음을 잠재워 주었다.

"내 벗이 되어 주어서, 정말 고마워……."

"그런 말이 어디 있어. 나야말로 네가 정말 고마운 것을."

단오가 반야를 가만히 바라본다. 힘든 날이었음을 감안해도, 반야의 태도는 무척이나 이상했다.

단오의 눈빛에 의문이 어리는 걸 본 반야가 손을 내저었다.

어쩌면 이게 마지막이겠지. 유폐된 처지에 함부로 기방을 벗어났으니, 어떤 모진 형벌을 받게 될지 모르겠다. 영영 단오를 다시 보지 못할 것만 같은 생각이 들었다.

화령이 떠나가면서 마음속에 품었던 못된 독기를 가져가기라도 한 걸까. 어찌 이리 이 아이가 좋고, 마음이 가는지…….

"가자."

한 치 앞도 알 수 없는 모진 운명 속으로, 그녀들은 걸음을 내디뎠다.

그 시각, 붉은 시복을 펄럭이며 궐 안을 누비는 두 사내. 모든 궁인들이 진연에 동원되어, 궐 안은 인적이라고는 없이 고요했다.

"산."

시열이 나지막하게 산의 이름을 불렀다. 멀찍이 앞에서 서서히 다가오는 한 무리의 그림자. 뒤따르는 무인들의 선두에는 세 사내가 있었다.

한 사내는 산과 시열과 같은 당상관 의관을 갖췄다. 그의 곁에서 걸어오는 사내는 무장을 한 내금위였다. 그리고 그 맨 앞, 피처럼 붉은 용포를 휘날리는 사내. 그의 가슴팍에 자리 잡은 황금용이 빛을 발한다.

"이창."

동시에 목표의 이름을 내뱉은 산과 시열이 그 자리에 멈춰 섰다. 순식간에 그들은 내내 거추장스러웠던 시복을 벗어 던졌다. 몸에 빈틈없이 감긴 새카만 무인복이 드러났다.

"가자."

침입자를 발견한 자들이 걸음을 멈춘 순간, 산과 시열은 동시에 평생을 함께한 장검을 뽑아 들었다.

"무얼 하는 놈들이냐!"

이창 곁에 서 있던 내금위장이 순식간에 임금의 앞으로 달려 나왔다.

"전하, 뒤로 물러서시옵소서. 소신이 맡겠나이다."

내금위장의 손짓에, 임금의 뒤를 따르던 내금위 소속 금병(禁兵)들이 도열했다.

내금위장 품계를 가진 자들은 흔히 조선제일검이라고 불린다. 은밀한 행차였던 터라 비록 그 수는 적었지만, 네 명의 금병 역시 최고의 무사들이었다. 그런 까닭에 이창은 별다른 동요를 보이지 않았다.

수없이 피를 본 후에야 보위를 차지한 그였다. 그간 이창을 해하려던 무리는 무수히 많았다. 둘이든, 셋이든, 넷이든 그들은 이창의 몸에는 손가락 하나 대 보지 못하고 내금위들의 검 앞에 죽음을 맞았다.

더군다나 상대는 고작 두 명의 앳된 사내들. 내금위장과 금병까지, 총 다섯인 정예들의 상대가 될 리 없었다. 그렇기에 이창은 즐거운 구경을 하는 듯 들뜬 표정마저 짓고 있었다.

"어서 해치워라. 본 구경 전에 가무를 즐기면 되겠구나."

임금의 명이 떨어짐과 동시에, 아무런 기합이나 예고도 없이 내금위장이 검을 휘둘렀다. 중년에 가까워진 내금위장은 평생 오직 검만을 바라보며 살았다. 그렇기에 그의 검술 역시 나름의 경지에 도달하여 있었다.

그러나 거기까지였다. 혼자 힘으로 충분히 둘을 제압할 수 있으리라고 여겼던 내금위장은 무언가 단단히 잘못되었음을 깨달았다.

"공격하라!"

내금위장의 외침에, 네 명의 금병들이 자객들을 에워쌌다. 다섯과 둘의 싸움. 이창이 예상했듯 싸움은 길지 않았으나 결과는 예측과 정반대였다.

다섯 명의 내금위들은 순식간에 공격은커녕 방어만을 할 수밖에 없는 처지가 되었다. 두 자객 모두 뛰어났으나, 특히 둘 중 한쪽의 몸놀림은 경악스러울 만큼 비범했다. 그의 검술 앞에, 내금위들은 충격과 경악에 사로잡혔다.

한 명이 피를 뿜으며 나동그라진다. 그와 거의 동시에 또 한 명이 쓰러졌다. 곧이어 또 하나가, 끝끝내 마지막 금병의 몸뚱이마저 바닥에 나뒹굴었다.

이제 이창을 지킬 수 있는 건, 내금위장 하나뿐. 그는 빠른 판단을 내렸다. 제힘으로 감당할 수 없다는 사실을 인정하는 것 역시 진정한 무사의 능력이리라. 순식간에 뒤로 물러난 내금위장이 재빨리 옷섶을 헤집었다.

우우웅- 궐 안에 침입자가 있음을 알리는 뿔 나팔 소리가 궐을 뒤덮었다. 그 빈틈을 시열은 놓치지 않았다. 긴 포물선을 그린 시열의 검이 내금위장의 몸뚱이를 깊이 베었다.

"크윽……."

털썩, 순식간에 내금위장의 숨이 끊어졌다.

"네, 네놈들은 누구냐!"

이창이 소리쳤다. 믿기지 않는 결과를 목도한 탓에 이성을 잃은 눈이 거세게 뒤흔들렸다. 주춤주춤 뒷걸음치던 이창은 제 발에 걸려 바닥에 나동그라지고 말았다.

산은 빠른 걸음으로 이창을 향해 다가갔다.

"이설은 어디 있느냐?"

"누구냐! 네 정체를 묻지 않느냐!"

이창이 쉬이 입을 열지 않을 것임을 간파한 시열의 검이 부들부들 떨고 있는 도승지의 울대를 겨누었다.

"후, 후, 후원에 있사옵니다. 신무문(神武門) 옆에……."

대답을 들은 시열이 칼을 거두었다. 그러나 칼날에 묻은 내금위장의 피는, 심약한 도승지를 혼절하게 만들고야 말았다.

"시간이 없어. 뿔 나팔을 불었으니, 곧 금군들이 몰려올 것이다."

시열의 말에 산이 고개를 끄덕였다. 제가 호성군의 아들, 이설임을 깨달았던 순간부터 평생 가졌던 의문. 그러나 그것을 다 쏟아 내기에는 시간이 부족했다.

애석한 일이지만, 산은 이창을 죽여 부모의 복수를 하는 것으로 만족하고자 마음먹었다. 결정을 내린 산의 검이 하늘을 향해 호선을 그렸다.

"산!"

순간 시열이 몸을 날려 산의 앞을 막아섰다. 어디선가 내밀어진 칼날과 시열의 검이 맞부딪쳤다. 푸른 섬광이 번뜩였다.

시열은 굳은 표정으로, 눈앞의 승복을 입은 중년의 사내를 노려보았다.

"땡중, 자네는 나를 막지 못하네."

"그럴지도 모르겠지요."

평생을 함께했던 사내에게마저 칼을 꽂아야 하는 것이 제 운명이던가.

"운명을 거스르려 하신다면, 그 이전에 소인 먼저 거스르셔야 할 겁니다."

시열이 숨을 뱉었다. 그렇다면, 그 역시 받아들이리라.

시열은 신검(神劍)을 타고난 자였다. 그는 홀로 열을 상대할 수 있는 검술을 지녔다. 그러나 시열의 상대인 승려는 그런 그를 가르친 사람이었다.

한 쌍의 검이 허공에서 맹수처럼 맞부딪쳤다. 서로의 숨통을 노리는 서슬 퍼런 칼날이 빛을 뿜었다. 굶주린 칼날은 하늘마저 갈라 버릴 듯한 기세로 피를 달라 아우성쳤다.

허공에서 펼쳐지는 검의 움직임은 유려하고 아름다웠다. 그 칼날을 춤추게 하는 것은 생을 향한 치열한 욕망이었다. 운명을 거스르고 말겠다는 욕망, 그리고 제 숙명을 지키겠다는 욕망.

파수꾼과 파수꾼의 싸움. 둘 중 누구도 물러서지 않는다. 이는 피가 흐르고 숨통이 끊어져야 끝날 싸움이었다.

그러나 다음 순간, 승려는 순식간에 태세를 바꿨다. 엉금엉금 도망치는 이창을 향해 걸어가는 산을 보았기 때문이었다. 승려는 방어를 포기한 채 산을 향해 몸을 날렸다. 훌쩍 날아오른 시열의 검이 그런 승려의 어깨 위로 떨어졌다.

"아……."

승려의 팔이 축 늘어졌다. 그의 손에 쥐어져 있던 검이 챙그랑 소리를 내며 바닥에 나뒹굴었다.

깊은 상처. 하지만 급소는 피해 간 일격이었다. 승려와 시열의 눈이 마주쳤다.

"내가 졌소. 죽이시오."

승려가 스르르 눈을 감았다. 파수꾼의 생이란 원래 그런 것이다. 그의 주인이 하필 이창이었던 것 역시 그의 업보일 것이었다.

그러나 고대하던 죽음은 찾아오지 않았다. 승려의 어깨에서 왈칵 피가 쏟아진다. 그가 감았던 눈을 다시 떴다.

그때까지 승려를 향한 시선을 거두지 않던 시열이 검을 내려놓았다. 그는 쓰러진 승려의 곁으로 다가가 몸을 낮추었다.

"자네는 이미 죽었네. 내게 목숨을 빚진 줄 알게."

거친 숨을 뱉으며, 승려는 먼 과거의 일을 떠올렸다. 시열을 가르치던 시절의 기억을. 열 살을 갓 넘긴 소년에게 검술을 가르치던 승려는 종종 같은 말을 하곤 했었다.

'공은 이미 죽었소이다. 내게 목숨을 빚진 줄 아시오.'

"땡중, 함께 벗어나자. 파수꾼의 생에서. 제발 벗어나, 자유롭게 살아가자……."

시열의 간절한 목소리. 승려의 목숨을 거두지 않은 것은 그가 지키고자 하는 마지막 신의였고, 또한 제가 괴물이 아니라는 방증일 것이다. 적어도 시열은 그렇게 믿고 싶었다.

"이, 이보아라! 게 아무도 없느냐!"

성큼성큼 다가오는 산을 피해 바닥을 기어 도망치던 이창이 소리쳤다. 그러나 뿔 나팔에 화답하는 소리는 들려오지 않았다. 사실 방어를 갖추기엔 너무나 짧은 시간이 지났을 뿐이었다.

"이창. 내가 누군지 아느냐?"

산은 평생 곱씹고 또 곱씹었던 질문을 마침내 꺼내 놓았다.

"내, 내가 네 이름 따위를 어찌 알겠느냐!"

산이 검심을 손에 쥐었다. 그가 시뻘겋게 충혈된 이창의 눈앞에 제 검 자루를 들이대었다.

검 자루에 선명하게 양각된 해의 형상. 그 믿기지 않는 징표 앞에, 이창의 붉어진 동공이 격렬하게 팽창했다.

"이것은……. 이것은……."

금박 위로 반사된 햇빛이 번쩍거리며 눈을 파고든다. 그러나 이창은 눈을 감거나 깜빡이지 못했다. 제게 겨누어진 서슬 퍼런 칼날에서 잠시나마 시선을 떼었다간, 순식간에 목숨을 잃고 말 것이란 공포가 그의 눈동자에 여실히 드러나 있었다.

흰자위의 실핏줄이 터져 나가기 시작했다. 이창은 말 그대로 피에 물든 눈을 한 악귀(惡鬼)의 형상이 되어 가는 중이었다.

"이설, 이설!"

그렇다면 제가 참수하라 명했던 자는 대체 누구인가. 그자의 이목구비 위에 선명하게 되살아나 있던 형님의 모습은. 그 얼굴과, 징표와, 허벅지의 붉은 점과…….

유령처럼 해쓱해진 얼굴로 이창은 몸을 일으키려 애썼다. 비척대며 일어서던 그의 팔이 허공을 움켜쥐었다. 이창이 산의 바짓단을 향해 손을 뻗었다. 턱 끝까지 닥친 죽음, 그 와중에도 이설의 존재를 확인하고 싶었던 것일까.

순간, 산의 검이 이창의 가슴팍을 꿰뚫었다.

"크헉!"

괴이한 단말마의 비명과 함께 이창이 바닥에 널브러졌다. 산이 제 원수의 몸을 꿰뚫었던 검을 뽑아 들었다. 이창의 가슴에서 김이 무럭무럭 오르는 선혈이 솟구쳐 올랐다.

그러나 보이지 않는다. 콸콸 쏟아지는 피. 하지만 피처럼 붉고 죽음처럼 검은 용포 탓에 선혈의 흔적은 눈에 띄지 않았다. 단지 자욱한 피비린내가 끝이 다가왔음을 알려 줄 뿐이다.

산이 이창을 향해 천천히 몸을 숙였다. 몹시 거슬리는 그르렁대는 숨소리가 들려왔다. 생의 마지막을 알리는 소리가. 산이 이창의 귓가에 속삭였다.

"그래. 내가 이설이다."

이창이 입을 뻐끔거렸다. 그러나 쏟아져 나온 것은 말 대신 지독한 비린내를 풍기는 핏덩어리였다.

채 나오지 못한 선혈이 그의 기도를 틀어막았다. 이창은 목구멍에 꽉 들어찬 피를 뱉어 내려고 애썼다. 수많은 자들의 고통을 먹고 비대해진 구역질 나는 피고름을. 그의 필사적이던 몸부림이 서서히 느려졌다.

"내 너를 죽였으니, 이제 나의 자리를 찾아갈 것이다."

산의 그 말이, 이창이 들은 마지막 소리였다.

벌렁 드러누운 채 죽음을 맞는 조선의 임금, 이창의 눈 안으로 눈부신 한낮의 태양 빛이 쏟아졌다. 그의 입꼬리가 멈칫 당겨진다. 소리 없는 웃음이 킬킬, 울대를 울렸다.

"저 망할 놈의 해를 치워……."

그러나 눈조차 감을 기력이 없다.

"너무나 밝아…… 눈이……."

부시구나.

끝내 감기지 못한 눈 위로 찬란한 태양 빛이 쏟아짐에도, 검게 확장된 동공은 움직이지 않는다.

그렇게 폭군이라 불리던 임금, 이창의 생은 끝이 났다.

"시열, 가자……."

산이 뒤를 돌았다. 그 순간.

"시열!"

숨을 몰아쉬던 승려가 바닥에 떨궈진 시열의 검을 손에 쥐었다. 그를 향해 닥쳐 들어오는 검. 시열은 반사적으로 손을 내밀어 그 검날을 붙들었다.

검날은 시열의 손바닥 깊숙이 파고들었다. 시뻘건 선혈이 용솟음쳤다.

"아악!"

고통 어린 비명을 내뱉으며, 시열은 검을 빼앗아 바로 쥐었다. 그리고 검을 내리꽂았다.

마지막 숨을 거두며 승려는 생각했다. 마침내, 이 참담한 생을 벗어나, 자유를 찾았노라고.

* * *

혼절했던 대비가 정신을 차렸다. 그러나 눈앞의 참혹한 장면 앞에, 그녀는 다시 눈을 질끈 감았다. 대비가 정신이 든 것을 확인한 관원이 망나니를 향해 손을 들어 올렸다.

"시작하라."

우우웅― 그때 들려오는, 온 궐 안에 메아리치는 뿔 나팔 소리.

"이 무슨 소리인가?"

신운호의 목소리가 들렸으나 관원은 개의치 않았다. 관원이 임금에게 받은 명은, 대비와 신운호가 보는 앞에서 죄인을 참수하라는 것 오직 하나뿐이었다.

관원은 머뭇대는 망나니에게 다시 신호를 보냈다. 거대한 곡도가 허공에 팔자를 그리기 시작했다.

"들리지 않는가! 저게 무슨 소리냔 말이다!"

신운호가 목소리를 높였다. 이번에 들려오는 소리는 분명 다른 성질의 것이었다. 멀리 경회루에서부터 수백의 사람들이 목 놓아 외치는 듯한 기묘한 소리가 들려오고 있었다.

"멈추어라! 저 소리가 무엇인지 확인해야 하지 않느냐!"

관원은 몹시 귀찮다는 표정이었다. 어쨌든 그는 다시 망나니에게 멈추라는 신호를 전했다.

임금의 명령은 분명했다. 참수가 끝나면 좌의정 역시 사사될 것이고, 대비는 영영 유폐될 것이다. 그렇기에 관원은 신운호를 겁내지 않았다. 단지 멀리서 들리는 이상한 소리, 그것이 그를 멈추게 했을 뿐이었다.

"전하!"

"전하께서……."

"전하……."

웅웅대는 소리는 선명치 않았다. 신운호도, 대비도, 관원과 망나니마저도 귀를 쫑긋 세우고 괴이한 목소리에 귀를 기울였다. 그중에 초연한 자는 오직 유하 하나였다.

"전하께서 붕어하셨다!"

마침내 그 아우성의 정체가 선명하게 떠올랐다. 자리에 있던 이들 모두가 순간 숨을 멈췄다. 그리고 그 말이 의미하는 바를 깨닫자마자, 신운호는 자리에서 벌떡 일어섰다.

"형을 중단하라!"

"저, 전하의 명이옵니다!"

"전하께서 붕어하셨다! 소리가 아니 들리느냐?"

"하오나……."

관원은 이러지도 저러지도 못했다. 그는 충격에 빠진 채 신운호와 멍석 위의 사내를 번갈아 바라보기만 했다.

순간, 대비가 자리를 박차고 일어섰다. 그녀의 입에서, 방금 혼절하였던 여인의 것이라고는 믿을 수 없는 노호성이 터져 나왔다.

"감히 무슨 짓이냐! 임금이 붕어하였으니, 궁궐의 일을 결정하는 것은 이 대비의 몫임을 모르느냐! 당장 멈추어라!"

대비의 말을 듣고 나서야 사태 파악을 한 관원의 얼굴이 새파랗게 질렸다.

"멈추란 말이 들리지 않느냐!"

"머, 멈추어라."

그제야 망나니는 칼을 내려놓았다. 산발을 한 망나니는 이 팔자에 없는 난리가 무엇인지 도통 모르겠다는 표정을 짓고 있었다.

"당장 안으로 뫼시고, 내의를 불러라!"

"예, 예. 마마……."

순식간에 다른 주인을 섬기게 된 관원이 얼떨떨한 표정으로 대답했다. 그가 유하를 부축하여 전각 안으로 사라진 후에야 대비는 다리에 힘이 풀린 듯 털썩 주저앉았다.

"끝났나 보오."

대비의 입에서 아득한 한숨이 흘러나왔다. 그녀가 양손으로 제 머리를 감싸 쥐었다.

"정녕, 긴 세월이 끝났나 보오……."

자식에게, 제 자식을 잃은 비통한 어미. 그리고 제 자식이 목숨을 잃었음에 안도의 한숨을 내쉬는 비정한 어미. 대비의 주름진 뺨을 타고 눈물이 흘러내린다.

가여운 것은 정녕 저일까. 이미 죽어 하늘의 별이 된 아들, 호성대군일까. 혹은 갑작스러운 죽음 앞에 누구 하나 진심으로 슬퍼해 주는 이 없는 이창일까.

"마마. 강건하셔야 하옵니다."

"무엇을 위하여 강건하란 말이오……."

대체 무엇을 위해서, 이런 모진 꼴을 보며 살아야 하는 걸까.

대비의 물음에 대한 답을 신운호는 간결하게 내려 주었다.

"원영군을 위해서요. 그분을 지켜 주실 수 있는 분은 오직 대비마마뿐이십니다."

말을 마친 신운호가 서둘러 자리를 떴다. 그의 마음이 바빴다. 다른 이의 눈에 띄기 전에 어서 파수꾼을 접선하여야 한다. 뿔 나팔 소리가 울렸으니 곧 금군이 파수꾼을 쫓을 것이다.

용은 죽었다. 그리고 새로운 해의 등장을 완벽하게 만들기 위해, 파수꾼은 자취를 감추어야만 했다. 그것이 옳은 일이었다.

* * *

"검은 복장을 한 자객을 쫓아라! 그중 하나는 피를 흘리고 있다!"

한양 한복판. 금군들의 고함 소리가 쩌렁쩌렁하게 울렸다. 그들은 임금을 시해한 자를 뒤쫓는 중이었다. 그 소리는 수많은 병졸들에게로 전달됐다.

마침내 한 무리의 금군이 길바닥에 뿌려진 핏자국을 발견했다. 마치 따라오라는 신호처럼 궤적을 그리는 핏자국. 저만치 앞에, 날래게 달려가는 자객의 검은 뒷모습이 보였다.

"게 섰거라!"

금군들이 자객의 뒤를 쫓아 달려갔다. 부상을 당한 까닭인지, 거리는 금세 좁혀졌다.

궁수 하나가 화살을 뽑아 들었다. 첫발은 아슬아슬하게 자객의 뒤통수를 스쳐 지나갔다. 곧이어 쏘아진 다음 화살은 바람을 가르고 날아가, 퍽 하는 둔탁한 소리와 함께 자객의 어깨를 관통했다.

제 속도를 이기지 못한 검은 복장의 자객의 몸이 허공에 붕 떠올랐다. 쿵! 떨어진 몸뚱이가 데구루루 바닥을 굴렀다.

우르르 달려간 금군들이 바닥에 엎어진 자객의 머리채를 붙잡아 얼굴을 확인했다. 이내 금군들의 입에서 당황한 소리가 흘러나왔다.

"계집입니다!"

금군들은 어안이 벙벙한 표정으로 바닥에 나뒹구는 여인을 내려다보았다. 남장을 한 여인의 얼굴은 백지장처럼 하얗게 질려 있었다. 걷어 올린 소매 아래로 보이는 팔뚝에 난 깊은 상처, 그리고 화살이 꽂힌 어깨에 피가 낭자했다.

"대체 무얼 하는 계집이냐!"

"갑자기 누, 누군가 칼로 저를 찔렀습니다. 뒤에서 누군가 쫓아오기에 저를 해치려는 줄 알고 도망치는 중이었는데……."

"어찌하여 남장을 하고 다니는 것이냐!"

"저는 객주의 주인입니다! 여인의 몸으로 밖을 돌아다니다가 흉흉한 일을 겪은 적이 있어서……. 자주 남장을 해 왔는데……."

여인이 가쁜 숨을 몰아쉰다. 내금위들은 낭패라는 듯 시선을 주고받았다.

남장을 했다는 이유로 여인을 처벌할 수는 없었다. 무엇보다 왕이 시해당한 중차대한 상황. 엄한 대상을 쫓아 시간을 낭비하였으니 잘못은 저들의 몫이었다.

"어느 객주란 말이냐? 이름을 밝혀라."

"중촌의……. 이화원이라는 객주이옵니다……."

울컥, 화살이 박힌 여인의 어깨에서 피가 쏟아져 나왔다.

단오의 귓가에 금군의 목소리가 웅웅대며 아우성쳤다. 누군가 제 몸을 들어 올린다. 의원을 수소문하라는 소리가 들려왔다. 그러나 모든 것은 아득히 멀리서 들려오는 듯 까마득하기만 하다.

"다쳐서……. 다쳐서……."

단오가 힘없이 중얼거렸다.

마지막 밤, 산의 목소리만은 귓가에 뚜렷했다. 산은 그리 말하였었지. 절대 다쳐선 아니 된다고.

"미안해요, 오라버니……."

단오가 입은 검은 무인의 옷은 진즉 시전에서 사 온 것이었다. 남장을 하고 궁궐 앞을 배회하던 중, 단오는 자객들이 피를 흘리며 도망쳤다는 소식을 들었다. 산과 시열을 뒤쫓을 금군을 유인하기 위해, 단오는 스스로 제 몸에 칼을 댔다. 그렇게나마 그들에게 도움이 되고 싶었다.

몸에 상처를 낸 것도 모자라 화살을 맞기까지 하다니. 분명 산은 불같이 화를 낼 것이다. 제 걱정에 어쩔 줄 몰라 할 그의 얼굴이 선연했다.

그러나 상처가 깊었다. 단오의 정신은 점점 아득해져 갔다. 몸에 아무런 감각이 느껴지지 않았다. 뜨거운 것이 끊임없이 팔을 타고 흘러내렸다.

누군가에게 떠메어져 가는 것일까. 여기는 어디고, 이 걸음의 끝은 대체 어디일까. 아. 그런 게 다 무슨 상관이람. 그저 산이 보고 싶다. 산 오라버니가 보고 싶어…….

어서 은신처로 돌아가야 하는데. 산과 시열, 그리고 유하가 돌아올 때가 되었을 텐데. 저녁을 해 두겠다고 말해 놓고 아무런 준비조차 하지 않았는데……. 은신처에 내가 없으면, 산 오라버니가 분명 몹시 걱정할 터인데…….

정신을 잃던 마지막 순간, 단오의 흐린 눈은 먼 하늘을 바라보았다.

오늘따라 유난히 해가 크고도 붉다. 어여쁘다. 참으로 어여쁘다.

17장. 내 님 오시는 밤

"으음……."

단오의 입에서 얕게 앓는 소리가 흘러나왔다. 이내 그녀가 게슴츠레 눈을 떴다.

"단오야! 정신이 좀 드느냐?"

"어머니……."

제 손을 부여잡는 어머니의 손길. 눈앞의 광경은 또렷하지 않았다. 무엇 때문에 이리 정신이 혼미한 걸까. 어찌하여 이리 마음이 먹먹하고 서글픈 것일까…….

"오라버니는……. 악!"

급히 몸을 일으키던 단오가 비명을 내질렀다.

"가만 있거라! 아직 상처가 다 아물지 않았어. 이것아, 이 어미를 얼마나 놀라게 할 셈이더냐. 무얼 한다고 다 큰 처녀가 화살을 맞고 죽을 고비를 넘기느냐고. 이 무슨 일인지……."

어머니의 눈에서 뚝뚝 떨어지는 눈물. 단오에게 그제야 온갖 기억들이 쏟아져 들어왔다. 한동안 뒤엉켜 엉망인 생각을 정리하느라, 단오는 한마디 말조차 꺼내지 못했다.

"죄송해요, 어머니……."

단오의 표정이 착잡해진다. 마음이 몹시 다급했다. 하지만 흐느끼는 어머니에게 답을 듣는 것은 쉽지 않았다. 어머니의 울음은 제법 시간이 지난 후에야 멈췄다.

"대체 무슨 일이 생기려고 이러는지……. 나라가 뒤집히니 별일이 다 생기는구나."

"나라가…… 뒤집혀요?"

"임금께서 세상을 떠나셨다. 자객이 나타나 임금을 시해하였다지 뭐냐."

무슨 말인가를 꺼내려던 단오는 잠시 그대로 정지했다.

임금이 죽었다. 그렇다면 산과 시열, 그리고 유하는?

"이, 임금을 죽인 자는 잡혔나요?"

"우리 같은 무지렁이가 어찌 그런 것까지 알겠느냐. 소문을 듣자니, 여전히 그들을 잡으려는 병졸들이 장안에 쫙 깔려 있다 하였다. 그러니, 아직 잡히지 않았다는 뜻이겠지."

"아……."

단오가 안도의 한숨을 내쉬었다. 산과 시열은 무사할 것이다. 반드시 그럴 것이었다.

"어머니. 저, 얼마나 오래 누워 있었어요?"

"오늘로 이제 엿새째로구나. 깨다 말다 했는데, 기억이 전혀 안 나느냐?"

"엿새요?"

고작 하루나 이틀쯤이라고 여겼거늘. 꼬박 엿새 동안이나 누워 있었다는 것인가.

"단오야. 어서 말해 보아라. 어찌하여 화살을 맞았는지. 대체 그동안 어디 가 있었던 겐지. 네가 입고 있던 사내의 옷은 무엇인지……."

"어어……."

단오가 질끈 눈을 감았다.

"왜. 또 아프냐?"

"아니요. 정신이 혼미해서요. 저, 조금만 더 자야겠어요. 자고 일어나서 말씀드릴게요……."

어머니가 한숨을 내쉬며 단오의 머리를 쓰다듬었다.

"그리하여라. 너를 돌보느라 이 어미도 며칠 동안 거의 잠을 자지 못하였거든. 홍주에게 미음을 가져오라고 할 테니……."

그사이 단오는 곤히 곯아떨어진 것처럼 쌔근쌔근 숨을 몰아쉬고 있었다. 혀를 끌끌 찬 어머니가 몸을 일으켰다.

방문이 닫힌 순간, 단오는 다시금 반짝 눈을 떴다.

"아프다……."

칭칭 동여맨 어깨가 몹시 불편했다. 움직일 때마다 심한 통증이 느껴졌다. 그러나 이대로 누워 있을 수는 없었다. 엿새라니. 벌써 그렇게 긴 시간이 지났다니.

"가야 해."

조심조심, 소리를 내지 않으려 애쓰며 그녀는 저고리를 팔에 꿰어 넣었다. 이깟 아픔 따위는 아무것도 아니다.

단오는 가야 했다. 산을 찾아야만 했다. 그가 무사함을, 시열과 유하 역시 무사하다는 사실을 확인해야만 한다. 그리하여 모든 것은 원래대로 돌아갈 것이며, 그녀와 산은 영원토록 행복할 것이라는 확신을 얻고 싶었다.

살금살금 단오는 이화원을 벗어났다.

자리보전을 한 엿새 동안 단오의 몸은 꽤 쇠약해진 듯했다. 좀체 몸에 힘이 들어가지 않아, 걸음을 옮기는 것이 수월치 않았다.

이 길이 이리도 멀었던가. 산, 시열과 함께 머물렀던 은신처를 향해 가는 단오의 걸음은 내내 휘청거렸다. 마음은 조급하기 짝이 없는데, 어깨의 통증 때문에 걸음은 자꾸만 더뎌졌다.

무더운 날씨였다. 찌는 듯한 더위를 견디며 꿋꿋이 걸음을 옮기던 단오가 다치지 않은 쪽 팔로 손부채질을 했다. 자연스레 시선은 제 팔에 닿았다.

드러난 팔 위, 선명한 붉은 상처를 보자 떠오르는 기억들. 궁궐의 문을 통해 쏟아져 나오는 금군들의 목소리가 생생했다. 붙잡아라, 자객이 피를 흘리고 있으니 그 뒤를 쫓으라…….

문득 소름이 끼쳐, 단오는 몸을 부르르 떨었다. 스스로 팔에 상처를 내던 순간, 살갗에 와 닿던 칼날의 감촉이 떠올랐다.

금군들이 말했던 피를 흘리는 자객. 그게 누구인지 단오는 알지 못했다. 대체 누구를 말하는 걸까. 산일까, 혹은 시열일까.

한참을 걸어간 끝에, 이윽고 눈앞에 버려진 초가집이 드러났다.

"오라버니!"

힘껏 불러 본다.

"산 오라버니!"

그의 목소리가 들렸으면. 어찌 이리 늦었냐며 퉁퉁대면서도, 한달음에 저를 향해 다가오는 그가 보고 싶었다.

"오라버니……."

단오는 반쯤 떨어져 나간 방문 앞에서 한참을 망설였다. 저 문안에는 무엇이 있을까. 혹은 무엇도 남아 있지 않을까.

낡은 문짝에서 덜컹, 하는 요란한 소리가 났다.

"어디 갔어요……."

단오는 아무도 없는 방 안을 망연한 표정으로 바라보았다. 그녀의 시선이 텅 빈 방 곳곳을 살피고 또 살폈다.

혹시라도 산이 다녀갔다는 흔적을 찾을 수 있지나 않을까.

"이건⋯⋯."

방 구석진 곳에 놓인, 고이 접혀진 서찰 하나. 그것을 발견한 단오는 신도 벗지 않은 채 방 안으로 구르듯 뛰어 들어갔다.

언제 이걸 여기에 두었을까. 이곳을 떠나 함께 궁궐로 향했던 그때였을까. 아니면 단오를 기다리던 그가 남겨 둔 언약일까. 이내 단오는 그날 아침의 풍경을 떠올렸다. 두고 온 물건이 있다며, 잠시 방으로 되돌아갔던 산의 모습이 기억에 선연했다.

단정하게 접힌 서찰을 펼쳐 드는 단오의 손이 바들바들 떨렸다.

정갈하고 힘 있는 필체, 종이에 스며든 묵향. 서찰을 채 펼치기도 전에, 참았던 눈물이 울컥 쏟아졌다.

* * *

"원영군 마마, 대비마마 드셨사옵니다."

"드시라 하십시오."

자리에서 일어서던 유하가 인상을 찌푸렸다. 허벅지에 엄습하는 통증 때문이었다. 이창의 검이 남긴 상처가 곪은 탓에, 그는 한동안 제대로 거동하지 못했다.

"일어나지 마십시오, 원영군. 상처가 덧나기라도 하면 큰일입니다."

대비를 맞이하려던 유하가 엉거주춤 다시 자리에 앉았다.

궁궐 안의 모든 이들이 유하를 원영군이라 불렀다. 처음에는 도무지 적응이 되지 않던 그 호칭도 열흘 남짓이 흐르는 사이 익숙해졌다.

"좌상 대감은 아직입니까?"

"좌상은 국정을 돌보느라 바쁘지요. 왕이 부재하여 처리할 일이 많으니 별수 있겠습니까. 하나 원영군께서 이리 졸라 대시니, 오늘은 무슨 일이 있어도 들르라고 말해 두었습니다."

"예. 대비마마."

"그리 부르지 마시라 하지 않았습니까. 원영군. 정녕 늙은이의 소원을 들어주지 않으시려오?"

"예……."

유하가 눈앞의 주름진 여인을 바라보았다. 대비의 얼굴에 자애로운 미소가 감돌았다.

"할마마마."

"그렇지요. 그리 부르셔야지요. 이 할미가 원영군을 얼마나……."

북받쳐 오르는 감정을 이기지 못한 대비는 끝내 눈물을 떨구었다.

"할마마마, 울지 마시옵소서."

"좋아서 그렇습니다. 기뻐서……. 이 늙은이는 이제 죽어도 여한이 없을 것 같습니다."

대비가 옷고름으로 눈물을 닦아 냈다. 애정이 듬뿍 담긴 눈으로 그녀는 한참이나 유하를 바라보았다. 유하로서는 평생 받아 본 적 없는 눈길. 혈육에 대한 넘칠 듯한 사랑으로 가득한 그 눈에서, 그는 문득 화령을 떠올렸다.

평안하시옵니까, 어머니.

"내 오늘 들른 것은, 다름이 아니라……. 이제 때가 되었다는 판단 때문입니다."

"때가 되다니요?"

"임금의 자리가 이리 오래 비워져 있어서는 아니 되오. 이러다간 이 나라 조선의 근간이 흔들립니다. 하여, 오늘 내 친히 편전에 들려 합니다. 더 이상 지지부진하게 시간을 끌 까닭이 없으니."

"그게 무슨 말씀이신지……."

"무슨 말이라니요."

대비가 묵직한 나무함을 문갑 위에 올려놓았다. 달칵, 하는 경쾌한 소리와 함께 뚜껑이 열렸다.

"이것이……. 무엇입니까?"

사내의 주먹만큼이나 커다란 금덩이가 번쩍번쩍 빛난다. 대비는 여유로운 미소를 지으며 그것을 유하를 향해 밀어 보냈다.

"무엇이긴요. 모르시겠습니까?"

그녀가 묵직한 금덩이를 옆으로 뉘었다. 바닥 면에는 글자가 각인되어 있었다. 유하는 천천히 그 글자를 읽었다.

"조선국왕…… 지인(朝鮮國王之印)."

"예. 이제 아시겠습니까? 이것은 즉위식이 있을 때까지 이 할미가 잘 보관하고 있을 것입니다."

그것은, 조선 임금의 상징, 어보(御寶)[9]였다.

"찾으셨사옵니까."

신운호가 유하의 처소를 찾아왔다. 유하는 반색하며 그를 맞이했다.

궁궐은 외로운 곳이었다. 지극한 사랑을 베푸는 대비가 있었으나, 그녀는 유하의 처지에 관해 알지 못했다. 그나마 마음을 터놓을 수 있는 대상은 좌의정 신운호 하나뿐이었다.

"어찌 되었습니까?"

"자취를 감췄습니다."

"자취를 감추다니……."

유하가 힘없이 중얼거렸다. 그는 산과 시열의 행방을 찾는 중이다. 유

---

9) 옥새.

하는 신운호를 통해 제 목숨을 그들이 구하였다는 사실을 전해 들었다.

생명의 은인이자 오랜 벗. 그러나 그게 전부는 아니었다. 유하에게는 반드시 산을 찾아야만 하는 또 하나의 이유가 있었다.

"어찌 자취를 감췄다는 말입니까? 좌상께서 그들을 보호한다 하지 않으셨습니까."

유하의 말에 원망이 배어 있음을 눈치챈 신운호가 작게 헛기침을 했다.

"소인의 불찰입니다. 어쩌면 그들이 소인을 못 미덥게 여겼을 수도 있지요. 그래도 아주 자취를 놓친 것은 아니었습니다. 아마도 버려진 민가에서 하루 이틀 시간을 보내고 다시 떠난 듯합니다."

"시열이 크게 다쳤다고 하지 않았습니까. 그런 몸을 하고, 어찌……."

신운호는 대답하지 않았다. 시열이라는 파수꾼이 입은 부상이 얼마나 심각했는지, 그리고 그들의 자취를 쫓던 자들이 그 민가에서 무엇을 발견했는지 그는 유하에게 말하지 않았다. 아니, 차마 말을 할 수 없었다는 것이 옳으리라.

"그건 그렇고, 이화원에도 사람을 보내 동태를 살폈습니다. 단오라는 여인의 안부를 물으셨지요? 그 여인 역시 몸을 좀 다쳤습니다만, 회복하는 중이라고 하옵니다."

"단오가 다쳤다고요?"

저도 모르게 큰 소리를 내고 만 유하가 민망한 듯 입을 다물었다. 신운호의 표정이 미묘하게 변했다.

"단오라는 여인, 바깥에 계실 때 마음에 두었던 정인이십니까?"

정인.

유하의 마음속에는 오직 단오 하나뿐이었으나, 그건 한쪽의 마음에 지나지 않았다. 그 혼자 제 모든 정을 쏟아부었을 뿐이다. 단오에게 마음을 주었지만, 그 마음은 되돌아오지 않았다. 그렇기에 유하는 대답하지 못했다.

"이화원의 딸이라면, 선왕 시절에 벼슬을 했던 문관 윤원의 여식 아니옵니까?"

"그러합니다. 그런 것까지 뒷조사를 하셨습니까?"

"괜한 뒷소문이 있어서는 아니 되니까요. 그나저나, 그 여인 말입니다."

신운호가 힐끔, 유하의 표정을 살폈다.

"비록 한미한 가문이긴 하나, 크게 흠잡을 데 없는 집안의 여식으로 알고 있습니다. 그러니 윤단오라는 여인을 후궁으로 들이시옵소서."

"좌상 대감!"

단오를 후궁으로 들이라는 말에 당황한 유하가 큰 소리를 냈다. 그러나 신운호는 아랑곳하지 않았다.

"문관을 많이 배출한 가문이기는 하나, 객주 일을 하던 여인이라 중궁전에 간택하기는 어려울 것입니다. 마마의 정인이라 하시니, 품계를 높여 소의[10]나 귀인[11]으로 봉하면 좋지 않겠사옵니까."

"그런 말이 아닙니다. 대체 그게 무슨 소리란 말입니까. 낮에는 대비마마께서 옥새를 들고 오시고, 이제 좌상께서는 후궁을 운운하시다니……."

"당연한 것을요."

신운호의 표정은 태연자약했다. 모두가 뻔히 알고 있는 이야기를 하냐는 듯한 어투로, 그가 말을 이었다.

"원영군께서는 곧 보위에 오르실 것입니다."

"하지만……."

"말씀을 도중에 끊어 몹시 송구하옵니다만, 마마."

신운호가 자세를 바로 했다. 임금의 왼편에서 평생을 보낸 자, 신운호.

---

10) 정이품.

11) 종일품.

그가 아직 제가 타고난 핏줄의 가치를 모르는 사내를 바라보았다.

"궁궐 안에 발을 들이신 순간, 그것은 이미 결정된 일이옵니다."

"제 자리는 그곳이 아닙니다."

빙긋, 신운호는 웃음을 지었다. 다시 한번 그는 평생 임금을 보필하며 되새겼던 말을 떠올렸다. 비록 죽음을 맞은 이전 임금으로 인해 잠시 흔들렸던 신념이었으나, 그는 다시금 희망을 갖기로 결정했다.

거이기양이체(居移氣養移體).

"자리가 사람을 만드는 법이옵니다. 소인은 마마께서 성군이 되실 것을 믿사옵니다."

유하가 깊은 한숨을 내쉬었다.

"제 뜻은 변치 않습니다. 산을 데려오세요. 저는 그를 만나야만 합니다."

"김시열이라는 자는 파수꾼이었지요. 한데 강산이라는 자는 누구이기에 그리 간절히 찾으시는 겁니까?"

"그것은……."

유하가 말끝을 흐렸다.

"그것 역시, 산을 만난 이후에 말씀드릴 것입니다."

"정 그러시다면야……. 밤낮으로 제 수하들이 그자를 찾고 있습니다. 곧 좋은 소식이 있겠지요."

그 말을 남긴 채, 신운호는 자리를 떠났다. 유하는 한동안 멍하니 턱을 괸 채 깊은 생각에 잠겨 있었다.

궁궐에 발을 들인 순간 그의 운명은 결정된 것이라고 좌상이 말했던가. 그러나 이곳은 그의 자리가 아니었다. 호화스러운 전각, 대비의 지극한 사랑, 그리고 그사이 익숙해진 원영군 이설이라는 이름. 모두가 그의 것이 아니었다. 그 주인은 따로 있었다.

산, 대체 어디에 있는 것이냐. 무사한 것이더냐…….

"단오, 네 이년!"

밤이 깊어서야 이화원으로 돌아온 단오가 얼얼해진 뺨을 부여잡았다.

"어머니……."

도무지 이 상황이 믿기지 않아, 단오는 어머니를 바라보았다. 평생 자식들에게 단 한 번도 손찌검을 한 적 없는 어머니였다.

"정녕 이 어미가 죽어 나자빠지는 꼴을 보려고 이러느냐. 아녀자의 몸으로 한밤중에 대체 어디를 다녀오는 것이야! 그 몸을 해 가지고, 이것아……. 어찌 어미의 마음을 이토록 괴롭히는 것이냐……."

"어머니……."

단오가 바닥에 주저앉는 어머니를 부축했다. 죄책감에 마음이 무거웠다.

모두가 제 잘못이었다. 어머니께 허락조차 받지 않은 채 집을 떠나, 만신창이의 몸으로 실려 오지 않았는가. 그것도 모자라, 며칠 밤을 지새우며 저를 간병한 어머니가 자리를 비우자마자 도둑처럼 몰래 집을 빠져나간 그녀였다.

뜻을 이룬다는 명분 아래, 단오는 가족에게 상처를 입히고 있었다.

"잘못했어요. 용서하여 주세요……."

눈물이 솟구쳤다. 산과 시열과 함께 조선을 뒤집고자 했던 여인 윤단오의 마음은 아득한 대문 바깥에 있었다. 아무리 먼 곳이라도 찾아내겠노라고, 산과 시열을 찾아내고 말리라고.

하지만 이화원의 둘째 딸 윤단오는 이곳에서 눈물을 흘리는 것 말고는 할 수 있는 일이 없었다. 어머니의 여식이기에, 더 이상 어미의 가슴을 멍들게 할 수 없기에…….

"약조하거라. 다시는 나가지 않는다고!"

"어머니."

"어서 대답하지 못해! 정녕 어미가 죽는 꼴을 보아야겠느냐?"

단오가 입술을 질끈 깨물었다. 참으로 이 밤이 모질다.

"그리할게요, 어머니⋯⋯."

울음은 좀처럼 멈추지 않았다. 그러나 밤은 무심하게 흘러간다.

단오는 산이 남긴 서찰에 빼곡하게 들어차 있던 말들을 상기했다. 문득, 과거 이설을 찾는 여정 도중에 마주쳤던 이들이 했던 말이 떠올랐다.

어려서부터 글재간이 대단했다는 이설. 그 서찰에는 단오가 산에게서 한 번도 본 적 없는 이설의 흔적이 남아 있었다. 흰 종이 위에 먹먹하던 검은 문구들이 떠올라, 단오의 입에선 서글픈 울음이 터져 나왔다.

산이 남긴 것은 서찰이 아닌 시(詩)였다.

送冬春滿院　(송동춘만원)

凍土始花開　(동토시화개)

馥郁普騰醉　(복욱몽등취)

春經似矢哉　(춘경사시재)

我花毋涕泣　(아화무체읍)

只待又春來　(지대우춘래)

願留根深處　(원류근심처)

從香索爾回　(종향색이회)

겨울 지난 자리에 봄 들어차고

얼어붙은 땅에 꽃이 찾아오니

그 향기에 흠뻑 취한 새

봄날은 살처럼 흘러가 버렸다

하지만 나의 꽃아, 울지 마라

기다리면 봄은 반드시 돌아올지니

부디 변치 말고 나를 기다려다오

향기를 쫓아 나는 너에게로 돌아갈 테니.

그녀는 그의 꽃이었다. 그의 가슴에 피어난 꽃이었다. 봄날이 이리 쉬이 지나갈 줄, 그 찬란하던 봄에는 미처 알지 못하였다.

산이라는 사내로 인해 솟아난 꽃망울이 영원할 줄 알았다. 피어난 꽃송이가 지지 않을 줄 알았다. 여름이 가고, 가을이 가고, 겨울이 오도록 그 향기 속에 행복한 꿈을 꿀 줄 알았다……

나의 꽃아, 울지 마라.

귓가에서 속삭이는 것처럼 선명한 산의 목소리가 단오의 마음을 울렸다. 자꾸만 북받쳐 오르는 눈물을 참기 위해 단오는 이를 앙다물었다.

기다릴 것이다. 겨울이 아무리 길지라도 단오는 기다릴 것이다. 산이 돌아올 때까지, 다시금 봄이 그들을 찾아올 때까지.

* * *

"일곱, 여덟, 아홉……"

길었던 장마가 마침내 끝났다. 질척이던 땅은 바싹 말랐고, 하늘을 뒤덮었던 먹구름도 사라졌다.

"열, 열하나, 열둘, 열셋……"

그간 내린 장맛비에 청명하게 씻긴 밤하늘. 별도 달도 밝았다. 이화원 안뜰에서 하늘을 올려다보며, 단오는 손가락을 꼽아 보고 있었다.

"열넷……. 열다섯."

보름.

그녀가 어머니의 뜻에 따라 이화원에 칩거한 지 꼭 보름이 지났다. 산에게서는 아무 소식도 없었다. 산뿐 아니라 유하와 시열 역시 그러했다.

무사한 것인지, 어디서 무엇을 하고 있는지조차 알 길이 없었다.

"꿈을 꾼 것처럼……."

모두가 사라져 버렸다.

새삼스러운 눈길로, 그녀는 비어 있는 이화원의 안뜰을 훑어보았다. 남은 이는 오직 단오 하나뿐. 선비들의 웃음소리로 떠들썩하던 평상 위에는 오직 고요한 달빛만이 어른거렸다.

"산 오라버니."

듣는 이 없는 밤, 휘영청 밝은 달을 보며 조용히 그의 이름을 불러 본다.

"나, 기다리고 있어요. 오라버니가 너무너무 보고 싶어요……."

눈물이 고였다. 눈에 담기는 달의 모습이 흐릿하게 이지러졌다.

달빛아. 전해 다오. 그리운 오라버니에게. 수천수만 갈래의 달빛 중 딱 한 가닥만이라도 그에게 닿아 주렴. 그가 어디에 있든 네가 그를 찾아내서, 내가 사랑하는 그를 따뜻하게 어루만져 주렴.

그곳이 어디인지 알 수 없지만. 단오가 그를 몹시 그리워한다고, 기다린다고, 사랑한다고……. 부디 전해 다오.

"산 오라버니, 시열 오라버니, 유하 오라버니……. 모두 무사하시지요?"

갈 곳을 잃은 단오의 목소리가 고요한 안뜰을 맴돌았다.

달은 천천히 공전하고 있었다. 그 밤의 한양은 평화로웠다. 그러나 애틋한 마음을 가진 이가 오직 단오만은 아니었다. 세상을 두루 비추는 청아한 달빛. 그 빛 한 줄기가 닿은 곳에는…….

"산."

산속의 작은 암자. 바위 위에 걸터앉아, 무성한 나뭇잎들에 반쯤 가려진 하늘을 올려다보던 산이 고개를 돌렸다.

"또 단오 생각을 하고 있구나."

"그냥. 이것저것."

"가라, 좀."

시열이 퉁명스럽게 내뱉었다. 그런 시열을 가만히 바라보던 산이 무심히 시선을 내렸다.

"가라고. 단오가 얼마나 걱정을 하겠어. 좀 가라, 제발……."

"왜 자꾸 이래라저래라야? 때가 되면 어련히 알아서 갈 것을."

"때가 아니 될 것은 또 무언데. 산 너, 내 꼴이 이렇다고 지금……."

"쓸데없는 소리 하지 마. 저자 입구에만도 아직 우리를 찾는 관원들이 우글우글했어. 이런 상황에 어찌 이화원을 찾아간다는 게냐. 우리가 이화원에서 생활했었다는 걸 그들도 당연히 알 거다."

"핑계 한번 좋네."

시열이 씁쓸하게 중얼거렸다. 산의 말이 아주 틀리지는 않다는 걸 시열도 잘 알고 있었다. 그러나 그것만이 전부는 아닐 것이다.

산은 단오에게 가는 걸 꺼리는 게 아니었다. 시열의 곁을 떠나는 것을 주저하는 것이다.

"산. 그런 쓸데없는 동정심, 좀 치워 버릴 수 없나?"

"동정이라니."

"그럼 달리 무엇이겠어. 혼자서는 옷고름도 묶지 못하고, 밥도 제대로 못 처먹는 꼴이 안쓰러워 그러고 있는 것 아니야?"

"시열아."

처음 들어 보는 살가운 호칭에, 말을 잇던 시열이 입을 다물었다.

"동정하는 것이 아니야. 하지만 분명한 사실을 아니라고 할 수는 없잖으냐. 네 손이 그리된 건, 애당초 나 때문이었어."

"웃기고 있네. 뭐가 너 때문이라는 거냐? 그래. 불편해. 힘들어. 아침에 일어나서 손을 볼 때마다 깜짝깜짝 놀라. 하지만 결국 내 선택이었다."

"왜 그런 선택을 했는데? 의원은 나을 수 있을 거라고 했다."

"왜 그랬냐고?"

시열이 오른팔을 들어 올렸다. 어디선가 불어오는 밤바람에 옷소매가 펄럭였다.

달빛 아래 드러난 오른손은 이전과 같지 않았다. 빈 손. 손가락이 있어야 할 가운데 세 자리는 텅 비어 있었다.

"왜 스스로 손가락을 잘라 버렸냐고……."

시열은 그날의 일을 떠올렸다.

승려의 기습. 검날을 손으로 막아 낸 까닭에 손가락들은 성치 않았다.

그날, 산이 잠든 후 시열은 오래도록 제 오른손을 내려다보고 있었다. 불현듯 그는 덜렁대는 손가락을 동여매 놓은 천을 풀어 버렸다. 깊은 상처였지만, 출혈은 이미 멎은 상태였다.

수십, 수백의 목숨들을 앗아 간 손. 사랑하는 여인의 삶을 짓밟은 손. 평생 스승이라고 여겼던 사람마저 죽음으로 내몬 손. 그리고 그 서글픈 손에 매달린, 제 생처럼 쓸모없이 거추장스럽기만 한 손가락들.

시열은 곧장 검을 들었다. 고통에 혼절한 그를, 잠에서 깨어난 산이 발견했다.

"산, 나는……. 내가 할 줄 아는 건 검 쓰는 일밖에 없어. 난 정말로 지긋지긋해졌다. 나라는 사람의 존재 자체가……. 나는 사람들의 피 위에서 살았어. 누군가의 죽음을 먹고 살아간다는 게 얼마나 끔찍한 일인지, 너는 알아?"

산이 쓴 한숨을 내쉰다. 그가 천천히 고개를 저었다.

"파수꾼의 삶에서는 벗어날 수 있겠지. 그러나 분명 나는 다시 검을 쥐게 될 거야. 할 줄 아는 거라고는 그뿐이니까. 그러고 싶지 않았어."

어찌 보면 시열에게는 거세와 같았던 의식이었다. 검을 다루는 일은 그의 본능이나 마찬가지였으므로.

고통스러운 웃음이 시열의 입가를 희미하게 스쳤다.

"그렇다고 내가 죽인 이들에게 속죄할 수 있으리란 이기적인 생각은 하지 않아. 하지만 천 번의 죄를 천한 번으로 늘리는 짓은 하지 않을 수 있겠지. 그게 이유야. 그러니 나를 동정할 필요 없어."

"시열……."

"나는 정말 괜찮아."

시열이 산의 곁에 털썩 주저앉았다.

"산, 이전까지 나는 검을 쥔 순간 가장 자유롭다고 여겼어. 그러나 이제는 그렇지 않아. 검을 쥘 수 없게 되어서 자유로워. 난 비로소 자유로워졌어."

고요한 바람이 불었다. 시열의 잔머리가 바람에 날린다. 이마가 간질간질했다. 무심코 오른손을 들어 올리던 시열의 손이 허공을 스쳤다.

앞으로도 한동안은 이런 일이 반복되겠지. 이미 사라진 손가락들임에도, 그 자리에 그대로 있는 것 같은 착각에 시달릴 것이다.

그리운 여인처럼. 더 이상 그의 것이 아님에도, 마음속에 들어앉아 좀처럼 나가지 않는 여인 홍주처럼.

"달이 더럽게 밝다."

"그래. 그렇네."

산과 시열은 그렇게 한참이나 밤하늘을 바라보고 있었다. 나무들 사이로 불어오는 서늘한 밤바람, 산속에 숨어든 사내들의 허전한 마음마저 쓰다듬어 주는 온화한 달빛, 들려오는 작은 풀벌레 소리.

휘영청 밝은 달을 바라보던 산과 시열은 동시에 여인의 얼굴을 떠올렸다. 그립다. 그립다……. 나의 것이던 그대가, 그대의 것이던 내가 그립다.

* * *

단오는 오랜만에 외출했다. 화살에 맞은 상처가 완전히 아문 후에야,

단오는 어머니의 허락을 얻어 저자에 나올 수 있었다.

따지고 보면 그렇게 오랜 시간이 흐른 것도 아닌데, 시전 한복판을 거니는 것마저 몹시 낯설게 느껴졌다. 어쩌면 시전에 올 때마다 곁에 있던 이들을 떠올렸기 때문일까.

"어이쿠, 단오 아씨. 참으로 오랜만입니다그려."

포목점 황 씨가 반갑게 알은체를 했다. 생각에 잠겨 있던 단오가 고개를 들었다.

"안녕하세요, 황 아저씨."

"안녕하다마다요. 그래, 기분이 어떠시우?"

"제 기분이요?"

단오가 무슨 소리냐는 듯 되물었다.

"내 진즉 그 선비님을 보았을 때마다 그런 생각을 하였지요. 어찌 저리 인물이 고귀하실까, 어쩜 저렇게 반듯하실까……. 역시 핏줄은 속일 수 없는 법인가 봅니다. 그나저나, 앞으로 이화원을 찾아오는 과거생들이 더욱 많아지겠습니다. 역시 터가 좋아서……."

"저, 아저씨. 무슨 말씀을 하시는 거예요?"

"무슨 말이긴요? 곧 즉위하실 전하 얘기를 하는 것 아니겠습니까."

"전하…… 요?"

"이화원에 계시던, 그 누구냐. 정헌 대감의 서자라던 선비님 말입니다. 알고 보니, 대감 댁 서자가 아닌 호성군의 아드님이셨다면서요. 이름이 이설이라고 했던가? 이틀 후 즉위식이 있을 터라, 온 저자가 난리인데……."

귀신에라도 홀린 듯한 단오를 본 황 씨가 급히 말을 이었다.

"이런……. 설마 모르고 계셨습니까?"

단오의 얼굴에 종잡을 수 없는 표정이 떠올랐다. 정헌 대감의 서자라면 유하를 칭하는 것일 터다. 그러나 그녀가 아는 한, 이설은 그의 이름이 아니었다. 이설은 분명코 산의 이름이었다.

"누구를 말하는 건지 저는 잘……."

단오의 말이 오히려 당황스럽다는 듯, 황 씨의 눈이 휘둥그레졌다.

"아씨께서 누군지 모르시다니, 그게 무슨 말씀이십니까? 정헌 대감의 서자라면 한 분뿐인 것을요. 낯빛이 유독 하얗고 키가 장대같이 큰 선비님 말입니다."

흰 피부, 장대같이 큰 키. 이는 분명 유하를 말하는 것이었다.

"늦게라도 아셨으니 다행이지요. 좋으시겠수. 임금님을 배출한 객주라니. 허허. 살다 보니 별일이 다 있습니다. 그렇지 않습니까?"

"그, 그러게요."

"쯧쯧. 많이 놀라셨군요. 하기야, 저였대도 대경실색하지 않고는 못 배겼을 겁니다. 임금이라니, 임금이라니! 평생 옷자락 한 번 뵈옵기 힘든 분과 대체 몇 년을 함께 보내신 겁니까. 이럴 줄 알았으면 포목점을 찾아오셨을 때 붓글씨라도……."

한참 열변을 토하던 황 씨가 말을 멈췄다.

"단오 아씨. 듣고 계십니까?"

"아. 예, 아저씨. 저는 이만 돌아가 봐야겠어요. 다음에 다시 오겠습니다."

궁금한 것이 무척 많았는지, 황 씨는 못내 아쉬운 표정이었다. 그런 황 씨의 시선을 애써 외면하며 단오는 포목점을 나섰다.

단오는 춘하관을 향해 걷고 있었다. 뉘엿뉘엿 해가 지는 시각. 어머니의 성화가 걱정이었으나, 반야를 만나는 건 오늘 외출의 목적이기도 했다.

단오는 문득 궁금했다. 반야는 유하 소식을 들었을까? 만약 아직 듣지 못했다면, 반야는 어떤 표정을 지을까.

"이보시게."

한창 객을 맞을 준비에 바쁜 춘하관 모습이 보였다. 청사초롱이 걸린 솟을대문 앞, 문지기를 본 단오가 그에게로 다가갔다.

"오랜만일세. 반야를 좀 불러 주시게."

"에엥……. 반야요?"

문지기의 표정이 묘했다. 그는 마치 오랜만에 그 이름을 듣는다는 듯한 얼굴이었다.

"아씨, 설마 모르시는 겝니까? 하긴 반가 아씨께서 기방 소식을 아실 리 없겠지만서도……."

"내가 뭘 모른다는 건가? 알려 주시게."

문지기는 영 탐탁잖은 표정이었다. 그는 단오의 반문에도 멀뚱멀뚱 시선을 돌리며 좀체 입을 열지 않았다.

"무슨 일이냐고 묻지 않는가!"

참다못한 단오가 재촉하자, 문지기가 몹시 마뜩잖다는 듯 인상을 찌푸렸다.

"반야는 없습니다."

"반야가 없다니?"

"예. 춘하관에 없습니다. 애당초 지난번 아씨가 다녀가신 후에 그 사달이 난 것을, 이제야 찾아와서 꼬치꼬치 캐물으시다니……."

단오는 그의 말뜻을 헤아리려고 애썼다. '사달'이라는 그의 말이 불길하게 느껴졌다.

반야는 제가 자유의 몸이라고 했지만, 이곳으로 반야를 찾아왔을 때 그녀는 화령의 물건을 훔쳤다는 누명을 쓰고 갇혀 있는 상태였다. 그렇지만 반야는 괜찮다고 말했다. 유하를 돕고 싶다고, 하루쯤 시간이야 낼 수 있다고.

"사달이라니, 무슨 사달이 났단 소린가?"

"하. 입에 담기도 곤란한 이야기를 어찌 이리 캐물으십니까."

"말해 주게. 반야는 내 동무일세."

"동무요?"

문지기가 피식, 헛웃음을 짓는다. 그건 명백한 비웃음이었다.

"아씨께서 다녀가시고 난 다음 날, 반야가 몰래 빠져나갈 때 문을 열어 준 것이 저입니다요. 그때 반야도 똑같은 말을 하였지요. 동무에게 중한 일이 있으니 꼭 나가야 한다고……."

문지기가 퉤, 바닥에 침을 뱉었다.

"아씨께서는 아무 일 없이 이리 반야의 안부를 묻지만, 반야는 어찌 되었는지 아십니까?"

"반야가 어찌 되었기에? 어서 말을 해 보시오."

"몰래 기방을 빠져나갔다는 이유로, 도망기생 취급을 받아 추노꾼에게 끌려왔지요. 모질게 멍석말이를 당하고, 피투성이가 되어 옥에 갇혔습니다. 그마저 한참 지났으니, 아마 어딘가로 팔려 갔을 테지요."

문지기의 말을 들은 단오의 얼굴이 경악으로 물들었다. 단오가 덜덜 떨리는 목소리로 물었다.

"팔려 가다니? 대, 대체 어디로……."

"반가 아씨께서는 들어 보았자 무슨 소린지 알지도 못하실 겁니다. 신경 끄십시오."

"어디로 갔는지 알려 주시오!"

문지기의 표정이 험악해졌다. 춘하관의 모든 이들에게 미움받는 반야였지만, 문지기와는 사이가 나쁘지 않았던 터였다.

"유곽이라고, 들어나 보셨습니까?"

"유곽이라면……."

"기생 중에서도 큰 죄를 짓거나, 더 이상 내려갈 곳 없는 밑바닥 인생들만 끌려가는 곳이지요. 아무 사내에게나 하룻밤 노리개로 던져지는 곳이라고 하면 알아들으시겠습니까?"

단오의 얼굴이 새하얗게 질렸다. 처음 도움을 요청했을 때, 밖에 나갈 수 없는 처지라던 반야의 말이 비로소 떠올랐다. 그랬던 그녀가 이럴 줄 몰랐을 리 없다. 반야는 제 처지가 어찌 될지 뻔히 알면서도 단오를 도왔던 것이다.

"나도 반야를 나름 아꼈습니다. 하여 아씨의 방문이 그다지 달갑지 않다는 겁니다. 동무? 동무라뇨. 제 동무가 똥밭에 구르는지도 모르는 사람을 그렇게 부를 수 있답디까?"

"하지만……."

"어서 오십시오, 나리!"

저만치서 걸어오는 선비들을 발견한 문지기가 꾸벅, 허리를 숙였다.

"그만 가시오. 반가 여인이 어찌 기방 앞을 서성인단 말입니까."

날 선 문지기의 말에, 단오는 별수 없이 발길을 돌렸다. 손이 덜덜 떨린 탓에 그녀는 애먼 치맛자락을 꽉 움켜쥐었다. 그래도 마음은 좀체 진정되지 않았다.

생각에 잠긴 발걸음은 자꾸만 느려졌다. 결국 사방이 어두워진 후에야 이화원에 당도한 단오는 또 한 번 어머께 모진 소리를 들어야만 했다.

"또 멀거니 세월을 낚고 있느냐."

"육호 아재……."

다시 찾아온 밤. 평상에 앉아 있던 단오가 육호의 방 쪽으로 고개를 돌렸다.

요즘 들어 육호는 바깥출입을 전혀 하지 않았다. 아마 평소의 그였다면 진즉 임금에 대한 소문들을 실어 날랐을 것이다. 하지만 무슨 까닭인지 그는 두문불출하는 중이었다. 아마 육호도 유하의 소식을 모르고 있는 것이 분명했다.

"오라비들 생각을 하느냐?"

"예."

"단오야. 대체 그 셋에게 무슨 일이 있었던 겐지, 말 안 해 주려느냐?"

단오가 머뭇대듯 바닥을 발로 툭툭 건드렸다.

"나중에요, 아재. 죄송해요, 늘 이런 소리만 하고……. 오라버니들이 돌아오면 그때……."

"그래. 서운하지 않다면 거짓이겠지만 너에게도, 선비들에게도 나름의 이유가 있겠지……. 사람 연이라는 것이 그리 쉬이 끊어지는 것이 아니다. 산도, 유하도, 시열도 조만간 소식을 전할 것이다."

"예……. 그러하겠지요?"

"그렇다마다."

먼 산 위에 걸린 달을 흘낏 바라본 육호가 씁쓸한 한숨을 내쉬었다.

긴 세월, 잡히지 않는 연의 끈을 놓지 못하는 삶이란 결코 행복하지 않다. 단오도 시간이 흐른 후 언젠가는 깨닫게 되리라.

"늦었구나. 나는 이만 자야겠다."

"예. 편히 주무세요, 아재."

"오냐, 너도 그만 쉬도록 해라."

달칵, 육호의 방문이 닫혔다. 안뜰에는 다시금 단오 혼자 남았다.

이상하도록 사방은 적막했다. 매일 밤, 그녀의 마음처럼 구슬피 울던 밤벌레 소리조차 뚝 끊겼다. 사락사락 나뭇잎이 바람에 스치는 소리마저 반가울 만큼, 이화원은 아득한 고요에 빠져 있었다.

"혼자네."

단오가 중얼거렸다. 이제 정녕 혼자가 되었다.

하루하루, 날들은 무심하도록 변함없이 흘러간다. 계절은 한여름을 지나 어느덧 선선해졌다.

그러나 산에게서는 어떤 소식도 들려오지 않았고, 시열의 생사 역시 알 길이 없었다. 유하에 관한 믿을 수 없는 이야기를 풍문으로 들었으나 그마저도 현실처럼 느껴지지 않았다. 유일한 벗이라고 여겼던 반야도 사라졌다.

"적어도 나는 무사하기라도 한데……."

그나마 유하 하나만은 안심이었다. 임금이 된다는 건, 곧 그가 안전하다는 의미이기도 했으니까. 하지만 산과 시열, 그리고 반야는…….

투둑, 눈물이 떨어진다. 푸른 치맛단 위에 점점이 떨어진 눈물방울들은 새카만 섬처럼 보였다. 눈물로 만든 섬이 하나, 둘, 셋, 넷……. 눈물섬은 점점 검게 검게 번져 가 동그란 원을 만들었다. 꼭 그 모양새가 새카맣게 타들어 가는 마음과 같아, 눈물은 좀체 그칠 줄을 몰랐다.

꿈을 꾸었던 것 같다. 단오 자신도, 이화원의 모든 사람들도, 그녀를 둘러싼 세상마저도 찬란하게 웃음 짓던 긴 꿈을.

분홍 댕기 휘날리던 어린 계집아이에게 이화원은 세상 그 어디보다 평화롭고 아름다운 장소였다. 이화원을 향한 사랑, 가족에 대한 사랑, 이곳에 머물던 선비들을 향한 마음. 온통 사랑으로 충만하던 그 시절이 휘휘 스쳐 가는 바람처럼 머릿속을 떠돌았다.

그 아름다운 시절, 산이라는 바람 같은 사내를 만나 그의 품 안에서 단꿈을 꾸었지. 그의 드넓은 품 안에 머무는 동안 단오는 그 바람이 평생 그치지 않고 불 줄로만 알았다.

"오고…… 계신 거지요?"

산은 먼 곳에서 한 걸음, 또 한 걸음 그녀를 찾아오는 중이라고. 예상치 않게 떠난 길이 길어 이토록 오래 걸리는 것이리라고.

"저는 여전히 기다리고 있어요. 아무리 오래도록 안 오신다 해도, 저는 절대 포기하지 않아요."

산이 돌아올 때까지 그를 마음에 보듬은 채 살아가야겠지. 살아가야만 하겠지. 그러다 보면 언젠간 이 눈물도 마를 날이 오겠지. 그리하여 살아지겠지…….

그렇게 하루하루 지나다 보면, 결국 봄이 오겠지.

밤은 깊고도 깊었다. 마음이 찢긴 것 같은 밤이었지만, 시간이라는 것은 그녀를 기다려 주지 않는다. 이화원의 내일에는 또다시 내일의 일들이 있기 마련이었다.

그만 잠자리에 들어야겠다는 생각이 들어, 단오는 눈물을 닦으며 자리에서 일어섰다. 가만히 몸을 돌린다. 그녀의 젖은 시선이 닿은 대문은 굳게 닫혀 있었다. 언젠가 저 문이 스륵 열리고, 저 문지방을 넘어서…….

순간, 마법처럼 문이 열렸다.

"오라버니."

껑충한 키, 해사한 얼굴, 담담히 그녀를 바라보는 눈빛 속 스쳐 가는 온화한 웃음기.

단오는 말을 잃은 채 유하의 얼굴을 보고 있었다.

"잘 지냈느냐?"

끄덕. 차마 말이 나오지 않아, 단오는 대답 대신 고개를 주억거렸다.

이화원 안뜰에 한 발짝 걸음을 들인 유하는 더 이상 들어오지 못하고 머뭇거렸다. 유하는 대문 밖에서 꽤 오랜 시간 망설였다. 문밖에서 그는 단오에게 들려주고 싶었던 말들을 수없이 되뇌었다. 그러나 단오를 마주한 순간, 그 많던 말들은 애당초 없는 것인 양 기억조차 나지 않았다.

그저, 보고 싶었다. 네가 보고 싶었어…….

하지만 그것은 할 수 없고 해서도 아니 되는 말. 유하는 잠자코 밀려오는 감정들을 삼켰다.

"오라버니도 건강하게 잘 지내셨던 거지요?"

"그럼. 그렇고말고."

"저자에 나갔다가 소식, 들었어요. 오라버니께서……."

"무어라 하더냐?"

임금이 되신다고요, 라는 말을 단오는 입 안에서 우물거렸다.

사실 조금도 실감 나지 않는 일이었다. 그녀가 아는 유하는 늘 친오라비처럼 포근하고 정겨운 사내였다. 그랬던 유하가 감히 우러러볼 수조차 없는 존재가 된다는 게 믿기지 않았다.

"기분이 이상해요. 상상조차 해 보지 않은 일이 일어나서……."

"그래. 나 역시 마찬가지야."

유하의 미소는 씁쓸했다. 이설이란 이름은 분명 그의 것이 아니었다. 그 사실을 알고 있음에도 이제 제법 익숙해져서, 처음부터 그 이름을 가지고 살아온 듯 느껴지는 것이다.

단오는 한참 동안 말을 잇지 못했다. 온갖 상념에 애타던 밤, 찾아든 사람이 산이 아닌 유하라는 사실이 서운한 건 아니었다. 그러나 좀체 입이 떨어지지 않았다.

유하는 그녀를 위해 죽을 것을 알면서도 사지로 걸어 들어갔다. 그의 큰마음을 알고 있었기에, 오히려 어떤 말로 속내를 표현해야 할지 알 수 없었다.

"앉으실래요?"

"그래도 되겠느냐?"

"여기는 이화원인걸요. 오라버니가 삼 년을 보낸……."

단오가 평상을 가리켰다. 유하의 얼굴에 옅은 웃음이 감돌았다.

한 뼘의 거리를 두고 나란히 자리에 앉은 후에야 둘의 마음은 한결 편안해졌다. 시간이 거꾸로 흘러, 평온하던 어느 봄밤으로 되돌아간 것만 같았다.

"다쳤다고 들었다."

"이제 다 나았어요."

"어쩌다 그렇게 된 것이냐?"

"산 오라버니와 시열 오라버니가 궁궐에 들어갈 때, 오라버니들을 돕고 싶어서 나름 궁리를 하였다가……. 설명하자면 길어요. 이제 아무렇지도 않아요."

유하의 표정이 어두워졌다. 그는 산과 시열에게 목숨을 빚졌다. 그것만으로도 과분하다 여겼거늘, 단오마저 저를 구하고자 뛰어들었단 말인가.

"고작 나 하나 때문에 어찌 너까지 나서서 몸을 상했단 말이야……."

"그러는 오라버니는, 고작 나 하나 때문에 제 발로 금군에게 잡혀갔으면서……."

단오가 말끝을 흐렸다. 단오가 벌였던 일은 오직 유하 하나만을 위한 것은 아니었다. 그녀는 제힘으로 산과 시열에게도 도움이 되고자 했었다.

하지만 유하의 행동은 오직 단오를 위한 것. 그가 바란 것이 제 행복 하나였음을 그녀는 기억하고 있었다.

"그러하면, 서로 빚진 것은 없는 셈이로구나."

"아니요. 그렇지 않아요. 오라버니께서는 이화원 문서를 제게 주셨잖아요."

"장태화가 죽었지 않아. 그건 아무 의미 없는 종잇조각일 뿐이다."

달빛에 비친 단오의 옆얼굴을 바라보던 유하의 눈빛이 아득해졌다.

그는 단오를 위해 목숨을 걸었다. 그리고 그녀 역시 그를 위해 위험을 감수했다. 단오가 가졌을 마음의 빚을 그는 말끔히 거두고자 했다.

"서로 주고받을 것이 없으니, 우리는 이전처럼 편안해질 수 있겠구나."

"오라버니……."

"밤이면 늘 여기서 함께 달을 보곤 했었지. 오랫동안 대화를 나누고, 속상한 일이나 힘든 일을 털어놓고……. 단오 너는 늘 내게 친오라비 같다고 했었어."

둘 사이에 이제 남은 것은 이곳 이화원에 남겨진 삼 년 동안의 기억뿐이다. 유하에게는 하나하나 그 무엇과도 바꿀 수 없이 간절하고 아름다웠던 순간들. 그것은 소년에서 사내가 되는 사이, 유하의 생을 이끌었으며 또한 그의 삶을 의미 있는 것으로 만들었다.

"이제 그때와 같은 마음으로 돌아갈 수 있겠구나……."

그 기억의 모든 것이나 다름없는 단오. 그도 안다. 삼 년간 차곡차곡 쌓아 온 마음을 이제 거두어야 한다는 걸.

"그때처럼, 대해 주겠느냐?"

유하는 애써 웃어 보였다. 눈앞의 여인에게 아무런 사심을 품지 않은, 순수한 착한 오라비의 표정이고 싶었다.

그때로 돌아갈 수 있겠다는 말은 거짓이겠지. 하지만 유하는 진심으로 단오의 행복을 바랐다. 비록 그 행복을 지키는 이가 제가 아니더라도. 그 마음은, 죽음을 결심했던 순간부터 변치 않은 것이었다.

"그럼요, 오라버니."

단오가 말갛게 웃었다. 그녀라고 어찌 유하의 마음을 모를 것인가. 그러나 유하는 곧 범접할 수 없는 이가 될 운명이었다. 어차피 거둘 수 없는 마음이라면, 그것이 설령 눈속임일지언정 편안하게 보내 주는 편이 옳았다.

"오라버니, 드릴 말씀이 있어요."

"말해 보아라."

"산 오라버니와 시열 오라버니가 함께한 일을 반야도 도왔어요. 사실 반야가 아니었으면 저 혼자 힘으로는 불가능한 일이었을 거예요."

"반야가?"

단오는 차분한 목소리로 그날의 일을 털어놓았다. 반야가 어떤 상황에 처해 있었는지, 그럼에도 불구하고 기꺼이 유하를 위해 위험을 감수했다는 것, 그리고 춘하관에서 들었던 이야기까지도.

"그러했더냐……."

유하가 깊은 한숨을 내쉬었다. 많은 이들이 그를 위해 희생을 아끼지 않았다. 화령도, 반야도, 산과 유하와 단오도…….

그들이 부여해 준 삶의 무게가 참으로 무겁다.

"이만 돌아가야겠구나. 밖에 기다리는 이가 있다."

"누가요?"

혹시라도 산의 이름이 나오지 않을까, 단오의 눈빛이 간절해졌다.

"궁궐에서 생활하다 보니…… 혼자서는 나다니지 못하게 하더구나."

"아……."

애써 실망한 기색을 감추며, 단오는 마침내 삼키고 삼켰던 질문을 꺼내 놓았다.

"산 오라버니랑…… 시열 오라버니에 대해서 들은 것은 없으시고요?"

"때가 되면 돌아오지 않겠느냐."

"……예. 그럴 거예요."

유하를 따라 단오 역시 자리에서 일어섰다. 대문을 향해 걸음을 옮기리라 여겼던 유하는 왜인지 움직이지 않았다.

안뜰에 멈춰 선 그가 천천히 주변을 둘러보았다. 삼 년의 시간들이 켜켜이 쌓여 있는 이화원 풍경을 눈에 담아 가겠다는 듯이.

평상 곁에 서 있는 오래된 매화나무. 까치발을 들어 매화꽃을 꺾으려 애쓰던 단오의 모습이 되살아난다. 서책들로 가득하여 묵은 종이 냄새로 가득하던 그의 방이 보였다. 늦은 밤 글공부를 하다 바깥바람이 그리

워 방문을 열면, 저만치 오른편에는 아직 불이 켜진 단오의 방이 보이곤
했다.

그 시간들, 그 시절 속에서 품었던 푸르른 꿈. 그리고 늘 그 꿈속에 머물
러 있던 단오를 향한 마음.

"단오야."

"예."

"부탁 하나만 들어주겠느냐?"

"예. 말씀하세요, 오라버니."

유하는 끝끝내 입 밖으로 내지 못했던 바람을 떠올렸다. 맴도는 말들이
입 안을 간질였다.

"한 번만…… 안아 보아도 되겠느냐?"

단오가 유하를 바라본다. 그는, 떠나는 이. 이제 이곳 이화원으로는 돌
아오지 않을 이…….

"그럼요."

단오가 사뿐, 유하에게 다가섰다. 그 순간 유하의 손은 조금 떨고 있었
던 것 같다. 그가 단오의 등에 가만히 손을 올렸다.

여인은 작디작았다. 그러나 그의 인생에, 이보다 더 큰 사랑은 찾아오
지 않으리라.

단오는 키가 껑충한 그의 가슴에 선뜻 얼굴을 묻었다. 그것은 호의가
아닌, 마음 깊이에서 우러나온 진심이었다.

삼 년의 시간은 그녀에게도 소중한 것이었다. 비록 유하와 같은 마음
으로 그를 바라보지는 못했을지라도, 그들이 함께한 순간들은 그녀의
기억 속에 오래도록 남아 있을 것이다. 행복한 시절. 가장 아름다운 시
절로써.

"이제…… 전하라고 불러야 하나요?"

유하가 희미하게 웃었다. 그의 손이 단오의 머리를 쓱, 스치고 지나간다. 지난 삼 년간 그래 왔듯이.

"아니. 그리 부르지 마라."

"감히 어찌……."

"유하 오라버니, 라고. 나는 그 이름을 잃어버리고 싶지 않아."

그에게 오라버니라는 살가운 호칭을 쓰는 이는 세상 오직 하나뿐이었기에.

"갈게."

마지막 순간, 유하는 웃었다. 조금쯤 서글픈 웃음이었을지도 모른다. 그러나 분명 그는 웃고 있었다.

한때 그의 전부를 바쳐서라도 얻고 싶었던 여인. 어찌 쉬이 잊히겠는가. 하지만 이제 그는 흐르는 바람결에 맡길 생각이었다.

새로운 자리, 새로운 이름, 새로운 일들에 바삐 살다 보면, 어느 순간 단오를 떠올려도 마음 아프지 않을 때가 오지 않을까. 그저 내가 한때 그 여인을 참으로 사랑했었다는, 작은 소회만으로 지나칠 날이 오지 않을까.

정녕, 그런 날이 오긴 할까.

"단오야."

"예, 유하 오라버니."

"진짜 이설이 아닌 내가, 산의 자리를 빼앗았다 여기지 않느냐?"

"으음……."

단오는 잠시 생각하는 듯했다. 그러나 곧 그녀의 얼굴은 확신으로 물들었다.

"아니요. 저는 그리 생각하지 않아요. 산 오라버니는 늘 그렇게 말했었거든요. 이설이라는 이름에 의미를 두지 않는다고, 오라버니는 이설이 아닌 강산이라고. 아마 오라버니에게 묻는다고 해도 똑같이 대답했을 거예요."

단오의 어조는 확고했다. 산의 마음을 속속들이 안다는 듯이. 그 완벽한 믿음의 근원은 깊은 사랑이었다. 혼자만의 일방적인 사랑이 아닌, 서로의 마음을 가진 자들의 사랑.

유하는 결코 가질 수 없었던 것이지만, 그로 인해 단오가 행복하다면 그걸로 족하다.

"언젠가 다시 뵐 수 있겠죠?"

"그렇다마다."

바람처럼 쉽지는 않겠지만, 그렇다마다.

오랜 시간, 단오는 그의 마음속에서 말갛게 미소 짓고 있을 것이다. 아득한 추억만을 곱씹는 사랑이라 하여, 어찌 사랑이 아니라고 할 수 있겠는가. 누군가에게 사랑이란, 오직 추억뿐이기에 더욱더 애달프고 마음 아픈 것이리라.

끼익, 대문이 열렸다. 단오는 그 틈으로 빠져나가는 유하의 뒷모습을 담담한 표정으로 바라보았다.

꿈결 한 자락처럼 나타났다가 사라진 방문객. 유하가 떠나자, 이화원은 다시금 사무치도록 쓸쓸해졌다.

유하가 예상치 못하게 돌아왔듯, 산도 그렇게 돌아오지 않을까. 산과 시열 역시 어느 행복한 꿈속 장면처럼 슥 모습을 드러내지 않을까.

갑자기 눈시울이 뜨거워져, 단오는 우두커니 안뜰 가운데 서 있었다.

그날이 오겠지만. 오고야 말겠지만. 봄은 정녕 아직 멀었나 보다.

그 순간, 다시 들리는 대문 소리.

"어찌 다시 오셨어요? 어……."

쿵. 단오의 심장이 내려앉았다.

산은 입을 열지 않았다. 그저 성큼성큼 긴 보폭으로 순식간에 단오에게로 왔을 뿐이다. 그가 팔을 넓게 벌렸고, 단오는 산의 품 안으로 뛰어들었다.

어쩌면 긴 시간이 아니었을지도 모른다. 누군가에겐 흘러가는 계절의 한 자락에 불과했을지도. 그러나 단오와 산에게는 기나긴 시간이었다. 미치도록 사랑했기에, 그들에게는 너무나도 긴 시간이었다.

"나, 기다렸어요. 여기서 기다리고 있었어……."

혹시라도 이것이 꿈일까 봐, 고개를 돌리면 펑 하고 사라져 버리는 환영일까 봐서 단오는 까치발을 들어 산의 얼굴을 눈에 담았다.

단오가 손을 뻗어 그의 얼굴을 어루만졌다. 반드시 돌아오리라는 믿음 뒤편에서 수시로 고개를 내밀던 불안감이 눈 녹듯 사라졌다.

까칠한 턱, 고된 시간들을 말해 주듯 움푹 파인 뺨. 그러나 산의 눈빛만은 변하지 않았다. 산은 살아 있었고, 그의 눈은 오직 단오를 위해서만 빛나고 있었다.

"늦었지?"

산이 단오의 귓가에 부드럽게 속삭였다. 치밀어 오르는 감정을 억누르려는 듯 산은 숨을 삼켰다.

단오를 안은 그의 팔에 힘이 들어갔다. 그는 와락 안겨 드는 여인의 작은 몸뚱이를 최대한 가까이 끌어당겼다. 혹여 다시는 못 보게 되지 않을까, 영영 이별이 아닐까. 온갖 고민과 두려움에 얼어붙었던 마음이 서로의 체온으로 녹아 다시금 뜨거워질 때까지.

"오래 기다리게 해서 미안해."

맞닿은 입술. 따뜻한 숨결은 곧 하나가 되었다. 그들 사이에 존재했던 빈 시간의 틈이 그 숨결에 녹아들어 사라졌다.

사내의 입술은 머뭇거리거나 망설이지 않았다. 여인의 입술 역시 도망치지 않았다. 뜨겁게 서로의 입술을 가진다. 탐하고, 소유하고, 완전히 서로의 것이 되기를 원한다.

그들을 감싸 안은 밤은 연인들의 은신처가 되어 주었다. 조금 전까지 홀로 남은 마음을 더욱 사무치게 하던 달빛마저 숨을 죽였다.

밤은 점점 더 짙어지고 농밀해졌다. 그들의 입맞춤도 그러했다. 숨이 막혔지만 도저히 입술을 뗄 수 없었다. 깊은 어둠 속에 몸을 맡긴 채, 산과 단오는 서로의 입술을 탐닉하고 어루만졌다.

"다치지 않았죠?"

마침내 젖은 두 입술이 떨어졌을 때, 이화원은 달빛이 비추는 평온한 보금자리로 돌아가 있었다.

혼자가 아니었기에 더 이상 쓸쓸하지 않았다. 모든 것을 다 가진 것처럼 세상은 반짝반짝 빛났다.

"나는…… 다치지 않았다."

"시열 오라버니는요?"

"조금. 나중에 이야기해 줄게."

속내를 내비치지 않기 위해 산은 애써 웃음을 보였다. 그가 단오의 볼을 살며시 쓰다듬었다.

"오라버니……. 다시 가야 해요?"

"안 가."

"그럼?"

산이 다시금 단오를 품에 끌어안았다. 그의 손이 그녀의 등을 부드럽게 도닥였다.

"이제 아무 데도 가지 않아. 네 곁에 있기 위해 돌아왔다. 달리 어디 가겠느냐. 내가 기거하는 곳이 이화원인 것을."

"정말, 영영 떠나지 않는 거예요?"

"그럼. 나는 약속을 지키려고 돌아왔다. 이제 너 없이는 아무 데도……."

안채에서 들려오는 잔기침 소리에 산은 말끝을 흐렸다. 잠들어 있던 어머니가 설핏 깨어난 듯, 작은 인기척이 났다.

"밤이 늦었다. 오늘은 이만 들어가서 자."

산이 목소리를 낮추어 속삭였다. 그러나 단오는 말똥말똥, 질문이 담긴 눈으로 그를 올려다보았다.

"오라버니, 나 부탁이 있는데."

"무엇이냐?"

"이리 와요."

단오가 산의 손을 붙잡았다. 제 방을 향해 가며, 단오는 그의 손을 잡아끌었다. 문지방 앞에서 멈칫하던 그는 결국 단오의 방까지 들어가고 말았다.

"그러니까……. 여기서 지금 나보고……. 자고 가라고?"

이미 잘 준비를 모두 마친 듯, 수수한 이부자리가 깔린 바닥을 내려다본 산의 얼굴이 화끈 달아올랐다.

"무슨 생각 하시는 거예요?"

진담일까, 농담일까. 혹은 그를 놀려 주려는 것일까. 단오는 행복하게 웃었다.

"나 잠들 때까지만 여기 있어요."

"잠들 때까지만?"

"으응. 잠들 때까지만."

피식, 산이 헛웃음을 지었다. 길고 긴 밤이 될 것 같다. 단오가 달콤한 잠에 빠져드는 시간 동안, 그는 무수한 사내의 욕망과 싸워야 할 것이다.

"꽤나 고단한 밤이 될 것 같아."

"뭐가요?"

"아니다. 자리에 누워. 잠들 때까지 네 곁에 있을게."

292

그러나 산은 단오의 부탁을 기꺼이 들어주리라. 잠에 빠져드는 아리따운 얼굴을 걱정 없이 바라볼 수 있는 평화. 그건 크나큰 기쁨이었고, 오랫동안 마음에 품어 온 간절한 소망이었다.

비록 그 천진한 얼굴을 바라보는 동안 천자문을 몇 차례나 외워야 할지도, 허공에 노니는 보이지 않는 소떼를 세며 허벅지를 쿡쿡 찔러 대야 할지도 모르지만, 산은 그게 무엇이든 좋았다. 단오와 함께할 수 있다면, 그 어떤 순간이라도.

후- 호롱불을 끈 단오가 이부자리로 파고들었다.

"정말 많이 보고 싶었어요."

"나도 그랬다."

"얼마나요?"

"많이많이. 네가 생각하는 것보다 훨씬 더 많이 그리웠다."

속닥대며 이야기를 나누는 사이, 점점 단오의 눈에 잠이 매달렸다. 곧 고른 숨소리가 들려왔다. 단오의 머리를 쓰다듬던 산이 잠시 손을 떼었다.

"으응……."

단오가 가느다랗게 실눈을 떴다. 그의 손길이 떠나간 머리께가 허전했다.

"안 갔어."

산이 단오를 끌어당겼다. 제 옆에 비스듬히 누운 산의 모습이 푸른 어둠 사이로 흐릿하게 보였다. 마치 어린아이처럼 그녀는 산의 품으로 안겨들었다. 따뜻하고 드넓은 품으로, 오직 그녀의 것인 사내의 세상 안으로.

"오라버니……."

"응?"

"여기 있어요."

잠에 취한 목소리로 단오가 중얼거렸다.

"조금만 더…… 있어요."

밤의 적막 속, 간절한 사랑으로 충만한 연인들의 심장 소리가 비좁은 방을 가득 채웠다.

유하는 이화원을 떠나 궁궐로 돌아가고 있었다. 곧 임금이 될 자의 밤 행렬은 소박했다. 내금위와 겸사복 몇이 멀찍이서 뒤따르는 것을 제외하면, 유하의 곁에 있는 사람은 신운호가 유일했다.

호젓한 밤, 말발굽 소리만이 타닥타닥 울렸다. 말 위에 올라탄 유하의 몸이 규칙적으로 흔들렸다. 훈련이 잘된 준마는 주인을 평온히 궐로 인도하는 중이었다.

그 위에서 깊은 생각에 잠긴 그는, 전날 낮의 일을 회상하고 있었다.

"산."

신운호는 유하를 위해 기꺼이 제집 사랑방을 내주었다. 그 안에서 재회한 산과 유하가 새삼스러운 눈길로 서로를 바라보았다.

같은 아버지를 둔 형제. 산에게도, 유하에게도 호성대군 이평의 피가 흐르고 있었다.

"그랬단 말이지."

"무엇이 말이야?"

"너와 내가…… 그랬단 말이지."

산이 피식, 웃음을 지었다. 언젠가 시열이 말하길, 산과 유하의 모습이 꼭 닮았다 하였던가. 농담 같았던 그 말에 이토록 깊은 뜻이 숨어 있었을 줄이야.

"봄에 태어났으니, 내가 형이다."

산의 말을 듣고 나서야 유하 역시 미소를 띠었다.

"형님이라는 말이 듣고 싶으냐?"

"말도 마라. 시열 놈이 매일같이 형님 타령을 하는 통에 귀에 딱지가 앉을 지경이다. 그런 내가 설마, 네게 그럴 리가."

"시열은 안 왔고? 크게 다쳤다고 들었는데……."

"일이 있어서 못 왔다. 이제 다 나았어. 걱정하지 않아도 돼."

시열의 신신당부를 떠올리며 산은 말을 아꼈다. 시열은 그가 손가락을 잃었다는 사실을 유하에게 알리고 싶어 하지 않았다. 순진한 샌님 마음에 평생의 짐을 지울 게 뻔하다며, 모르는 편이 서로에게 나을 것이라고.

"시열이 전한 부탁이 하나 있다."

"무엇이기에?"

"고부청시청승습사(告訃請諡請承襲使) 일행에 저를 좀 끼워 달라더군."

청승습사란, 새 임금에 대한 승인을 얻기 위해 명나라로 사신을 보내는 것을 뜻하였다.

"명으로 떠나겠다는 소리야?"

"새로운 삶을 살고 싶다 하였다. 홍주 낭자와의 일도 있고……. 뜻이 확고했어. 그의 부탁을 들어줘, 유하."

"알았다. 가기 전에 꼭 보자는 말을 전해 줘."

산이 고개를 끄덕였다. 그러나 시열은 유하 앞에 나타나지 않을 것이다. 시열은 모든 것을 잊고 새로 태어나고 싶다고 했다. 누구도 시열을 알지 못하는 세상에서, 누구도 알지 못하는 사람으로 살아가고 싶다고.

"그건 그렇고, 무슨 말을 하려고 그리 애타게 나를 찾은 거야?"

산의 물음에, 유하는 담담한 표정으로 입을 열었다.

애당초 욕심을 가진 적 없는 일. 또한 욕심을 가져서도 아니 될 일.

"산, 이설은 너다."

"그런데?"

무슨 말을 할 생각이냐는 듯 산이 눈썹을 올렸다.

"이건 내 자리가 아니야. 내가 살고 있는 궁궐도, 이설이라는 이름도, 원영군이라는 군호도, 임금의 자리도……. 이 모든 게 너의 것이다."

산의 입에서 하하, 하는 웃음소리가 흘러나왔다.

"내가 원한다면, 임금의 자리를 넘겨주겠다고?"

"넘겨주고 말고 할 것이 아니야. 처음부터 네 것이었다."

"왕의 자리라는 게 엿 바꿔 먹듯 바꿔치기할 수 있는 건 줄은 꿈에도 몰랐는데."

"너의 자리이니까."

"내 자리라⋯⋯."

군주의 자리. 더 이상 올라갈 데가 없는 가장 고귀한 자리. 산은 천천히 고개를 저었다.

"그렇지 않아. 내 자리는 한 곳뿐이다. 또한 거기가 궁궐은 아닐 게다."

유하가 무슨 뜻이냐는 듯 산을 보았다. 이설의 자리, 호성대군의 적자의 자리, 준비된 계승자의 자리. 그곳이 산의 자리가 아니라면⋯⋯.

그러나 산은 그에 대한 답 대신 말을 이었다.

"나는 진즉 이설로 살기를 포기했어. 이제 와 그 권리를 주장하는 것은 옳지 않다. 무엇보다, 내가 원치 않아. 네 것이다. 네가 그 폐가의 문을 나서던 순간부터, 이미 네 것이었어."

유하가 산을 바라보았다. 두 시선이 마주친다.

"나와 시열은, 우리가 임금이 될 사람을 구해 냈다는 데 자부심을 가지기로 했어."

격려를 담은 희미한 웃음이 산의 얼굴에 떠올랐다.

"우리의 아버님도 기뻐하실 게다."

형제. 아직 낯설고 어색하지만, 분명 '가족'이라고 부를 수 있는 존재. 산과 유하는 앞으로의 그들을 결속할 새 이름을 생각한다.

"마마, 대비전에 문안 가실 시간이 다 되었습니다."

신운호가 문밖에서 궁궐로 돌아갈 시간임을 알렸다.

"돌아갈 시간이로군. 이만 일어나야겠다."

"산. 시열에게 안부 전해 다오. 조만간 꼭 만나자고."

"그래, 그렇게."

산과 유하. 자리에서 일어선 그들이 서로를 바라보았다. 문득 이화원의 향기가 풍겨 오는 것 같다. 달콤한 꽃 향과 그윽한 묵향이 되살아났다. 그들이 함께하던 시절이 두 쌍의 눈동자 사이로 유유히 흘러갔다.

한 사내는 제 운명을 철저히 숨기고 있었기에 솔직하지 못했다. 다른 한 사내는 제 운명에 대해 아무것도 몰랐기에 솔직할 수 없었다.

그리고 이제, 질풍노도와 같은 시간을 버텨 낸 그들은 각자의 자리를 찾아 떠난다. 완전한 신의를 가지고.

"훌륭한 군주가 될 게다."

산이 몸을 돌렸다. 산이 문지방을 넘으려던 찰나. 유하의 목소리가 그를 불러 세웠다.

"산."

산이 고개를 돌렸다.

"산, 아까 네 자리는 궁궐 안이 아닌 다른 곳이라 하였지."

"그랬다."

"그곳이 어디인지, 물어도 돼?"

산은 대답을 망설이는 듯 보였다. 그의 답을 어렴풋이 짐작한 유하가 고개를 천천히 끄덕였다. 괜찮아, 이제 나는 정말로 괜찮아, 라는 듯이.

"단오의 곁. 그곳이 내 자리야."

산의 대답을 들은 유하의 얼굴에 담담한 미소가 스쳐 갔다.

유하는 언제나 단오의 행복을 바랐다. 산과 함께라면 단오는 분명 행복할 것이다. 산은 언제까지고 그녀를 지킬 것이었다. 그것이면 족했다.

"단오를 행복하게 해 줘, 산."

작별의 순간, 형제이며 동시에 벗인 그들은 서로를 굳게 끌어안았다.

"마마. 말씀은 잘 나누셨사옵니까."

방으로 들어온 신운호의 물음에 유하가 고개를 끄덕였다.

"마마, 이제 답을 주실 때가 되었습니다."

제 얼굴에 따라붙는 신운호의 시선을 유하는 마주 보았다. 마침내 그는 운명이 이끈 자리를 향해 날아오르기로 결정을 내렸다.

"즉위식 준비를 하세요. 좌상 대감과 신료들의 뜻을 따르겠습니다."

"예! 마마!"

신운호의 목소리는 감개가 무량한 듯 떨리고 있었다. 입궐을 위해 자리에서 일어서던 신운호의 행동이 순간 멈추었다.

"한데, 이것은 무엇입니까?"

방구석에 덩그러니 놓여 있는 물건을 발견한 신운호가 그것을 집어 들었다.

"이것은……."

칼자루에 선명한 해의 형상이 양각된 검. 유하는 그 검이 어떤 물건인지 잘 알고 있었다. 그것은 아버지 호성대군이 남긴 징표이자, 산이 제 몸의 일부처럼 늘 지니고 다니던 것이었다.

"그것은, 산의 것인데……."

유하가 말끝을 흐렸다. 산의 의중을 깨달았기 때문이었다. 산은 단 한 순간도 그 검을 몸에서 떼 놓은 적이 없었다. 깜빡 잊어버리거나 실수로 흘릴 리 없는 물건이었던 것이다.

"마마, 입궐하실 차비를 하고 계시옵소서. 저는 잠시……."

검을 내려놓은 신운호가 급히 방을 나섰다. 체통에 걸맞지 않게, 그는 대문을 지나 허둥지둥 내달렸다.

"이보게! 거기 잠시만 서 보시게!"

멀리 걸어가는 산을 발견한 신운호가 그를 불러 세웠다.

"무슨 일이십니까?"

"자네가 두고 간 검, 대체 어디서 난 물건인가?"

숨을 헐떡이며 신운호가 물었다. 그러나 산은 무심한 표정으로 시선을 돌렸다.

"무슨 검 말씀이십니까?"

"장검 말일세. 자네의 것이라고, 마마께서……."

"잘못 안 것이겠지요. 그런 검 같은 거, 저는 모릅니다."

"하나, 그것은!"

"물러가겠습니다. 길이 멀어서, 이만."

"이, 이보시게!"

그러나 들은 척 만 척, 산은 다시 걸음을 옮기기 시작했다.

성큼 멀어져 가는 산을 바라보던 신운호의 눈에 그의 등에 메어진 검집이 보였다. 마땅히 들어 있어야 할 것이 사라진 검집은 텅 빈 채 흔들리고 있었다.

"자네는 대체…… 누구신가?"

다시 한번 뒤통수에 대고 묻는 신운호의 목소리. 산이 천천히 고개를 돌렸다.

"저는 강산이라는 이름의, 그저 평범한 자입니다."

산이 다시금 길을 따라 걷기 시작했다. 그 뒷모습을 바라보던 신운호가 갑자기 깊은숨을 토해 냈다. 믿기지 않는 깨달음이 엄습했다. 신운호의 몸이 잠시 비틀거렸다.

신운호가 멀어지는 뒷모습을 응시했다. 다음 순간, 그는 이미 멀어져 점처럼 보이는 사내를 향해 깊이 고개를 숙였다.

＊ ＊ ＊

"하암……."

잠에서 깬 단오가 긴 하품을 했다. 무거운 눈꺼풀 사이로 희끄무레한 문밖이 보였다. 날이 밝은 지 오래지 않은 듯, 문틈으로 보이는 말간 아침 풍경에는 푸른 새벽빛이 섞여 있었다.

무척 행복한 꿈을 꾸었던 것 같다. 몽롱한 꿈과 현실의 경계에서, 단오는 제가 미소 짓고 있음을 깨달았다. 잠에서 깨어나고 싶지 않아, 그녀는 이불 속에 몸을 말아 웅크리며 다시 눈을 감았다.

그 달콤했던 꿈결 속, 제 뺨을 어루만지던 따뜻한 손길. 산의 숨결이 바로 곁에서 느껴지는 것만 같았다. 그녀의 볼을 내리누르던 입술의 감촉은 꿈이라 믿기지 않을 만큼 생생했다.

이마와 콧잔등과 볼을 오가던 그의 입술. 마침내 원하던 것이 벌어진 입술 위에 내려앉던 순간이 떠오른다. 불덩이처럼 뜨거운 산의 품에 안겨 몸을 포갠 채, 단오는 요란하게 쿵쿵대는 그의 심장 소리를 들었었다.

'단오야. 알고 있느냐?'

'무엇을요?'

'지금 내가…… 얼마나 안간힘을 다해 참고 있는지 말이다.'

'무엇을 참으시는데요?'

'아니다. 아니야.'

그는 멋쩍은 듯 웃음을 지었었지. 난감한 표정으로, 산은 자꾸만 몸을 뒤로 빼 단오에게서 멀어졌었다.

'잠들 때까지 곁에 있어 준다더니, 자꾸 어디 가요?'

'그, 그런 게 있다.'

'뭐가 있는데요?'

'하……. 미치겠네.'

순간, 단오는 눈을 반짝 떴다. 순식간에 몸을 짓누르던 잠기운이 우수수 빠져나갔다. 그녀가 벌떡 이부자리를 박차고 일어섰다.

분명 꿈이 아니었다. 이토록 또렷한 기억이 꿈일 리가 없었다. 방문을 열고 뛰어나간 그녀가 급히 신을 신었다. 조급한 걸음으로 안뜰을 가로

지른 단오가 도착한 곳은 바로 산의 방이었다. 그녀가 다급히 방문을 열었다.

"오라버니……."

그러나 텅 빈 방 안. 단오의 어깨가 축 늘어졌다. 산을 너무나 그리워한 나머지 머리가 어떻게 된 모양이다. 결국 꿈이었던 거다. 너무 생생한 꿈. 바라고 또 바라던 꿈…….

왈칵 눈물이 차올랐다. 하필 그때 육호가 나오는 소리가 들려, 단오는 급히 눈물을 훔쳤다.

"산은 일찍 나갔다."

"예?"

"아. 아직 모르는 게로구나. 산이 돌아왔어. 새벽 일찍 온 모양이다. 하도 갑작스레 나타나서, 도둑이라도 든 줄 알았지 뭐냐."

"산 오라버니가…… 오셨다고요?"

"그렇대도. 점심 전에는 온다고 하였으니 곧 돌아오겠지. 얼굴이 제법 수척해진 것이, 무얼 하고 다녔는지 고생깨나 한 모습이었다. 고기라도 좀 먹이는 게 어떻겠지, 싶더구나."

단오에게서 아무런 대답이 돌아오지 않아, 육호는 멀뚱멀뚱 그녀의 얼굴을 바라보았다. 단오는 선잠이라도 든 것 같은 멍한 표정이었다.

"단오야?"

"……."

"단오야!"

"아, 예. 예, 아재. 아, 저도 놀라서……."

단오가 급히 몸을 돌렸다. 다급한 걸음을 내딛는 그녀를 육호가 불러 세웠다.

"어딜 가느냐?"

"부, 부엌에요."

"부엌은 반대쪽 아니냐?"

"아하!"

단오가 방향을 다시 휙 틀었다. 후다닥, 부엌으로 뛰어 들어가는 그녀의 뒷모습을 바라보던 육호가 고개를 절레절레 저었다. 그리 똘망똘망하던 단오가 어쩌다 저 모양이 됐는지 모르겠다. 걱정이 된 육호가 혀를 끌끌 찼다.

언제나처럼 헛다리를 짚는 육호의 생각과는 관계없이, 부엌으로 들어간 순간 단오는 심호흡을 하듯 크게 숨을 내쉬었다.

"돌아왔어."

저도 모르게 입에서 환호성이 튀어나왔다. 단오는 급히 손으로 입을 막았다.

"꿈이 아니었어."

기쁨에 찬 웃음소리가 헤실헤실 입 밖으로 새어 나왔다. 밖으로 소리가 새 나갈까 두려워 억지로 삼킨 웃음이 목구멍을 타고 넘었다. 당장이라도 터질 듯한 웃음이 온 몸속을 마구 휘젓는 것 같아 자꾸만 조바심이 났다.

눈이 웃는다. 입이 웃고, 마음이 웃는다. 세상이 단오와 함께 웃었다.

산이 그녀에게로 돌아왔다. 마음속 저 깊은 곳부터 간질간질해져, 단오는 발을 동동 굴렀다.

부엌에서 흘러나온 맛있는 냄새가 이화원을 뒤덮었다. 단오는 자꾸만 초조해지는 마음을 달래는 중이었다.

산은 어디 갔을까. 불쑥 나타난 것처럼 불쑥 떠나 버린 게 아닐까. 그리하여 아직 끼니때가 되려면 한참 멀었음에도, 단오는 반나절 내내 부엌과 대문 앞을 부산히도 오갔다. 그 모습을 바라보던 육호는 '마치 뭐

마려운 강아지 같구먼.'이라며 고개를 갸웃거렸다.

나물을 무치고, 산적을 꿰고, 고깃국이 끓고 있는 가마솥을 휘휘 젓던 단오가 고개를 번쩍 들었다.

이화원 대문이 열리는 소리가 이토록 반갑고 설레던 때가 있었던가. 후 다닥 안뜰로 뛰어나가려던 그녀가 급한 마음을 억누르며 숨을 가다듬었 다. 식구들 앞에서 눈물이라도 보였다간, 산과 정분이 난 것을 들키고 말 것이었다.

애써 담담한 표정을 지으며, 단오는 부엌 문지방을 넘어 안뜰을 향해 걸음을 내디뎠다.

"어어?"

조금도 예상치 못한 눈앞의 광경. 단오는 얼어붙은 듯 그 자리에 멈춰 섰 다. 그러나 당황한 표정으로 서 있는 것은 단오 하나만이 아니었으니…….

"자네, 귀신처럼 갑자기 나타나서 지금 뭐 하는 겐가?"

신도 신지 않은 채 버선발로 뛰쳐나와 황당한 표정을 짓고 있는 육호와.

"이 대체 무슨 일입니까?"

대청마루 위에서 군은 표정으로 안뜰을 내려다보고 있는 그녀의 어머 니와.

"……."

빼꼼 열린 문틈으로 보이는 홍주의 하얀 얼굴에조차 당황스러움이 짙 게 떠올라 있었다.

"오라버니……."

우물우물, 단오가 산을 불렀다. 그러나 산은 꼼짝하지 않았다. 또한 그 의 모습은 평소와는 완연히 달랐다. 산은 늘 입던 어두운 빛깔의 무인복 이 아닌, 정갈한 선비의 차림이었다.

연푸른 도포 자락이 바람에 펄럭였다. 갓에 달린 구슬끈과 턱 밑에 매어진 갓끈이 부드럽게 흔들렸다.

그는 안뜰 한가운데 있었다. 토끼같이 놀란 표정으로 기립해 있는 이화원 식구들과는 달리, 산은 서 있지 않았다. 산은 단오의 어머니, 오순 앞에 단정히 무릎을 꿇은 채였다.

"산! 대체 무슨 일인지 말을 해 보래도!"

참다못한 육호가 답답한 듯 소리를 쳤다. 그의 말이 끝나기가 무섭게, 산이 입을 열었다.

"단오와의 혼인을 허락해 주십시오."

헉, 단오가 숨을 급히 들이마셨다. 꿈인지, 현실인지 가물거렸던 간밤 나눈 대화들이 비로소 또렷해졌다.

영영 떠나지 않을 거냐는 단오의 물음에, 산은 그렇게 말했었다. 그러하다고. 약속을 지키러 돌아왔다고.

단오는 비로소 그 말의 의미를 깨달았다. 모든 일이 끝난 후엔 혼인하자던 약속. 거사를 앞둔 밤 둘이 나누었던 비밀스러운 맹세를.

"단오를 제게 주십시오, 어머님."

산이 천천히 고개를 들어 올렸다. 말끔하게 차려입은 덕에 오늘따라 더욱 번듯한 이목구비. 그러나 산에게도 용기가 필요한 일인 듯, 그의 표정은 잔뜩 굳어 있었다.

"혼인을 허락해 주십시오."

여전히 무릎을 꿇은 채 산은 다시 한번 청을 올렸다.

단오를 포함한 모두가 큰 충격에 빠진 탓에 안뜰은 쥐 죽은 듯 고요해져 있었다. 그 적막을 뚫고 단오의 어머니, 오순의 한숨 소리가 들려왔다. 전혀 예상치 못했던 일 앞에, 오순은 놀란 가슴을 쓸어내렸다.

"너무 갑작스런 일이라……. 단오의 의중도 들어 봐야 할 것이고……."

"흠……. 형수. 단오와는 이미 이야기가 된 것 같습니다만."

육호의 말에, 오순의 시선은 단오에게로 향했다.

휘둥그레진 눈, 헤벌어진 입, 잘 익은 복숭아처럼 발갛게 상기된 볼. 단오 역시 깜짝 놀란 모습인 건 마찬가지였다. 그렇지만 단오에게는 확연히 다른 점이 있었다.

단오의 눈. 안절부절못하면서도 산을 향한 시선을 거두지 못하는 그녀의 눈 안에, 차마 억누르지 못한 기쁨이 춤춘다.

"허허……. 그사이 정분이 난 게로군. 저런, 꿈에도 몰랐구먼."

육호가 기가 막히다는 듯 헛웃음을 지었다. 늘 차갑기 짝이 없던 산이었다. 그런 그가 두 계절을 지나오는 사이 완연히 유순해졌음을 육호도 알고 있었다. 그게 다름 아닌 단오 때문이었을 줄이야.

"내 상상도 못 했구먼. 이화원에 이런 경사가 있다니……."

"경사라니요!"

허허 웃음 짓던 육호가 움찔, 입을 다물었다.

"어미의 뜻도 묻지 않고 저들끼리 혼사를 결정하다니요. 세상천지에 이런 일이 어디 있습니까? 혼인이란 인륜대사인 법이거늘……. 무엇을 믿고 귀한 딸을 내준단 말입니까."

"어머니……."

"단오 너는 조용하거라!"

오순의 태도는 놀랄 만큼 완고했다. 당황한 단오의 말문이 턱 막혔다.

단오의 어머니인 오순은 고요한 여인이었다. 단오가 아픈 몸으로 몰래 집을 나섰던 날을 제외하면, 평생 큰소리 한 번 내지 않았던 그녀가 아닌가.

"가문 사이에 정식 혼담이 오간 것도 아니요, 버젓이 벼슬을 한 것도 아니잖습니까. 이런 상황에 흔쾌히 혼인을 허락할 어미가 어디 있단 말입니까."

"둘이 이미 마음을 나눈 것 같은데, 산과 단오의 이야기를 좀 들어 보는 게……."

"아재께서는 모른 척해 주세요. 단오는 제 여식입니다!"

노기 띤 목소리에, 육호가 민망한 듯 다시 입을 다물었다.

허락을 기다리며 꿋꿋이 무릎을 꿇고 있던 산이 고개를 들었다. 오순의 시선은 제법 차가웠다. 그는 그 눈길을 묵묵히 받아 내었다.

"어머님, 송구합니다. 미리 말씀드리는 것이 백번 옳았으나, 이화원에서 시간을 보내는 동안 서로 마음을 나누었습니다. 늦었지만 이제야 허락을 구하려 합니다."

산이 차분하게 말을 이었다. 그러나 그녀는 아직 물러설 생각이 없는 모양이었다.

"산 선비님, 선비님이 마뜩지 않은 것이 아니라오. 내 지난 삼 년간 선비님을 보아 왔지요. 무예를 게을리하지 않는 반듯한 분이라는 걸 압니다. 하나 혼인은……."

산은 묵묵히 오순의 말을 듣고 있었다. 그녀가 다시금 말했다.

"삼 년간 보셨으니, 선비님도 아시겠지요? 단오는 집안의 가장과 같은 아이입니다. 여인의 몸으로 평생을 애쓰며 살아왔지요. 하여, 어미의 마음은 그렇습니다. 제 여식이 조금이라도 여유로운 혼처와 인연이 닿기를 바랍니다."

"어머니…… 저는 그런 삶을 원한 적 없어요."

단오의 말을 들은 오순의 눈동자가 크게 흔들렸다.

혹자들은 이화원을 이끌어 가는 것이 어미가 아닌 어린 딸인 것을 보고 고개를 갸웃대곤 하였다. 차라리 이화원을 팔아 버리고 그 돈으로 소박하게나마 삶을 일구어 가는 것이 낫지 않겠느냐고.

그건 사실 오순 역시 바라던 바였다. 아버지의 유지를 받들겠다는 일념으로 이화원을 포기하지 않은 것은 오순이 아닌 단오의 의지였다.

"내 배로 낳았거늘 정녕 네 속을 알 수가 없구나. 단오야. 너는 조선 여인이다. 대체 여인의 삶에 뭐 그리 대단한 걸 바란단 말이냐. 좋은 혼처에 시집가서, 아들딸 낳고 편히 사는 것만 한 행복이 어디 있다고……."

열여덟, 가장 아름다울 때. 동네 처녀들이 몸단장이며 꽃놀이로 바쁠 때조차 이화원에 발이 묶여 종종대던 딸. 그러면서도 가족 앞에서는 힘든 내색 한번 하지 않던 딸.

오순은 조신한 삶, 남편에게 순종하는 삶이 여인의 미덕이라고 배워 온 여성이었다. 그녀의 세상 속에서 단오가 행복해질 수 있는 길은 규방의 삶을 사는 것 하나뿐이었다.

"어머님."

산이 무겁게 입을 열었다.

"저는 내세울 것 없는 평범한 사내입니다. 어린 시절 부모님을 잃어 고아가 되었고, 아직 벼슬에 들지도 못했습니다. 가진 것 역시 보잘것없습니다."

산은 담담한 표정이었다. 숨을 고른 그가 말을 이었다.

"그렇기에 저는 어머님께서 바라시는 삶을 단오에게 줄 수는 없을 것입니다. 편안한 삶, 여유로운 삶, 아무 걱정 없이 풍요로운 삶…… 저는 단오에게 주지 못합니다."

산의 시선이 단오에게 닿았다. 가진 것도, 내세울 것도, 자랑할 것도 없는 생. 그리하여 차마 내보이지 못하고 오래도록 밀어내기만을 반복했던 마음. 산은 가진 것 없는 그의 삶에 찾아들어 빈 마음을 채웠던 여인을 바라보았다.

산과 눈이 마주친 단오가 살며시 고개를 끄덕였다. 산의 고백에 대한 답은 그녀의 눈 안에 이미 들어 있었다. 그녀 역시 개의치 않는다고. 기꺼이 그와 함께하겠노라고.

"제가 줄 수 있는 것은 마음 하나뿐입니다. 하지만 제 진심이 단오를 행복하게 만들 것이라고 자신합니다. 부족한 삶일지라도, 단오의 행복을 위해 살겠습니다. 이미 단오에게 약속했듯, 저는 오직 단오만을 위해 살겠습니다."

산이 말하는 행복이, 그녀의 어머니가 바라는 행복과는 다를지언정.

"어머님. 단오를 제게 주십시오."

오순의 입에서 짙은 한숨이 흘러나왔다. 그녀는 한참 동안이나 침묵을 지켰다.

"허, 참……. 이리 간곡하게 말하는데……."

육호가 슬그머니 중얼거렸다. 미간을 모으고 있던 어머니의 시선이 단오에게 향하였다.

"단오 네 생각도 그러하냐?"

손을 모아 쥔 채 안절부절못하던 단오가 고개를 들었다.

어머니는 약한 사람이었다. 아버지의 죽음을 겪으며, 단오는 무너지는 가족의 모습을 봤다. 단오는 강해지고 싶었다. 아버지의 몫을 대신하는 사람. 어머니와 언니를 지킬 수 있는 사람이 되고 싶었다.

그래서 단오는 이화원의 주인이 되기를 선택했다. 쉬운 날은 단 하루도 없었지만, 불행하다고 느낀 적도 없었다. 단오는 자신이 선택한 삶에 자부심을 느꼈다.

하지만 어머니에게는 그렇지 않았다. 언젠가 선잠에 들었다가 깨어났을 때, 제 머리를 쓰다듬던 어머니의 혼잣말을 들은 적이 있다.

'가여운 것. 가여운 내 딸.'

'내가 죄인이다. 내가 죄인이야…….'

어머니가 늘 바랐던 건 단오가 평범한 조선 여인의 삶을 따르는 것이었다. 단오가 걱정이나 풍파 없이 살아가는 것. 그것이 어머니가 아는 행복이었고, 그녀의 세상이었다.

"어머니. 언젠가 말씀드린 적이 있지요? 제가 마음을 준 이와 혼인하고 싶다고……. 저는 어머니의 마음을 알아요. 제가 행복해지기를 바라시는 거잖아요."

"그래. 이 어미가 바라는 건 그것 하나뿐이다. 단오 네가 행복해지는 것……."

"저도 제가 행복해지기를 바라요. 행복해지고 싶어요. 그리고 무엇이 저를 행복하게 만드는지, 저는 알아요."

단오의 행복은 고요한 규방 안에 있지 않았다. 그녀의 행복은 한 발 뒤로 물러나 내조라는 이름으로 타인을 우선하는 삶 안에 있지 않았다.

단오의 행복은 세상 속에 있었다. 누군가의 등 뒤를 따르는 게 아닌, 함께 나란히 걸어가는 삶 속에. 함께 두 계절을 지나는 동안, 산과 그녀가 그래 왔듯이.

"산 오라버니와 혼인한다면, 저는 정말로 행복할 거예요."

단오의 시선이 어머니에게서 산으로 옮겨 갔다. 그는 여전히 굳건한 자세로 무릎을 꿇고 있었다. 어머니께서 정녕 허해 주지 않는다면, 산은 아마 영영 저리 앉아 있을 것이다. 그는 단오를 위해서라면 무엇이라도 할 수 있는 사내였으니까.

그리고 단오 역시 마찬가지였다. 산이 그녀를 사랑하듯, 그녀도 산을 사랑했다.

"그러니 부디 허락해 주세요, 어머니."

단오의 말. 오순이 스르르 눈을 감았다.

"산 선비님. 오늘 하신 말씀을 모두 지키실 겁니까?"

오랜 기다림 끝에 입을 연 오순이 던진 물음. 산은 망설이지 않았다.

"반드시 지킬 것입니다. 단오를 향한 제 마음, 영원히 변치 않을 것이라 약조합니다."

마침내, 오순은 고개를 끄덕였다.

"혼인을…… 허락하겠습니다."

18장. 새로운 봄

아직 새벽안개가 걷히지 않은 이른 아침, 산길을 오르던 여인이 쌕쌕 숨을 내쉬었다.

그녀는 다름 아닌 반야였다. 잠시 걸음을 멈춘 반야는 심호흡을 하며 가쁜 숨을 가다듬었다. 꽤 오랫동안 옥사에 갇혀 있었던 탓에, 그리 오래 걷지 않았음에도 숨이 턱턱 차올랐다.

힘든 산행이었지만 반야는 투덜대지 않았다. 한 시진 전까지만 해도 옥사에 갇혀 있었던 그녀에게, 새파란 하늘과 초록이 만발한 산길 풍경은 퍽 감동스러웠다.

옥에 갇혀 있던 사이, 반야는 두 번이나 유녀(遊女)[12]를 거래하는 자들에게 팔려 갈 뻔했다. 그러나 그때마다 반야는 고래고래 악을 쓰고, 발길질을 해 대었으며 머리를 벽에 들이받기까지 했다. 결국 반야를 미친 계집이라고 여기게 된 자들은 반야를 사지 않고 돌아갔다.

반야의 희망은 오직 하나뿐이었다. 창기나 유녀가 아닌 공노비가 되는

---

12) 매춘부.

것. 희망이랄 것도 없는 그런 서글픈 소망마저 절실할 만큼 옥사 생활은 고달팠다.

깊은 밤 찾아온 관원이 그녀가 자유를 얻었다고 알려 주었을 때, 반야는 그 말을 믿지 못하고 한참을 팔려 가지 않겠다며 버텼다. 결국 좌의정 신운호가 직접 옥으로 찾아와 반야를 데리고 나와야만 했다.

"유하 선비님께서 임금이 되신다니······."

반야가 말도 안 된다는 듯 중얼거렸다. 신운호는 바라는 모든 것을 들어주겠노라 하였다. 살 집, 필요한 재물, 또한 잃어버렸던 양반의 신분마저도. 곧 왕이 되실 분의 목숨을 구하여 주었으니, 그에 대한 보답을 하는 것이라고.

들고서도 믿기지 않는 기적 같은 일이었다. 놀란 마음을 진정하기 위해, 반야는 잠시의 시간을 달라고 청한 후 신운호의 집을 나섰다.

그리하여 당도한 곳.

화령은 잘 있을까. 인부들이 성의 없이 대충 쌓아 올린 봉분이 내렸던 장맛비에 쓸려 가지는 않았을까. 빈손으로 오지 말 것을, 하다못해 주막에 들러 술이라도 한 병 구하여 올 것을······.

가물가물한 기억을 더듬던 반야가 고개를 들었다. 분명 이 근처 어디메, 화령이 있을 것이었다.

"유하 선비님."

꿈을 꾸는 것 같아, 반야는 멍하니 눈을 깜빡였다.

유하가 입은 새하얀 도포 자락이 아침나절의 햇살에 반사되어 화사하게 빛났다.

"여기서 만나는구나."

유하를 마주한 반야는 차마 말을 잇지 못했다. 신운호에게 유하가 곧 조선의 왕이 될 것이라는 어마어마한 이야기를 들었을 때, 충격 이후 찾아온 감정은 아쉬움이었다.

비록 저를 품지 않을 사내라고 하여도 한양, 하다못해 조선 팔도 안에 살고 있다면 먼발치에서나마 볼 수 있으리라 여겼다. 그러나 유하는 이제 궁궐의 주인이 될 사람이었다. 그는 궁의 드높은 담장 안에서 평생을 보내게 될 것이다.

"옥에 갇혀 있었다 들었다. 몸은 괜찮으냐?"

유하의 목소리는 너무나 다정하였다. 그의 진중한 목소리를 듣는 순간 비로소 왈칵 눈물이 차올랐다.

"네. 저는 괜찮아요……. 선비님."

선비님이라는 호칭을 사용해도 되는 것일까. 신운호가 그러했듯 마마라고 불러야 하는 건 아닌가. 도통 알 수가 없어, 반야는 괜스레 말끝을 늘였다.

"행수가……. 하늘에서 무척 기뻐하실 거예요."

"그렇겠느냐?"

"늘 선비님이 잘되기만을 바랐던 분이니까……."

반야가 화령이 잠들어 있는 봉분을 가만히 내려다보았다. 봉분 앞에는 유하가 가져다 놓은 것이 분명한 술병 하나가 놓여 있었다.

저 아래에 있는 화령은 행복한 웃음을 짓고 있겠지. 그토록 지키고 싶었던 아드님께서, 다른 이도 아닌 조선에서 가장 귀한 이가 되신다고.

아직 채 풀이 자라나지 않은 봉분은 무척이나 쓸쓸해 보였다. 반야가 주변을 둘러보았다. 흐드러지게 피어난 흰 꽃무리를 발견한 그녀가 손을 뻗었다. 대여섯 송이의 구절초 다발이 반야의 손안에 소담스럽게 피어났다.

구절초 다발을 봉분 위에 올려놓고, 반야는 두 번 망자를 위한 절을 올렸다.

"고맙다."

"참 이상한 일이죠. 곁에 있을 때는 소중함을 모른다는 게⋯⋯."

반야의 시선이 어느덧 유하를 바라보았다. 가까이에 있을 적에도 사무치게 그리웠던 이. 정녕 볼 길이 없어지면, 그 애틋한 그리움을 어찌 견뎌낼 것인가.

"이제 가야겠구나. 같이 내려갈까?"

"예, 선비님."

타박타박, 오가는 이 없는 고요한 산길에 사내와 여인의 발소리만이 들렸다. 멀찍이 민가들이 보일 무렵, 유하는 입을 열었다.

"좌상에게 이야기를 모두 들었느냐?"

"무슨 이야기를요?"

"네 거취에 대한 이야기 말이다."

"원하는 것이 있으면 무엇이든지 들어주겠노라 하셨어요. 집이든, 재물이든, 의복이든⋯⋯."

"좌상이 아닌 내 뜻이니, 어려워 말고 좌상에게 찾아가 무엇이든 말하면 된다."

"원하는 것이라면 무엇이든 괜찮다 하셨나요?"

"그래. 그렇게 말했다."

반야가 유하를 올려다봤다. 이제 조선에서 가장 높은 이가 되리라는 사람. 그저 외로운 서생에 지나지 않을 때도, 제게는 늘 태양처럼 빛나 보였던 사람을.

"그렇다면, 제게 마음을 주시면 안 될까요?"

반야의 목소리는 살짝 떨고 있었다. 그녀의 속도에 맞추어 천천히 발을 떼던 유하가 걸음을 멈추었다.

연모의 감정이란 것은 참으로 얄궂었다. 마음이라는 것이 원하는 대로 움직이는 것이라면 얼마나 좋을까. 오직 하나만을 바라보았으나 끝내 닿지 못하고 허공에 스러져 버린 마음, 그것이나마 반야에게 줄 수 있다면 기꺼이 주고 싶었다.

"반야야. 내 마음에는 말이다……."

그러나, 그의 사랑은 너무나 충만한 것이었다. 그의 마음은 속속들이 오직 단오 하나만으로 가득 차 있었다.

유하는 그녀의 행복을 바라며 단오를 떠나보냈다. 그와 함께 그의 마음 역시 텅 비어 버렸다. 아무것도 남지 않았다. 누군가 들어올 틈이라도 있으면 좋으련만, 마음은 껍데기만을 남긴 채 닫혀 버렸다.

시간이 흐르면 달라질지도 모른다. 그러나 지금 당장은, 이 순간에는.

"이제 남은 것이 아무것도 없다. 하여 주고 싶어도 줄 수가 없어. 그저 빈껍데기뿐인 것을 너에게 주어 봤자, 과연 네가 행복하겠느냐?"

"잠시 동안은 행복할지 몰라도, 시간이 지날수록 점점 더 마음만 아프겠지요. 저는 욕심이 많은 사람이니까……."

"그럴 것이다. 오직 하나만 바라보고 있으면, 눈이 먼 것처럼 주변이 보이지 않기 마련이야……. 언젠가 네 마음을 채울 누군가가 나타났을 때, 다른 곳을 보느라 그를 보지 못하고 지나친다면 무척 아쉽지 않겠느냐."

"그렇게 될까요?"

유하가 불쑥 손을 내밀었다. 눈물이 흘러내리는 반야의 뺨을 닦아 낸 그의 손이 그녀의 정수리를 쓰다듬었다. 오래전 이화원의 봄날, 그가 아꼈던 누이동생 같은 소녀에게 그러하였듯이.

"인생은 긴 것이다. 자유를 가졌으니, 일단 그것을 누리는 것이 어떻겠느냐. 자유롭게 살다 보면, 너만을 위해 살아갈 누군가를 만나게 될 수도 있지 않겠느냐. 그리고 언젠가……."

유하가 엷은 미소를 지었다.

"못난 사내 하나가, 참으로 아리따운 여인을 잃었구나 한탄하며 후회할 적에, 진즉 나를 잡지 그랬느냐고, 나는 이미 좋은 이를 만나 행복하다고 자랑스럽게 말할 수도 있지 않겠느냐."

눈물로 얼룩진 뺨을 한 채, 반야는 유하를 올려다보았다. 그렇게 한참 그를 올려다보던 그녀가 고개를 끄덕였다.

"행복해질게요."

문득 주변 풍경이 눈에 들어왔다. 기생인 반야의 세상이 춘하관 하나였다면, 자유의 몸이 된 지금 그녀의 세상은 하늘 아래 어디든 될 수 있었다.

"선비님께서 제게 주신 자유이니, 행복하게 살아갈게요."

반야가 까치발을 들었다. 유하의 볼 언저리, 스치듯 짧은 입맞춤을 남긴다.

그녀가 나비처럼 노닐 세상, 그 세상의 주인인 그를 향해 작별의 절을 올린 반야가 사뿐 걸음을 내디뎠다. 세상 속으로, 나풀나풀 자유롭게.

뉘엿뉘엿 저물어 가는 해가 하늘 끄트머리를 붉게 물들였다. 물을 길러 다녀오던 단오가 물동이를 바닥에 내려놓았다. 단오가 묵직한 허리께를 쿵쿵 두드렸다.

혼인 허락을 받은 후, 단오는 어머니와 긴 대화를 나누었다. 이야기를 마치고 바깥으로 나오니 산의 모습이 보이지 않았다. 그간의 이야기를 들어야겠다며 육호가 산을 데리고 나갔노라고 홍주가 일러 주었다. 그때부터 단오는 이화원을 돌보는 일에 몰두했다.

괜히 들뜬 모습을 보이는 게 민망했을 뿐 아니라, 시열의 일로 마음이 아플 홍주에게 미안한 마음이 들었기 때문이었다.

"아……."

단오가 슬쩍 제 어깨를 쓰다듬었다. 화살에 맞았던 상처는 완전히 아물어 붉은 흔적만을 남겼다. 그러나 아픔이 느껴지지 않음에도 그 순간의 기억은 문득문득 떠오르곤 했다.

엄청난 속도로 날아온 화살이 제 어깨죽지를 꿰뚫던 순간의 기묘한 느낌. 아마도 꽤 오래도록 그것은 잊히지 않을 것이다.

어찌 그렇게 할 수 있었던 것일까. 어떻게 그런 큰 용기를 낼 수 있었던 걸까.

"아!"

갑자기 단오의 허리를 감싸는 부드러운 손길. 순식간에 사내의 품이 눈앞에 닥쳐들었다. 익숙한 체취, 포근한 온기가 그녀를 감쌌다.

그것이 누구의 체온인지 단오는 너무나 잘 알고 있었다. 사랑을 알려 주고, 사랑이라는 감정이 사람을 얼마나 강인하게 만드는지를 깨닫게 해 준 사람. 산.

"누가 봐요, 산 오라버니."

"내가 내 여인을 끌어안는다는데 누가 뭐라고 하겠느냐."

"내게는 말도 없이…… . 심장이 떨어질 뻔했던 거 알아요?"

"말이 없었다니. 나는 네게 이미 혼인을 청하였지 않으냐. 나는 약속을 지킨 것뿐이거늘."

"그래도. 놀랐단 말이에요."

"싫으면 무르고."

"누가 싫대요?"

비죽 입을 내미는 단오의 모습이 귀여워 죽겠다는 듯, 산의 입꼬리가 호선을 그렸다.

"그건 그렇고, 나만 남겨 두고 대체 어딜 다녀온 거예요?"

"육호 아재한테 질질 끌려 나갔다. 유하가 보위에 오른다는 걸 아직 모르고 계시더군. 이제야 아셨으니, 아마 지금 넋이 나가 계실 게다."

혼이 빠진 육호의 표정이 그려져 단오는 웃음을 터뜨렸다. 허리를 감싼 산의 팔이 그녀의 몸을 끌어당겼다. 그가 이끄는 대로, 단오는 무성하게 잎사귀를 늘어뜨린 나무그늘로 숨어들었다.

조급한 입술은 그 짧은 시간조차 견뎌 내지 못하고 단오에게 다가왔다. 순식간에 그녀의 입술은 산에게 점령당했다. 한 몸뚱이가 된 것처럼 단오는 산의 품에 안긴 채 주춤주춤 뒷걸음질을 쳤다.

숨결이 뒤섞인다. 등에 와 닿은 고목나무의 껍질이 따끔따끔 살갗을 찔렀다. 혀에 닿는 말캉대는 감촉에 온몸이 스르르 녹아 버릴 것만 같았다. 어디선가 바람결에 실려 오는 아릿한 꽃향기도 이만큼 달콤하진 않았다.

"은애하고, 연모하고, 사랑한다."

마침내 하나가 되었던 입술이 떨어졌다. 쌕쌕 가쁜 숨을 내쉬며, 둘은 서로를 바라보았다.

산의 눈동자 안에는 오직 단오만이 비친다. 그리고 그 눈빛은 조금 전의 아찔한 입맞춤보다 오히려 더 단오의 몸을 나른하게 만들었다.

단오는 좀처럼 산의 눈에서 시선을 떼지 못했다. 저 그윽한 눈빛 속에 퐁당 빠져 살아갈 봄날. 그 봄날이 영원하리란 약속이 그의 눈 안에 있었다.

"참 불공평하죠?"

"무엇이 말이냐?"

"오라버니는 저를 얻기 위해 무릎을 꿇고, 온갖 다짐을 하고, 맹세까지 하셨는데 저는 오라버니를 이렇게 쉽게 얻었으니 말이에요."

산이 싱긋, 웃음을 지었다.

"그 말을 들으니 갑자기 억울한 마음이 드는데."

"그래서 말인데요, 산 오라버니."

"으응?"

산이 눈썹을 치켜세웠다. 발그레하게 상기된 단오의 얼굴 안, 눈코입 전부가 그를 바라보며 미소 지었다.

"그래서 약조 하나 하려고요."

"무슨 약조를 하려고 이리 뜸을 들이실까, 새색시께서."

"새색시? 풋!"

영 어색한 호칭에 단오가 웃음을 터뜨렸다. 그러나 그녀의 표정은 이내 진중해졌다.

"오라버니. 오라버니께서는 오직 저를 위해 사신다 하셨지요?"

"그렇다마다."

어느 밤, 어두컴컴한 산등성이 어느 낭떠러지, 그들은 운명처럼 맞닥뜨렸다.

"저도 약조할게요."

바람꽃 한 송이로 시작된 운명. 그 향기를 따라온 길의 끝.

"저도 오직 오라버니만을 위해 살 거예요."

그리고 끝은 곧 새로운 시작이었다. 어긋나지 않고 꼭 맞물린 두 마음은 하나가 되어, 영영 행복할 것이었다. 오직 서로만을 위한 봄 안에서.

* * *

궁궐 곳곳에 화려한 붉은색 깃발이 내걸렸다. 적색은 임금의 색이었다. 그 일렁이는 붉은빛의 파도는 근정전 앞에서 절정을 이루었다.

수백의 대신들이 머리를 조아린 중심, 면복(冕服)을 입고 서 있는 사내의 자태는 퍽 아름다웠다. 유난히 큰 키, 백자처럼 흰 피부, 호리호리하나 당당한 태도는 단연 군주의 그것이었다.

곧이어 원삼을 차려입은 대비가 등장하였다. 망설임 없는 위엄 있는 태도로, 대비는 손에 들고 있던 옥새를 건넸다.

"산호(山呼)!"

"천세!"

"재산호!"

"천천세!"

찬의(贊議)[13]의 신호에 따라 모여 있던 자들이 소리 높여 천세를 외쳤다.

그날 하늘은 시리도록 푸르렀고, 금빛 태양은 조선 땅 전체를 환히 비추었다. 새로운 임금의 탄생이었다.

평생 정유하로 살았고, 이설이라고 알려져 있으며, 원영군이라는 군호로 불리던, 그리고 이제 조선의 임금이 된 사내. 근정전 한가운데 선 유하가 사방을 둘러보았다. 평생을 머무르게 될 궁궐 풍경을 눈에 담는 그의 표정에 짙은 소회가 떠올랐다.

드높은 궁궐의 담장 밖, 이제 그가 굽어살펴야 할 세상. 유하는 그 세상 위로 펼쳐진 하늘을 향해 고개를 들어 올렸다.

지나온 시간들이 스쳐 지나간다. 외롭던 유년, 과거에 뜻을 두어 찾아든 이화원. 그곳에서 그는 좋은 벗들을 사귀었고, 제 모든 것을 걸고 사랑했던 여인을 만났다.

단오를 떠올리는 그의 입가에 미소가 감돌았다. 한때 오직 그녀만을 바랐던 순간이 있었다. 온통 단오만으로 가득 찼던 세상. 그녀를 위해 전부를 걸었던 선비 정유하의 세상.

이제 그녀를 놓아주어야겠지. 그녀가 살던 그의 마음속엔 조선의 하늘과 조선의 땅이, 그리고 조선의 백성들이 담길 것이다. 단오에게 미처 건네지 못한 깊은 사랑을, 그는 조선을 위해 쏟아부을 생각이었다.

---

13) 통례원의 관원.

새로운 세상이 열렸다. 그 세상의 주인은 유하 자신이었다.

처음 자리한 편전. 긴장한 표정으로 유하는 주변을 둘러보았다. 곧이어 시복을 입은 우의정이 목소리를 높여 아뢰었다.

"전하, 승하하신 선왕의 장자이신 아기씨의 거취를 결정하심이 옳다고 사료되옵니다."

"결정이라니, 무엇을 결정하란 말입니까?"

우의정이 쿨럭, 헛기침을 했다.

이창은 시해되어 갑작스런 죽음을 맞았다. 이창 생전, 포악한 왕의 성정에 고통받았던 대신들은 이제야 선왕의 정통성에 반기를 들었다. 애당초 난을 통하여 형제를 죽이고 보위에 오른 왕이었으므로, 선왕의 지위를 박탈해야 한다는 것이 신료들의 의견이었다.

"선왕의 정통성이 의심받는 상황이므로, 그 혈육인 아기씨를 궐에 두는 것은 문제의 소지가 있어······."

"아직 젖도 떼지 못한 핏덩이가 아닙니까. 대체 무슨 문제를 말씀하시는 겁니까?"

"전하, 아뢰옵기 송구하오나, 전하의 자손이 아닌 다른 왕손을 궐에 두시는 것은 후를 위해 좋지 않다고 감히 간언하옵니다. 하여, 아기씨의 호칭을 박탈하시고 양인으로 신분을 내려 궁궐 밖으로 추방하시는 것이······."

"우의정. 지금 무슨 말씀을 하시는 겁니까?"

"전하를 위한 충언이옵니다. 통촉하여 주시옵소서!"

"통촉하여 주시옵소서!"

우의정의 반대편, 임금의 좌측에 앉아 있던 신운호가 유하를 바라보았다.

이창이 왕이었던 시절, 신하들이 고개를 조아린 채 숨소리조차 내지 못하던 시절은 끝났다. 새 임금은 궁궐 법도에 어두운 데다 제왕학조차 배운 적이 없었다. 경험 없는 젊은 왕이 보위에 올랐으니, 신하들은 임금을 제 발 아래 두려는 도전을 서슴지 않을 것이다. 그 조짐은 첫 편전회의에 서부터 뚜렷했다.

편전을 울리는 외침을 듣던 유하가 천천히 입을 열었다.

"경들께서 잊으셨나 봅니다. 과인이 어린 시절 부모를 잃고, 지금까지 제 신분과 정체를 잃은 채 세상을 떠돌아야 했던 이유를 말입니다."

찬물을 끼얹은 듯, 편전은 순식간에 고요해졌다.

"경들께서 말하는 후환. 그것 때문에 죽은 목숨이 몇인지 아십니까? 그로 인해 당연히 제 것인 삶을 박탈당한 채 숨어 지내야 했던 이가 몇인지는 알고 계십니까?"

"하오나, 전하……."

"경들께서는 선왕의 부덕함을 말하셨지요. 그러면서, 제게 선왕과 똑같은 일을 행하라 요구하는 것이 옳다고 여기십니까!"

그 누구도 대답을 하지 못했다. 애송이라고 여겼던 새로운 임금. 그러나 첫 편전회의는 그들의 예상과 다른 방향으로 흘러가고 있었다.

"내 비록 정치에 대해서 아직 무지하나, 많은 책을 읽으며 지켜야 할 도리와 법도에 대해 배웠습니다. 일어날지 아닐지도 모르는 후의 일이 두려워, 죄 없는 이의 피를 흘리게 하는 부덕한 정치를 제게 강요하지 마십시오. 이는 부끄러운 일입니다."

유하가 편전을 둘러보았다. 쭈뼛대며 고개를 숙이고 있는 대신들 사이, 좌의정 신운호가 슬며시 고개를 들었다. 새로운 세상을 열기 바라는 임금의 눈이 그와 마주쳤다.

신운호의 형형한 눈동자. 그 안에 제 생각이 틀리지 않았다는 기쁜 확신이 자리 잡는다.

"과인은 도리를 아는 임금, 새로운 세상을 여는 임금이 되고자 합니다.

경들께서는 이런 저를 도와주실 생각이 있으십니까?"

"여부가 있겠습니까, 전하. 성은이 망극하옵니다!"

신운호가 가장 먼저 망극함을 외쳤다. 이내 늘어앉은 대신들 모두가 소리 높여 외쳤다.

"성은이 망극하옵니다!"

임금이라는 지엄한 자리. 그 무거운 짐을 떠맡고 나아갈 여정은 결코 쉽지 않을 것이다. 그러나 비록 쉽지 않을지언정, 나쁘지 않은 시작이었다.

새로운 임금의 즉위는 한양을 들썩이게 했다. 큰 경사를 맞이하여 별시(別試)가 치러졌다. 또한 한양의 양반들 사이로 은밀히 퍼져 나간 소문이 있었으니, 이는 조만간 중전을 간택하리란 풍문이었다.

간택령이 내린 순간부터는 모든 양반가 여식들의 혼인이 금지된다. 그렇기에 금혼령이 내린다는 소문이 돌면 반가에서는 딸의 혼례를 서두르기 마련이었다. 혹시라도 혼인의 때를 놓치지나 않을까 하는 걱정 때문이었다.

"그래서, 단오야."

"으응?"

야트막한 언덕 위, 널따랗게 펼쳐진 푸른 풀밭. 완연히 가을에 접어들었음을 말해 주는 선선한 바람이 부는 오후였다. 산의 어깨에 머리를 기대고 있던 단오가 고개를 들었다.

"어머님께서 혼인을 앞당기는 게 좋겠다고 말씀하셨어. 나도 그리하겠다고 했다."

"언제로요?"

"내일."

"내일?"

화들짝 놀란 단오의 눈이 동그래졌다. 산의 입에서 낮은 웃음이 흘러나

온다. 그가 단오의 볼을 꼬집었다.

"자꾸 놀릴 거예요?"

뾰로통한 단오와는 달리, 산은 마냥 즐거운 표정이었다.

"네가 이리 어여쁜 표정을 지으니 별수 있겠느냐. 자꾸만 놀리고 싶어지는 것을."

"그건 그렇고, 대체 언제 혼인하라 하시던가요? 어머니는 저한테는 아무 말씀도 안 하시더니……."

"용한 스님에게 날을 받아 오셨대. 여드레 후에 혼례를 치르라 하셨다. 길일이라 하시더구나."

"오라버니의 귀빠진 날을 모르는데, 사주도 없이 날을 받아 오셨대요?"

단오가 궁금한 듯 물었다. 봄날 어느 즈음이었다고 기억할 뿐, 산은 정확한 제 생일을 알지 못했다.

"사주랑 관계없는 날이라고 하셨다. 음양의 기운이 좋은 날이라, 그날 연을 맺는 이들은 오래도록 조화롭게 행복할 것이라고."

"그런 거 믿진 않지만……. 그날 연을 맺으면 오래도록 행복하다니, 그 말 참 좋아요."

산이 단오의 머리를 부드럽게 쓰다듬었다.

이제 이화원에 남은 선비는 오직 산 하나뿐이었다. 유하는 강녕전의 주인이 되었다. 그리고 시열은 그가 원하던 대로 명나라로 떠나는 사신단에 이름을 올렸다. 시열은 새로운 인생을 찾아, 명으로의 긴 여정을 준비하고 있었다.

"이렇게 둘이 같이 있는 것이 얼마 만인지 모르겠다."

"오라버니가 매일 어딘가를 다녀오니까 그렇지요. 물론 어머니께서 혼인 전까지 내외하라며 성화이신 탓도 있지만……."

"나도 준비를 해야지 않겠느냐. 이리 어여쁜 색시를 얻는데."

"무슨 준비요?"

"어머니께 약조하지 않았어. 단오 너를 행복하게 만들어 주겠다고. 가지고 있던 재물을 처분하고 있다. 만석꾼까지는 아니라도, 내게 시집와서 고생한단 소리를 듣지는 않게 할 생각이야."

"나는 그런 건 생각도 못 했는데……."

중얼거리면서도 단오는 싫지 않은 기색이었다. 그의 따스한 마음 씀씀이가 느껴졌다. 어떠한 삶이든 산과 함께라면 두렵지 않았다.

"그럼 다른 소원 같은 것, 없느냐?"

"소원이요?"

"바라던 것, 꿈꾸던 것 말이다."

제 꿈이 무엇이었을까. 잠시 단오는 골똘히 생각에 잠겼다.

"음……. 자유롭게 세상을 둘러보는 것?"

"세상을 둘러보고 싶다고?"

단오가 고개를 끄덕였다.

"평생 이화원 안에서만 살았잖아요. 늘 그런 꿈을 꾸었어요. 바다도 보고 싶고, 강도 보고 싶고, 산이며 들도 보고 싶고……. 조선 팔도 곳곳을 구경하고 싶다고."

단오는 공상하고 생각하곤 했다. 넘실대는 초록 풀밭을 달려 지평선 끝까지 가 보고 싶다고. 말로만 들었던 한없이 너른 바다와, 새하얗다는 모래사장을 구경하고 싶다고.

"지금도 그렇게 하고 싶어?"

심각해지는 산의 표정을 본 단오가 밝게 웃었다. 그저 한 번 던져 본 소리라는 듯이.

"아니요. 난 오라버니만 있으면 돼요."

그대가 나의 강이며, 또한 나의 산이니까.

미소를 지으며, 산은 단오의 이마에 부드럽게 입을 맞췄다.

"여드레 동안 어찌 기다리지?"

"지금도 이렇게 둘이 꼭 붙어 있는걸요. 혼인을 한다고 무언가가 달라지나?"

태연하게 대꾸하는 단오를 보던 산이 헛웃음을 지었다.

"글쎄다. 달라질걸?"

"뭐가 달라지는데요?"

갸우뚱, 단오가 고개를 기울였다. 갑자기 그녀가 산의 입술에 쪽, 소리 나게 입을 맞췄다.

"이런 것 말고, 또 달라지는 게 있어요?"

"또 나를 놀리려고 하는 거지?"

"에이, 정녕 몰라서 그러는 건데."

"흐음……."

산의 입술 한쪽이 비스듬히 올라간다. 그의 얼굴에는, 더도 덜도 말고 꼭 '요것 봐라.'라고 말하는 듯한 표정이 떠올라 있었다.

"딱 여드레만 기다리고 있어. 내 무엇이 다른지 단단히 가르쳐 줄 터이니."

"혼인날이 되면 알 수 있어요?"

"혼인날? 아니, 정확히는……."

피식, 산이 웃음을 짓는다.

"혼인날 밤이 되면 알게 될 거야."

* * *

혼례식 준비로 인해 며칠간 이화원은 어느 때보다 분주했다. 오순은 시전 포목점 황씨가 선물해 준 비단으로 활옷을 짓느라 바빴다. 홍주는 족두리며 노리개를 만드느라 제 방 안에 틀어박혀 있었다. 정작 단오는 새로운 과거생을 구할 생각에 골몰해 있었지만 말이다.

"내일모레 새색시가 될 아이가, 어찌 그 잠시를 못 참고 이리 성화를 부려 대느냐."

온종일 졸라 대는 단오의 청에, 마지못해 과거생을 구한다는 방(倣)을 쓰던 육호가 구시렁거렸다.

"유하 오라버니도, 시열 오라버니도 안 계시니 새 과거생을 구해야지요. 방이 텅텅 빈 거 안 보이세요? 속상해 죽겠어요. 말도 마세요."

"혼인날을 받아 놓고선 뭐가 속상하다는 게야?"

"이번에 별시가 있었잖아요. 이화원 과거생들 중 별시에 응시한 이가 아무도 없으니, 급제자도 없을 것 아니에요. 이화원이 문을 연 이래, 과거에서 급제자를 한 명도 내지 못한 건 이번이 처음이란 말이에요."

"흐음, 그런가……."

괜히 말끝을 흐리던 육호가 휴 한숨을 내쉬었다.

"나야말로 요즘 무서워서 죽겠구나."

"아재께서는 뭐가 무서우신데요?"

"어떤 과거생이 찾아올까 무섭다, 무서워! 내 유하의 이야기를……. 아니지. 감히 이렇게 불렀다가 경을 치면 어쩔꼬. 그러니까, 저, 전하의 이야기를 듣고서 어찌나 대경실색하였는지……."

"큰 경사인걸요. 장원 급제보다 백배는 큰 경사지요. 왕을 배출한 객주라니! 아, 아재. 방에 그리 써 주세요. 이화원은 임금께서 사시던 곳이라고……."

단오와 육호가 두런두런 이야기를 나누는 새, 홍주가 안뜰로 걸어 나왔다.

"오, 홍주 나왔느냐. 아무튼 단오야, 방은 다 썼다. 그만 종종대고 새색시답게 얌전히 좀 있거라!"

"아재, 이리 늦은 시간에 또 어딜 가세요?"

"어디 가기는. 장기 두러 간다."

대문 밖으로 사라지는 육호를 쳐다보던 단오가 고개를 갸웃했다. 한동안 이상할 정도로 집 안에만 처박혀 있던 육호는, 요 근래 언제 그랬냐는 듯 뻔질나게 외출을 했다.

"단오야."

"어어……."

홍주가 내민 족두리를 본 단오의 입에서 감탄이 흘러나왔다. 시전에서 사 온 평범한 검은 족두리는, 홍주의 손을 탄 덕에 완전히 다른 물건으로 변모해 있었다. 하나하나 공들여 달았을 칠보 장식이며 구슬들이 반짝반짝 빛났다.

"언니, 고마워……."

"고맙기는. 겨우 이것밖에 못 해 주는걸. 어서 머리에 써 봐."

"이렇게?"

"아니. 비뚤어졌잖아. 가만히 있어 봐."

홍주가 단오의 머리에 얹힌 족두리를 바로잡아 주었다.

"내 동생, 세상에서 제일 예쁘다."

"언니…… 먼저 혼인하게 되어 미안해."

"별게 다 미안할 일이다. 나는 아무렇지도 않아. 네가 산 선비님과 혼인하게 되어서 나는 정말로 기뻐."

홍주의 눈동자에는 깊은 진심이 담겨 있었다. 자꾸만 흘러내리는 족두리를 떼어 내 손에 쥔 단오는 한참을 그것을 만지작거렸다.

"언니……. 시열 오라버니…… 용서해 주면 안 돼?"

저도 모르게 튀어나온 말. 홍주는 대답하지 않았다.

"아, 아니야 언니. 내가 잠시 미쳤나 보다. 내가 무슨 소리를……."

단오가 정말 실수라는 듯 손을 휘휘 내저었다.

어찌 감히 타인의 고통을 제 잣대로 평가할 것인가. 과거의 정인과 현재의 정인. 홍주는 그 둘 사이에 옴짝달싹할 수 없이 갇혀 있었다. 겉으로는 내색하지 않았으나, 홍주의 마음이 새카맣게 타 버렸음을 단오는 모르지 않았다.

"단오야. 나는 이미 그분을 용서했어."

"정말?"

"그래. 다른 사람들에게는…… 사 년 동안 방 안에만 틀어박혀 있는 내가 괴상한 사람처럼 느껴졌겠지. 그 안에 있던 내가 어떤 생각을 하는지, 어떤 마음을 갖고 있는지 다른 이의 눈에는 보이지 않았을 거야."

홍주가 고개를 들어 먼 하늘을 바라보았다. 그는 지금 어디 있을까. 가끔 시열도, 저처럼 그리워할까.

"시열 선비님도 나와 같았을 거야. 모진 운명이었지만, 그분에게는 피할 수 없는 것이었겠지. 그분 역시 그런 삶을 살고 싶지는 않았을 거야……. 그래서, 나는 이미 용서했어."

"그러면 언니……. 다시 시열 오라버니에게……."

"아니."

홍주가 고개를 저었다.

"그럴 수가 없어. 용서할 수가 없거든. 그분이 아닌 나를……. 시열 선비님을 용서한 나를, 나는 용서할 수가 없어."

"언니……."

툭, 홍주의 뺨 위로 눈물이 흘러내렸다.

"좋은 일 앞두고 이게 무슨 주책이람……."

홍주가 황급히 자리에서 일어섰다.

"잊지 않았지? 내일은 아무런 일도 하지 않기로 약조한 거. 물도 내가 길어 올 거고, 끼니도 내가 챙길 거니까 단오 너는 푹 쉬도록 해. 알았지?"

"으응, 언니."

"난 이만 자러 간다. 너도 어여 자."

이내 홍주는 제 방 안으로 모습을 감췄다. 그 굳게 닫힌 방문을 망연히 바라보던 단오 역시 안뜰을 가로질러 제 방으로 향했다.

단오마저 방으로 사라지고, 텅 빈 이화원의 안뜰에는 쓸쓸한 달빛만이 홀로 남았다. 그리고 열린 문틈으로 그 풍경을 바라보던 눈동자 한 쌍.

"후……."

잠이 오지 않는 밤. 밤바람을 쐬려다 자매의 대화를 들어 버린 산의 입에서 짙은 한숨이 흘러나왔다.

밤이슬에 젖은 풀 냄새가 자욱한 새벽의 길목. 이른 시각이라 길가엔 사람 하나 보이지 않았다. 물동이를 든 채 타박타박 이화원으로 돌아가는 홍주의 주변에 푸른 어스름이 떠돌았다.

홍주의 눈은 퉁퉁 부어 있었다. 간밤에 그녀는 시열의 꿈을 꾸었다. 꿈 속에서의 그들은 아무런 걱정도, 슬픔도 없이 내내 웃었다. 그리 행복한 꿈이었음에도 깨자마자 눈물은 하염없이 솟아올랐다.

다시는 돌아오지 않을 것을 알기에, 더욱 사무치게 그리운 날들.

"누구……."

저만치 앞에 서 있는 검은 그림자 하나. 홍주가 걸음을 멈췄다. 사내의 얼굴은 잘 보이지 않았다. 낯선 이에 대한 두려움, 그리고 알 수 없는 묘한 기대가 동시에 마음을 어지럽힌다.

"홍주 낭자…… 아니, 처형."

"아. 산 선비님."

내일이면 단오와 혼인을 할 사이인 산이었으나, 아직 제부라는 호칭이 어색해 홍주는 말을 얼버무렸다.

"어찌 이런 새벽에……."

무언가 고심하는 듯 머뭇거리던 산이 고개를 들었다. 산에게는 무척이나 긴 밤이었다. 그는 밤새 한숨도 잠을 이루지 못했다. 제 행동이 가져올 결과에 대해 그는 고민하고 또 고민했다.

또다시 홍주에게 상처를 입히지 않을까. 시열과 홍주 모두에게 못 할 짓을 하는 것이 아닐까. 그러나 그는 용기를 내기로 한다.

"한 시진 후에 삼개나루를 통해 청승습사가 명나라로 떠납니다."

"청승습사요?"

"예. 그 청승습사에 시열이 포함되어 있습니다."

"……."

홍주에게서는 아무런 대답도 들려오지 않았다. 그저 잘근 입술을 깨무는 모습이 보였을 뿐.

"오늘 명나라로 떠나면, 시열은 다시 돌아오지 않을 겁니다."

"다시…… 요?"

"예, 영영 돌아오지 않을 겁니다. 이번에 떠나면 다시 조선 땅에 발을 들이지 않을 것이라고 했으니……."

왠지 다리에 힘이 풀릴 것 같아, 홍주는 들고 있던 물동이를 바닥에 내려놓았다.

"지금이 아니면, 영영 못 보실 겁니다."

중심을 잡으려 애쓰는데 자꾸만 몸이 떨린다. 약한 모습을 보이고 싶지 않아 애써 이를 악물며, 홍주는 산을 바라보았다. 비틀대는 몸만큼이나 마음 역시 좀처럼 갈피를 잡지 못했다.

"시열 선비님은 제게…… 너무나 과분한 분이었어요."

문득 처음 시열과 눈을 마주쳤던 순간이 떠올랐다. 캄캄한 방 안, 몸을 웅크리고 있던 시절. 바깥의 따스한 햇살과 청명한 공기가 그리웠으나 문

밖으로 나가는 것이 두려워 숨을 죽이고 있던 순간, 펑- 하는 소리를 내며 날아온 시열의 신 한 짝.

그로 인해 굳게 닫혀 있던 홍주의 방에는 세상을 향한 창이 생겨났다. 그 틈으로 오래도록 잊고 살았던 바깥의 소리와 공기와 빛들이 찾아들었다.

그리고 그 문을 연 순간, 시열은 그녀의 마음에 들어왔다.

"제가 대단한 여인이라서, 혹은 그분을 원망하거나 미워하여서 찾지 못하는 것이 아니에요. 그저……. 우리는 그게 옳아요. 시열 선비님이라고 다르겠어요? 저를 보시면, 내내 마음 쓰이고 괴로우실 거예요."

눈물이 떨어진다. 참으로 남부끄러운 일이었다. 어제는 단오에게, 오늘은 산에게. 혼인이라는 경사를 앞둔 이들 앞에서 이리 눈물 바람을 해 대다니.

"애당초 저와 연이 닿지 않았다면……. 저처럼 부족하고 모자란 여인에게 신경 쓰지 않으셨다면……. 어쩌면 시열 선비님도 좋은 이를 만나 행복하게 사셨을지도 모르는 것을요. 산 선비님처럼……."

홍주를 바라보던 산이 시선을 돌렸다. 천지가 희게 밝아 오는 시각. 아마 지금쯤 시열은 기거하던 암자를 나서 나루터를 향해 가고 있을 것이다.

그는 지금 무슨 생각을 하고 있을까.

"홍주 낭자의 뜻이 중요하겠지요. 그런데 문득 그런 생각이 들었습니다."

산이 담담하게 말을 이었다.

"부족하다 하셨지요. 하지만 저도 누군가를 만나 사랑이라는 것을 해 보니……. 그런 생각을 하게 됐습니다. 연모라는 것, 사랑이라는 것 자체가, 부족한 이들이 만나 부족한 서로를 보듬는 것이 아닐까, 하는 생각이요."

그들의 운명은 그들이 결정하는 것이다. 산의 몫은 여기까지이리라.

"물동이는 제가 들고 가겠습니다."

산이 물동이를 들었다. 그대로 이화원을 향해 한참을 걷던 산은 문득 뒤를 돌아보았다.

홍주의 모습은 보이지 않았다. 보이는 것은, 어둠이 완전히 물러가 반짝반짝 빛나는 이른 아침의 풍경뿐이었다.

"청승습사 일행이신가?"

"그렇소."

"어디 보자. 김시열, 김시열이라."

삼개나루 앞, 관원은 시열이 내보인 명패를 쓱 훑어보았다. 김시열. 틀림없이 명부에 있는 이름이다.

"확인했소이다. 곧 출발할 것이니 어서 승선하시게."

"알겠소."

이전에 본 적 없는 사내였으나 관원은 크게 개의치 않았다.

이런 대규모 사신단이 명으로 떠날 때면, 으레 공무와는 별 관계가 없는 어중이떠중이들이 끼어들기 마련이었다. 김시열이라는 사내 역시, 벼슬아치인 가족이나 친척을 뒷배 삼아 명나라를 둘러보려는 자임이 분명할 터였다.

하나둘 도착한 관원들이 관선(官船)에 오르기 시작했다. 짐 보따리를 챙기던 시열의 손에서 명패가 툭 떨어졌다.

"쯧쯧, 어찌 손가락이 그리되셨나."

혀를 끌끌 차며, 관원은 시열의 명패를 주워 주었다.

"고맙소."

"오른손을 다치셨으니, 많이 불편하겠구먼."

"이제는 익숙해져서 괜찮소이다."

"아무튼 잘 다녀오시게. 어서 배에 타시구려."

잘 다녀오라는 인사. 시열은 굳이 대답하지 않았다. 다녀오는 것이 아니라 영영 떠나는 것이다. 조선 땅에 살고 있는 한 절대 잊히지 않을 것들. 그 기억을 안고 살아갈 자신이 없어, 그는 떠나기로 결정했다. 그는 뒤돌아보지도 않을 것이었다. 생을 뒤돌아본들, 되돌릴 수 있는 것은 아무것도 없었다.

알량한 목숨이나마 부여잡고 있는 이유는 오직 하나뿐이었다. 아득히 멀게 느껴지는 어느 날, 홍주와 했던 약조. 결코 죽지 않겠다는 그 약속 때문에.

"누구라고요?"

뒤통수 너머, 명패를 확인하는 관원 쪽에서 수런대는 목소리가 들려왔다. 아직 배에 타지 못한 이들이 승선을 준비하고 있는 모양이었다.

"저 배에 탈 사람이 백이 넘는데, 어찌 사람 하나를 찾는단 말이오. 뭐요? 김시열? 어디 보자, 이름이 귀에 익은데?"

순간, 시열은 뒤를 돌아보았다. 그리고.

"그래, 저 양반! 손가락이 없는 저 양반 이름이 김시열이었지!"

아무리 떨쳐 내려 애를 써도 도저히 잊히지 않던 여인. 홍주의 얼굴을 발견한 시열이 그 자리에 우뚝 멈춰 섰다.

"홍주……."

"시열 선비님."

"간밤에 낭자가 나오는 꿈을 꾸었는데…….'"

"저 역시 그러하였어요."

그 순간, 뱃사공이 뱃머리에 훌쩍 올라섰다.

"승선하시오! 배가 떠나니 모두 승선하시오!"

사공의 우렁찬 목소리가 들렸다. 곁에 서 있던 관원이 시열의 귀에 대고 무슨 말인가를 외쳤다. 지금 당장 배를 타야 한다든가, 그런 이야기였을 것이다. 그러나 그에게는 들리지 않았다.

"저 배를 타고 떠나시면, 영영 돌아오지 않으시겠지요?"

"그럴 것이오."

"제가 그립지 않으시겠어요?"

"승선하시오! 모두 승선하시오!"

온통 흑(黑)으로 가득 찼던 그 밤. 그 이후 하루라도 그립지 않은 날이 있었을까. 저 고운 눈망울을, 말간 얼굴을, 늘 망설이는 듯 조심스럽던 그녀의 모습을…….

"그리울 것이오."

그의 대답이 들려온 순간, 홍주는 가만히 눈을 감았다. 기나긴 시간 동안 오직 듣고 싶었던 말은 그것 하나뿐이었다. 그 역시 그녀를 그리워했노라고, 잊지 못하였노라고.

"일전에 제게 약조하신 적이 있지요……. 비록 신분을 드러낼 수는 없으나 저를 향한 마음은 진심이었다고요. 또한 변치 않으시겠다고요."

입술을 잘근 깨물며, 홍주는 오는 내내 수천수만 번 되뇌었던 말을 꺼내 놓았다.

"여전히 변치 않으셨다면…… 떠나지 마세요."

진즉 그를 용서하였다. 남은 것은 이제 하나뿐. 그를 용서한 스스로를 용서하는 것.

"저를, 떠나지 마세요."

툭, 시열이 손에 들고 있던 짐 보따리가 바닥에 나뒹굴었다. 아직 그녀에게 내보이기엔 많이 부끄러운 손. 시열은 그 손을 내밀어 홍주의 손등 위에 올려놓았다.

"변하지 않았소. 나는 한순간도 변치 않았다오. 하여······."

관선의 닻이 올라갔다. 순풍을 받은 배가 서서히 물살을 타고 미끄러지기 시작했다.

"떠나지 않겠소. 낭자 곁에 있겠소. 부족한 사내이지만, 모자란 사내이지만····· 부디 낭자 곁에 있게 해 주시오."

고개를 숙이는 홍주의 볼에서는 굵은 눈물방울이 뚝뚝 떨어졌다. 손을 스치는 감촉이 낯설어, 홍주는 아래를 내려다보았다. 제 손 위에 놓인 시열의 손이 이전과 달라졌음을 그녀는 이내 깨달았다.

남아 있는 것은 엄지와 소지뿐, 당연히 있어야 할 것들이 사라진 시열의 손은 텅 비어 있었다.

홍주가 그 손을 가만히 붙잡았다. 빈 틈새를 그녀의 작은 손이 채웠다. 부족한 이들이 만나, 서로의 부족한 곳을 보듬는 것이 사랑이라 하였던가. 그러하다면 정녕 사랑할 것이다. 오래도록 사랑할 것이다.

"가요."

홍주가 먼저 걸음을 내디뎠다.

"함께 돌아가요."

그리고 영원히, 함께 서로를 바라보며 살아가기를.

손을 꼭 쥔 채, 시열과 홍주는 나루터 길을 따라 걸음을 옮겼다. 명패를 검사하던 관원이 쪼르르 시열의 뒤로 따라붙었다.

"이보시게! 큰일 날 양반일세! 이보시게나! 어찌 대답을 아니 하는 게요!"

"왜 그러시오?"

"사신단 명패를 받아 놓고 배를 타지 않다니! 그게 얼마나 중한 죄인지 모르는 게요? 그러다 경을 칠 것이라오!"

"괜찮소."

무심히 대답하는 시열에게 관원이 눈을 흘겼다.

"하, 답답한 양반일세. 괜찮긴 뭐가 괜찮단 말이오. 어디 뭐 엄청난 뒷배라도 있는 겐가?"

"뒷배요?"

"그래요! 뒷배 말이오! 뭐, 정승판서 댁 자제분이라도 되는 게요?"

"그런 건 아니고요."

"그런 것도 아니면서……."

홍주와의 재회를 방해하는 훼방꾼이 몹시 귀찮아, 시열은 관원에게 툭 한마디를 내뱉었다.

"임금이 내 친우라오."

"임금이 대체 누구……. 뭐, 뭐, 뭐요?"

피식, 웃음을 지은 시열이 걸음을 옮긴다. 홍주와 여전히 손을 꼭 잡은 채.

이상한 일이었다. 언제부터 세상이 이렇게 아름다웠던가. 발에 차이는 돌멩이도, 불그스레한 흙길도, 강바람에 흔들리는 나뭇잎도, 하늘도, 구름도, 비릿한 물가 냄새도. 모든 것이 눈부시게 아름다웠다.

그러나 또한 그것들 중 그 무엇도, 그의 여인 홍주만큼 아름답지는 못했다.

* * *

"교배례(交拜禮)[14]하시오!"

높다란 하늘이 시리도록 푸른 날이었다. 고운 활옷에 칠보족두리를 쓴 각시와 쪽물 들인 관대(冠帶)를 입은 신랑이 맞절을 올린다.

"어이쿠, 세상에 저 새색시 얼굴 고운 것 좀 보아."

"신랑은 또 어떻고. 저리 인물이 번듯하다니, 이화원 선비들을 괜히 꽃

---

14) 맞절.

선비라 부르는 것이 아니었나 보네그려!"

"필시 이런 날이 올 줄 알았구먼. 꽃이 둘 피어 있는 객주라며 그리 이름을 떨치더니, 결국 과거생과 정분이 나 혼인을 하는구먼."

"선남선녀로구나. 우리 딸내미는 언제 시집을 갈꼬……. 이참에 나도 객주나 하나 차려 볼까나?"

이화원 안뜰은 그 어느 때보다 복작였다. 교배상 위에 차려진 온갖 음식들 사이, 홍실을 맨 암탉이 푸드득 날갯짓을 했다.

둘이 하나가 된다는 의미로 한 표주박에 담긴 술을 나눠 마시는 합근례를 끝으로 혼례식이 모두 끝났다. 이제 부부가 된 신랑과 새색시에게는 그들의 첫날밤인 꽃잠이 남아 있었다.

"형부!"

합근례를 마치고 일어서던 시열이 고개를 돌렸다. 방긋 웃는 단오와 눈을 마주친 그가 쑥스러운 웃음을 흘렸다.

"왜요, 부끄러우세요?"

"부끄럽다기보단……. 남의 혼례식을 빼앗아 도둑장가 드는 느낌이라서 말이다."

"어머니께서 덕이 높은 스님에게 받아 온 길일이래요. 오늘 혼인한 사람들은, 평생 조화롭게 행복하게 산다 하셨어요."

단오가 환하게 웃음을 지었다.

"언니랑 오라버니, 아니, 형부랑 오래오래 행복하게 사시면 돼요. 제가 바라는 건 그것 하나뿐이에요."

"여부가 있겠느냐. 고맙다, 단오야."

진지한 얼굴을 하는 것도 잠시, 시열의 눈매가 이내 장난스러워졌다.

"아, 이젠 좋은 날도 다 지나갔구나."

"무슨 좋은 날이요?"

"단오를 놀려 먹는 것처럼 큰 낙이 없었는데, 형부 된 처지에 처제에게 장난질을 칠 수도 없고…….."

단오의 얼굴에 해맑은 웃음이 번졌다. 홍주와 함께 이화원으로 돌아온 시열의 손을 본 순간 그녀는 깨달았다. 그의 오른손은, 누군가를 해칠 수 있는 어떤 물건도 쥐지 않겠다는 굳은 의지의 천명이라는 것을.

시열의 손만 달라진 게 아니었다. 홍주도 달라졌다. 시열과 평생을 함께하겠노라 또박또박 말하는 홍주의 눈동자는 삶에 대한 열정으로 가득 차 있었다. 그들에게 사랑은 변화인 동시에 구원이었다.

단오의 눈동자가 북적이는 사람들 속, 비죽 튀어나온 산의 얼굴에 머물렀다. 그녀와 눈이 마주친 산이 성큼성큼 그녀에게로 다가왔다.

"왜 부르느냐?"

"안 불렀는데요?"

"눈으로 불렀다. 내 얼굴을 지그시 보고 있지 않았느냐. 보고 싶으니 어서 오라고. 왜 다른 이와 이야기를 하고 있냐고."

단오가 기가 막힌다는 듯 배시시 웃었다.

"꿈보다 해몽이 좋은 것 아니에요?"

"그럼 다시 갈까?"

"가라고 해도 안 갈 거면서."

산이 작은 웃음을 터뜨렸다.

"내가 잠시 미쳤었나 보다. 말로 단오 너를 이기겠다는 생각을 다 하고."

"그래서 싫어요?"

"아니, 조금도 안 싫어. 좋아서 어쩔 줄 모르겠다. 내가 이런다는 거, 너도 알지 않느냐."

산은 백기를 드는 것을 서슴지 않았다. 그는 평생 단오에게 져 줄 생각이었다.

단오의 저 웃음을 볼 수 있다면, 그녀의 눈 안에 일렁이는 행복을 볼 수 있다면……. 백 번이고 천 번이고, 그는 기꺼이 투항할 것이다.

"게 아무도 없느냐!"

갑작스럽게 문밖에서 들려온 소리에, 소란스럽던 이화원 안뜰은 삽시간에 고요해졌다.

실실 웃음을 흘리던 시열도, 한 모금 마신 술에 얼굴이 빨갛게 달아오른 홍주도, 만감이 교차하여 눈물을 짓던 어머니 오순도, 혼례를 돕던 산과 단오도 밖에서 들리는 목소리에 행동을 멈췄다.

"대체 누구이기에 이런 경사가 있는 날 고래고래 소리를 지르고……."

구시렁대던 육호가 대문을 열었다. 대문 밖에 서 있는 것은 관복을 갖춰 입은 관원이었다.

"여기가 이화원이오?"

"그렇소만."

"내 관아에서 나왔소."

"관아요?"

육호가 화들짝 놀란 얼굴로 큰 숨을 들이마셨다. 혹시라도 시열 저놈이 사고라도 친 건 아닌가. 그리하여 혼례날 잡혀 가기라도 하는 게 아닐까. 잠깐 사이, 육호의 머릿속엔 온갖 생각들이 지나갔다.

"누, 누구를 잡으러 오신 겝니까?"

"잡으러 오다니요. 그 무슨."

관원이 무슨 실없는 소리를 하냐는 듯 육호를 흘겨보았다. 그가 손에 들고 있던 두루마리를 좌락 펼쳐 들었다.

"한양 객주 이화원은, 지난 삼십 년간 치러진 총 십이 회의 과거 시험에서 단 한 번도 빠지지 아니하고 급제자를 내었다. 하여 나라에 세운 공을 크게 치하하여 은 두 량과 비단 열 필, 쌀 한 섬을……."

은이며 비단에 쌀까지. 관원의 낭독은 좀처럼 끝날 기미를 보이지 않았다. 고개를 갸웃대던 단오가 성큼 앞으로 나섰다.

"나리, 뭔가 잘못된 것 아니옵니까?"

"잘못되다니? 그 무슨 말이시오?"

"얼마 전에 평시가 치러지지 않았습니까. 한데, 이화원에는 이번 평시에 응시한 과거생이 없거든요."

"에잉, 낭자께서 잘못 아신 게요. 어디 보자……."

관원이 명부를 꺼내 들었다. '이화원, 이화원' 소리를 연거푸 중얼거리며, 그는 명부를 휘휘 넘겼다.

"아재…… 어디 아프세요? 얼굴이 허예요!"

육호의 이마에 식은땀이 송골송골한 것을 본 단오가 걱정스럽게 물었다. 이내 명부를 뒤지던 관원이 입을 열었다.

"여기 있지 않소! 별시 문과 급제자 육육호!"

"에그머니나!"

단오가 미처 놀라움의 소리를 내기도 전에, 육호의 입에서 해괴한 소리가 터져 나왔다. 다리에 힘이 풀린 듯 그가 비틀거렸다.

"유, 육호 아재가 과거에 급제했다고요?"

단오가 목소리를 높였다. 새삼 놀라운 일투성이여서, 무엇에 가장 놀라야 할지도 감이 잘 오지 않았다.

육호 아재가 과거에 급제하다니. 그것도 무려 스물두 해 만에! 게다가 육씨 성에 이름이 호가 아니라, 육육호라는 괴상한 이름을 가졌다니!

"아, 응시를 하긴 하였는데……. 급제할 줄은 나도 몰랐구나……. 어흑……."

"아재, 경하드려요!"

육호의 눈에 눈물이 그렁그렁했다. 혼례를 축하하러 모인 동네 사람들이 와아 하는 환호성과 함께 손이 부르트도록 박수를 치기 시작했다.

"그나저나, 과거장에만 들어서면 배앓이를 하신다면서요. 그런 분께서 어떻게 무사히 과거를 치르신 거예요?"

"그것이……. 그동안 이화원에 별의별 일이 다 있지 않았느냐. 유하가 임금이라지 않나, 산이랑 네가 정분이 났다지 않나. 하도 놀랠 노자인 일들이 계속 생기다 보니, 과거장 따위는 요만큼도 안 무섭지 뭐냐."

육호가 멋쩍은 표정으로 주위를 둘러보았다.

"이, 이보게들. 오늘 주인공은 내가 아니라 시열과 홍주가 아닌가. 쑥스러우니 축하는 다음으로 미뤄 두시게. 어이쿠야, 다 늙어서 이게 무슨 민폐인지……."

민망한 듯 말끝을 흐리는 육호였으나, 얼굴 위엔 웃음이 떠날 줄을 몰랐다. 단오 역시 그런 육호를 보곤 함박웃음을 지었다.

"이화원은 역시 터가 좋네. 임금이 나고, 늙은 과거 급제자가 나고, 저렇게 고운 꽃 같은 딸이 둘이나 났구나!"

"얼쑤!"

흥을 돋우려는 듯, 모여 있던 아낙 중 소리를 하는 이가 구성지게 목소리를 늘였다.

"이리 터가 좋은 곳에서 혼례를 올리고 꽃잠을 자러 들어가니, 신랑 각시 오늘 밤엔 분명 크게 될 자손을 만들겠구나!"

"와하하하!"

왁자한 웃음소리에 이화원 기왓장이 들썩인다. 귀까지 새빨개진 홍주가 어쩔 줄 몰라 하며 고개를 숙였다.

"언니, 가자."

단오의 손을 붙든 홍주가 먼저 곱게 단장한 이화원 안방으로 들어섰다. 초야를 치르러 가는 새색시의 뒤로, 연신 곱다, 곱다는 말을 연발하는 사람들의 목소리가 들렸다.

이제 신랑이 방으로 들 차례.

"가자, 시열."

산이 시열의 팔을 잡아끌었다. 그때 그들 곁에 서 있던 포목점 황씨가 툭, 말을 건네었다.

"산 선비님은 단오 아씨와 곧 혼인할 사이 아니십니까? 어엿한 나리께서, 손윗사람 이름을 그리 부르셔서야, 원……."

"아……. 아직 익숙지가 못하여……."

갑자기 시열의 입꼬리가 쓰윽 올라간다. 그가 능청스럽게 입을 열었다.

"이보시게, 내 잘 알지 못하여 묻는 것인데…… 앞으로 산이 나를 부를 때는 무어라고 하면 되는 것인가?"

"호칭 말입니까? 어디 보자……. 홍주 아씨가 단오 아씨의 언니이고 그 낭군이 되시니……."

곰곰, 생각하던 황씨가 마침내 답을 내놓았다.

"형님이라 부르시면 되겠습니다요!"

"형님……. 이요?"

"예, 형님이요. 무엇 하십니까, 어서 형님을 방으로 모셔야지요. 저러다 새색시 목 빠지겠습니다."

산의 얼굴이 삽시간에 구겨졌다. 반면 시열은 당장이라도 입이 귀에 걸릴 듯한 모습이었다. 속도 모르는 동네 사람들은, 신랑이 예쁜 각시를 맞아 좋아 죽는다며 난리법석이었다.

"빨리 와라. 좋은 말 할 때."

"어허, 강 서방. 손윗사람에게 그 무슨 말버릇인가."

"시끄럽거든."

"어차피 형님이라고 불러야 할 거, 지금 연습이라고 생각하고 한 번 불러 보지 그래? 어허, 자네도 이제 어른일세. 익숙해져야지 않겠나."

산이 애써 분을 참는데, 안에서 들려오는 단오의 목소리.

"형부! 빨리 안 들어오시고 뭐 하세요!"

"아, 단오야. 산이랑 호칭에 대한 이야기를 좀 나누고 있었어."

"호칭? 무슨 호칭이요?"

"네가 나를 형부라 부르는 것처럼, 이제 산도 가족이니 그에 맞는 호칭을 써야 할 것 같아서."

산이 간절한 눈빛으로 단오를 바라보았다.

제발, 단오야.

"당연한 것을요. 형님이라고 부르셔야죠."

시열이 껄껄, 웃음을 터뜨렸다. 잔뜩 약 오른 표정의 산이 안방 문을 열었다.

방 안에 다소곳이 앉아 있던 홍주가 살며시 고개를 들어 올린다. 그녀와 눈이 마주치자, 장난기 가득하던 시열의 표정은 이내 차분해졌다. 그의 등 뒤로 조용히 문이 닫혔다.

"형부랑 언니랑, 행복하겠죠?"

단오가 산을 돌아보며 물었다. 시열 앞에서 내내 불퉁대던 산의 입가에 엷은 미소가 스쳤다.

"꼭 우리만큼, 영원히 행복할 것이다."

"맞아요. 우리만큼. 영원히."

갓 부부가 된 이들의 꽃잠이 그 이름만큼 향기롭고 달콤하기를. 그리고 모두의 바람대로 저들을 닮은 어여쁜 아이들이 태어나 이화원을 누비는 날이 오기를.

"서운하지 않으냐? 모두에게 축하받는 혼인을 올리지 못하게 된 것이……"

"제 선택이었는걸요. 저는 그보다 오라버니께서 주신 선물이 훨씬 마음에 들어요."

시열과 홍주에게 혼례식을 양보한 그들은 이제 새로운 여정을 준비하는 중이었다.

단오가 제 평생을 보내온 이화원을 빙 둘러보았다. 이제 잠시 동안, 작별이었다.

"인사는 모두 마쳤지?"

"간밤에 마쳤지요. 어차피 다시 돌아올 것을요."

"그럼, 우리도 이제 갈까?"

"네. 좋아요."

행복해지러, 꿈을 이루러, 영원히 함께하러.

"가요."

산이 단오의 손을 붙잡았다. 어디선가 꽃향기를 담뿍 머금은 바람이 불었다.

* * *

초입이었던 가을은 그새 완연히 농익었다. 초록빛 잎사귀들은 하나둘 노랗고 붉은 옷을 입었고, 열매들은 달콤한 향내를 뿜어내며 무르익었다.

"형수, 또 단오 생각을 하시는 게요?"

"잘 지내나 걱정이 되어서요."

그사이, 육호는 어엿한 벼슬아치가 되었다. 그는 빙고(氷庫)[15]에 속한 종육품 별제의 관직을 받아 동빙고의 얼음을 관리하는 일을 맡고 있었다.

"문득 그런 생각이 듭니다."

"무슨 생각 말입니까?"

---

15) 얼음 창고.

"세상일이란 참 모르는 것이라는 생각 말입니다……. 영영 방 안에서 나오지 않을 것 같던 홍주는 혼인을 하여 머잖아 어미가 될 것이고, 늘 이화원에 머물 것 같던 단오도 팔도를 구경하러 떠나고……. 게다가 아재께서는 과거에 급제하시어 벼슬을 하시고……."

"그것뿐이겠습니까, 형수. 살다 보면 예상치 못한 온갖 일들이 일어나는 것을요. 당장 우리만 봐도 그렇지 않습니까?"

육호의 말에, 단오의 어머니가 눈을 내리깔았다. 이제는 기억마저 희미한 까마득한 과거의 이야기…….

"지금은 형수라 부르는 사이가 되었지만, 형수도 저를 육호 오라버니라 부르며 따르던 때가 있지 않습니까."

"그때 아재께서는 저를 오순이라 부르며 누이동생처럼 어여삐 여기셨지요."

"그래요. 그랬었지요……."

고즈넉한 이화원의 안뜰. 부드러운 미풍이 분다. 바람결에는 온갖 향기들이 뒤섞여 있었다.

그윽한 꽃 냄새, 바짝 마른 나무 냄새, 싱그러운 풀 냄새 같은 자연의 향취. 그리고 가마솥에서 지어지는 따끈한 밥 냄새와 이화원 어디에나 짙게 배어 있는 묵향, 과거 준비에 한창인 시열의 방에 가득 놓여 있는 서책에서 풍겨 오는 묵은 종이 냄새와 같은 일상의 향기.

마지막으로 또 하나의 향기가 있다. 그것은 이화원의 모든 장소마다 속속들이 배어, 오순과 육호 아재와 홍주와 시열의 걸음을 문득 멈추게 하는 추억의 향이었다. 그 추억을 마주칠 때면 이화원에 남은 이들은 하나같이 산과 단오를 떠올리곤 했다.

그리고 누군가의 마음을 슬쩍 흔들어 놓은 그 바람은 다시금 일렁이며 나아가, 그 추억을 공유하는 또 다른 이의 뺨을 간질인다.

"산, 단오."

강녕전 후원을 산책하던 유하가 문득 중얼거렸다.

이제 제법 익숙해진 궁궐의 향기 틈, 때로 툭 떠오르는 이름.

"잘 지내고 있겠지."

영영 잊지 못할, 그가 몹시 사랑하였던 이름. 분명 그들은 행복할 것이다.

＊ ＊ ＊

"갑자기 어찌 이리 바람이 불지?"

단오가 중얼거렸다.

저만치 달려간 가을. 그러나 남쪽 날씨는 여전히 퍽 따뜻했다. 저 멀리 푸르른 바다가 보이는 언덕 한복판, 무릎을 모으고 오도카니 앉아 있던 단오가 주위를 천천히 둘러보았다.

"대체 어디까지 간 거야…… 으응?"

소금기가 묻은 바닷바람 사이로 풍겨 오는 달콤한 향기. 그 향기가 아스라한 기억을 불러일으켰다.

"오라버니!"

언덕을 올라오는 산을 발견한 단오가 손을 흔들었다. 그는 얕은 오르막 길을 한달음에 달려 단오에게 왔다.

불쑥, 그가 손을 내민다. 아찔한 향기가 밀려들었다.

"이거……"

"참 신기한 일이지. 저기 바다로 내려가는 길목에 잔뜩 피어 있었다."

"바람꽃."

손에 쥐어진 올망졸망한 하얀 꽃송이를 바라보는 단오의 표정이 아련해졌다.

여기서 다시 마주칠 줄은 꿈에도 몰랐는데.

"봄에 피는 꽃 아니었어요?"

"늦봄에 피지. 이런 늦가을에 피어나는 꽃이 아닌데, 어찌 저리 흐드러지게 피었을까……."

산이 희미하게 미소 지었다. 그랬었다. 먼 과거, 낭떠러지에 아등바등 매달려 있는 소녀를 발견했던 순간이 떠오른다. 소녀의 곁에 피어 있던 바람꽃을 보았을 때도 그는 비슷한 생각을 했었던 것 같다.

운명이라는 것 역시 그럴 테지. 예상치 못했던 순간, 운명은 그의 생 어느 길목에 선물 하나를 가져다 놓았다. 그는 그것을 놓치지 않고 꽉 붙들었다.

그리고 그 선물은 여전히 그의 곁에 있었다. 영원히, 그의 곁에 있을 것이었다.

"오라버니."

"으응?"

단오는 여전히 산을 오라버니라 부른다. 서방님이라는 호칭이 아직 쑥스럽다는 것이 이유였으나, 산 역시 오라버니라는 이름이 싫지 않았다. 아마도 그녀의 입술 사이로 흘러나오는 '산 오라버니'라는 말 속에 그들이 함께 나눴던 긴 시간이 녹아 있기 때문일 것이다.

"우리 이제, 어디로 가요?"

"어디로 가길 원해?"

"알면서……."

"모르겠는데."

"또, 또 이런다."

장난스러워지는 산의 표정을 본 단오의 입가에도 미소가 번졌다.

"듣고 싶어서 그래."

"어디든. 오라버니와 함께 가는 곳이라면 어디든 좋아요."

"정말이지?"

"그럼요."

다시 한번, 바람이 분다. 단오의 무릎 위에 놓여 있던 바람꽃 묶음에서 풀썩 달콤한 향기가 피어올랐다.

그윽한 꽃향기에 취한 단오가 스르르 눈을 감았다. 이내 입 안으로 밀려드는 또 다른 향기.

그녀가 사랑하는, 산의 향기.

"가자."

"어디로요?"

"으응……. 집?"

"아이, 그런 거 말고요."

"어디든, 우리 둘만 있을 수 있는 곳."

너의 곁이라면, 어디든 세상에서 가장 아름다우니까.

산의 숨결이 점점 뜨거워졌다. 새파란 하늘이 지붕이 되고, 연둣빛 풀잎들이 바닥이 된 그들만의 세상. 단오의 위로 산의 몸이 포개졌다. 서로를 원하는 입술이 간절하게 맞닿았다.

많은 것들이 뒤섞였다.

꽃향기가, 달콤한 숨결이, 자유로운 세상의 바람이. 그리고 영원토록 지속될 산과 단오의 봄날이.

유하 외전 : 사관 김복동 일지

해종(諧宗) 2년 11월 10일, 대비전 문안을 마치고 나오시던 임금께서 '지긋지긋하다'며 구시렁대시다.

"듣자하니 경연(經筵)[16]을 하루도 거르지 않으신다고요? 그러다 옥체가 상하면 어쩌시려고 그러십니까, 주상."

이른 아침. 문안을 든 임금을 바라보는 대비의 눈은 수심으로 가득했다.

궁궐 바깥에서 살아가던 시절 정유하라고 불리었던 그가 보위에 오른 지 이제 이 년. 대비는 오직 왕의 안위를 걱정하는 것만을 생의 낙으로 여겼다.

"아는 것이 없으니 남들보다 열심히 공부해야 함이 당연하지 않겠습니까. 너무 심려치 마시옵소서, 할마마마. 소자, 공부하는 것이 퍽 즐겁사옵니다."

"학식이 뛰어나 신하들 중 누구도 감히 주상에게 비할 수 없다는 이야기를 들었습니다. 할미의 마음 역시 몹시 자랑스럽습니다만, 제왕께서 어

---

16) 임금과 신하가 유학에 대해 토론하는 일.

찌 서책만 파며 시간을 보내신단 말입니까. 하여…….”

쉽사리 입을 떼지 못하고 망설이는 대비의 모습을 본 유하가 들리지 않게 낮은 한숨을 쉬었다. 대비께서 수백 번 반복된 이야기를 또 꺼내실 모양이었다.

“이제 가례(嘉禮)[17]를 올리셔야지요. 이미 춘추가 스물둘 아니십니까. 어서 중전을 맞아 원자를 보셔야…….”

“할마마마, 소자 즉위한 직후에 말씀드렸지 않습니까. 할마마마께서도 약조를 해 주셨고 말입니다. 어차피 그리 오래 남지 않았사옵니다.”

“주상, 그것은…….”

대비가 말끝을 흐렸다. 즉위식 직후, 어서 중전을 맞이하라는 대비의 성화에 삼 년의 시간을 달라 요청했던 임금. 대비가 연유를 물었으나 임금은 ‘시간이 필요하다.’는 말 말고는 가타부타 언급하지 않았다.

“이리 여인들을 멀리하실지 꿈에도 모르고 한 약속이지 뭐랍니까. 한창 젊은 나이이시니, 삼 년 사이 후궁이라도 몇 두시리라 여겨 허락한 것이지요. 이리 독수공방하실 줄 할미는 꿈에도 몰랐습니다.”

유하는 묵묵부답이었다. 대비가 한숨을 내쉰다.

걱정했던 것과는 달리 임금은 나름의 치세를 이룩해 가고 있었다. 임금께서는 한시도 공부를 게을리하지 않았고, 백성들을 긍휼히 여기는 것으로 명성 높았으며, 두루두루 인재들을 등용하여 국정을 탄탄하게 이끌었다.

하지만 오직 한 가지, 임금에게는 치명적인 단점이 있었으니……. 그것은 그가 여인에게 일말의 관심을 보이지 않는다는 사실이었다. 보다 못한 대비가 미색이 좋다고 소문난 궁녀들을 엄선하여 강녕전에 배치하는 수를 부렸으나 그마저 허사였다.

대령상궁의 언질에 의하면, 임금께서는 여인에게는 눈길조차 주지 않

---

17) 혼인.

는다고 하시던가. 오죽하면 궁녀들 사이에, 왕의 마음은 목석과 같아 여인을 돌처럼 여긴다는 불경한 소리가 떠돌 지경에 이르렀다.

"이 할미가 하다 하다 별생각을 다 한다는 걸 아십니까?"

"무슨 생각을 하시기에요?"

"무수리라도 좋으니 후궁을 하나 두시면 좋겠구나. 승은궁녀가 등장하여 내명부에 파란을 일으키면 어떠할까……. 아주 신선한 여인을 후궁으로 들인다면, 주상의 마음을 얻을 수 있지 않을까……."

유하는 말이 없고, 대비는 고개를 내저었다.

"아아, 긴말이 무어 필요하겠습니까. 주상, 부디 약조를 지키시어 이 할미에게 증손주를 안겨 주세요. 그것만이 할미의 바람입니다."

"예. 그리하겠습니다, 할마마마. 소자는 경연이 있어 이만 물러가 보겠사옵니다."

대비전을 나서며, 유하는 그제야 참았던 한숨을 푹 내쉬었다.

"하……."

삼 년의 여유를 달라 했던 이유는 달리 있지 않았다. 혼인할 마음의 준비가 되지 않았기 때문이었다.

유하는 아직 단오를 잊지 못했다.

잊지 못했다고 다른 마음을 품은 것은 아니다. 그저 사실이 그러했다. 안 잊히는 걸 어찌하겠는가.

단오는 산과 혼인하여 부부가 되었다. 벌써 이 년이 지난 일이지만, 유하에게는 시간이 필요했다. 단오를 마음에 담은 채 왕비를 맞이하는 것이 그는 영 내키지 않았다.

물론 제 마음을 감출 수는 있을 것이다. 그러나 다른 여인을 그리는 자의 부인이 된다는 것은, 누가 될지 모르는 훗날의 중전에게 너무 가혹한 일이 아닌가. 그렇게 시작된 기다림. 그건 단오를 향한 기다림이 아닌, 그녀를 잊기 위한 시간이었다.

그러나 이제 유하는 인정해야만 했다. 삼 년이면 잊히리라는 생각이 틀렸다는 것을. 눈코 뜰 새 없이 바쁜 일과 속에서도 그 시절의 기억은 예고 없이 그에게 엄습하곤 했다.

"하……. 지긋지긋하구나. 그놈의 국혼 타령……."

〈대비전 문안을 마치고 나오시던 임금께서 '지긋지긋하다'며 구시렁대시다.〉

"김복동. 무얼 적고 있느냐?"

"아, 아니옵니다, 전하!"

유하가 대비전에서 나오자마자 졸졸 뒤를 따르던 젊은 관리가 화들짝 놀라 뒷걸음질 쳤다.

사관[18] 김복동.

김복동은 방년 스무 살 청년으로, 올해 임금의 사관으로 승차했다.

그러나 그는 지나치게 일에 대한 의욕이 넘치는 청년이었다. 심지어 임금께서 하루 몇 회 볼일을 보셨다는 자질구레한 기록까지 남길 정도였으니, 유하로서는 몹시 거슬리는 인물이 아닐 수 없었다.

"이리 내봐라."

"아니 되옵니다! 금상께서 사초(史草)를 읽으시는 건 절대 아니 될 일……."

"이리 내보래도!"

유하가 복동의 손에서 일지를 빼앗았다. 제가 구시렁댔다는 구절을 읽은 유하가 미간을 모았다.

"내 그리 말하지 않았느냐. 좀 적당히 하라고. 쓸데없는 건 적지 마라. 구시렁댔다는 부분은 삭제토록 해라."

쭈뼛대며, 복동은 일지를 받아 들었다. 그리고 작은 붓을 놀려 휘릭 빠

18) 임금의 말과 행동을 기록하는 관리.

르게 덧붙여 쓴다.

〈임금께서 '지긋지긋하다'며 구시렁댄 부분을 사초에서 삭제하라 명하시다.〉

"어디 보자……."

장신인 덕에 유하는 키 작은 사관이 쓰고 있는 일지를 위에서 내려다볼 수 있었다.

"하, 내 삭제하라 명하였지, 삭제하라 명하였다고 쓰라고 했느냐! 나 원 참!"

〈임금께서 삭제하라 명한 것을 삭제하지 않았다며 화를 내시다.〉

"아오……. 사관 김복동! 어이쿠."

짜증을 내며 걸어가던 유하가 순간 발을 헛디뎠다. 비틀대던 그가 몹시 민망한 표정으로 경연청을 향해 종종걸음쳤다.

보폭이 넓은 임금의 뒤를 따르느라 거의 뛰다시피 발을 놀리며, 그 와중에도 복동은 일지에 쓰던 내용을 마저 적었다.

〈임금께서 화를 내시며 사관의 이름을 부르시다. 그러다가 발을 헛디뎌 비틀대시다. 얼굴이 시뻘게지시며 사관 같은 건 대체 어느 조상께서 만든 것이냐며 시부렁거리시다.〉

허종 2년 11월 11일, 주강에 드시던 임금께서 사관이 따라 들어오지 못하도록 경연청 문을 잠그라 명하시다.

"전하!"

그러나 굳게 닫힌 경연청의 문 너머에서는 아무런 대답도 들려오지 않았다.

"전하! 저- 언- 하!"

"김복동! 자네 미쳤나? 이 무슨 짓인가?"

경연청 앞을 지나가던 집현전 박사 하나가 복동을 나무랐다. 그는 복동과는 어려서부터 동문수학한 사이였다.

"전하께서 나를 쫓아내셨네. 내 일지를 적어야 한단 말일세!"

"쯧쯧……. 그러게 내 적당히 하라고 늘 조언하지 않았나. 자네는 그게 큰 문젤세. 사람이 융통성이 있어야지, 원."

"사관의 일이 원래 그런 거란 말일세! 서책을 연구하는 것이 자네의 일인 것처럼, 사관은 임금의 모든 일과를 기록하는 사람이라고!"

"기록에도 정도가 있는 법 아닌가! 자네, 전하께서 볼일 보시는 횟수는 물론이고 몰래 하시는 혼잣말과 심지어 수라를 드시고 트림한 소리까지 상세하게 묘사하여 적었다지? 게다가 주상께옵서 활쏘기를 할 적에 단 한 발도 적중시키지 못한 일까지 남김없이 기록했다며?"

"난 할 일을 한 걸세! 그게 사실이니까!"

"됐네, 됐어. 이 사람아. 경연청에서 쫓겨난 게 대순가? 파직당하지 않은 걸 다행으로 알게!"

"나는 내 일에 충실했을 뿐이란 말일세……."

"어휴, 참으로 꽉 막혔구먼! 자네, 나중에 파직되어 귀양다리가 되었을 때 내 충고를 들을 것을, 하고 후회하게 될 줄이나 알게."

집현전 박사가 질렸다는 듯 혀를 차며 떠났다. 그가 떠난 후, 복동은 경연청 앞에 체면 불고하고 쭈그려 앉았다.

종일 종종대며 임금의 뒤를 따라다니는 것은 복동에게도 녹록지 않은 일이었다. 하지만 다리가 아픈 것쯤이야 얼마든 참을 수 있다.

참을 수 없는 것은, 제 의무에 최선을 다하는 그의 마음을 몰라주는 사람들이었다. 더군다나 어진 분이라 존경해 마지않는 하늘 같은 전하마저도 그의 마음을 몰라주시니…….

"정녕 귀양다리가 될 건가."

그가 중얼거렸다. 문득 서글픈 마음이 들어 괜히 코끝이 시큰해진다.

서러움이 복받쳤다. 사관 김복동, 그저 제 일에 충실하려는 것뿐이었는데…….

"거기 앉아 무얼 하고 있느냐."

"저, 전하!"

복동이 황급히 자리에서 일어섰다. 기척도 없이 나타나신 걸 보아하니, 임금께서는 반대편 문을 통해 나오신 모양이었다.

"어서 적어야지 않겠느냐? '임금께서 기척도 없이 나타나 사관을 놀래키시다.'라고 말이다."

"예? 아, 예……."

"나 참……."

주섬주섬 붓을 쥐는 복동을 본 유하가 헛웃음을 지었다. 기껏 제 또래로 보이는 젊은 유생이 저리 꽉 막혔을꼬.

과거 저를 일컬어 '고리타분한 샌님'이라 불렀던 시열에게 김복동을 보여 준다면 어떤 소리를 할지 궁금했다. 생각난 김에, 오랜만에 벗들과의 만남이나 청해 볼까…….

〈 임금께서 기척도 없이 나타나 사관을 놀래키시다. 〉

마지막 자를 쓰던 복동이 멈칫했다. 눈물 한 방울이 일지 위로 똑 떨어진 탓이었다. 당황한 복동이 다급히 눈물을 훔쳐 냈다.

"어찌 우느냐?"

"소, 송구하옵니다, 전하! 사초를 훼손하다니, 송구하옵니다!"

"일지에 물 한 방울 떨어졌다고 세상이 뒤집어지느냐? 그것을 묻는 게 아니다. 무엇이 서러워서 다 큰 사내가 눈물을 보이는지 묻는 것이다."

"그저……. 소인은……."

"말해 보아라. 내 네 마음이 알고 싶구나."

복동이 쭈뼛대며 고개를 들었다. 그가 우물대며 아뢰었다.

"소인은…… 어려서부터 늘 고리타분하여 답답하기 짝이 없다는 소리를 들으며 자랐사옵니다. 늘 서책에 나온 그대로 행동한다 하여 미움도 많이 샀사옵니다."

"그러하냐. 더 말해 보아라."

"사관이 되어 전하를 곁에서 모시게 되었을 때, 제 바람은 하나뿐이었습니다. 전하의 모든 것을 기록으로 남기리라. 세간에서는 전하께서 세자 시절을 거치지 않아 정치에 무지하다며 입방아를 찧지만……. 헙!"

제 말실수를 깨달은 복동이 손으로 입을 가렸다.

"송구하옵니다!"

그러나 유하는 그저 빙긋 웃고 있을 뿐이었다. 계속해 보라는 듯, 유하가 고개를 끄덕였다.

"소인은……. 보란 듯 후대에 남기고 싶사옵니다. 경험이 없는 젊은 임금께서 성군으로 거듭나시는 과정을요. 그것을 길이 남겨 훗날 임금이 될 이들의 귀감이 되기를 바라는 마음이었습니다. 오직 그 뜻으로 전하의 뒤를 따랐사온데, 전하께서는 소인을 그저 귀찮게만 여기셔서……."

복동은 더 이상 말을 잇지 못했다.

고개를 푹 수그린 그를 유하가 내려다보았다. 약관을 넘겼다던 사관은 소년처럼 체격이 작고 왜소했다. 그러나 그 안에 들어 있는 진심만은 정승판서 못지않게 큰 모양이었다.

"그렇구나. 내 참으로 몹쓸 임금이다. 그런 네 마음을 몰라주고 경연청에서 내쫓아 버리다니. 내가 잘못하였다."

"전하! 어찌 그런 말씀을……. 소인 면구스럽사옵니다. 송구하여 몸 둘 바를 모르겠사옵니다."

"아니다. 네 말이 옳다. 너는 그저 네 일에 최선을 다하고 있는 것 아니

냐. 일을 열심히 한다고 나무라다니, 그야말로 내 생각이 짧았다. 앞으로
는 네게 가타부타 참견하지 않을 것이니, 지금처럼 열심히 일하거라."

"전하……."

"뭐 하느냐. 어서 일지를 써야지. 한 자도 남김없이 적어야 직성이 풀리
지 않느냐?"

복동이 감격스러운 표정으로 유하를 바라보았다. 그리고 넙죽 큰절을
올린다.

"전하, 성은이 망극하옵니다!"

절이 끝나자마자, 복동은 다시금 붓을 집어 들었다.

＊ ＊ ＊

헤롱 2년 11월 12일, 임금께서 장원 급제자에게 출신을 물으시다. 등촌의
이회원이라는 객주에서 공부하였다는 말을 들으시곤 임금께서도 그곳에 제
셨다. 말씀하시다.

헤롱 2년 11월 12일, 늦은 밤 주안상을 들이라 명하시다. 홀로 강녕전에서
늦게까지 술을 드시어 만취하시다. 사관이 수심에 잠긴 까닭을 여쭈었으나
웃기만 하실 뿐 대답하지 않으시다.

헤롱 2년 11월 15일, 좌의정 신운호가 임금께 강산과 윤단오라는 외부인의
방문이 있을 것임을 알리다. 임금께서 밤늦도록 주무시지 아니하시고 경회
루에서 달을 보시다. 한참 동안 한숨을 쉬시며 생각에 잠기시다.

＊ ＊ ＊

헤롱 2년 11월 18일, 강산과 윤단오라는 두 남녀가 임금을 알현하다. 임금

께서 사관, 내관, 상궁과 나인들, 겸사복까지 모두를 반 시진 동안 물리시다.
반발하는 사관에게 '명령이 아닌 부탁이다'라고 말씀하시다.

"이 얼마 만이냐. 산, 단오."

"예, 전……."

유하가 예를 차리는 단오의 말을 뎅겅 잘랐다.

"내 미리 말해 두지만, 전하라 부를 생각은 꿈에도 하지 말아라."

"그러다 누가 듣기라도 하면 어떡해요?"

"그래서 모두 밖으로 내보냈지 않으냐. 강녕전 안에 있는 것은 우리 셋뿐이니, 과거처럼 불러도 된다. 아무도 듣지 못한다."

"정말 그래도 되어요?"

"그럼."

"예, 오라버니."

유하의 얼굴에는 환한 웃음이 떠올라 있었다. 그는 찬찬히 산과 단오의 얼굴을 훑어보았다. 이상할 정도로 변한 것이 없다는 생각이 들었다.

산은 예전보다 오히려 체격이 더 좋아진 듯싶었다. 약간 그을렸을 뿐, 얼굴 역시 이 년 전과 조금도 다르지 않았다. 단오 또한 그러했다. 길게 늘어뜨렸던 댕기머리가 사라지고, 혼인한 여인의 상징인 쪽머리를 한 것이 유일하게 달라진 점이었다. 단오의 얼굴은 여전히 소녀처럼 해사하고 맑았다.

"궁궐 생활은 어떠하냐?"

산의 질문에 유하가 빙긋 웃음을 지었다.

"이제야 좀 익숙해지는 것 같다. 과히 좋은 자리는 아니라는 생각도 종종 들고……. 의외로 내 뜻대로 할 수 있는 일이 많지가 않거든. 밤이나 낮이나 궁인이며 사관이 감시관처럼 따라다니고, 처리해야 할 일은 산더미

이며, 공부해야 할 것도 끝이 없고……."

"임금의 입에서 나온 푸념이기에 망정이지, 촌부가 한탄하는 소리나 다름이 없구나."

"하하, 산 너도 그렇게 느끼는 게로구나. 나만의 생각이 아니었어."

산의 눈빛에도 웃음이 머문다. 그가 유하를 바라보았다. 유하의 겉모습은 과거 이화원에서 함께 지내던 모습 그대로인데, 말투나 태도는 한결 여유가 넘쳤다. 저런 것을 일컬어 군주의 풍모라 하는 것일까.

유하와 산의 시선이 서로에게 향했다. 따뜻한 눈빛 사이, 말로 채 하지 못한 안부가 오갔다.

"도성을 떠났다는 이야기를 들었다. 나는 상상이 잘 안 가더구나. 단오네가 이화원을 떠나 살게 되었다는 것이……."

"이화원에는 언니랑 형부가 있으니까요. 아이가 벌써 걸어 다녀요. 형부를 꼭 닮았어요."

"시열이를 닮았다니, 꽤나 속을 썩일 듯한데."

유하는 잠시 그들의 모습을 그려 보았다. 이화원 담장 안에 있을 시열과 홍주, 그리고 시열을 닮은 아이의 모습을. 꽤 아름다울 풍경을 떠올리자 문득 그곳이 그리워졌다.

유하는 즉위식 전, 단오를 만났던 그 밤 이후로 한 번도 이화원을 찾지 않았다. 바쁜 일과 때문만은 아니었다. 되돌릴 수 없는 과거를 사무치게 그리워해 봤자, 고통스러운 것은 자신뿐이라는 사실을 깨달았기 때문이었다.

"너희들은 아직 둘이고?"

"아직……."

부끄러운 질문이었는지, 단오의 볼이 붉어졌다. 흐음, 산이 낮은 소리를 냈다.

"남의 부인에게 별걸 다 묻는다."

"남의 부인이라니. 단오는 내 누이동생이나 다름없고, 또한 내 형제의 부인이 아니냐. 가족으로서 묻는 것이지."

"그런 데에 신경 쓸 여력이 있어? 너야말로 지금껏 독수공방하고 있다면서. 혼인도 하지 않았고, 여인을 전혀 가까이하지 않는다던데."

"그런 얘긴 어디서 들은 거야? 산, 혹시 김복동이라는 사관이랑 친하게 지내나?"

사관의 이름을 올리는 유하의 어조는 영 미심쩍었다.

"그건 또 뭔 소리야?"

"어찌 나에 관해 그리 속속들이 알고 있는 게냐."

"궁궐 생활을 하더니 꽤나 언변이 능글맞아졌구나."

피식, 헛웃음을 짓는 산 대신 단오가 말을 이었다.

"바깥에서 풍문으로 들었지요. 임금께서 독수공방하신다더라, 후궁도 들이지 않으신다더라, 간택령이 내리기만을 기다리는 여식을 둔 대감들 속이 바짝바짝 타고 있다더라……."

"그리 소문이 났느냐?"

"백성들에게는 궁 안 소식만큼 흥미로운 것이 없을 테니까요. 별의별 소문이 다 도는걸요."

"무어라 하는데?"

"뭐……. 오라버니께서 남색을 하신다는 망측한 소문도 있고, 눈이 너무 높아서 웬만한 집 여식의 미색으로는 성이 안 차신다는 이야기도 있고요……."

임금께서 바깥에 살 때 마음에 두었던 정인을 아직 잊지 못한다는 소문도 있었다. 그러나 단오는 그 말만은 차마 입 밖으로 내지 못했다.

"그런 헛소문이 지겨워서라도 내 어서 간택령을 내려야겠다."

유하가 대수롭지 않게 대꾸했다.

권력의 정점. 그러나 모두가 칭송하며 머리를 조아리는 자가 된 대가로 유하는 평범한 사내의 삶을 잃었다.

개인으로서 살아갈 수 없는 것이 임금의 운명이었다. 왕이 된 이상 후손을 낳아서 왕가의 대를 잇는 것 역시 그가 반드시 지켜야 할 의무였다. 곧 대비와 약속한 삼 년이 돌아온다. 혼인은 더 이상 미룰 수 없었다.

그때가 되면 그도 정착이라는 것을 할 수 있을까. 좋은 여인을 만나 마음을 나누고, 자식을 낳고, 묵직한 궁궐의 삶 틈새에서 고요한 행복을 누릴 수 있을까.

저들처럼, 산과 단오처럼.

"오라버니……. 궁궐 생활, 행복하신 거지요?"

"행복? 음……."

조선에서 가장 강한 존재. 그러나 왕이라는 지엄한 이름의 무게만큼 그의 하루하루는 가볍지 않았다.

해가 뜨기도 전에 일어나 종일 경연에 참가하고, 신료들과 국정을 논하고, 끝없이 올라오는 상소를 읽고, 백성들의 삶을 조금이나마 윤택하게 만들 방안을 골몰하다 보면 하루가 화살처럼 지나갔다. 그런 이유로 이 년의 시간이 흐르는 동안, 유하는 행복이란 말을 떠올릴 여유를 갖지 못했다.

그러나 행복하지 않다고 하면 거짓이리라. 학문에 열정적으로 몰두하고, 신료들과 토론을 벌여 조선이라는 국가를 개혁하여 나가며, 궁궐 밖의 무수한 백성들의 삶을 보다 평안하게 만드는 것. 그는 그것에서 행복을 느꼈다.

"행복하다마다."

유하는 불만을 갖지 않았다. 보다 나은 세상을 만드리라는 꿈을 가진 삶. 이 정도면 충분히 행복하였다. 단지 사랑하는 여인의 존재만이 빠져 있을 뿐이었다.

"그리고 나도 장가를 들게 되면, 더욱 행복해지겠지. 너희들처럼."

문득 이 년 전 반야와의 만남이 떠올랐다. 그때 그는 반야에게 그리 말했었다. 오직 하나만 바라보고 있으면, 눈이 먼 것처럼 주변이 보이지 않기 마련이라고.

저 역시 그동안 눈이 멀어 있던 것이 아닐까. 눈이 먼 탓에 제 인연이었던 이들을 보지 못하고 지나친 게 아닐까…….

유하는 불현듯 생각했다. 이제 정녕 때가 온 것 같다고.

"그러실 거예요. 꼭 행복하실 거예요."

단오가 생긋 웃음을 지었다. 유하의 오른손이 저도 모르게 움찔거렸다. 손을 뻗어 그녀의 정수리를 쓰다듬던, 과거 한때가 떠올라서.

밖에서 인기척이 들려왔다. 그사이 반 시진이 훌쩍 지나간 모양이었다.

"우리는 이만 가야겠다."

"그래. 어려워 말고 언제든 또 입궁하도록 해."

산과 단오가 자리에서 일어섰다. 유하도 용상에서 내려와 그들 앞에 섰다.

"오라버니, 갈게요."

단오가 해맑게 웃었다.

"전하."

산의 입에서 튀어나온 말이 낯설어, 유하는 무슨 소리냐는 듯 그를 바라보았다.

"한양 밖 백성들도 왕을 칭송해. 이전보다 훨씬 나은 세상이 되었다고들 말하더군."

산이 희미하게 미소 지었다.

"유하. 내 너의 백성인 것이 자랑스럽다."

그러니 부디 행복하기를.

산과 단오가 강녕전을 나섰다. 단오의 만류에도 불구하고 유하 역시 배웅을 위해 걸음을 옮겼다. 멀어지는 산과 단오의 뒷모습을 바라보는 유하 곁으로, 입이 댓 발만큼 나온 사관 김복동이 따라붙었다.

〈 전하께서 몸소 강녕전 앞까지 나와 퇴궐하는 남녀를 배웅하시다. 전하께서 깊은 한숨을……. 〉

열심히 붓을 놀리던 복동의 손이 멈칫하였다. 툭, 툭. 일지 위로 조그만 빗방울들이 흩뿌려진다. 방금 쓴 글자 위로 거무스레 먹물이 번졌다.

"전하, 비가 옵니다. 이만 안으로……."

그러나 임금께서는 미동하지 않았다. 임금께서 움직이지 않으시니 사관 역시 자리를 뜰 수 없어, 복동은 머뭇대며 일지를 덮었다.

떨어지는 빗방울이 조금씩 굵어졌다. 복동이 조심스레 고개를 들어 올려 임금의 용안을 올려다보았다.

"전……."

복동이 입을 벙긋거렸다. 그가 튀어나오려던 말을 급히 삼켰다.

황급히 뛰어나온 내관 하나가 죽산을 들어 유하의 머리 위를 가렸다. 적색 천으로 덧댄 죽산 탓에 임금의 얼굴엔 붉은 그늘이 졌다.

비가 온다.

임금께서는 여전히 서 계신다.

그리고 복동 역시 임금의 곁을 떠나지 못하고 쏟아지는 빗속에 서 있었다. 복동의 손에 들려 있던 일지는 그새 비에 젖어 축 늘어졌다.

사관 김복동, 입궐한 이래 처음으로 제 일을 게을리하리라 마음먹는다. 이유는 알 수 없지만, 이 순간만은 모른 척 지나가 드리리라…….

툭, 툭. 비인지 물인지 모를 것이 자꾸만 얼굴을 때렸다. 복동은 일지에 쓰려던 내용을 속으로만 되뇌며, 마음속에 고이고이 간직하였다.

〈임금께서 떠나는 여인의 뒷모습을 하염없이 바라보시다. 그 모습이 사무치도록 쓸쓸하여, 사관마저도 마음이 아파 눈물이 나다······.〉

"궁궐 구경을 하니 좋으냐?"

"신기하기도 하고, 낯설기도 해요. 이렇게 으리으리한 곳의 주인이 유하 오라버니라니."

떨어지는 빗줄기는 점점 거세어지고 있었다. 산이 도포를 벗어 단오에게 씌워 주었다. 그가 도포를 벗느라 잠시 몸을 돌린 사이, 멀리 강녕전의 모습이 시야에 스쳤다.

"단오야."

"예, 서방님."

"유하가 배웅을 나왔는데, 너는 어찌 한 번도 뒤를 돌아보지 않아?"

단오가 산을 올려다보며 웃음을 짓는다. 내리는 빗방울이 그녀의 눈썹에 매달려 방울졌다.

"서방님께서 그랬잖아요. 다른 사내에게는 눈길도 주지 말라고. 눈도 마주치지 말고, 웃어 주지도 말라고."

"내 그리 말했었나?"

"벌써 잊었어요?"

"단오야."

"으응? 어찌 그리 자꾸 불러요?"

산이 담담한 표정으로 단오의 어깨를 감쌌다. 그의 손길이 이끄는 대로 단오는 천천히 몸을 돌려 뒤를 바라보았다.

빗줄기에 가려진 저만치, 태양처럼 빛나는 임금의 용포가 보였다.

"이번만큼은 괜찮아. 그러니 웃어 주어라."

"정말로?"

"응. 유하를 보며 웃어 주어라."

세상에서 가장 어여쁘게 웃어 주어라.

단 한 순간도 단오를 향한 마음을 거둔 적 없는 산이지만, 이번만큼은 양보하고 싶다는 생각이 들었다. 한순간만이라도 유하가 완전한 행복을 느낄 수 있도록. 제 것보다 결코 작지 않았을 그의 마음이 부디 위로받을 수 있도록.

단오가 웃으며 유하를 향해 손을 흔들었다. 열여덟 살 단오의 봄날, 그들 모두가 함께였던 시절이 잠시 강녕전 뜰 안에 아로새겨졌다.[19]

---

19) 임금과 사관의 에피소드는 조선왕조실록 태종실록에서 영감을 받아 창작하였음을 밝힙니다.

시열 외전 : 비밀을 품은 밤

"이리 내시오."

"서방님, 전혀 무겁지 않아요."

"이리 내시오. 부인께서 그걸 들면 내 마음이 무거워진다오."

"참, 서방님도……. 제 일인데……."

"내 부인이 되어 준 것만도 고마운 일이거늘……. 아이를 배 속에 넣고 다니느라 그리 고생을 하고, 하루 종일 진통하여 아이를 낳고, 게다가 젖을 먹이고 키우는 것까지 부인 홀로 다 하고 있지 않소. 밥상 하나 드는 게 무슨 일이라고. 이리 주시오."

이화원 부엌 앞에선 때아닌 실랑이가 한창이었다. 결국 포기한 홍주가 순순히 아침 밥상을 시열에게 내어 주었다.

밥상을 든 채 안뜰로 걸어오는 시열을 보던 앳된 선비 하나가 고개를 절레절레 저었다. 그 모습을 보던 육호의 입꼬리가 재밌다는 듯 꿈틀거렸다.

"왜 그런 표정을 짓나, 자네?"

"그, 글쎄요……. 시열 사형께서 부인을 끔찍이 여기는 것은 잘 알고 있지만……. 하시는 말씀을 듣고 있으면 괜히 몸서리가 쳐져서요. 뭐랄까……. 막 손이랑 발이 절로 오그라붙는 것 같고……."

"그런가? 나는 하도 오래 보고 살아서 그런지 아무렇지도 않으면. 전하께서 여기 계실 때도 저런 풍경이랑 별다를 것이 없었거든."

"저, 전하께서요?"

앳된 선비가 궁금증이 가득한 표정으로 육호를 바라보았다.

"전하께서도 여기서 진지를 드시고, 글공부를 하시고, 안뜰을 거닐었다는 것이지요?"

"그렇다마다. 자네가 지금 앉아 있는 그 자리에 똑같은 자세로 앉아 계시곤 했네."

"아이쿠야!"

눈이 휘둥그레진 선비가 벌떡 자리에서 일어섰다. 어마어마하게 귀한 것을 마주치기라도 한 듯, 소맷부리로 제가 앉아 있던 자리를 쓱쓱 정성들여 닦는 품새가 제법 진지했다. 육호가 킬킬 웃음을 터뜨렸다.

"나나 시열이 가끔 전하를 알현한다는 말을 했다간 큰절이라도 올릴 기세구면."

"저, 저, 전하를 알현하신다고요! 세상에……."

"그뿐인가. 전하께서도 시열이와 똑같았다네. 다른 게 있다면 그 시절엔 밥상을 들고 나르는 게 홍주가 아닌 둘째 단오였고, 그 밥상을 빼앗아 들려는 게 주상 전하셨다는 것 정도겠지."

"주, 주상 전하께서도 밥상을 들어 나르셨습니까?"

"그렇고말고. 우리 둘째를 누이동생처럼 어여삐 여기셨다네. 힘쓰는 일은 죄 나서서 도와주시곤 했지. 솔직한 말로, 산과 정분이 나지만 않았다면 아마 단오는 중전마마가 되었을 거야."

아침상을 들고 온 시열이 평상 위에 쿵, 하고 상을 내려놓았다. 드러난 소매 위로 손가락이 없는 오른손이 보인다.

이제 그는 왼손으로 일상을 사는 데 완벽하게 익숙해졌다. 그리고 더 이상 소매를 늘여 오른손을 감추는 짓도 하지 않았다.

"장인어른께서 또 큰일 날 소리를. 딸자식 귀하게 여기는 마음은 알겠습니다만, 어찌 이미 산이랑 혼인하여 잘 사는 단오를 자꾸 전하와 엮고 그러십니까? 산이 들으면 당장 한양까지 튀어 올 겁니다."

"뭐, 말이 그렇다는 거지. 한 귀로 듣고 한 귀로 흘리시게. 물론 우리 작은사위야말로 호인 중의 호인이지. 그러니 단오 같은 미인을 얻은 것이고."

"큰사위는요?"

"큰사위는……. 다 좋은데 너무 팔불출이야."

육호의 대답에 시열이 흥, 코웃음을 쳤다.

"그거야 색시가 너무 아리따워서 정신을 차릴 수가 없으니 그렇지요. 그건 장인어른께서도 마찬가지 아닙니까?"

"뭐, 그, 그거야……."

육호의 얼굴이 순식간에 벌게졌다. 과거에 급제한 이듬해, 육호는 홍주와 단오의 어머니인 오순과 백년가약을 맺었다. 재가하는 경우에 흔히 그렇듯 거창한 혼례를 올리지는 않았지만, 그들은 여느 부부와 다를 바 없이 행복하게 살아가고 있었다.

단오와 홍주에게 육호는 아버지 같은 존재가 아닌, 진짜 아버지가 되었다. 그건 산과 시열에게도 마찬가지였다.

"자네나, 나나 똑같은 이유이겠지. 홍주가 어여뻐 죽겠다면서? 그 미색을 누구에게 물려받았겠나. 허허."

"그렇지요? 하여간에 이화원 여인들은 장모님부터 홍주, 단오……. 인물들이 어쩜 하나같이 고운지. 아들을 낳았기에 다행이지요. 딸을 낳았으면 누가 쳐다볼까 봐 무서워서 밖에 내놓지도 못할 것 같습니다."

"그렇지! 그렇고말고. 원래 딸은 어미의 얼굴을 닮기 마련이거든. 내 이런 말은 안 하려고 했네만 내 안사람도 어려서부터 곱다고 장안에 소문이 자자했지. 그러다 보니 온 동네 사내들이……."

육호와 시열 사이에 껴 있던 앳된 선비가 영 개운치 않은 표정으로 둘을 번갈아 힐끔대었다. 대체 누가 누굴 보고 팔불출이라는 겐지. 그의 눈으로 보기엔 육호나 시열이나 도긴개긴이었다.

"자, 어서 조반들 드시게. 옛날이야기를 하다 보니 그때가 그립구면."

수저를 들던 육호의 눈길이 부엌 앞에 서 있는 홍주에게서 잠시 멈췄다. 홍주는 시열을 보고 있었다.

"으음?"

육호의 표정이 설핏 굳어졌다. 제 서방을 바라보는 홍주의 눈빛이 퍽 낯설었기 때문이었다. 어찌 저리 복잡한 심경을 담은 눈으로 시열을 보는 것일까.

그러나 육호의 시선을 깨달은 듯, 홍주는 황급히 부엌으로 모습을 감췄다. 부부 사이에 작은 다툼이 있었던 모양인가, 생각하며 육호는 이내 그 일을 잊어버렸다.

"으응……."

잠에서 깨어난 홍주가 이불 속에서 몸을 웅크렸다. 실눈을 뜨고 문밖을 보니 아직 까만 밤중이다. 그녀는 다시 눈을 감았다.

이제 이화원은 한 가족이 사는 공간이 되었다. 그렇기에 이화원을 돌보는 데는 별 어려움이 없었지만, 두 돌을 갓 넘긴 아이가 종일 어미를 찾으며 보채었기에 홍주는 부쩍 피로감을 느꼈다.

시열의 품에 안겨 좀 더 자야지. 홍주가 이부자리 옆으로 가만히 손을 뻗었다. 그러나 그녀의 손은 허공을 지나 이불 위로 툭 떨어졌다.

까무룩 잠기던 홍주의 눈이 번쩍 뜨였다. 잠에서 완전히 깬 그녀가 몸을 일으켰다. 뒷간에라도 가신 것일까. 숨을 죽인 채 한참을 기다려 보지만 밖에서는 아무런 기척이 들려오지 않았다.

"아⋯⋯."

홍주의 입에서 한숨이 흘러나왔다. 그녀가 허전한 옆자리를 쓰다듬었다.

떼쓰는 아이를 겨우 달래 재우고, 분명 시열과 함께 잠자리에 들었다. 팔베개를 해 주던 시열은 요즘 부쩍 수척해지는 것 같다며 홍주의 뺨을 부드럽게 토닥였었다. 그리고 얼마나 단잠을 잤을까. 깨어나 보니 그가 사라진 것이다.

게다가 이런 일은 처음이 아니었다. 홍주가 알고 있는 것만 벌써 세 번, 혹은 네 번째. 시열은 몇 번이나 밤에 집을 비웠다.

"대체 무슨 일이기에 말씀도 아니 하시고⋯⋯."

힘없이 중얼거리는데, 밖에서 인기척이 들렸다. 캐묻고 싶은 마음 앞에 갈등하던 홍주는 다시 이불을 뒤집어쓰고 누웠다.

드륵- 문이 열리는 소리. 시열의 것임이 분명한 소리 죽인 발소리, 옷을 갈아입는 소리가 들린다. 어둠 속에서 홍주는 가느다랗게 눈을 떴다. 그사이 평복으로 갈아입은 시열은 옷가지를 반닫이 안에 넣고 홍주의 곁에 누웠다.

그의 팔이 다정스럽게 허리께를 휘감았다. 알 수 없는 두려움에 휘말린 홍주의 기분과는 전혀 딴판으로 시열의 손길은 마냥 다정스럽기만 했다. 그가 홍주의 몸을 부드럽게 끌어안았다.

얼마 지나지 않아 시열은 잠에 빠져들었다. 이내 그의 규칙적인 숨소리가 들려왔다. 그러나 홍주는 불안에 가득 차 좀처럼 잠을 이루지 못했다.

"일어나셨소?"

"예, 서방님."

홍주는 날이 밝을 때쯤에야 겨우 선잠이 들었다. 그녀가 깨어났을 때 밖은 이미 환하게 밝아 있었다.

"늦잠을 잤어요. 물을 길어야 하는데……."

"내 길어다 놓을 테니 잠깐 더 주무시오."

"서방님."

홍주를 다독이며 문밖으로 나가려던 시열이 고개를 돌렸다. 홍주와 눈이 마주친 그가 고개를 갸웃했다.

"무슨 할 말이라도 있소, 부인?"

"아, 아니에요. 고마워서……."

시열이 빙긋 웃었다.

"내 누누이 말하지 않소. 당신이 있어 늘 고마운 건 나라오. 조금 더 주무시고 나오시오."

몸을 돌리던 시열이 다시 홍주를 돌아보았다. 그가 이제야 생각났다는 듯 말을 이었다.

"오늘은 좀 바쁠 것이오. 많이 늦을 듯하니, 보이지 않아도 그러려니 하시오."

"어딜 가시나요?"

"다녀와서 이야기하리다."

시열이 싱긋 웃음을 지었다. 홍주의 어깨를 감싼 그가 그녀를 지그시 끌어당겼다. 그가 홍주의 이마에 부드럽게 입을 맞추었다.

"다녀오겠소, 부인."

시열이 조심스럽게 방문을 닫았다. 이불을 턱 끝까지 끌어 올린 채 눈을 깜빡이던 홍주가 자리에서 일어난 건, 시열이 대문을 나서는 소리가 들린 직후였다.

홍주가 반닫이 뚜껑을 들어 올렸다. 간밤, 밤 외출을 마치고 들어온 시열이 반닫이를 여닫는 소리를 분명히 들었던 그녀였다.

"이게……."

홍주가 떨리는 손으로 반닫이 안에 구겨져 있는 옷가지를 집어 들었다.

새카만 물을 들인 옷. 시열이 이런 옷을 입은 것을 그녀는 꼭 한 번 보았었다. 그 밤, 장태화를 비롯한 수많은 사람들이 죽음을 맞았던 그 밤에.

툭, 옷가지 사이에서 무언가 검은 것이 바닥으로 떨어졌다. 그것이 얼굴을 가리는 복면임을 깨달은 홍주는 그대로 바닥에 주저앉았다. 오소소 소름이 돋았다.

늘 사랑을 속삭이는 사람. 그러나 과거 어느 즈음에도, 그녀는 시열이 어떤 사람인지 꿈에도 몰랐다.

정녕 그는 무슨 일을 벌이고 다니는 것일까. 무엇 때문에 오래도록 잊혔던 저 검정 옷과 복면을 다시 꺼낸 걸까…….

홍주가 흠칫 몸을 떨었다. 그 감정의 원인은 두려움 때문은 아니었다. 그것은 그녀가 사랑하는 사내가 누구인지 여전히 확신할 수 없다는 것에서 기인한 서글픔이었다.

"어무이, 물, 물!"

"우리 무겸이 물이 마시고 싶어?"

"으응, 물!"

꼴깍꼴깍, 아이의 목구멍으로 넘어가는 물소리가 청량했다. 입으로 들어가는 것이 반, 입 밖으로 줄줄 흘린 것이 반. 목이 꽤나 말랐는지 조그만 그릇에 담긴 물을 몽땅 마신 무겸이 홍주의 치맛자락을 붙들고 늘어졌다.

한창 어미를 찾을 시기. 홍주가 무겸을 안아 올렸다.

"아방! 아방!"

"아버지는 오늘 늦으신대, 무겸아."

"히잉……."

시열을 찾는 아이를 품에 안아 어르던 홍주의 눈빛이 아득해졌다.

긴 진통 끝에 태어난 무겸은 이화원의 큰 경사였다. 무겸은 모두의 기쁨이었지만, 홍주보다 오히려 더 기뻐한 사람은 다름 아닌 시열이었다.

육호가 바깥에서 지어 온 여러 이름들이 있었으나, 홍주는 시열이 지나치듯 말했던 '무겸'이라는 이름을 선택했다. 그 이름이 시열의 본명이라는 것은 홍주와 그만이 알고 있는 비밀이었다. 그의 진짜 이름을 알게 된 것을 마지막으로 둘 사이에 비밀이란 없을 줄 알았는데.

대체 그는 밤마다 검은 옷을 입은 채 어딜 다녀오는 걸까. 설마 또다시 검을 들거나 험한 일을 하는 건 아닐까?

시열의 오른손이 온전하지 않다는 사실은 별 위로가 돼 주지 못했다. 시열은 이미 다른 사람들과 다를 바 없이 생활하고 있었기에.

"어무이……. 어무이……."

갑자기 무겸이 울먹거리기 시작했다. 홍주의 뺨을 타고 흐르는 눈물을 보았기 때문이리라.

"아, 아니야. 무겸아, 아무것도 아니야. 우는 거 아니야. 우는 거 아니에요."

그러나 한번 터진 아이의 눈물은 쉬이 그치지 않았다. 홍주의 눈에서 흐르는 눈물 역시 마찬가지였다.

"무겸아, 뚝 하자. 뚝! 그만 울자……."

아이를 품에 끌어안으며, 홍주는 잘근 입술을 깨물었다.

해가 뉘엿뉘엿 멀리 물러갔다. 시열은 돌아오지 않았다. 푸른 저녁이 밀려들고, 무겸이 잠든 이후에도 시열은 오지 않았다. 밤이 우수수 흩어져 날이 희끄무레하게 밝아도 그는 돌아오지 않았다.

돌아오시면 꼭 연유를 물어야지, 더 이상 이렇게 속앓이만 하며 애타하지는 말아야지.

그러나 홍주의 다짐이 무색하게, 부부의 방 안엔 밤새 그녀 혼자뿐이었다.

대문 밖에 서 있던 홍주가 까치발을 들어 멀리 앞을 바라보았다. 그녀는 점심 준비마저 잊은 채 내내 시열을 기다리고 있었다. 밤을 꼬박 새운 그녀의 낯이 까칠했다.

저만치서 걸어오는 시열을 발견한 그녀의 표정이 긴장으로 굳어졌다.

"부인!"

홍주를 발견한 시열이 걸음을 재촉했다. 그는 성큼 그녀의 곁으로 다가왔다.

"나를 기다린 것이오? 늦는다 말하지 않았소. 혹시 장인어른께서……."

"늦는다고 하셨지, 밖에서 주무시고 오신다고 하진 않으셨잖아요!"

저도 모르게 목소리가 커졌다. 말을 이으려던 시열이 눈을 껌뻑였다. 혼인한 이래, 둘은 서로에게 단 한 번도 목소리를 높인 일 없이 지냈기 때문이었다.

"장인어른께 말씀을 전해 달라 했다오. 내 사정이 있어 그런 것이오. 내 안 그래도 당신에게 말을 하려고……."

"서방님, 대체 무슨 일을 하고 다니시는 거예요? 제가 모르리라 여기셨어요?"

"무슨 소리인지……."

"밤마다 자리를 비우시는 것을요. 제가 잠이 들면 몰래 잠자리에서 빠져나가, 새벽녘에야 돌아오시잖아요."

"아……."

시열이 낮게 탄식한다. 모르고 있으리라 여겼거늘.

"알고 계셨소?"

"모를 리가요. 벌써 여러 번 홀로 깨어난 것을요……."

홍주가 내내 참았던 말을 덧붙였다.

"그 검은 의복은 대체 무엇인가요? 설마, 서방님…… 다시……."

"다시?"

그녀의 목소리가 덜덜 떨리고 있음을 깨달은 시열이 홍주의 말을 되뇌었다. 다시.

"다시……. 험한 일을……."

차마 말을 잇지 못하고 떨어지는 눈물. 이내 시열의 표정이 어두워졌다. 그가 홍주의 손을 붙들었다. 그녀의 여린 손마디는 바들바들 떨고 있었다.

"그런 걱정을 하셨던 게요……."

하아. 시열의 입에서 깊은 탄식이 흘러나왔다. 울먹이는 홍주를 바라보는 그의 눈 역시 파르르 떨렸다.

모두 제 업보일 것이다. 애당초 비밀을 만들지 않으면 되었을 것을…….

"말씀해 주세요. 대체 밤마다 무엇을 하고 계신 것인지……. 이대로는 불안하여서 도저히……."

그때였다.

"홍주야, 어이, 큰사위!"

요란하게 소리치며 휘적휘적 걸어오는 육호의 모습에, 시열과 홍주는 한 걸음 서로에게 떨어졌다. 관복 차림인 육호는 무슨 일인지 싱글벙글했다.

"어이쿠, 홍주. 눈물 바람을 하고 있구나! 벌써 소식을 들은 게지? 우리 큰딸내미는 여전히 소녀 같구먼!"

"무슨…… 소식이요?"

눈물을 닦아 내며 홍주가 물었다. 이상할 정도로 잔뜩 들뜬 육호를 바라보는 그녀의 표정에 의문이 서렸다. 그러나 홍주의 질문이 오히려 의외라는 듯, 육호는 눈을 퉁방울만 하게 떴다.

"아직 못 들었느냐? 그런데 어찌 울고 있는 게야? 너무 기뻐서 울고 있는 것 아니었느냐?"

"저, 장인어른, 그것이……."

"시열이 큰 공을 세워 치하품과 함께 벼슬을 받았다는 얘기, 정녕 못 들은 게야?"

눈물이 뚝 멎었다. 무슨 이야기인지 영 모르겠다는 표정으로 홍주는 시열을 올려다보았다. 그러나 시열은 묵묵부답이었다. 못 참겠다는 듯, 육호가 입을 떼었다.

"동빙고에서 얼음이 계속 도난당하는 일이 있었다. 해서, 우리 둘이서 며칠 밤 동안 잠복하여 도둑을 잡았지 뭐냐! 이제 시열이는 별검(別檢) 벼슬을 하게 되었단다!"

"예에?"

홍주의 얼굴이 하얗게 질렸다. 기쁨보다 먼저 밀려온 감정은 당혹감이었다. 그런 줄도 모르고, 시열이 또다시 험한 일에 연루된 것이 아닌가 덜컥 의심부터 했던 것이다.

"그럼, 밤에 자리를 비우신 것도……."

"그렇소."

시열이 담담한 표정으로 고개를 끄덕였다.

"검은 의복도, 복면도……."

"그러하오."

"서방님……."

멀뚱멀뚱 시열과 홍주를 번갈아 보던 육호가 으흠, 헛기침을 했다. 그제야 제가 낄 자리가 아님을 깨달은 육호는 이화원 안으로 쑥 들어가 버렸다.

"서방님……. 저는 그런 줄도 모르고……. 송구합니다."

"아니오, 부인."

시열이 홍주의 손을 토닥거렸다. 오늘따라 유난히 까칠한 그녀의 안색이 마음에 걸렸다.

근래 피로해하는 것이 눈에 보여, 신경을 쓰지 않게 한답시고 말없이 빠져나간 것이 화근이었다. 깊이 잠든 것을 깨우기도 뭐해 조용히 나간 것인데, 홍주는 단단히 오해를 하여 마음고생을 한 듯싶었다.

아픈 과거란, 이렇듯 긴 시간이 지난 후에라도 불쑥불쑥 튀어나와 멀쩡한 삶에 길쭉한 생채기를 내는 법이리라. 그리고 그 과거는 오롯이 그가 지고 갈 몫이었다.

"내가 무심한 탓이오. 진즉 이러이러한 일이 있어 나간다 했으면 아무 일 없었을 것을. 밤이면 밤마다 사라지는 서방이 얼마나 야속했을지……. 내 잘못이오. 부인은 아무 잘못이 없소."

"서방님……."

"이리 오시오, 부인."

시열이 홍주를 품에 안았다. 제 삶을 구원한 여인에게 이리 걱정을 끼치고 돌아다니다니. 벼슬을 하게 된 것은 큰 기쁨이었으나, 그것보단 홍주의 마음을 애타게 했다는 죄책감이 더 컸다.

"용서하시오. 내 생각이 짧았소. 앞으로는 아무리 사소한 일이라도 부인에게 제일 먼저 이야기하리다."

"아니에요, 서방님. 제가 혼자 앞서가서……. 괜한 오해를 하였어요. 그런 줄도 모르고……."

품에 안은 홍주의 등을 가만가만 더듬으며 내려간 시열의 왼손이 그녀의 손을 잡았다. 손에 쥐어지는 묵직한 감촉에, 홍주는 제 손을 들어 올렸다.

"오래도록 한량으로 지내는 서방 때문에 고생이 많았지요? 이제 나도 관직에 들었으니, 그 기념으로 하나 사 왔다오."

"서방님!"

홍주의 눈에서 눈물 한 방울이 똑, 방울져 떨어졌다. 그녀의 손에 쥐어진 새하얀 옥가락지가 말갛게 빛났다.

"다시는 눈물 흘리게 하지 않을 테요. 믿어 달라고 하기 전에, 먼저 믿음을 주어야 하는 것인데 그러지 못해서 미안하오. 오해할 일을 만들지 않도록 하겠소. 용서해 주시겠소, 부인?"

"그럼요. 그럼요."

홍주의 얼굴에 그제야 환한 웃음이 떠올랐다. 시열은 그런 아내의 모습을 보며 가락지를 참 잘 골랐다고 생각했다. 은은한 달빛 같은 백옥. 이보다 더 홍주와 닮은 색이 어디 있겠는가.

"어무이, 아방!"

"어이쿠, 무겸아, 할비랑 무겸이는 눈을 가려야겠다!"

육호의 유쾌한 목소리가 들려왔다.

"안 보여! 안 보여! 어무이, 안 보여!"

"잠깐만 이렇게 우리는 눈을 가리고 있자, 무겸아. 아범이랑 어멈이 또 저리 좋아 죽는구나. 우리는 못 본 척하고 있자!"

"할부이 저리 가! 가! 아방!"

무겸이 제 눈을 가리는 육호의 손을 뿌리치고 쪼르르 달려왔다. 시열이 아들을 품에 번쩍 안아 들었다.

"우리 무겸이, 아버지를 기다렸느냐?"

"네!"

무겸이 제 아비의 품에 볼을 비볐다. 햇살이 따사롭게 가족의 머리를 쓰다듬었다. 그 모습을 바라보던 육호가 슬그머니 웃음을 지었다.

* * *

"전하, 육 별좌 들었사옵니다."

"드시라 하게!"

강녕전. 싱글벙글 웃으며 들어선 육호가 임금에게 큰절을 올린다.

"아재, 표정을 보니 일이 잘 해결된 모양입니다."

"그러하옵니다, 전하. 전하의 뜻대로 잘 처리되었습니다."

"시열은 눈치채지 못하였지요?"

유하의 물음에, 육호가 크게 고개를 주억거렸다.

"여부가 있겠습니까. 도둑놈 흉내를 냈던 동네 한량들이 하마터면 경을 칠 뻔하였지요. 몸이 어찌나 날랜지, 몇 걸음 가지도 못하고 순식간에 목덜미를 잡혔습니다."

"아재, 나중에라도 시열이 눈치채지 못하도록 절대 이 일을 비밀로 해 주세요. 명심하셔야 합니다."

"알겠사옵니다, 전하. 소인 이번 일을 무덤까지 지고 가지요."

유하의 얼굴에 흐뭇한 웃음이 어렸다. 긴 시간, 유하는 시열의 처지가 늘 마음에 걸렸다. 유하는 그에게 목숨을 빚졌다. 그뿐 아니라, 그가 손가락을 잃은 것 역시 제 책임이라고 여겼다.

그러나 시열은 유하 탓이 아니라고 항변하며 조금도 임금의 덕을 보려

하지 않았다. 결국 유하는 육호를 불러들여 상의한 끝에, 나름의 수를 쓰기로 한 것이다.

"홍주 낭자가 무척 기뻐하였겠습니다."

"기뻐하긴 하였는데……. 밤마다 빙고 일 때문에 자리를 비우는 시열을 오해하여 울고불고 둘이 난리법석이 났었지요."

"저런, 그랬습니까? 흠……. 괜히 둘 사이에 오해가 생긴 것이 아닌지……."

"전혀요. 전화위복이라지 않습니까? 오히려 그 일 때문에 금슬이 훨씬 좋아졌습니다. 시열이 녀석이 워낙 팔불출이었는지라……. 요즘은 어디다 눈을 두어야 할지 모르는 일들이 자주 발생하는 것이 문제라면 문제랄까요."

"그러다가 곧 둘째 손주를 보시겠습니다."

장난스러운 유하의 농에, 허허 웃던 육호가 이내 덧붙였다.

"둘째라니요. 셋째겠지요."

"셋째요? 아……."

육호의 말의 의미를 깨달은 유하가 고개를 끄덕였다.

그리하였구나.

"단오에게 태기가 있다 하더이다. 어미가 돌봐 주러 내려가 있습니다. 말이 나온 김에, 감히 여쭤도 되나 싶지만……. 전하께서는요?"

"글쎄요. 뭐, 곧 간택령이 내린다 하니 저 역시 머잖아 소식이 오겠지요. 청을 들어주셔서 감사합니다, 아재."

"별말씀을요. 소인은 그저 기쁜 마음으로 뜻을 받들었나이다, 전하."

육호가 물러가고, 유하 홀로 남은 강녕전. 낮은 등잔불빛이 가만가만 흔들렸다. 그 불빛의 그림자를 바라보던 유하가 희미한 미소를 지었다.

봄. 산의 봄, 시열의 봄.

벗들의 봄이 기꺼운 만큼, 이제 그에게도 봄이 왔으면 한다. 부디 그리하였으면 좋겠다…….

* * *

깊은 밤. 잠에서 설핏 깬 시열이 곤히 잠든 홍주의 얼굴을 바라보았다.

간밤 그들을 휩쓸었던 열기가 채 사라지지 않은 듯했다. 여인의 얼굴을 보고 있는 것만으로도 가슴이 요동치는 느낌이었다. 그가 홍주의 어깨 위에 살며시 입술을 눌렀다. 고단한 잠에 빠진 탓에, 홍주는 깨어나지 않았다.

시열의 시선이 어슴푸레하게 보이는 머리맡에 가 닿았다. 단정히 개켜진 시복. 그것은 내일부터 시열이 입게 될 관복이었다.

"고마워, 유하."

홍주의 몸을 품으로 끌어당기며, 시열이 낮게 중얼거렸다.

어찌 모를 것인가. 육호야 감쪽같이 일을 해냈다며 기뻐하는 모양이지만, 저는 천하의 김시열이었다. 어설프게 으악 소리를 내며 형편없는 속도로 달려가던 도둑-을 연기한 옆 동네 청년들-과, 큰 공을 세웠다 호들갑을 떨던 육호의 태도는 참으로 부자연스럽기 짝이 없었더랬다.

그러나 그 안에는 저를 생각하는 유하의 뜻이 들어 있음이 분명하였으니, 그는 기꺼이 벗의 성의를 받아들이기로 했다.

"서방님."

"나 때문에 깬 것이오?"

빙긋, 시열의 입가에 엷은 웃음이 떠돌았다.

"서방이 또 어디 몰래 도망갈까 걱정되어 깨셨소?"

"에이……."

수줍은 미소가 홍주의 얼굴에 떠올랐다. 그녀의 여린 팔이 시열의 몸을 휘감았다. 시열의 낮은 웃음소리가 고즈넉한 방 안을 깨웠다. 그의 입술이 웃음을 머금은 여인의 입술을 덮었다.

아무런 비밀도 존재하지 않는 밤. 서로의 모든 것을 나누고 쓰다듬는 이들의 입에서 흘러나오는 아득한 행복이 그 밤을 수놓았다.

사랑의 결실이 머지않았다. 시열도 홍주도 깨닫지는 못했지만, 봄이 지나고 여름이 지나 가을이 오면, 그들은 꿈에 그리던 어여쁜 딸의 부모가 될 예정이었다.

산 외전 : 초련

"얘기 들었냐?"

"무슨 얘기?"

개울가에는 사내아이 여럿이 모여 앉아 있었다.

산골 아이들답게 까맣게 그을린 얼굴들 사이로 유난히 말간 낯빛을 한 소년의 얼굴이 눈에 띄었다. 그 아이가 또래 중 대장인 모양으로, 사내아이들은 소년의 얼굴을 보며 고해바치기라도 하듯 조잘거렸다.

"벼락 맞은 나무 근처에 빈집 있지? 거기 사람이 살고 있다더라. 말로는 무슨 양반이라던데, 행색은 찢어지게 가난하여 천민만도 못하다고 아부지가 그러시더라고."

"아, 나도 봤다! 폐가나 다름없던 집에 갑자기 울타리가 생기더니만…… 사람이 사는 거였구나."

"그 집에 귀신 나온다던데. 한양에서 온 양반들이 간도 크지."

소년들이 두런거리는 사이.

"그게 뭐, 대수라고."

살빛이 하얀 소년이 무심하게 대꾸했다. 소년은 해사한 낯빛이 아니더라도 어디서나 눈에 띌 용모를 지녔다.

열 두어 살이나 되었을까. 아직 어린아이인데도 그 눈빛은 제법 날카로워 범상치 않은 데가 있었다.

"그게 아니고, 어린 딸을 데리고 왔다더라고. 그런데 계집애가 많이 아픈가 봐. 아부지가 지나가는 길에 잠깐 봤다는데, 폐병에라도 든 것처럼 종일 콜록콜록 기침을 해 대고 난리가 아니었다나 봐. 몹쓸 병이 옮는다며 절대 그 계집애 곁에 얼씬도 하지 말라 당부를 하시더라고."

"그으래? 하여간에 그 집터는 재수가 없어. 지난번에는 비렁뱅이 패거리가 자리를 잡더니, 이번엔 폐병 걸린 계집애라니……."

"그나저나 너는 어쩔 거야? 집으로 가는 길목에 그 집이 있잖아. 혹시라도 그 계집애 마주치면, 말도 섞지 말고 냅다 뛰어서 집으로 가야겠다."

"그래. 네게 폐병이 옮기라도 하면 큰일이니까."

아이들의 말에, 소년이 자리에서 벌떡 일어섰다.

"그래 봤자 어린 계집애일 텐데, 걔가 뭐, 잡아먹기라도 하냐?"

쌩, 몸을 돌린 소년이 개울을 가로질러 걸어간다. 발목께까지 차오른 개울물이 찰박찰박 튀어 소년의 바짓단에는 점점이 짙은 얼룩이 졌다.

"유하!"

뒤에 남은 사내아이들이 뒤통수에 대고 이름을 불러 보지만, 유하라 불린 소년은 뒤돌아보지 않고 쌩하니 사라져 버렸다.

소년의 이름은 강유하, 나이는 올해 열둘. 말간 낯빛은 어머니를 닮았고, 날카로운 눈매는 아버지를 닮았다.

한양의 중촌에서 이화원이라는 객주를 운영하는 소년의 이모부는 늘 이렇게 말하곤 했다. '아들내미 성질머리가 제 아비랑 똑같다.'고.

* * *

그리고 그런 말을 들을 때마다, 산은 늘 이렇게 대꾸하곤 했다.

"네 아들내미나 신경 쓰지 그래. 어여쁜 여자아이만 보면 정신을 못 차린다며 장모님께서 걱정하시던데. 그건 대체 누굴 닮아서 그럴까?"

"어허, 무슨 소리를. 정신을 못 차릴 리가 있나. 정신이 아주 똑바로 박혔으니, 한눈에 미인을 알아보는 게지. 게다가 무겸이는 아주 의젓하다고. 여인네들을 존중하고 마음을 살필 줄 알지."

산이 피식 웃었다. 시열의 모습은 영락없는 팔불출의 그것이었다.

"어련하시겠냐."

"그런데, 유하는 어찌 이리 안 와? 아……. 아직도 적응이 안 되네. 하필 이름을 유하라고 지을 게 뭐냐? 상감마마 이야기하는 것 같아 깜짝깜짝 놀란다."

"물물교환이라고 해 두지. 이제 유하는 이설이라 불리고 있잖나. 그의 이름도 누군가 불러 줘야 하지 않겠어?"

"그런 깊은 뜻이 있었다니, 꿈에도 몰랐군."

시열의 입가에 옅은 웃음이 맴돌았다. 이름 따위 아무 소용 없다 생각하였으면서도, 그 역시 자신의 아들에게 제 본이름을 지어 주지 않는가.

이제 열네 살이 된 무겸은 그야말로 시열의 축소판이라고 할 법한 능청스러운 한량으로 자라나는 중이었다. 그리고 이제 무겸은 꿈에 그리던 남동생을 가지게 될 것이다.

"자식을 떼 놓을 생각을 하니, 서운하지 않아?"

"서운하지 않다면 거짓말이겠지만……. 유하도 스스로 삶을 발견하도록 길을 마련해 주는 것이 부모의 할 일이겠지."

"역시나 피는 못 속이는갑다. 이런 산골에서 자라났는데도 무관이 되겠다며 한양으로 가겠다는 소리를 하다니……."

"마음 같아선 그저 글이나 읽으며 살았으면 좋겠다고 생각하였는데. 역시 자식이란 게 내 맘대로 되는 것이 아니더군."

"그러게. 우리가 벌써 이런 나이가 되었나."

새삼스러운 눈길을 던지는 시열을 마주 본 산이 씩 웃었다.

세월이 제법 흘렀다. 꼬물대던 아이는 어느덧 제 의지를 천명할 만큼 자라 외가 식구들이 살고 있는 이화원으로 떠날 뜻을 밝혔다. 시열은 물론이거니와 늘 해맑은 소녀 같은 단오도, 그리고 그녀의 곁을 지키며 살아온 산도 나이를 먹었다.

그러나 아름다운 청춘이었다. 긴 시간을 지나왔음에도 아직은 충분히 젊다는 사실이 작은 위안이 되었다.

"유하 이놈은 오늘따라 유난히 더 늦네. 내일 떠날 줄 알고 그러나……."

산이 중얼거린다. 활짝 열린 방문 사이, 탁 트인 산골 마을의 풍경이 시야에 들어왔다. 빽빽하게 자라난 울창한 수풀 사이 오솔길이 보였다.

유하는 결코 뛰는 법이 없었다. 어린 나이임에도 성큼성큼, 제 아비와 똑같은 걸음으로 저 길을 따라 올 터였다. 한데 잠시 동무들과 놀러 나간다던 아이가 어찌 이리 늦는 것인지…….

소년은 아까 벗들이 말했던 낡은 집 앞에서 조금 머뭇거렸다. 폐병이 옮을 거라든가, 그런 말이 두려워서는 아니었다. 유하는 부모를 닮아 겁이 없었다. 그의 걸음을 붙드는 것은 두려움이나 걱정과는 완전히 다른 감정이었다.

사실 유하는 이미 그 소녀와 안면이 있었다. 개울과 집을 왕복할 때마다 반드시 소녀의 집 앞을 지나다녔기 때문이었다.

소녀는 얼굴이 새하얬고 눈이 쏟아질 듯 커다랬다. 그간 몇 번이고 얼굴이 마주쳤으나, 소녀도 유하도 선뜻 알은체를 한 적은 없었다. 그것이 반복되다 보니 알은척을 하는 게 오히려 더 이상스런 상황이 되어, 서로의 존재를 알면서도 데면데면 땅바닥을 보고 지나치는 일이 반복되고 있었다.

유하가 낡은 집을 지나치려던 찰나, 마침 밖으로 나온 작달막한 여자아이가 그의 시선을 붙들었다.

그 집 바로 옆에는 벼락을 맞아 새까맣게 타 버린 소나무와, 용케 살아남은 작은 앵두나무가 한 그루씩 있었다. 소녀는 까치발을 잔뜩 든 채 앵두나무를 향해 손을 뻗는 중이었다.

그리 크지 않은 앵두나무였음에도 소녀의 키가 닿기엔 한참 모자라, 작은 손은 허공을 움켜잡기를 반복했다.

"엄마야!"

갑자기 뒤에서 나타난 기척에 소녀가 기겁하며 뒤로 물러섰다. 그러나 소녀의 얼굴은 본체만체, 유하는 한 움큼 새빨간 앵두를 따 소녀에게 건넸다.

"나 주는 거야?"

"그럼 너 말고 누가 여기 있어?"

소녀가 쭉 내민 유하의 손과 그의 얼굴을 번갈아 쳐다보았다.

"안 가져갈 거면 말고."

"아, 아냐. 아니야."

소녀가 유하의 손 위에 놓인 앵두를 두 손으로 암팡지게 그러모은다. 그 바람에 앵두 몇 개가 짓뭉개졌다. 새콤한 향기가 훅 끼쳐 왔다.

"더 따 줄까?"

"아니. 이거면 충분해."

소녀가 앵두 한 알을 입으로 가져갔다. 오물오물, 입술을 연신 움직이

388

는 그 모습이 퍽 귀여웠다.

몇 살이나 되었을까. 또래로 보였으나 유하보다는 어릴 것이다. 확실히 산골에 어울리는 모습을 한 아이는 아니었다. 얼굴이 유난히도 희었는데, 유하처럼 타고난 흰 피부라기보단 어딘가 병을 앓는 사람처럼 창백한 낯빛이었다.

"그럼……. 이만 간다."

"으엥?"

우물우물 앵두를 씹던 소녀가 이상스런 소리를 내뱉었다. 아무 의미 없는 외마디 소리의 뜻이 마치 어찌 벌써 가냐는 물음으로 들려, 유하는 떼려던 걸음을 다시 붙였다.

"가지 마?"

"너 혹시 귀신이니?"

"뭐?"

황당한 물음에, 유하는 인상을 쓰며 반문했다.

"귀신도 아닌데, 갑자기 나타나서 앵두를 따 주곤 그냥 가 버리는 건 또 뭐람."

"너 좋으라고 따 준 거 아니거든."

"그럼 대체 왜 따 준 건데?"

"하도 거기서 종종거리고 있는 품이 안되어 보여서."

"귀신은 귀신인데, 무척 착한 귀신이구나, 너?"

"대체 누구 보고 귀신이라는 거냐!"

헤헤, 소녀가 갑자기 웃음을 지었다. 빨간 앵두물이 든 조그만 혀가 날름 나왔다 사라졌다. 놀림을 당하는 것 같은 기분이 들어, 유하는 얼굴을 찡그렸다.

"귀신아."

"그렇게 부르지 마!"

"그럼 네 이름이 뭔데?"

"강유하."

잠시 머뭇대던 유하는 다시 소녀에게 되물었다.

"그럼 너는?"

"내 이름은……."

샐쭉, 소녀가 웃음을 짓는다.

"내일 또 올래? 그럼 알려 줄게."

눈을 말똥말똥 뜬 소녀의 말투는 태연하기 짝이 없었다.

"내가 왜 또 내일 와야 하는데?"

"나, 지독한 고뿔이 들었어. 자꾸 기침이 나는데, 아버지가 앵두를 하루 한 줌씩 따 먹으면 쉬이 나을 거라 하셨거든. 그런데 나는 아무리 손을 뻗어도 앵두에 손이 닿질 않는다구. 그러니까, 유하 네가 내일부터 매일 앵두 한 줌씩 따 줄래?"

"내가 왜 그래야 하는데?"

유하가 기막히다는 듯 되물었다. 한양 애들은 하나같이 깍쟁이라더니, 그 말이 헛소문은 아닌 모양이었다. 아버지와 어머니를 졸라대 허락을 받았으니 곧 한양으로 떠나게 될 것인데, 이런 깍쟁이들 틈에서 과연 편안하게 지낼 수나 있을까.

"꼭 그래야 하는 것은 아니지만……. 부탁이야, 내 부탁. 여기는 동무도 하나 없거든. 어머니 아버지도 늘 집을 비우시고. 나는 무척 외로워."

"흠……."

소녀가 물끄러미 유하의 얼굴을 바라본다. 그새 마지막 앵두가 소녀의 입 속으로 사라졌다. 소녀의 조그만 입술 바깥까지 색스런 앵두물이 들었다.

"봐서."

유하가 툭, 내뱉었다. 그리고 그는 마치 소녀 따위 안중에도 없다는 듯 제 가던 길로 걸음을 옮겼다.

"또 와!"

뒤통수로 달겨드는 소녀의 목소리. 오솔길로 접어드는 길목에 늘어선 울창한 수풀 사이로, 청량한 목소리는 오래도록 메아리쳤다.

"내일이요?"

"그래. 이모부께서 시간을 오래 지체하실 수가 없으니, 내일 아침 일찍 출발하도록 해라."

유하가 대답 대신 제 발끝을 내려다본다. 유하는 나이답지 않게 차가운 구석이 있는 아이였지만 이럴 때는 영락없는 어린애였다. 그 모습을 본 단오가 대뜸 유하를 품에 끌어안았다.

"가기 싫으면 안 가도 돼, 우리 아들."

"그런 거 아니에요, 어머니."

"그런 게 아닌데 어찌 그리 표정이 어두우냐? 너무 갑작스럽게 떠나게 되어서?"

"예. 생각했던 것보다 빨라서요."

"이화원은 참 좋은 곳이야. 외할머니와 외할아버지도 계시고, 이모와 이모부도 계시고, 무겸이와 해주도 있지 않니? 아마 주상 전하도 뵈올 수 있을 것이야. 어머니와 아버지도 이화원에서 처음 만났단다. 우리 아들이 이만큼 자라서 그곳으로 간다니까, 왠지 마음이……."

단오의 말끝이 바르르 떨렸다. 혹여 눈물을 보일까 두려워, 단오는 꿀 꺽 마른침을 삼켰다. 그녀는 잠시 아들의 등을 도닥이며 숨을 가다듬었다.

자고로 말은 탐라로 보내고, 사람은 한양으로 보내라던가. 열 살이 넘은 아이를 한양으로 보내는 것은 그리 드문 일이 아니었다. 마음을 단단히 먹어야지. 약한 모습 보이지 말아야지…….

"우리도 종종 들를 것이다. 생각만큼 그리 먼 곳이 아니니, 걱정할 것 없다. 이 아비도 일찌감치 홀로 한양으로 떠났다."

"그래서 단오랑 눈이 맞았지."

곁에 서 있던 시열이 불쑥 끼어들었다.

"혹시 알아? 유하 너도 죽네 사네 하는 여인을 만나게 될지. 한양은 무척 넓은 곳이거든."

"어린애한테 참 좋은 거 가르친다."

산이 시열에게 눈치를 주었다.

"어린애라니. 길어야 두어 해 후에는 관례를 치를 어엿한 도령이라고."

"내일 언제 간다고 하셨죠?"

유하의 질문에, 시열이 빙긋 웃음을 지었다.

"일찍 가야지. 갈 길이 먼 데다, 사실 나도 나랏일이 바빠 지체할 시간이 없거든. 일어나면 조반을 먹고 바로 출발할 생각이다."

"알았습니다."

유하가 몸을 비틀어 단오의 품에서 빠져나왔다. 어미의 입술 사이로 들려오는 아쉬운 한숨 소리를 들은 그가 고개를 들어 올렸다.

"자주 보러 오신다고 하셨잖아요. 걱정 마세요, 어머니, 아버지."

유하의 입가에 평온한 미소가 번졌다. 정말로 아무 걱정 말라는 듯이. 그 모습이 몹시 대견스러워, 평소 아들에게 감정 표현을 잘 하지 않는 산마저 그 등을 툭툭 두드렸다.

짐을 싸야겠다며 유하는 그새 제 방으로 쪼르르 사라졌다.

"와. 쟤는 진짜 무섭도록 너 닮았다."

"좋은 뜻으로 들을게."

"예감이 좋지 않아. 유하랑 이화원에 가면…… 무겸이의 운명이 과연 어떻게 될지 불길한 느낌을 지울 수가 없어…….”

“우리처럼?”

“뭐?”

발끈하는 시열을 보며, 산은 딴청을 하며 웃었다. 고개를 돌리는 그의 눈에 어두운 표정의 단오가 들어왔다. 그가 가만히 단오의 어깨를 도닥였다.

“울지 마라. 유하 갈 때까지는.”

“간 다음엔 울어도 되고요?”

“그럼. 간 다음엔 얼마든지 울어도 되지. 내 앞에서는 실컷 울어도 괜찮아.”

산이 단오의 어깨를 다정스럽게 감쌌다. 자식 하나는 너무 적다고, 한둘은 더 낳아야 한다던 장모님의 말이 떠올랐다. 역시 그 말이 맞았던 걸까.

사실 산은 단오만 있다면 어쨌든 상관없었다. 유하는 사내아이였고, 게다가 무관을 지망했다. 부모 품 안에 안겨 있기보다는, 강하게 자라는 편이 유하에게도 좋았다.

그러나 그건 산의 생각일 뿐. 단오의 얼굴엔 걱정과 슬픔이 가득 배어 있었다.

“부엌에 좀 다녀올게요.”

단오가 종종걸음으로 부엌으로 들어갔다. 그 뒷모습을 바라보던 시열이 툭, 한마디를 던졌다.

“한양으로 돌아와도 되잖아? 굳이 여기 있을 필요가 뭐 있어?”

“봐서. 단오 생각도 좀 들어 보고.”

“뭐 때문에 여기 남아 있는 건데? 이제 유하도 이화원에 있을 터인데.”

“단오도 여기 생활을 좋아해. 요즘 단오는 이곳 여인들에게 글을 가르치거든……. 어쨌든 단오가 원한다면, 당장에라도 올라가긴 해야겠지. 지금까진 내 욕심이었고."

"무슨 욕심?"

산이 시선을 어색하게 돌리며 웃었다.

"단오랑 둘이 산중에 파묻혀 사는 게 좋거든."

"아하. 역시나, 위대한 사랑이야. 그렇지?"

산은 굳이 반박하지 않았다. 그는 당연히 아들을 사랑했다. 하지만 그에게는 세상 어떤 것보다 늘 단오가 우선이었다.

아들에 대한 사랑과 단오에 대한 사랑을 비교할 수는 없었다. 비교가 어렵기에 비교할 수 없는 것이 아니라, 단오에 대한 사랑이 너무나 절대적이었기에 비교가 불가능한 것이었다.

산은 혼인 승낙을 얻을 때 단오의 어머니에게 했던 약조를 충실히 지키며 살아가고 있었다. 오직 단오만을 위해 살아가겠던, 굳은 맹세 그대로.

산 입구에 위치한 마을은 해가 빨리 졌다. 푸른 어스름이 어둑어둑 밀려들고, 집 안엔 부엌에서 흘러나오는 맛있는 냄새가 떠돌기 시작했다.

"울어?"

부엌 아궁이 앞, 불쏘시개로 애꿎은 아궁이를 쑤시던 단오가 고개를 들어 올린다. 그녀가 고개를 가로저었다.

"단오야. 우리도 유하랑 같이 이화원으로 돌아갈까?"

"왜 그런 소리를. 서방님은 여길 좋아하잖아요."

"난 아무 데나 괜찮아. 이곳이 좋은 게 아니다. 네 곁에 있는 것이 좋을 뿐이지……."

단오가 희미하게 웃었다. 산과 부부의 연을 맺은 지 십여 년이 훌쩍 지나갔다. 그 긴 시간 동안 그는 늘 한결같았다.

"조금만 더 있어 보고요. 유하가 못 견디게 그리워지면, 그때 가야지."

어차피 자식이란 언젠가 제 품을 떠나기 마련 아닌가. 문득 유하가 태어나기 전의 시간들이 떠올랐다. 조선팔도를 떠돌며, 눈 속에 온갖 아름다운 풍경들을 담던 시간들이.

유하가 배 속에 자리 잡았음을 깨달았을 때, 단오와 산은 남쪽 끝 바다가 보이는 마을에 머물고 있었다. 그제야 그들은 방랑하는 삶을 끝내고 한양에서 가까운 고즈넉한 산골에 자리를 잡았다.

"바람꽃 구경 갈까요?"

바람꽃이 흐드러지게 피던 바닷가 낭떠러지. 그 기억을 떠올린 단오가 물었다.

산의 얼굴에 평온한 미소가 번졌다. 그의 입술이 단오의 목덜미를 스쳤다. 바람꽃, 이라는 이름 하나만으로도 마음은 참으로 향기로워지고 따스해졌다.

"가자, 어디든지. 네가 원하는 곳이라면, 어디든 가자."

너와 함께라면, 거기가 설령 세상의 끝이라도 갈 수 있을 것 같아.

"괜찮을까 모르겠어요. 그때는 한창 젊을 때였으니 아무리 오래 걸어도 쌩쌩했는데……."

"그때는 청춘이었으니 쉼 없이 종일 걸었지. 이제는 조금 주변을 돌아보며 천천히 걸으면 되지 않겠느냐."

"그럴까요?"

"그렇게 걷다가, 더 나이를 먹으면 좀 더 느릿느릿 걷다가, 그마저 힘에 부칠 만큼 나이를 더 먹으면 가만히 서서 바라만 봐도…… 나는 좋다."

"내가 함께 있으니까?"

고개를 끄덕이는 산의 눈꼬리를 타고 옅은 주름 한 줄이 졌다.

가느다란 선은 아직 눈에 잘 띄지 않았다. 그러나 언젠가 시간이 더 흐르면 그와 단오의 눈가에는 부챗살 모양의 세월이 자리 잡을 것이다. 그리고 그때도 변함없이 그들은 함께 있을 것이었다.

"여전히 그렇게 내가 좋아요?"

"그럼. 네가 열여덟 살이었던 시절보다, 지금이 오히려 더 좋다."

"왜?"

"그때는 갖고 싶어 안달했었지만, 지금은 오직 세상에 하나뿐인 내 것이니까. 내 것일수록 더 소중한 법이다."

단오가 고개를 들어 산의 얼굴을 물끄러미 바라보았다.

그의 얼굴에는 오래전 날카로운 젊은 선비의 모습이 변함없이 남아 있었다. 열여덟 단오보다 지금의 그녀가 더 좋다는 그의 말의 의미를 알 것도 같았다.

사랑은 열여덟, 스물 청춘 시절에 그러하였듯 서른을 훌쩍 넘긴 지금도 그들의 눈을 멀게 한다. 사랑에 눈이 먼 자들은 보지 못했다. 세월이 흘렀고, 상대방의 얼굴에 주름이 보이며, 과거 화려했던 아름다움이 희미해져 간다는 것을.

눈먼 자들은 상대방을 처음 사랑에 빠졌던 모습 그대로 기억하고 있는 것이다. 스무 살 산의 사랑이 서른다섯, 지금도 변함없듯이. 그리고 단오 역시 마찬가지이듯이.

집을 떠나는 날, 유하는 꼭 한 번 뒤를 돌아보았다.

그는 평생 부모 곁을 떠나 본 적이 없었다. 멀찌감치 집이 보이고, 아버지의 품에 안겨 있는 어머니가 보였다. 어머니의 어깨가 가볍게 들썩이는 것을 보니 분명 울고 계시는 모양이었다.

괜찮을 것이라 여겼거늘, 예상치 못하게 무언가가 울컥 치밀어 올랐다. 유하는 입술을 꼭 깨물었다. 이모부 앞에서 우는 꼴을 보이고 싶지 않았다.

"유하야."

"예, 이모부님."

"슬프지 않으냐?"

제 속내를 꿰뚫어 본 듯한 시열의 물음에, 망설이던 유하는 고개를 끄덕였다.

"……슬퍼요."

"그런데 어찌 그리 의연한 것이야?"

"부모님께서 늘 그리 말씀하셨거든요. 제 인생의 주인은 저 자신이라고요. 자식이 장성하여 부모의 곁을 떠나는 것은 당연한 일이고, 또한 과거 준비를 위해 한양으로 가는 것 역시 당연한 일이니까요. 슬프다 하여 계속 부모님 곁에만 있는다면, 제 꿈을 이룰 수 없을 테니까……."

"산만 닮은 게 아니네. 그 와중에 이상하게 반듯한 것이 유하를 닮았네그려……."

"누구요?"

"전하 말이다. 네 이름을 전하의 속명(俗名)에서 따 왔음을 알고 있지 않느냐. 그건 그렇고, 네 꿈이 정녕 무엇이기에 그러느냐?"

유하는 아이답지 않게 진지한 표정으로 미간을 모았다.

"훌륭한 무관이 되는 것이지만, 그것은 지금의 뜻일 뿐입니다. 나이를 더 먹으면 생각이 달라질 수도 있겠지요."

"말하는 것이 애늙은이 같은 게, 피는 못 속이는구먼. 그래, 한양에 가서 마음껏 보고, 마음껏 즐기고, 마음껏 하고 싶은 걸 해 보아라. 도와줄 수 있는 데까지 이 이모부가 힘을 보태 주겠다."

"감읍합니다, 이모부님."

유하와 시열이 이야기를 나누는 새, 오솔길을 뒤덮고 있던 무성한 수풀들이 점점 성기어졌다. 아직 산기슭을 뒤덮은 안개가 채 걷히지 않은 시간이었다. 초록 잎사귀로 이루어진 천장 틈으로 쏟아지는 햇살이 그들의 발치에 아롱거렸다.

"유하?"

저 혼자 걸어가고 있음을 깨달은 시열이 뒤를 돌아보았다. 몇 걸음 뒤, 유하는 묘한 표정을 지은 채 멈춰 서 있었다.

유하의 시선이 머무른 쪽을 향해 눈을 돌린 시열이 고개를 갸웃했다.

보이는 거라고는 다 쓰러져 가는 집 한 채와 벼락 맞은 소나무 한 그루, 그리고 그런 풍경과는 어울리지 않게 송알송알 빨간 열매가 매달린 앵두나무 하나뿐.

"이러다 늦겠……."

시열이 말끝을 흐렸다.

삐걱대는 소리를 내며 열린 낡은 집의 방문. 거기서 걸어 나오는 창백한 소녀 하나. 콜록콜록, 조그만 몸뚱이에 걸맞지 않게 한참 기침을 뱉던 소녀가 쪼르르 안뜰로 걸어 나왔다.

"유하야!"

소녀가 스스럼없이 유하의 이름을 부른다. 그 목소리를 들을 때 괜스레 기분이 묘하여, 유하는 저도 모르게 인상을 썼다.

몹시도 이상한 일이었다. 그동안 그저 오가는 길목에서 자꾸 마주치는 성가신 아이 같은 느낌이었는데, 소녀의 입에서 제 이름이 나오는 순간 퍽 오랜 시간을 알았던 듯한 느낌이 드는 것이. 머뭇대던 유하가 시열을 바라보았다.

"이모부님, 저 잠시만……."

"그래, 내 천천히 걷고 있을 테니 따라오거라."

"예."

시열이 부채질을 하며 유하와 소녀의 앞을 지나쳐 갔다. 갈 길이 멀다는 걱정이 든 것도 잠시, 힐끔 뒤를 돌아본 그의 입가에 잔잔한 미소가 번졌다.

눈에 들어오는 풍경이 퍽 아름답지 않은가. 쨍한 초록빛 녹음 가운데 주저앉아 있는 집 한 채와 꽤나 괴이해 보이는 검게 탄 고목, 그리고 알알이 박힌 소담스런 앵두의 빨간 빛깔만큼이나 생동하는 해사한 얼굴의 소년소녀.

그는 열두 살 소년에게 시간을 주기로 했다.

"안 올 것처럼 말하더니, 이렇게나 일찍 왔어?"

소녀가 새초롬한 질문을 던지지만 유하는 대답하지 않았다. 그가 팔을 쭉 뻗었다. 또래보다 유난히 큰 키 너머, 가지마다 잔뜩 매달린 유월의 앵두를 뚝뚝 따는 그의 손놀림이 분주했다.

"한 줌만 따면 되는데……."

묵묵히 앵두를 따고 있는 유하의 뒤통수에 대고 소녀가 조그맣게 중얼거렸다.

유하는 오른손으로 딴 앵두를 제 왼손바닥 위에 올려놓았다. 점점 소복한 빨간 능선이 높아져 간다. 손아귀 가득 붉은 열매의 산이 만들어진 후에야 그는 앵두나무에서 몸을 돌려 소녀를 바라보았다.

"손 이리 내."

"너무 많은데……."

"그럼, 버린다?"

"누가 버리래?"

눈을 깜빡이던 소녀가 두 손을 공손히 내밀었다. 그 손바닥 위로 쏟아지는 반지르르한 열매들. 새콤한 과즙향이 주위를 떠돌았다. 새하얀 손바닥을 빨갛게 물들이는 앵두알들 위, 가지에서 따낼 때 딸려 온 초록 잎사귀 하나가 오도카니 팔랑거렸다.

"너…… 어디, 가?"

양손이 앵두로 가득 차 있어, 소녀는 손짓 대신 턱을 까딱여 바닥에 놓인 유하의 짐을 가리켰다. 유하가 고개를 끄덕였다.

"어디로 가?"

"한양."

"한양 어디? 나 태어나서 쭉 한양에 살았는데……."

"중촌."

"난 중촌 바로 옆 남촌에 살았었어."

대답 대신 유하는 바닥에 내려놓았던 짐 보따리를 손에 들었다.

기껏 며칠 얼굴을 본 것이 전부, 말을 섞은 지 꼭 하루밖에 되지 않은 소녀. 소녀의 집 앞을 지나치는 게 마음에 걸렸던 건 무엇 때문이었을까.

그가 무심히 팔을 뻗어 앵두나무 열매 몇 개를 더 따냈다. 투둑, 작은 가지에서 열매가 떨어지는 소리.

"그 앵두, 열 줌은 될 게다."

"뭣 하러 이렇게 많이 따냐?"

"날이 덥잖아. 저대로 두면 다 물러 터져 버린다고."

유하는 잠시 머뭇거렸다. 그는 손에 쥐고 있던 몇 알의 앵두를 마저 소녀의 손 위에 올려놓았다.

"하루에 한 줌씩 먹어."

"열 밤 지나고 나면 오는 거야?"

"아니. 안 와."

"안 온다고?"

소녀가 미간을 찌푸린다. 그러나 유하는 그저 멀뚱히 바라볼 뿐.

"과거 공부하러 간다. 가끔 오긴 하겠지만, 자주는 안 와."

"다음엔 언제 오는데?"

"글쎄. 일 년?"

"헤에……."

소녀의 입술 끝이 꿈틀거렸다. 무언가 마음에 들지 않는다는 듯한 표정. 그러나 달리 아쉬움이나 서운함이라고 할 수도 없는 표정.

하긴. 그럴 리가 없지 않은가. 얼마나 친한 사이였다고. 여전히 유하는 소녀의 이름조차 몰랐다.

"간다."

결심했다는 듯, 유하는 걸음을 떼었다. 소녀가 어쩔 줄 모르겠다는 표정으로 앵두가 소복이 쌓인 제 손과 유하의 얼굴을 번갈아 바라보았다.

주변의 무성한 초록을 뚫고, 아침 해는 그새 슬금슬금 머리 위까지 올라왔다.

"앵두!"

"뭐?"

"앵두."

"넌 욕심도 많다."

손에 잔뜩 들고 있는 것으로는 부족한 건가. 앵두를 더 따 달라는 소리인가 싶어 유하는 다시 앵두나무를 향해 걸어갔다.

"아니, 그게 내 이름이야. 오앵두."

"아."

유하가 걸음을 멈췄다. 그가 흘낏 소녀의 얼굴을 보았다.

백지장처럼 새하얀 얼굴 가운데 앙다문 조그만 입술. 어제는 앵두물이 들어 그런가 보다 했는데, 가만 보니 원래부터 입술 빛이 붉은가 싶었다.

"잘 가."

소녀가 조그맣게 중얼거렸다.

"이렇게 양손에 가득 쥐여 주고 가면 어떡해? 대체 어떻게 먹으라고."

두 손 위에 잔뜩 올려진 앵두를 바라보던 소녀가 입술을 비죽 내밀었다.

"흐음……."

갑자기 유하가 불쑥 손을 내밀었다. 여전히 허공에 내밀어진 소녀의 손. 유하가 그 손 위에 놓인 앵두 한 알을 집어 들었다.

소녀의 눈이 휘둥그레졌다. 제 입술 바로 앞에 와 있는 유하의 엄지와 검지 사이에 끼어 있는 앵두알이 유난히도 쨍하니 빨갛다. 어서 받아먹으라는 듯, 유하가 고개를 끄덕였다.

망설이던 소녀의 입술이 천천히 벌어졌다. 앵두알이 또르르 굴러 소녀의 입 안으로 들어갔다. 순간 유하의 손가락 끝이 도톰한 아랫입술에 닿았다. 그저 살짝 스친 것일 뿐인데, 흠칫 놀란 유하는 뒤로 한 걸음 물러섰다.

"유하. 잘 가."

소녀와 눈이 마주쳤다. 무언가 할 말이 있는 것 같기도, 혹은 아닌 것 같기도 하여 유하는 잠시 머뭇거렸다.

그러나 가야 할 길. 이미 작년부터 한양에 가 무관이 되겠다며, 아버지에게 조르고 조른 끝에 찾아온 기회.

"고뿔이나 빨리 나아."

유하가 소녀의 곁을 지나쳐 걸음을 옮겼다. 소년답지 않은 큰 보폭으로 성큼성큼 멀어지는 유하의 뒷모습을 소녀는 멀거니 바라보고 있었다.

불그스레한 참흙이 깔린 길을 따라 유하의 하얀 옷자락이 점점 멀어졌다. 길가에 늘어선 초록 풀숲들이 바람에 유유히 일렁였다. 조그매져 가는 유하의 머리 위로 새파란 하늘이 드높았다.

털썩, 소녀는 툇마루에 걸터앉았다. 두 손에 그득 차 있던 앵두를 치마폭 위에 우르르 쏟아 낸다. 그 바람에 바닥으로 떨어진 앵두 두 알이 데굴데굴 마당을 가로질러 굴러갔다.

사립문 밖으로 통통 튀어 나갈 것 같던 앵두알이 문밖을 벗어나지 못하고 마당 끝에 오도카니 멈춰 섰다.

"에이, 셔."

앵두를 입에 넣은 소녀가 미간을 찌푸렸다.

시다. 너무 시어서 눈물이 쏙 빠질 것만 같아.

"늦어서 송구합니다, 이모부님."

"아니다. 오래 기다리지 않았어. 바람도 좋고, 공기도 좋고……. 오늘 날씨가 참 맑구나."

천천히 부채질을 하며 시열은 걸음을 옮겼다. 유하 역시 그를 따라 걸었다.

"거기 있던 아이는 누구냐?"

"그냥 아는 애예요."

"동무인가 보구나. 헤어지려니 아쉬웠던 게로군."

"아쉽긴요……. 이름도 오늘 처음 알았는데요."

시열이 힐끔 유하를 곁눈질했다. 부모를 떠날 적에도 크게 동요를 보이지 않던, 애늙은이 같았던 소년. 여기까지 와서야 조금 힘이 빠진 것은, 먼 길을 떠난다는 깨달음이 뒤늦게야 찾아온 탓일까.

"유월이 되니 기다렸다는 듯이 앵두가 익어 가는구나. 저길 봐라. 앵두가 지천이라 나무들이 새빨갛게 물이 들었다."

시열이 팔을 뻗어 저만치 앞을 가리켰다. 옹기종기 모여 있는 키 작은 앵두나무 군락. 그 풍경을 바라보던 유하는 소년답지 않게 낮은 한숨을 쉬었다.

매일같이 동무들과 근방을 쏘다녔으면서, 그사이 앵두가 저렇게 붉게 익었음을 어찌 몰랐을까.

"이모부님."

"오냐. 왜?"

"한양에도 앵두나무가 있어요?"

"있다마다. 이화원 안뜰에도 두 그루나 있어. 열매가 유난히 달다며, 네 어미가 애지중지하던 것이지."

"아."

무슨 말인가를 더 꺼내려던 시열이 입을 다물었다. 평범한 열둘 소년이라기엔 지나치게 생각이 많아 보이는 유하의 표정에, 시열은 피식 웃음을 지었다. 아무래도 소년의 마음에 부는 풋풋한 바람이 제법 거센 모양이었다.

"가자, 유하야. 한양에서 너를 기다리는 것이 많을 것이다. 이화원도, 식구들도, 또 새로운 벗과 배울 것들도."

그리고 이화원 담장 아래, 발갛게 익은 앵두나무도.

"예. 이모부님."

소년의 걸음이 빨라졌다. 한 걸음 한 걸음. 흙길 위에 소년치곤 제법 큰 발자국이 찍혔다. 그가 나고 자란 산골 마을에서의 평온하던 기억들이 그 발자국 위에 오롯이 남았다.

개울물에 발 담그기를 좋아하던 열두 살 소년의 시절은 뒤에 남겨진다. 헛헛한 마음을 애써 달래고 있을 그의 부모와, 갑자기 사라진 대장의 존재가 아쉬운 마을 동무들과, 치마폭 가득한 앵두를 한 알 한 알 오도독 씹어 삼키는 소녀의 기억 속에 열두 살 풋풋한 모습을 그대로 남긴 채.

"앞을 똑바로 봐야지. 그래야 다가오는 것들이 잘 보이는 법이다."

시열의 말에 유하는 고개를 끄덕였다. 발갛게 앵두물이 든 제 손끝을 내려다보던 그가 고개를 꼿꼿이 들었다.

언젠가 다시 앵두가 익어 가는 철이 돌아오면, 한 번쯤 뒤돌아보게 될까?

그러나 그건 어차피 다가올 훗날의 일. 손끝에 와 닿았던 것이 인연인지, 혹은 스쳐 지나갈 열두 살 유월의 기억일 뿐인지 역시 시간이 흐르면 알게 되리라.

* * *

저물어 가는 저녁. 산등성이를 타고 불어오는 바람이 서늘했다.

툇마루에 앉아 시열이 가져다준 패설(稗說)을 읽던 단오가 집 앞에 나 있는 오솔길을 눈에 담았다. 아랫마을에 다녀온다던 산이 오늘따라 늦었다.

유하가 한양으로 떠난 지도 이제 열흘이 넘게 지났다.

오솔길 사이로 우거진 풀숲을 가만히 바라보고 있자니, 그 풍경과 함께 자라난 아이의 모습이 눈앞에 어른어른했다. 늦게까지 동네 아이들을 몰고 돌아다니다가 저녁이 되면 저 오솔길을 성큼성큼 걸어오던 아들의 모습이 그리웠다.

"잘 지내고 있을 테지."

어머니, 그리고 이제 아버지라 부르는 육호, 홍주와 시열과 그들의 아이들……. 달랑 세 식구가 소박한 삶을 일구는 산골 마을보다 훨씬 복작대고 시끌벅적하며 풍요로울 것이 분명한 이화원.

유하는 놀라우리만큼 산을 쏙 빼다 박은 아들이었다. 유하는 분명 그곳에서도 잘 해낼 것이다. 무엇보다, 이화원 담장 안에 속해 있는 '유하'라는 이름 자체가 참으로 잘 어울리지 않는가.

뉘엿뉘엿 해가 저물어 어둑해지는 길목, 훤칠한 사내의 그림자가 수풀을 뚫고 나타났다. 단오가 자리에서 일어나 안뜰을 가로질렀다.

"그게 다 뭐예요?"

허공에 들려 있는 산의 왼손을 바라보며 그녀가 고개를 갸웃하였다. 그런 단오의 입 속으로 산이 빨간 열매 하나를 쏙 넣어 주었다.

"앵두네요. 오다가 따 왔어요?"

"아니. 저기 벼락 맞은 나무 옆에 사는 아이가 먹으라고 주던데?"

"아이요?"

"유하 또래 여자아이던데……. 대뜸 나보고 이 집에 사냐며 묻더군. 유하를 아냐고 하기에, 내가 그 아비라 했더니 이걸 주었어."

"유하의 동무인가?"

"그렇겠지. 여기서 아이들이 모여 글공부를 하니, 시간 나면 들르라고 했어."

"잘하셨어요. 그런데……."

갑자기 단오의 표정이 장난스러워졌다.

"우리 아들이 벌써 정인이 생긴 것일까요?"

"정인?"

피식, 산이 헛웃음을 지었다. 돌이켜 보니 해사한 얼굴에 예쁘장한 용모를 가진 아이였다. 단오가 짓궂은 미소를 지으며 말을 이었다.

"그 아비에 그 아들 아니랄까 봐. 아비는 평생 바람꽃을 찾아다니고, 그 아들은 앵두가 익을 때마다 길목에 살던 여자애를 떠올리게 되는 건가?"

"그렇다면 더할 나위 없이 좋은 일이지."

산이 다정스러운 손길로 단오의 볼을 쓰다듬었다.

"그 바람꽃 한 송이 덕에 나는 세상에서 가장 행복한 사내가 되었으니까."

단오가 말간 웃음을 지었다. 그녀의 눈빛이 아득해진다.

바쁜 삶은 아니었다. 윤단오의 인생에서 가장 숨 가쁘게 흘러갔던 시절이 지난 이후, 그녀의 삶은 지극히 평온해졌다. 산의 품 안에서.

"먼 과거의 일인데, 마치 어제 일처럼 생생해요."

"이화원 시절이?"

"으응."

단오가 고개를 끄덕였다. 사납게 몰아치는 폭풍우와 같았던 그날들. 이화원 풍경이 떠올랐다.

산, 유하, 시열.

이화원 담장을 넘어 조선을 발칵 뒤집어 놓았던 그들. '꽃선비'라 불리던 세 선비의 모습.

그리고 그들을 진정코 사랑해 마지않았던, 열여덟 아리따운 소녀 단오의 기억이.

"내게 단오 너는 영원히 그때 그대로야."

"열여덟, 이화원 주인의 모습이요?"

"그래, 이화원의 꽃. 그게 내 눈에 보이는 네 모습이다."

뺨을 타고 내려와 입술을 덮는 산의 숨결. 사랑으로 충만한 입맞춤 속에 입술이, 몸이, 마음이 점점 뜨거워진다.

그 달콤한 결합은 그들이 처음 사랑에 빠졌던 그 시절의 기억을 불러냈다. 처음으로 누군가를 마음에 담고, 그로 인해 설레어하고, 밤잠을 설치고, 그와 스쳐 지나갈 때마다 두근두근 심장이 요동치던 기억.

산과 단오의 파란만장했던 첫사랑. 그 기억이 긴 세월을 거슬러 산속 작은 보금자리로 찾아왔다.

"단오야."

"으응?"

"우리, 유하에게 동생 하나 만들어 줄까?"

여전히 소녀 같은 단오의 웃음소리가 들렸다. 그 웃음을 타고 그들의 아름다운 청춘이 몽글몽글 되살아났다.

열여덟. 이화원의 꽃이라는 이름으로 불리던 단오. 그리고 그 시절의 찬란한 선비로 기억될 산, 유하, 시열.

그들 중 누구도 운명 앞에 굴복하지 않았다. 그들이 치열하게 쟁취한 삶 속에서, 청춘은 영원히 지속될 것이다.

그들의 이야기는 아직 끝나지 않았다.

특별 외전 : 나의 푸른 봄인 너에게, 유하가

"검은 머리 짐승을 십 년이 넘도록 거두어 길렀거늘, 참으로 공이 없구나."

사랑방 안에서 뜰을 내다보던 사내가 쏘아붙였다.

"하고 많은 날 중에 하필 오늘 떠난다고? 아버님의 삼년상을 치르자마자 출가하겠다는 서출이라니. 이러니 다들 서자를 자식 취급할 필요가 없다고 하는 것이다."

사내의 말투에는 경멸과 무시가 뚝뚝 묻어나왔다. 그가 한 식경 내내 모진 말을 퍼붓는 대상은 사랑 앞뜰에 말없이 서 있는 젊은 선비였다.

큰 키에 상투를 틀고 도포를 갖춰 입은 덕에 얼핏 성인처럼 보이지만, 자세히 보면 체격만 클 뿐 얼굴은 앳된 선비. 사내는 그 선비를 향해 도끼눈을 흘기며 일갈했다.

"유하 네 이놈! 벙어리냐? 돌아가신 아버님께서 유산을 남겨 주시니 살 판이 났지? 그 돈으로 파락호 노릇이라도 해 볼 모양인데, 내 분명히 말할 테니 들어라. 그 돈을 까먹고 돌아온들, 네게는 쌀 한 톨 엽전 한 푼 주지 않을 테니 그리 알아!"

유하는 여전히 묵묵했다. 무슨 말을 하든, 말을 하지 않든 간에 돌아오는 건 멸시뿐이라는 걸 잘 알고 있었기 때문이었다.

"못 배워 먹은 놈 같으니……. 고작 열일곱 살밖에 안 먹은 놈이, 관례를 치렀다고 뭐라도 된 줄 아는 게지!"

제 화를 못 이긴 사내가 퉤, 유하의 발치를 향해 침을 뱉었다. 쾅! 유하를 노려보던 사내가 사랑방 문을 닫았다.

유하에게 악담을 퍼붓는 사내. 그는 유하의 부친이기도 한 정헌 대감의 본부인이 낳은 장자로, 유하에게는 이복형이 되는 사람이다. 형제라고는 하나 그들은 거의 부자 사이라고 해도 좋을 만큼 나이 차가 났다.

대쪽 같은 청렴한 선비로 이름 높았던 정헌 대감이 늘그막에 바깥에서 낳아 온 서자. 그것이 올해 열일곱 살이 된 정유하의 신분이었다.

정헌 대감은 삼 년 전 갑작스럽게 세상을 떠났다. 그로써 유하에게는 이 집에서 미약한 정이나마 붙일 수 있던 유일한 사람이 사라졌다.

어제 정헌 대감의 삼년상이 끝났고, 상복을 벗자마자 유하는 오랜 결심을 실행에 옮기기로 했다. 바로 집을 떠나는 일이었다.

사랑방 문이 닫힌 직후, 노년의 여인이 마당에 모습을 드러냈다. 생기 없이 무표정한 얼굴, 기름한 눈매가 세월에 닳은 듯 차갑다. 그녀는 정헌 대감의 조강지처 박 씨였다.

"집을 떠나겠다고?"

"예."

"지금?"

"예. 마님."

부친인 정헌 대감께서 살아 계실 때는, 서자인 유하 역시 박 씨 여인을 '어머니'라고 불렀다. 그러나 이제 정헌 대감은 없다. 정실 자식들은 부친의 오점이 된 서자를 죽일 듯 경멸했다. 무심코 '어머니'라는 호칭을 사용했다가 이복형제들에게 뺨을 십 수 대나 맞은 이후, 유하는 그녀를 '마님'이라고 부르게 되었다.

유하를 바라보는 박 씨는 묘한 표정이었다. 그녀는 유하가 집을 떠난다는 사실에 서운함을 내비치지도, 분노하지도 않았다.

유하는 그렇게 생각했다. '마님께서 짐을 덜어 홀가분한 모양이다'라고. 실제로 그녀는 안도한 듯한 얼굴을 하고 있었다.

"갈 데는 정해졌느냐?"

"아직입니다. 적당한 객주를 구하여 거기 머물며 과거 공부에 집중하려 합니다."

"떠나는 건 네 자유다. 하지만, 이것만은 명심해라. 본가와 소식이 끊겨선 안 된다. 반드시 어디 머무는지 전하여라. 알겠느냐?"

"예. 명심하겠습니다."

본가에서 유하가 받는 대접을 생각하면, 소식을 알려 달라는 당부는 진심처럼 들리지 않았다. 그러나 유하는 언제나 그렇듯 군말 없이 수긍했다.

"마님. 하직 인사 올리겠습니다."

"됐다."

박 씨는 마지막 인사를 올리겠다는 유하의 말을 단칼에 거절했다. 이내 그녀는 안채를 향해 사라졌다.

뒤에 혼자 남은 유하가 얕은 한숨을 내쉬었다. 다섯 살에 이 집에 온 이후, 유하는 이곳에서 도합 십 이 년을 살았다.

결코 짧다고 할 수 없는 세월. 그러나 그 시간이 무색하게도, 누구 하나 유하와의 작별을 아쉬워하지 않았다.

"소자 이만 가 보겠습니다."

닫힌 문. 혹은 먼 안채. 어느 쪽으로 하직 인사를 할까 망설이던 유하가 빈 허공에 대고 절을 했다. 사람 하나 없는 빈 뜰에서 홀로 하직 인사를 올리는 건 서글픈 일이지만, 유하는 특별히 서운함을 느끼지 못했다. 이 집에서 살아온 평생, 익숙하게 겪어 온 일이기 때문이었다.

이제 떠나갈 시간. 유하는 집이라고 불렀지만, 단 한 번도 집이었던 적이 없는 장소를 벗어나 걸음을 옮겼다.

떠나는 유하의 걸음 뒤로 뜰 안에 심어진 매화와 오얏꽃 꽃잎이 우수수 흩날렸다.

때마침, 봄이었다.

"어딜 먼저 가야 하나."

저자 초입. 분주히 오가는 사람들을 멀거니 바라보던 유하가 불쑥 내뱉었다.

집을 나오는 건 유하의 오랜 바람이었다. 유하는 충동적인 성격은 아니었다. 항상 형님들의 눈치를 살펴야 했던 유하는, 책잡히지 않기 위해 매사 빈틈없이 계획하는 버릇이 들었다. 그렇기에 그는 나름의 계획을 갖고 있었다.

과거 공부를 하겠다는 그의 말은 집을 떠나기 위한 핑계가 아닌 순전한 진심이었다. 하지만 막상 머물 곳이 없다고 생각하니 어디부터 시작해야 할지 혼란스러웠다.

유하는 잠시 걸음을 멈춘 채 무엇을 해야 할지를 생각했다.

'일단 거처를 구하는 게 먼저겠지.'

글공부를 하며 편히 지낼 수 있는 장소를 찾는 것이 우선이다.

사대문 안에는 보행 객주가 적지 않았고, 그중에서도 중촌 근방에는 과거생들만 받는 객주가 있다고 들었던 그였다. 그러니, 유하의 첫 목표는 적당한 객주를 물색하는 것이었지만⋯⋯.

"으음."

꼬르륵. 배 속에서 나는 소리. 마침내 집을 벗어난다는 긴장감에 조반 조차 건너뛴 탓이었다.

텅 빈 위장에서 울리는 선비답지 못한 소리가, 먼저 가야 할 목적지를 알려 주었다. 유하는 멀찍이 보이는 주막으로 걸음을 옮겼다.

주막은 오가는 사람들로 북적였다. 초면임에도 오래 본 사이인 양 살갑 게 다가온 주모가 뜨끈한 국밥 한 그릇을 내왔다.

사실 유하는 모든 게 낯설었다. 사내가 관례를 치를 즈음이 되면, 응당 집안 윗사람에게 처신하는 법이며 술 마시는 법을 배우고 일가친척에게 소개도 해 주는 게 보통이었다. 그렇지만 유하는 단 한 번도 그런 호의를 받아 본 적이 없었다.

이런 주막집에서 홀로 밥을 먹는 것조차도 그에겐 난생처음 겪는 일이 다. 그런 까닭에 꽤 허기가 졌음에도, 그는 푹푹 밥을 떠먹지 못하고 어색 하게 주변을 힐끔거렸다.

"아이고! 어찌 또 오셨습니까요, 아씨? 설마……. 그제 그 얘기를 또 하 시려구?"

조심스레 밥술을 뜨던 유하가 고개를 들었다. 그의 자리 너머, 그리 멀 지 않은 자리에 서 있는 웬 여인의 뒷모습이 보였다. 그녀는 주모와 대화 중이었다.

"그렇네. 마침 지나가는 길이어서……."

"아씨. 안 그래도 그 문제는 쇤네가 생각을 해 봤는데요. 아무래도 그건 좀……."

훔쳐보려는 의도는 아니었지만, 거리가 가까운 탓에 둘의 대화는 너무 잘 들렸다.

난감한 얼굴로 눈을 굴리는 중년의 주모 얼굴이 보인다. 그 앞에 서 있는 사람은 댕기 머리를 늘어뜨린 처자였다. 유하에게 보이는 건 뒷모습뿐이라 나이를 가늠할 수는 없었지만, 여인은 체구가 아담했고 목소리도 퍽 앳되었다.

"딱 잘라 거절하지 말고……. 주모. 어렵게 생각하지 말고, 일손이 필요할 때 불러 주기만 하시오. 그럼 되잖소. 나, 나이가 어려도 힘도 세고 뭐든 잘한다오. 어차피 객주에서도 삼시세끼 밥상 나르는 게 내 일인데, 주막 일이라고 못 하라는 법 있겠소?"

"아이고, 아씨. 그게 어찌 같습니까요. 이화원은 뜨내기들이 다니는 보행 객주도 아니고, 과거 치르는 어엿한 선비님들이 머무는 곳인걸요. 이런 주막이랑은 다르지요."

"내 사정이 좀 어려워서 부탁하는 걸세. 알잖나. 금번에 과거생 셋이 모두 싹 방을 비운 거. 새 과거생을 받을 때까지만이라도, 어떻게 좀 안 되겠나?"

주모는 괜히 주변을 휘휘 둘러보며 딴청을 했다.

"송구합니다요, 아씨. 아시다시피 여기 객주는 오만 사람들이 오가는 곳이라서요. 반가 아씨께서 이런 데서 허드렛일하다가 사고라도 나면, 천 것인 제가 경을 칩니다. 그러니……."

동그란 뒤통수 아래, 작은 어깨가 축 처진다. 유하에게 소녀의 얼굴은 보이지도 않았지만, 그녀의 실망과 막막함은 고스란히 느껴졌다.

"내가 미안하네. 내가 자네를 불편하게 만들었구먼."

"아씨. 그러지 마시고……. 나이도 어린 아씨께서 이렇게 혼자 고생하지 마시고요, 차라리 입을 줄이는 걸 생각해 보시는 게……."

"입을 줄이라니?"

"집에 아씨가 한 분 더 계시잖아요. 열다섯 살밖에 안 된 동생이 이렇게 애쓰는데……."

"자네 무슨 소리를 하는 건가. 사정도 모르면서, 그렇게 말하지 말게."

"아니, 아씨. 저는 그저 아씨가 고생하시는 게 걱정돼서 그렇지요……."

"걱정은 고맙네만, 그래도 그런 말은 하지 마시게. 아까 했던 말은 못 들은 거로 해 주게."

소녀의 목소리가 떨렸다. 축 처졌던 어깨가 되똑하게 올라갔다.

주모와 소녀의 대화를 듣고 있던 건 유하뿐만이 아니었다. 주변 객들의 눈길 역시 소녀에게로 쏠려 있었다.

무심코 시선을 내린 유하의 눈에, 연둣빛 치마폭을 꽉 그러쥔 소녀의 손이 보였다. 바르르 떨리는 손. 이내 소녀는 도망치듯 주막을 떠났다.

"아이구. 내가 괜한 소리를 했네 그려. 이놈의 주둥이……."

주모가 중얼거렸다. 근처에 있던 보부상이 주모에게 말을 걸었다.

"저 아씨, 중촌 객주 이화원 둘째 딸이 아닌가?"

"예. 그 아씨가 맞습죠."

"반가 아씨가 주막 일을 돕겠다고 하는 거 같던데. 어찌 그런 생각을……. 이화원이 많이 힘든가 보지? 예전에는 명문 객주로 이름이 꽤 높았던 걸로 기억하는데."

"뭐, 아씨 부친께서 살아 계실 때야 그랬지요. 지금은 뭐……. 말이야 휘황찬란한 명문 객주라고들 하지만, 실상 형편이 좋지는 않은 모양이더라고요."

"그야말로 빛 좋은 개살구로구먼."

"그런 셈이지요."

주모와 보부상이 두런두런 나누는 대화를 듣고 있던 유하가 수저를 내려놓았다. 지나치게 가까운 탓에, 듣지 않아도 될 이야기를 너무 많이 들어 버린 기분이다.

빛 좋은 개살구. 보부상이 툭 던진 말이 계속 뇌리를 어른거렸다. 휘황

찬란한 명문이라는 건 그저 이름뿐, 실상은 빛 좋은 개살구에 지나지 않는…….

"……꼭 나 같네."

유하는 저도 모르게 혼잣말을 했다. 내내 뒷모습과 연분홍 댕기만 보았던, 얼굴도 알 수 없는 소녀의 축 처진 어깨가 괜히 마음을 어지럽혔다. 입맛이 달아나 버린 탓에 그는 봇짐을 챙겨 자리에서 일어섰다.

"어이구. 어찌 이리 많이 남기셨습니까? 음식이 입맛에 안 맞으셨습니까요?"

"아니오. 길이 바빠서."

반쯤이나 남긴 국밥 그릇을 본 주모가 호들갑을 떨었지만, 유하는 값을 치르곤 곧장 주막을 나섰다.

"아이구! 어서 오십시오, 선비님! 무과생이신가 봅니다. 이리로 앉으시지요!"

유하의 등 뒤로 수다스러운 주모의 목소리가 들렸다. 유하가 주막을 나서자마자, 무인 복장에 장검을 든 그 또래의 젊은 사내 하나가 주막으로 들어선 탓이었다.

주막을 나서 걸음을 옮기던 유하가 담장 모퉁이를 돈 순간.

"어이쿠! 미안하오!"

하필 주막 담벼락에 딱 붙어서 안쪽을 살피고 있던 선비와 유하의 몸이 부딪쳤다.

"아니오. 괜찮소."

유하는 조용히 대꾸하고 다시 걸음을 옮겼다. 그와 부딪친 젊은 선비는 갑자기 국밥이 당긴다는 둥 괜한 소리를 지껄이며 주막으로 향했다.

'이제 집을 떠났으니, 마음을 단단히 먹어야지.'

유하는 마음을 다잡았다. 객주를 알아보려면 할 일이 많은 날이었다.

별것 아닌 일에 신경 쓰느라 시간을 낭비해선 안 된다.

그가 중촌으로 가는 길을 어림잡았다. 어중간하게나마 배도 채웠으니, 이제 진짜로 머물 객주를 찾으러 가야만…….

"……."

무심코 인적 없는 길을 지나치던 유하의 시선이 돌담 아래, 오도카니 앉아 있는 소녀에게로 향했다.

무릎을 모으고 고개를 푹 수그린 채 담벼락 그늘에 숨은 소녀의 어깨가 잘게 흔들린다. 훌쩍이는 울음소리가 들렸다. 들썩이는 어깨 앞으로 늘어진 머리채 끝에 매달린 분홍 댕기와 그 아래 연둣빛 치마폭이 낯익었다.

주막에서 마주쳤던 그 소녀.

'그야말로 빛 좋은 개살구로구먼.'

아마도 소녀는, 보부상의 무신경한 말을 고스란히 들어 버린 모양이었다. 조롱이나 다름없는 그 말이 생채기를 남겨, 담벼락 아래서 울음을 터뜨리고 말았을 테고…….

훌쩍이는 소녀 앞에서, 유하는 잠시 떠나지 못하고 망설였다. 마침내 그가 옷섶 안에 고이 넣어 두었던 명주 수건을 꺼내 들었다.

소녀의 작은 어깨, 정수리 한가운데 눈길처럼 새하얀 가르마를 내려다 보던 유하가 소녀 곁에 명주 수건을 소리 없이 내려놓았다.

뭘 두고 가는 게 아니라 훔쳐 가기라도 하는 사람처럼, 유하는 조급한 걸음으로 자리를 떠났다.

유하가 객주들이 즐비한 중촌에 접어든 건, 햇살이 녹작지근해지는 오후 무렵이었다.

거창한 짐을 지고 나오는 게 부담스러웠던 탓에, 유하가 집에서 들고나온 건 서책 몇 권과 옷 두어 벌이 전부였다. 유하는 중촌으로 가는 길에 저 자에 들러 몇 가지 물건을 샀다.

그는 책이나 문방사우 따위에는 통달했지만, 그것들을 제외한 바깥 물정을 잘 몰랐다. 그랬기에 물건 한둘을 사는데도 적지 않은 시간이 걸렸다.

'객주는 어떻게 구해야 하지?'

사실 유하는 잘 모른다. 유하에게는 세상 경험을 도와주고 조언을 줄 만한 친절한 벗이나 형제가 없었다. 유하가 반듯하고 예의 바른 태도를 가진 것은, 사람을 통해 배운 것이 아닌 서책을 보며 익힌 결과물이었다.

유하의 걸음이 멈춘 것은, 어느 솟을대문집 앞이었다.

〈빈방 있음.〉

중촌 초입. 그가 중촌으로 넘어온 이후 처음으로 마주친 객주 앞에는 때마침 빈방이 있다는 방문이 붙어 있었다.

유하는 잠시 종이에 쓴 방문을 바라봤다. 눈 뜨고 코 베인다고, 물정도 잘 모르면서 섣불리 객주를 결정할 생각은 추호도 없었다. 일단 동정을 살피고, 분위기를 먼저 본 후에…….

유하가 고개를 들었다.

이화원.

이화원……?

'어디서 들었지?'

객주 이름이 이상하게 귀에 익은 까닭에, 유하는 대문 위 현판을 멀거 니 올려다보고 있었다.

"아!"

이화원의 이름을 거듭 되뇌던 그가 외마디 소리를 내뱉었다. 낮에 주막 에서 마주쳤던, 그리고 담벼락 아래서 또 한 번 마주쳤던 분홍 댕기를 단

소녀. 얼굴도 보지 못했던 그 소녀가 산다는 객주가 바로 이화원 아니었던가.

유하는 망설였다. 들어가 볼까. 혹은 지나칠까. 무작정 들어섰다가 바가지를 쓰거나, 형편없는 방을 얻게 되는 건 아닐까. 좀 더 알아보고 오는 편이 나을 것 같은데…….

그렇지만 그러기엔, 소녀의 훌쩍이는 울음소리와 조그맣게 흔들리던 어깨가 너무 생생했다.

"계십니까."

유하는 결국 이화원 대문간을 넘고 말았다.

이화원 마당에 들어선 유하가 육호라는 나이 지긋한 과거생-유하는 그가 틀림없는 객주 주인장이라고 생각했다-과 이야기를 나누는 사이, 무과생으로 보이는 검을 든 사내가 이화원으로 들어섰다.

"저는 정유하라고 합니다."

"강산입니다."

유하가 강산이라는 무과생과 통성명을 할 무렵, 말 많고 시끄러운 선비 하나가 또 들어왔다.

유하는 자신을 김시열이라고 소개한 그 사내가 낯익다는 생각을 했다. 돌이켜 보니, 주막 앞에서 부닥쳤던 사람 같기도 하다. 하지만 유하는 별 것 아닌 인연에 의미를 두는 편은 아니었으므로, 굳이 알은체를 하지는 않았다.

서로 소개를 마친 셋이 다소 어색하게 멀뚱거리고 있을 무렵. 대문 열리는 소리가 났다. 곧이어 한 소녀가 이화원 마당으로 들어섰다.

연노랑 저고리. 연둣빛 치마폭. 분홍 댕기까지. 분명 주막에서 보았던 차림 그대로인 소녀.

까닭 없이, 유하는 긴장한다. 돌이켜 보면 주막에서도, 주막을 나선 후에도 소녀의 뒤통수며 정수리만 내내 쳐다보았을 뿐 얼굴은 보지 못한 그였다.

힘없이 늘어진 어깨, 수심에 찬 목소리, 담벼락 아래 얼굴을 파묻은 채 흐느끼던 소녀의 울음소리. 마음 쓰이게 했던 그 모습이 아직 생생했다.

"선비님들께서 이화원의 주인을 찾고 계신가 봅니다."

"예. 주인은 어디 계시오?"

소녀는 그제야 고개를 들었다. 말간 뺨과 긴 속눈썹, 영민하게 반짝이는 큰 눈, 옅은 복숭앗빛 뺨과 아담한 입술이 유하를 마주 보았다.

그 순간, 이상하게도 유하의 시간은 잠시 멈추었다.

"여깄습니다."

"……예?"

"예. 제가 이화원의 주인이옵니다만."

소녀를 멍하니 바라보던 유하의 눈길이 소녀의 뺨 위에서 머물렀다. 소녀의 눈가며 뺨 언저리는 물기 한 방울 없이 말끔했다.

"처음 뵙겠습니다. 저는 이화원의 주인, 윤단오라고 하옵니다."

총기 어린 눈을 빛내며, 단오라고 이름을 밝힌 소녀가 생긋 미소 지었다.

"한 분도 아니고, 두 분도 아니고, 무려 세 분께서 한날한시에 들어오시다니요. 이런 큰 인연이 또 어디 있을까요? 일단 이화원에 오시게 되었으니, 과거 급제는 따 놓은 당상입니다."

단오. 그녀의 모습은 유하가 상상했던 것과는 영 딴판이었다. 축 처진 어깨며 홀쩍이던 소리가 헛것처럼 느껴질 정도로 소녀의 태도는 씩씩했고, 얼굴 역시 단 한 점 그늘 없이 해맑았다.

'빛 좋은 개살구.'

유하는 다시 한번 그 말을 되뇌었다. 당연하게도 유하를 향한 말은 아니었다. 또한 단오를 향한 말 역시 아니었다. 그건 단오가 아닌, 그녀가 산다는 객주 이화원의 처지를 빗댄 말일 뿐이었다.

그럼에도 왜 그 말이 그렇게 신경 쓰였을까.

타인 앞에서 약해 보이고 싶지 않았던 탓에, 남들이 손가락질한다고 해도 제게는 소중한 의미를 지키고 싶었던 탓에. 서러워도, 억울해도 남들 앞에서는 눈물 한 방울 흘리지 못하는 마음.

담장 아래 숨어들어서야 겨우 참았던 눈물을 쏟아 내는 그 마음이 지나칠 정도로 잘 이해되었기 때문이 아닐까.

"선비님. 함자를 제게 말씀해 주시겠습니까?"

"……."

"저, 선비님?"

"아."

그제야 유하는 단오의 시선이 저를 향하고 있다는 걸 깨달았다.

고요히 멈추었던 유하의 시간이 다시 흐르기 시작한다.

"내 성은 정이고, 이름은 유하요."

"정유하 선비님이시군요. 유하 선비님, 이화원에 잘 오셨습니다."

단오가 해사하게 웃었다. 그녀의 말간 웃음을 마주한 유하의 얼굴에도 모처럼 만에 미소가 감돌았다. 비록 쑥스러운 탓에 금방 사라진 미소였지만 말이다.

그렇게, 유하가 단오의 세상이던 이화원에 들어선 날.

유하도 모르는 새, 단오 역시 그의 세상이 되었다.

* * *

이화원, 계묘년 3월 1일. 윤단오 일지.

<한동안 무척 바빴어. 그래서 오랜만에 일지를 써.

오늘은 귀신에 홀린 것 같은 날이었어. 좋은 날이지만, 또 이상한 날이기도 했다? 그중에 이상한 얘기를 먼저 써 볼게.

오늘은 일거리를 얻으러 주막에 찾아갔었어. 과거생들이 죄다 떠난 바람에 사실 앞이 막막했거든. 주모는 내 부탁을 거절했어. 반가 아씨가 어찌 험한 일을 하냐는 게 거절의 이유였지만, 아마도 주모는 양반인 나를 아랫사람으로 부리는 게 꺼려졌던 것 같아.

그 마음을 나도 이해해서, 크게 서운하게 생각하지는 않았어. 그런데 그만…… 어떤 사람이 이화원더러 빛 좋은 개살구라고 말하는 걸 들어 버렸지 뭐야? 정말 괜찮았는데, 그 순간 갑자기 눈물이 펑 터져 버린 거 있지.

대낮에 길 한복판에서 울고 있는 걸 남이 봤다가, 이화원에 나쁜 소문이라도 나면 큰일이잖아. 그래서 담벼락 아래 숨어서 좀 훌쩍거렸는데…….

이상한 일은 여기부터야.

담장 아래 오래 머문 것도 아닌데, 훌쩍대다가 고개를 들어 보니 내 옆에 명주 수건이 하나 놓여 있지 뭐겠어? 새하얗고 매끌매끌하고, 노란 국화 한 송이가 수놓아진 게 값비싼 물건이 틀림없었어.

난 정말 깜짝 놀랐지. 주변을 두리번대고, 저만치 달려 나가 보기도 했어. 그런데 아무도 보이질 않더라고.

난 정녕 귀신에게 홀렸던 걸까? 아니면, 그 수건에 귀신이 들려 있었던 건 아닐까?

지금은 오만 생각이 다 들지만…… 막상 그때는 정신이 없었어. 그래서 멀거니 그걸 내려다보다가, 그만 그 명주 수건으로 눈물을 쓱 닦고 말았지 뭐야.

그런데 더 신기한 일은, 이화원에 들어서자마자 일어났어.

새 과거생을 구한다는 방문을 써 붙인 지 고작 하루밖에 안 됐는데, 세상에 이화원 마당에 멀끔한 선비님 셋이 계시지 뭐니? 세 분 다 나를 기다리고 계셨던 거야. 이화원 주인, 윤단오를 말이야.

대문을 열고 마당에 들어서는 순간, 난 하마터면 부처님 감사합니다! 하고 채신없이 방정을 떨 뻔했어.

하지만 어엿한 객주 주인이 첫 만남부터 오두방정을 떠는 건 곤란하니까, 애써 턱을 쳐들고 위엄 있고 의젓하게 행동했지. 다시 생각해 봐도, 나 너무 잘한 거 같아.

그럼 오늘부터 이화원에 머물게 된 세 선비님에 관해서도 얘기해 줄게.

일단 세 선비님은 하나같이 신수가 훤하셔. 유하라는 선비님은, 꼭 빼어난 그림에서 튀어나온 사람처럼 해사하고 아주 선한 인상이야. 산이라는 선비님은 이화원에서 보기 힘들었던 무과생인데, 눈빛이 엄청 강렬해서 심장이 덜컥했어.

시열이라는 선비님은 미남인데…… 음, 미남이야. (지나치게 들떠 있는 분이라서 같이 있으면 좀 정신이 없거든.)

어쨌든 하나같이 좋은 분 같아. 내내 이화원 때문에 무거웠던 마음이 비로소 가벼워졌어.

홍주 언니가 건강했을 때는, 사람들이 우리 객주를 꽃 두 송이가 피어 있는 곳이라고 하여 이화원(二華院)이라고 불렀었거든. 그런데 얼굴에서 빛이 나는 선비님 세 분이 이화원에 계시니까, 그야말로 꽃이 핀 것 같았지 뭐니?

정유하. 강산. 김시열. 이게 세 선비님의 함자야.

선비님들과 인사하며, 짧으면 삼 년, 길면 오 년 안에 반드시 과거에 급제하실 수 있도록 이 윤단오가 열심히 보필하겠다고, 큰소리를 듬뿍 쳤거든?

부디 내 호언장담이 효과가 있어야 할 텐데. 일단 다음 초시까지 삼 년이 남았으니, 그때까지 최선을 다해 보려고 해.

나, 정말 기대가 돼. 너무 마음이 들떠서 죽겠어.

문득 든 생각인데, 어쩌면 오늘 귀신이 두고 간 명주 수건을 주웠기 때문에 이렇게 큰 행운이 온 게 아닐까? 원래 이 수건은 주운 자리에 다시 돌려 놓을 생각이었는데, 깨끗하게 세답해서 소중하게 간직해야겠어. 그리고 잊지 말아야 겠어. 나 혼자 훌쩍이고 있을 때, 내 마음을 알아 주는 누군가가 반드시 있다는 걸 말이야. 그게 사람이든, 귀신이든 간에.

　이제 나도 자야겠다. 오늘 종종대고 쏘다닌 탓에 엄청 피곤해. 눈꺼풀이 벌써 무거워.

　그런데, 정말 궁금하긴 해.

　유하 선비님, 산 선비님, 그리고 시열 선비님. 이 세 분과 함께할 이화원의 삼 년은 어떻게 흘러갈까?>

＊　＊　＊

　'아버님. 언제부터 와 계셨습니까?'

　'방금 왔다. 홀로 거기 앉아서 무엇을 하고 있느냐?'

　'낮에 스승님과 중용(中庸) 공부를 한 것을 복습하고 있었습니다.'

　'복습을 해? 책과 지필묵, 그 무엇도 네 앞에 없거늘, 어찌 공부한다는 것이냐?'

　'머릿속으로 공부하였습니다. 오늘 배운 것들은 모두 제 머릿속에 들어 있으니까요.'

　'허허……'

　노년에 다다른 유하의 아버지, 정헌 대감의 눈가에 부채살 모양 주름이 번졌다.

　'참으로 신기하도록……. 닮았구나.'

　정헌 대감으로서는 조용히 읊조린 것에 지나지 않는 말. 그러나 유하는 그 말을 그냥 넘기지 못했다.

　'닮았다고요? 아버님. 제 어머니 말씀을 하시는 것이지요? 제 어머니께서도

저처럼 책을 좋아하시고, 암기하는 습관을 지니셨습니까? 어머니에 관해서 말씀
해 주시면…….'

'아니 된다.'

정헌 대감의 주름진 얼굴에 엄격한 표정이 깃든다. 유하에게는 익숙한
모습이었다. 그 얼굴이 뜻하는 바는, 더는 '묻지 마라'는 것이었다.

'아버님…….'

'아니 된다. 묻지 마라. 너는 이곳, 정씨 가문 사람이야.'

'그거야 당연히 알고 있지만…….'

'안 된다고 하지 않았느냐. 대답하라.'

'예, 아버님. 알겠습니다.'

큰 실수라도 저지른 사람처럼 낭패한 표정으로, 정헌 대감은 서둘러 자
리를 떠났고, 유하는 별채에 홀로 남았다.

정씨 가문이 대대손손 살아온 아흔아홉 칸 집은 고래 등처럼 널따랬다.
이 집에는 정헌 대감 내외 외에도 세 명의 정실 자식과 그 일가가 함께 살
아가고 있었다.

그 본채와 멀찍이 떨어진 뒤편에 덩그러니 놓인 작은 별채. 이곳이 유
하의 집이다.

유하는 어려서부터 이 별채에서 지냈다. 별채에는 풍족한 음식, 서책과
놀잇감, 비단으로 지은 금침과 옷가지들이 넘쳐 났다.

유하는 많은 서책 속에서 총명하게 자라났다. 서출을 밖에 내돌리기 부
끄럽다는 이유로 서당이나 서원에 나가는 건 금지되었지만, 유하가 배움
을 바랄 때마다 대감께서는 학식 높은 스승을 집으로 불러들였다.

겉보기에는 무엇 하나 부족할 것 없는 삶. 그러나 이곳은 섬 같은 장소
다. 화목한 대가족이 살아가는 명문가 안에서 유하는 늘 외로웠다.

유하의 생부 정헌 대감은 엄한 사람이지만, 그렇다고 유하에게 상처를

입히는 일은 없었다. 정실 박 씨는 서출인 유하에게 무관심했고 늘 그와 거리를 두었다. 그리고 형제들은 유하를 미워했다.

유하의 생부 정헌 대감은 대쪽 같다는 명성처럼 곧고 올바른 사람이었다. 나이 환갑이 되어 밖에서 서출을 낳아 왔다는 사실. 그것은 정헌 대감 평생에 씻을 수 없는 오명이 되었다.

그러니까, 유하는 이 집에서 그런 존재였다.

티끌. 오물. 오점. 새하얀 비단 자락에 튄 구정물 같은 존재.

'언젠가 반드시 이 집을 떠날 거야.'

고작 열 살을 넘겼을 무렵부터 유하는 다짐하고 또 다짐했다.

'이 집을 떠나서. 반드시 과거에 급제할 거야. 그 후에는 꼭 어머니를 찾을 거야.'

그리고 외롭지 않게 살아갈 거야. 행복해질 거야.

* * *

평소답지 않게 생생한 꿈을 꾸었다.

"아······."

짙은 한숨과 함께, 유하는 잠에서 깨어났다. 끔벅. 끔벅. 자리에 누운 채로, 유하는 몇 번이나 눈을 슴벅였다. 창호 너머로 비치는 이화원 새벽이 푸르다.

"웬일로 이런 꿈을······."

스르르, 눈을 감은 채로 유하가 중얼거렸다.

아버지 정헌 대감께서 살아 계시던 시절의 꿈. 꿈속에서 부친과 대화를 나누던 시절, 유하의 나이가 열두어 살쯤이었던가. 그 대화를 나누고 얼마 지나지 않아, 부친께서는 주무시다가 돌연히 세상을 떠났다.

정헌 대감은 다정한 아버지는 아니었지만, 유하에게는 유일한 버팀목인 분이었다. 부친이 세상을 떠난 후, 그 집에서 보낸 유하의 시간은 돌이키기조차 싫을 정도로 고단했다.

"한동안 아버님이 꿈에 나오신 적이 없었는데……."

본래 유하는 매일 같은 시간에 잠에서 깨고, 일단 잠에서 깬 후엔 게으름 피울 새 없이 벌떡 일어나 하루를 시작하는 사람이었다. 그러나 모처럼 꾼 꿈에 머릿속이 복잡하여, 그의 기상은 조금 늦춰졌다.

멀찍이 담장 너머 중촌 어디에선가 우렁차게 수탉 우는 소리가 들렸다. 곧이어 그 소리에 화답하듯 안채에서 들리는 나지막한 기척. 문 여닫는 소리, 신발을 욱여 신는 소리, 남들을 깨우지 않기 위해 살금살금 섬돌을 밟는 소리.

"으하암……."

이 모든 인기척의 주인공인 누군가가, 있는 힘껏 기지개를 켜는 소리.

유하가 슬그머니 웃었다. 새벽을 깨우는 문밖 소리에 귀를 기울이고 있던 사이, 유하의 입꼬리는 어느새 빙긋 위로 올라가 있었다.

"……적어도, 그 시절의 꿈 중 하나는 이루었군."

나지막이 혼잣말을 중얼거린 유하가 이불을 걷고 자리에서 일어났다.

외로웠던 과거, 그가 품었던 두 가지 꿈. 그중 하나는 반드시 본가를 벗어나겠다는 것이었고, 또 하나는 어머니를 찾는 것이었다. 아직 어머니의 자취는 오리무중이지만, 유하는 바라던 대로 집을 떠났다.

이화원. 비록 잠시 머물다가 떠날 객주라고는 하지만, 이곳은 지금 유하의 집이다.

유하가 이화원 생활을 시작한 지도 어느덧 백 일 남짓이 지났다.

과거 본가에서의 삶이 떠오른다. 그 시절 유하에게는 아침에 눈을 뜨는 것 자체가 고통이었다. 틀림없이 외로울 것이고, 틀림없이 고통스러울 것이며, 틀림없이 비난당하고 모멸 받을 것을 알면서 시작하는 하루가 어찌 행복할 수 있을까.

그런 까닭에 별채살이를 하던 그는 늘 의기소침했고 남의 눈치를 살폈으며, 있는 듯 없는 듯 숨죽여서 사는 습관을 가졌었다.

그러나 이화원에서 시간을 보내는 사이, 그는 달라졌다. 남의 시선을 신경 쓰고, 매사 조심스러움이 몸에 배어 있던 유하는 이화원에 온 이래 다른 사람이 된 것처럼 밝아졌다. 늘 그를 따라다니던 불안은 완전히 사라졌다.

마음이 편하니 생활 역시 안정됐다. 유하는 매일 스스로 정한 일과에 따라 하루를 보냈다. 일찌감치 입신양명한 위인들이 그렇듯, 그도 시간을 쪼개어 규칙적으로 살았다.

그는 시간 대부분을 글공부를 위해 소비했다. 하루빨리 과거에 급제하여 어엿한 문관이 되는 것. 그리하여 저를 하대하던 일가족 앞에서 보란 듯 출세하는 것이 유하의 바람이었다.

"어디, 하루를 시작해 볼까."

간밤에 꾼 꿈 탓에 기상이 조금 늦었지만, 유하는 금세 마음을 다잡았다. 문을 열자, 여름임에도 꽤 청명한 새벽 공기가 훅 밀려 들어왔다.

요와 이불을 개어 반닫이에 넣은 그가 지필묵을 꺼내 들었다. 자리에서 일어나자마자 하루 할 일을 정하여 적어 두는 일. 이것은 유하가 꼭 지키는 아침 습관이었다.

유하의 하루는 보통 이렇게 흘러간다.

기상하자마자 이불을 개고, 이불을 갠 후에는 일과를 정리하며 글공부할 목표를 정하고, 그 직후에 소세[20]를 하고, 소세 후 잠깐 서책을 읽다가 조반을 먹고, 조반을 먹은 후에는 산책 겸 서원까지 걸어가서 책을 읽는다.

---

20) 머리를 빗고 세안하는 일.

이화원으로 돌아온 후 다시 글공부, 점심 식사, 또다시 글공부, 그러다가 저녁 식사, 잠들기 전까지 사서삼경(四書三經) 공부…….

유하는 오늘 아침에도 어김없이 논어(論語)를 펼쳐 들었다.

"자왈(子曰), 묘이불수자(苗而不秀者)는 유의부(有矣夫)이며, 수이불실자(秀而不實者)는 유의부(有矣夫)이니라."

-공자께서 말씀하시길, 싹은 돋았으나 꽃을 피우지 못하는 것도 있고, 꽃은 피었으나 열매를 맺지 못하는 것도 있다.

그 순간, 덜그럭! 문 바깥에서 들리는 소리. 그러나 유하는 개의치 않고 서책을 읽었다.

"자왈(子曰), 자사인인(志士仁人)은 무구생이해인(無求生以害仁)하며…….유살신이성인(有殺身以成仁)이니라."

-공자께서 말씀하시길, 뜻을 아는 어진 선비는 목숨을 구하기 위해 인을 해치지 않으며, 도리어 자신을 죽여서 인을 이룬다.

"자신을 죽여서 인을 이룬다……."

유하가 인상 깊은 구절을 곱씹고 있을 때였다. 또다시 밖에서 용을 쓰는 것처럼 끙끙대는 소리가 났다. 신음의 출처는 유하의 방 뒤편에 있는 이화원 뒤뜰이 분명했다.

"공자께서 말씀하시길……."

곧이어 또 들려온 혼잣말. '아이구, 무거워 죽겠네.' 어쩌구 하는 목소리는 단오의 것이었다.

유하가 논어를 덮었다. 그가 뒤뜰로 나 있는 쪽문을 빼꼼 열었다.

아니나 다를까. 뒤뜰에 서 있는 단오가 보인다. 선비들의 세숫물을 뜨러 나온 듯, 단오는 꽤 큼직한 물동이를 움직여 보려 끙끙거렸다. 야무지게 걷어붙인 옷소매 아래 드러난 팔은 새벽빛 아래 희디희었다.

"단오야."

"아, 유하 오라버니. 오늘도 일찍 기침하셨네요."

이영차, 물동이를 들려고 애쓰던 단오가 유하를 보며 환하게 웃었다.

푸른 새벽. 아직 해가 뜨지 않아 어둑한 뒤뜰이지만, 이상하게도 그 순간 주변은 한낮처럼 환해진다.

"일어나자마자 바로 글공부를 시작하셨죠? 어, 혹시 저 때문에 공부에 방해가 되었나요? 제가 많이 시끄럽게 굴었죠?"

"아니다. 시끄럽기는, 전혀. 나는 네가 뒤뜰에 나와 있는 줄도 몰랐다."

"그런데 어찌 문을 여셨어요?"

"맑은 공기를 좀 마시려고. 그래야 머리가 맑아지니까."

"그렇다면 다행이에요. 오라버니. 잠시만 글을 읽고 계셔요. 날이 덥지만, 아침 세숫물이 너무 차가우면 안 되니까요. 제가 얼른 물을 데워서 세숫물을 갖다 드릴게요."

"잠깐만, 단오야."

유하가 자리에서 일어섰다.

"무겁잖으냐. 그거, 내가 들어다 주마."

"아이구, 아니에요, 오라버니! 제가 들 수 있어요. 제 일인걸요. 하나도 안 무겁습니다."

"그냥 내가 들어 주고 싶어서 그래. 일어나자마자 양반다리 하고 글만 읽다 보니 몸이 영 찌뿌듯하여 그런다. 몸도 움직이고 힘도 좀 써야 공부도 더 잘되는 법이거든."

어느덧 뜰로 내려온 유하가 물동이를 들어 올렸다.

"유하 오라버니. 진심으로 고맙습니다. 어쨌든, 이번만이에요. 이건 제가 할 일이니, 글공부하다가 나오지 마세요."

"나도 가끔은 다른 일이 하고 싶을 때가 있어서 그래. 아무튼 알았다."

쫄랑쫄랑 제 뒤를 따라오며 종알대는 단오의 잔소리에, 부엌으로 걸음을 옮기던 유하의 얼굴에 미소가 번졌다.

솔직히 말하건대, 유하의 하루는 첫 단추부터 틀어져 버렸다. 고작 한 장도 채 읽지 못하고 물동이를 나르고 있는 상황이라니. 평소 같았다면, 유하는 분명 조바심을 냈을 것이다. 그러나 오늘 유하는 계획이 틀어진 게 오히려 즐겁기만 했다.

방으로 돌아온 유하는 다시 논어를 펼쳐 들고 글공부를 시작했다. 글을 읽은 지 한 다경[21]쯤 되었을까.

"유하 오라버니. 세숫물 가져왔습니다."

단오의 목소리에, 유하는 다시 책을 덮고 문을 열었다. 저만치서 양손에 대야를 든 채 조심조심 걸어오는 단오의 모습이 보였다.

"따뜻한 물을 반쯤 섞었어요. 물이 식기 전에 씻으시고……. 어어!"

단오의 몸이 기우뚱했다. 바닥에 뒹구는 보리수 열매를 밟은 탓이었다. 단오의 몸은 살짝 비틀거렸을 따름이지만, 대야 한가득 찰랑찰랑하던 세숫물은 철퍽! 쏟아져 버렸다.

"으앗……."

흘러넘친 세숫물은 때마침 대야를 받으러 나서던 유하에게로 홀랑 쏟아졌다.

"이걸 어째! 오라버니. 괜찮으세요? 그래도 다행이에요. 물이 뜨겁진 않아서요. 아무튼, 놀라셨죠? 아고고."

당황한 단오가 황급히 대야를 내려놓았다. 그러나 조심성이 없었던 탓에 또다시 세숫물이 넘쳐, 유하의 발등 위로 쏟아지고 말았다.

"아, 나 오늘 대체 왜 이런대……. 유하 오라버니. 정말로 송구합니다."

손을 내민 단오가 유하의 젖은 저고리를 털어 주었다. 유하의 가슴께며 명치 언저리를 툭툭 두드리던 단오의 손이 어색하게 멈추었다.

---

21) 15분.

"어머. 죄송해요. 제가 이렇게 내외할 줄 모르는 사람은 아닌데, 너무 당황해 가지고. 정말 송구해요, 오라버니. 아침부터 이게 무슨 난리인……."

"단오야. 괜찮아. 뜨거운 물도 아니지 않느냐."

"그래도요. 글공부하시는 선비님께 아침부터 물벼락이 웬일이에요. 제가 오늘 뭐에 홀렸나 봐요. 정신을 얻다 두고 있는지……."

"자책하지 마라. 괜히 앞까지 나오는 바람에 일을 키웠으니, 내 탓도 있다. 조금 젖었지만, 여름 아니냐. 오히려 시원하고 좋다. 정신도 번쩍 들고."

"오라버니……."

미안함에 어쩔 줄 몰라 하던 단오가 유하에게 꾸벅 고개를 숙였다.

"다시는 이런 실수 안 하도록 할게요. 너그럽게 봐주셔서 정말 고맙습니다."

"정말 괜찮대도."

"그렇게 말씀하시지만……. 유하 오라버니께서는 다른 선비님들이랑은 다르시잖아요."

"달라? 내가?"

유하가 의아한 표정으로 단오를 바라보았다.

"무엇이 다르냐, 나는?"

"다른 뜻은 아니고. 유하 오라버니께서는 시간에 딱딱 맞추어서 움직이시잖아요. 항상 새벽같이 일찍 일어나시고, 글을 읽고 소세하고 뭘 드시거나 산책하시는 것도 시간을 정해 두시고요."

단오가 말을 이었다.

"그런데 제가 꼭두새벽부터 이 난리를 피워서……. 물동이 옮기느라 글 읽을 시간도 빼앗기시고, 거기에 물벼락까지 맞으셨잖아요. 오라버니를 도와드리지는 못할망정 방해한 셈이니, 그게 죄송해서 그러지요."

"하하……. 내가 매일 뭘 하는지 다 알고 있었더냐?"

유하가 물었다. 단오의 말 그대로. 유하는 매 순간 정해진 대로 움직이는 사람이었다. 하지만 그는 단오가 그 사실을 아는 줄은 꿈에도 몰랐다.

"왜 모르겠어요. 유하 오라버니께서 이화원에 오신 지도 벌써 백 일이다 되었는데요. 어떻게 지내시는지, 여기서 불편하진 않으신지 제가 잘 살펴야지요."

"단오 너는 참으로 세심하구나."

"저는 이화원 주인이니까요. 그리고, 오라버니."

"응?"

"저는 이화원이, 오라버니에게 진짜 집처럼 편안하고 좋은 곳이었으면 좋겠어요."

"진짜 집이라……."

유하는 잠시 단오가 꺼낸 '집'이라는 말의 의미를 생각한다.

유하에게는 다섯 살 이전의 기억이 없었다. 그는 어디서 살았는지조차 기억하지 못했고, 어머니의 얼굴도 알지 못했다. 누구도 그에게 어머니가 누구인지 알려 주지 않았다.

그러니까, 유하의 기억 속에 집이란 보통 본가를 의미했다. 부친인 정헌 대감의 집. 그곳이 그가 거의 평생을 보낸 장소였다.

그러나 그곳이 집이었던가? 물론 집이다. 집일 터다. 그러나 단오의 말처럼 편안한 곳, 제 모든 것을 내려놓고 쉴 수 있는 '진짜 집'은 아니었다.

어쩌면, 이화원이야말로……. 유하가 처음으로 가져 보는, 진짜 집이 아닐까.

"나는 이미 이곳이 내 집 같구나, 단오야."

"정말이요? 에이, 저 기분 좋아지라고 또 듣기 좋은 말씀 해 주시는 건 아니고요?"

"아니. 그렇지 않아. 정말로……. 여기는 내 집 같다. 내 마음이 그래."

"그렇게 말씀해 주시니 기뻐요. 사실 저는 유하 오라버니랑, 다른 선비님들이 처음 이화원에 들어오셨던 날에도 그런 생각을 했었거든요."

"무슨 생각을?"

"여기 머무시는 선비님들 모두가 이화원을 진짜 집처럼 여겼으면 좋겠다고요. 유하 오라버니께서 그렇게 말씀해 주시니, 제 바람이 이뤄진 셈이지 뭐예요. 정말 기분이 좋아요."

"네가 기쁘다니, 나도 기쁘구나."

단오의 웃음이 뽀얗게 흩어진다. 단오를 마주 보던 유하 역시 환하게 웃었다.

그때 멀찍이 문간방에서 들리는 작은 인기척. 소리의 근원은 산의 방이었다.

산은 시열처럼 대중없이 늦잠을 자는 일은 없었지만, 그렇다고 유하처럼 새벽같이 일어나는 편도 아니었다. 산이 기상하기엔 다소 이른 시각이긴 했다. 아마도 그는 유하와 단오가 일으킨 소란 탓에 일찍 깬 모양이었다.

"세숫물을 다시 떠 올게요. 그나저나, 오라버니. 글공부하시는 귀한 아침 시간을 저 때문에 망쳐서 어쩐대요."

"어쩌긴. 난 아무렇지도 않아. 걱정하지 마라."

"제 마음 편하라고 그리 말씀해 주시다니. 고마워요, 유하 오라버니."

"난 오히려 재미있었어. 하루의 시작이 이렇게 즐겁다니, 오늘 종일 공부가 더 잘될 것 같아."

"유하 오라버니께서는 말씀도 어쩜 이리 어여쁘게 하시는지."

단오가 거의 비다시피 한 대야를 들고 사라진 후에야 유하는 제 발을 내려다보았다. 물벼락 탓에 푹 젖어 버린 버선과 갓신. 바닥에는 동그란 물웅덩이가 생겼다.

단오의 말이 틀리지는 않았다. 매일같이 시간을 재며, 정해진 일과를 따르며 살아가는 규칙적인 삶. 하지만 오늘은 눈을 뜬 순간부터 무엇 하나 수월하게 흘러가지 않았다.

단오의 표현대로, 유하의 하루는 시작부터 망쳐 버린 것이나 다름없었다.

"하하……."

유하의 입에서 웃음이 흘러나왔다. 망치라지. 망쳐 버리라지. 이렇게 망치는 게 삶이라도, 조금도 싫지 않다. 아니, 유하의 마음은 오히려 즐겁고 들뜨기만 했다.

유하는 물에 젖어 질퍽대는 신 탓에 깨금발을 한 채 다시 방으로 돌아갔다. 단오와 유하가 떠난 빈 뜰에는 이윽고 얼굴을 내민 햇살이 그들의 웃음처럼 넘실거렸다.

마음을 다잡은 유하가 꿈틀거리는 입꼬리를 애써 누르며 책장을 넘기고 있을 무렵. 문밖에서 조심스러운 기척이 났다. 더는 사고를 치지 않겠다는 듯, 소리 죽여 대야를 내려놓는 기척이 들렸다.

어떻게든 글공부를 방해하지 않으려고 도둑처럼 살금살금 움직이고 있을 단오의 모습이 그려지는 듯하여, 가까스로 진정했던 유하의 입꼬리는 다시 쓱 올라가고 말았다.

"오라버니. 세숫물 놓고 저는 이만 갑니다."

속닥거리는 단오 목소리. 타박타박 멀어지는 발소리. 그러다 갑자기 발소리가 멈추고, 두런대는 또 다른 목소리가 들렸다.

"어, 산 선비님. 기침하시었어요? 혹시……. 제가 아침부터 시끄럽게 하여 일찍 잠에서 깨신 건 아닙니까?"

아마도 잠에서 깬 산이 바깥으로 나온 모양이었다.

산은 희한할 정도로 말수가 적었다. 단오의 질문에 대답하는 소리가 들리지 않는 것으로 보아, 산은 언제나 그렇듯 대충 고갯짓으로 대답을 대신한 듯했다.

말없이 툭툭대는 건, 확실히 산다운 일이다. 한날에 이화원에 들어온 유하와 산, 시열이 안면을 익힌 지도 어느덧 백 일째. 열일곱 살 동갑인 셋은 마주한 당일 말을 텄고, 이내 서로에게 익숙해졌다.

그러나 익숙해진 것과 별개로 산과 시열의 성격은 제각각이었다. 시열은 말도 많고 아무에게나 허물없이 굴었기에 누구하고나 오랜 벗처럼 지냈지만, 산은 쉽게 곁을 내어 주지 않는 성격이었다.

"잠깐만 계셔요, 산 선비님. 제가 얼른 세숫물을 가져오겠습니다."

단오의 목소리가 부산했다. 곧이어 들려오는 산의 목소리.

"단오."

"예?"

"궁금한 게 있는데."

"예. 무엇입니까? 말씀하시어요."

"왜 유하와 시열에게는 오라버니라고 부르면서, 나한테는 여전히 선비님이라고 부르지?"

"아……. 제가 그랬습니까? 그럼 이제부터 오라버니라고 부르겠습니다."

"아니. 꼭 오라버니라고 불러 달라는 뜻은 아니고."

"그럼 선비님이라고 부르겠습니다."

"내 말은, 왜 나만 달리 부르냐는 뜻이었다."

"글쎄요……. 선비님은 조금 어려워서……. 아마 검을 쓰시는 분이라서 그랬나 봅니다. 아무튼 이제 오라버니라고 부를게요. 산 오라버니!"

"오해할까 봐서 하는 말이지만, 꼭 오라버니라는 말이 듣고 싶었던 건 아니……."

436

"압니다. 산 오라버니. 알고말고요!"

단오의 목소리가 멀찍이 사라져 간다. 덩그러니 뜰에 홀로 남았을 산이 허, 하고 혀 차는 소리가 들렸다.

"단오답네."

방 안에 있던 유하도 피식 웃음을 흘렸다. 그 순간, 또다시 소란스러워지는 문밖.

"산! 오늘 뭐 해?"

아직 조반도 먹지 않은 이른 아침이라는 걸 감안하면, 지나칠 정도로 쾌활한 목소리. 유하에게 이제 익숙해진 들뜬 목소리는 다름 아닌 시열의 것이었다.

"산. 오늘 뭐 하냐고. 나랑 놀자."

"놀긴 뭘 놀아. 너는 여기 놀려고 왔나?"

"그럼 사람이 평생 공부만 하면서 살 수 있나? 놀기도 하고, 사람도 만나고, 이야기도 나누고, 술도 먹고 떡도 먹고 엿도 먹고. 다 그러면서 사는 거지."

"됐고, 시끄러."

"그러지 말고 놀자, 하루쯤은!"

시열이 또 산에게 치근대는지 탁, 손을 치우는 소리가 났다. 뒤이어 재밌어 죽겠다는 듯 낄낄거리는 시열의 웃음소리, '좀 꺼져라!'라며 버럭 타박하는 산의 목소리.

"오늘 글공부는 완전히 망한 것 같네."

유하가 혼잣말을 했다. 잠자코 서책을 덮은 유하가 자리에서 일어섰다. 돌이켜 보니, 오늘 아침에만도 책을 펼쳤다, 덮었다 같은 일을 몇 번이나 반복하는지 모를 지경이다.

유하가 문을 열었다.

437

"산, 시열."

유하가 멀뚱멀뚱 저를 바라보는, 지난 백 일 사이 꽤 익숙해졌을 뿐 아니라 때로 오랜 친구처럼 느껴지는 두 얼굴을 바라본다.

"나도 같이 좀 놀자."

오늘은. 오늘 하루쯤은.

그래도 좋을 것 같은 날이야.

아침 식사를 마치고 방으로 돌아갔던 유하는, 얼마 지나지 않아 도포를 챙겨 입고 이화원을 나섰다. 조반을 먹은 후 한 식경[22] 정도 바깥을 산책하는 건 유하의 하루 일과 중 하나였다.

산책을 마친 후에는 또다시 종일 글을 읽는다. 그에게는 스스로 정해 놓은, 하루 동안 독파해야 하는 분량이 있었다.

"오라버니. 산책하러 나가세요?"

"응. 단오 너는 어디 가느냐?"

"저는 북촌에 볼일이 좀 있어서요. 옹 대감 댁이라고, 거기서 맡길 일이 좀 있다고 해서."

내내 이화원에서 보던 모습과는 달리, 쓰개치마를 걸친 단오가 조르르 유하에게로 달려왔다.

"맡길 일이라니?"

"가사 일이에요. 만석꾼 집이라, 늘 일손이 부족하거든요."

"그래서 네가 그 집 일을 하고 있는 게냐?"

"예. 이 시간이면 이화원이 한가하니까요. 산 오라버니는 수련하러 가시고, 육호 아재는 이 시간엔 보통 장기 두러 나가시고, 시열 오라버니는 흠……. 어디 계신진 잘 모르지만 아무튼 이 시간엔 거의 안 계시고……."

---

22) 30분.

단오가 유하를 보며 생긋 웃었다.

"유하 오라버니께서는 아침 드신 후에 잠깐 산책을 나가셨다가, 돌아오신 후에는 내내 방에서 글공부를 하시니까요. 아침거리 설거지하고 나면, 저도 좀 여유가 생겨요. 그때 시전에도 다녀오고, 이렇게 일손도 돕고 하는 거예요."

"힘들진 않고?"

유하의 물음에, 단오가 손사래를 쳤다.

"힘들긴요. 시간이 남아서 하는 거예요. 힘들게 뭐 있겠어요. 하는 일이라 봤자 이불 홑청이나 뜯고, 다듬이질 정도 도와주는 게 전부인걸요."

유하는 잠시 말이 없다. 쓰개치마를 둘러쓴 단오가 그를 쳐다보았다.

"혹시, 오라버니께서도 그렇게 생각하시는 거예요? 반가 아씨가 남의 집 허드렛일이나 맡아 하는 게 안되었다고?"

"글쎄다. 처음에는 단오 네가 워낙 싹싹하여 신기하기도 했지. 반가 여인들은 집 밖에도 잘 안 나가는 경우도 많으니까. 하지만 지금은 그리 생각 안 한다."

"그럼 어떻게 생각하시는데요?"

"남들 눈이 뭐 그리 중요하겠느냐. 남들 시선에 신경 쓰면서 숨죽이며 살다간…… 좋은 날을 다 놓치고야 마는 것 같아."

유하의 지난 삶이 그랬듯이. 겉보기엔 으리으리한 대감 댁 도련님의 삶처럼 보였을지 몰라도, 과거 그 내면은 누구보다 황폐하고 쓸쓸했다.

"모두의 삶엔 나름의 사정이 있는 것이겠지. 남들 눈에 보이는 건 일부뿐이지 않으냐."

유하가 걸음을 멈추자, 단오 역시 덩달아 함께 자리에 멈춰 섰다. 눈이 동그래진 단오가 유하를 바라봤다.

"지금 네 모습처럼 말이다, 단오야."

"어떤 모습이요?"

"쓰개치마를 두르고 있지 않으냐. 남들에게 보이는 건 쓰개치마 사이로 보이는 네 얼굴뿐이겠지. 단오 너는 언제나 씩씩하게 굴고, 항상 밝게 웃는 아이니까, 그 웃음 안에 어떤 마음이 있는지, 어떤 고민이 있는지 사람들은 잘 모를 거다."

단오가 물끄러미 유하를 바라봤다. 그녀의 시선을 묵묵히 마주 보던 유하가 말을 이었다.

"그러니, 남들은 단오가 마냥 잘 웃는 사람이라고 생각할 테지. 하지만 진짜 윤단오는 마냥 웃기만 하는 사람은 아닐 테고. 네게도 힘든 일이 있고, 걱정이 있을 테니까. 그러니, 설령 남들이 네 웃는 얼굴만 보고 너를 판단한다고 하여서, 그에 맞춰 살려고 할 필요는 없다."

단오가 눈을 깜빡였다. 대단히 큰 교훈을 얻은 사람처럼 단오는 살짝 입까지 벌린 채 유하를 바라보고 있었다.

"유하 오라버니. 저 지금, 엄청난 깨달음을 얻은 것 같아요. 오라버니께서는 어쩜 이렇게 현명하신 걸까요?"

"뭘 그리 대단하게 추켜세워 주느냐. 그냥 살면서 느낀 바를 말했을 뿐인데."

"꼭……. 오라버니께서 제 마음 안에 들어갔다가 나온 것 같아서요. 오라버니 말씀 그대로거든요. 저, 생글생글 잘 웃고 늘 씩씩해지려고 애쓰지만……. 항상 그러기만 한 사람은 아니에요."

"그래. 안다."

처음 단오를 마주쳤던 순간. 그러니까, 당시에는 단오인 줄 몰랐던, 돌담 아래서 훌쩍이던 소녀를 보았던 기억. 그 모습을 보았기에, 유하는 단오의 마음을 안다.

"아세요? 어떻게요?"

단오가 되물었다. 순간 당황한 유하가 어색하게 웃었다.

"뭘 보았거나, 알아서 안다는 건 아니고……. 사람이란 본디 그러니까. 마냥 밝기만 한 사람, 그저 슬프기만 한 사람이 어디 있겠느냐. 사람에게 여러 면모가 있듯, 단오 너도 그렇겠지."

"아, 그렇구나……. 역시 유하 오라버니는 책을 많이 읽으셔서 그런지, 사람 마음을 귀신처럼 잘 아시네요."

다시 걸음을 옮기며, 단오가 조잘조잘 말을 이었다.

"고맙습니다, 유하 오라버니. 아버지가 돌아가시고 난 후에는, 제게 그렇게 좋은 말씀을 해 주신 사람이 없었어요. 오라버니 덕분에 자신감도 생기고, 힘이 나요."

"내가 네게 힘이 된다니, 참 듣기 좋은 말이다."

"오라버니야말로 좋은 말 제일 많이 해 주시면서."

유하와 단오가 두런두런 이야기를 나누며 걷는 사이, 어느덧 갈림길이 보였다.

왼쪽으로 가면 북촌이고, 오른쪽으로 가면 저자로 빠지는 길목이다. 그리고 그 길목을 지나쳐 넘어가면 유하가 매일 한 바퀴 돌아보곤 하는 서원이 나온다.

"오라버니는 항상 서원까지 산책하시지요? 저는 좌측 길이에요."

"아."

한 발, 두 발. 이제 다섯 발짝만 더 걸으면 갈림길.

"그럼 산책 잘하시고, 오늘도 글공부 열심히 하시어요. 저는 옹 대감댁 일 후딱 마치고 금방 집으로 돌아갈게요. 으응?"

눈이 동그래진 단오가 유하를 보았다.

"어찌 이쪽으로 오시어요? 오른쪽으로 가셔야 하잖아요. 서원은 반대편인데……."

"그냥. 나야 서원에 딱히 볼일이 있는 사람도 아니잖으냐. 그저 소화도 시킬 겸, 바람도 쐴 겸 걷는 것을. 오늘은 나도 왠지 왼쪽으로 가고 싶어졌다."

"오라버니께서 어인 일이래요? 매일 습관처럼 서원에 다녀오시는 걸 제가 익히 알고 있는데."

"단오 네가 그렇게 알고 있다고 하여, 내가 늘 그러란 법은 없지."

유하의 입꼬리가 쓱 치켜 올라갔다. 유하치고는 꽤 능청스러운 말이었던 까닭에, 단오가 웃음을 터뜨렸다.

"와. 유하 오라버니. 무척 달라지셨네."

"달라져? 내가?"

"예. 처음 여기 오셨을 때와는 엄청 많이 달라지셨습니다."

"내가 어찌하였는데?"

"아침에 저한테 물어보셨잖아요. 오라버니께서 늘 같은 시간에 일어나고, 같은 시간에 책을 읽고, 정해진 길로 산책하는 걸 어찌 아냐고요. 처음에, 오라버니께서 이화원에 오셨을 때 자연히 알게 됐거든요. 정말 한 치의 빈틈도 없이 매일 똑같이 움직이셔서."

"내가 그랬더냐?"

"그랬다마다요. 한데, 오늘은 소세 시간도, 책 읽는 시간도, 글공부와 산책도……. 제가 의도한 바는 아니지만, 어쨌든 저 때문에 전부 망치셨잖아요. 솔직히 좀 걱정했거든요. 계획이 틀어지면 화를 내는 사람들도 있으니까요."

"일부러 그런 것도 아닌데 어찌 화를 내겠느냐."

"그거야 오라버니께서 좋은 분이니 그렇지요. 한데, 지금 오라버니는 즐거워 보이셔요. 지금까지 제가 알던 오라버니가 아닌 것 같아요."

"나를 고리타분하기 짝이 없는 선비라고 여긴 모양이구나."

"에이. 고리타분까지는 아니고요. 그냥, 답이 있는 삶을 사는 분이다? 정해지지 않은 걸 싫어하시는 분이라고나 할까? 그렇게 생각했답니다."

"그런데, 지금은 아니고?"

"예. 아니고말고요. 정말 그렇게 고리타분하고 꽉 막힌 분이었다면, 절대 갈림길에서 모르는 방향으로 가지는 않을 테니까."

정작 유하보다 단오가 그의 변화에 더 신이 난 듯했다. 콧노래도 부르고, 길가에 핀 패랭이꽃 향기도 맡고, 강아지풀도 꺾어 쥐느라 분주하던 단오가 주변을 쓱 훑어봤다.

드문드문 사람들이 오가던 길목에는 이제 유하와 단오, 둘뿐이었다. 단오가 머리에 둘러쓰고 있던 쓰개치마를 벗어 팔에 걸었다.

"아, 시원해. 이제 살 것 같네."

따사롭다 못해 녹진한 늦은 유월의 햇살 속에서, 단오의 발길이 춤추듯 가볍게 움직였다.

"오늘 오라버니랑 같이 나온 거, 너무 잘한 일 같아요."

"어째서?"

"이렇게 이야기 나눈 덕분에, 오라버니를 더 잘 알게 된 것 같아서요. 조금 더 친해진 것도 같구."

"그래. 나도 그런 것 같구나. 참 잘한 일 같다."

단오 너와 함께 걷는 것. 그 갈림길에서 평소대로 정해진 길을 따라가지 않고, 한 번도 가 본 적 없는 낯선 길을 선택한 것.

"저기가 옹 대감 댁이에요. 오라버니. 저는 일 보러 갈게요."

"잘 다녀오너라, 단오야."

"예. 유하 오라버니."

단오가 멀어져 간다. 그녀의 머리채 끝에 매달린 분홍 댕기가 햇살 아래 반짝거렸다.

단오가 그리 말했던가. 제가 달라졌다고. 처음 이화원에 들었을 때 자로 잰 듯 반듯하기만 하던 고리타분한 선비가 아닌, 좀 더 편안하고, 가깝고, 익숙한…….

"귀엽다."

어느덧 멀찌감치 작아진 단오의 뒷모습. 그 모습에서 시선을 떼지 못하던 유하가 무심코 중얼거렸다.

"난……. 단오 네가 진짜 내 누이동생이라면 좋겠구나."

생동하는 여름 날씨처럼 통통 튀어 오르는 단오의 댕기 머리를 본 유하가 빙긋 웃음을 지었다.

불어오는 산들바람이 유하의 뺨을, 목덜미를, 가슴팍과 명치 어딘가를 살금살금 톡톡 건드린다. 늘 허하던 가슴 안에 뭔가가 들어찬 것 같다. 재채기가 나올 것처럼 마음속이 간질거렸다.

아직은……. 이 마음이 뭔지는 잘 모르겠다. 그렇지만 유하도 그것만은 알았다. 이화원으로 인해, 제가 달라지리라는 것을.

여름을 맞아 활짝 피어난 능소화와 배롱나무꽃이 이화원 담장을 울긋불긋 물들였다. 눈부시도록 선명한 주홍과 진홍빛 색채 속에 여름이 무르익었다.

곧이어 장마가 찾아왔다. 종일 우짖는 하늘과 쉼 없이 이어지는 빗소리 사이로 개굴개굴 개구리들이 울어 대는 계절. 이화원 처마에서 떨어지는 낙숫물이 종일 섬돌을 두드렸다.

궂은 날씨 탓에 유하는 이전처럼 매일 산책을 나서지는 못했다. 비가 쏟아지는 내내 유하는 방 안에서 글공부를 했다.

논어와 맹자(孟子), 시경(詩經)을 탐독하는 사이 긴 장마가 끝났다. 푹푹 찌는 무더위에 저고리 옷고름을 느슨하게 풀고, 열심히 부채질을 해 대면서도 그는 글공부를 게을리하지 않았다.

한낮의 매미 소리가 귓전을 때리는 요란한 계절이 지나가고, 눈이 시리도록 드높은 하늘 아래 곡식과 과실이 익어 가는 계절이 왔다.

뒷산 자락을 수놓았던 초록이 붉고 노랗게 물드는 와중에도, 그 단풍이 우수수 낙엽으로 지는 시절에도, 마침내 잎이 모두 떨어져 마른 가지만이 앙상하게 남은 계절에도 유하는 공부에 전념했다.

어느덧 소록소록 첫눈이 내렸다.

초겨울 밤. 유하는 방에 틀어박힌 채 글공부에 정진하고 있었다.

"유하 오라버니. 깨어 계시죠?"

톡톡. 문을 두드리는 소리. 이어 들려온 단오 목소리에 유하가 고개를 들었다.

"그럼. 안 잔다. 무슨 일이냐?"

유하가 방문을 열었다. 너무 오랫동안 양반다리를 하고 앉아 있었던 터라, 무릎을 세우는 것만도 다리가 뻐근했다.

빼꼼, 방문 사이로 보이는 단오의 얼굴. 문틈으로 찬 공기가 훅 들어왔다. 겨울치고는 과히 춥지 않은 날씨였음에도 단오의 볼은 불그레했다.

"오라버니도 잠깐 나오셔요. 산 오라버니랑 시열 오라버니도 다 밖에 계세요."

"무슨 일이기에?"

"아궁이에 밤을 묻어 놨던 게 다 익었거든요. 나와서 드셔 보세요. 밤이 엄청 달아요."

내내 서책을 읽는 데 몰두한 터라, 문밖이 소란스러운 것을 미처 몰랐던 모양이다. 하기야, 이제 유하는 밖에서 들리는 말소리나 소음 따위 무시하고 공부에만 집중할 수 있을 만큼 이화원 환경에 익숙해졌다.

유하가 문밖으로 시선을 돌렸다. 단오의 얼굴 너머 뒤편으로 보이는 평상에는 산과 시열이 이미 자리를 잡고 있었다.

"아 뜨, 아, 뜨거!"

뜨거운 밤 껍질을 까느라 난리 법석인 시열의 모습. 별말 없이 등을 보인 채 뭔가에 집중하고 있는 산의 모습.

"군밤? 좋지."

유하는 선뜻 밖으로 나섰다. 꼬박 두 시진이 넘도록 방에만 틀어박혀 있던 터라, 바깥 공기가 더욱 상쾌하게 느껴졌다.

"여기, 이거 드셔 보세요. 엄청 포슬포슬하게 잘 익었어요."

"이게 다 웬 밤이더냐?"

"단오가 얻어 왔대."

시열이 불쑥 끼어들었다. 호호, 불어 가며 밤껍질을 까던 단오가 말을 이었다.

"저기 박 생원 댁 선산에 밤나무가 족히 쉰 그루는 있거든요. 지난가을부터 박 생원 댁 일을 좀 거들었는데, 내내 말이 없더니 어제 갑자기 밤을 잔뜩 갖다줬어요. 이 중에 제가 턴 밤도 있을걸요."

"밤 터는 걸 도왔어? 밤송이가 뾰족해서, 자칫하면 다칠 텐데?"

"에이. 걱정하지 마세요. 제가 얼마나 요령 있게 밤을 잘 터는데요. 머리에 밤송이 두어 개 꽂히긴 했지만……."

단오가 까르르, 웃음을 터뜨렸다.

"덕분에 이렇게 오라버니들이랑 오순도순 밤도 까먹을 수 있고, 얼마나 좋아요?"

단오가 유하를 향해 알밤 하나를 내밀었다. 껍질이 말끔하게 벗겨진 노란 알밤. 노릇노릇 잘 익은 밤 냄새가 달콤하고 구수했다.

"어이, 윤단오. 이렇게 상도가 없어서야. 내가 먹으려고 힘들게 깐 걸 홀랑 유하한테 줘 버리는 법이 어딨나?"

시열의 항의에, 단오가 대꾸했다.

"유하 오라버니께서는 다시 글공부하러 가실 거잖아요. 밤을 까다가 손에 검댕이 묻으면, 책을 버려서 안 된다고요."

"아니 그러니까 내 말은, 유하가 걱정되면 단오 네가 까 주면 되잖으냐? 안 그래?"

"밤이 너무 뜨거워서요. 손을 델까 봐서."

"너만 뜨겁냐? 윤단오 손은 사람 손이고, 김시열 손은 무슨 앞발이야?"

"누가 앞발이래요? 그리고 치사하게 굴 거예요? 이 밤, 누가 얻어 온 건데?"

"아, 그렇군. 미안."

주거니, 받거니 단오와 시열의 말싸움은 언제나 그렇듯 시열의 빠른 항복으로 끝이 났다.

"단오야. 나는 내가 알아서 먹을 테니 걱정 마라."

유하의 말에, 밤껍질을 까는 데 골몰하던 단오가 고개를 들었다.

"책에 검댕이 묻으면 어떡해요? 잘 안 지워진단 말이에요."

"안 지워지긴. 서책을 만지기 전에 손이야 씻으면 그만이지."

"하이고. 공부 못하는 사람은 어디 서러워서 살겠나."

웃으며 얼굴까지 온통 검댕 천지가 된 시열이 툴툴거렸다.

"흐미. 산. 완전 장인이 따로 없네? 어찌 이렇게 밤껍질을 잘 까냐?"

시열이 불쑥 내뱉은 말에, 모두가 평상 끝에 앉아 있던 산을 바라봤다. 시열의 말대로, 산 앞에는 말끔한 알밤과 밤과 밤껍질이 수북하게 쌓여 있었다.

"뭐야? 밤나무 집 아드님이라도 돼? 대체 어떻게 이렇게 순식간에 밤껍질을 깠어?"

"밤나무 집은, 무슨."

산이 언제나처럼 퉁명스럽게 내뱉었다. 그가 들고 있던 검 자루 끝으로 군밤을 톡, 내려치자, 바삭 껍질이 부서지며 잘 익은 알밤이 쏙 굴러나왔다.

"이야, 강산…… 이화원 유일한 무과생다운 위엄이로군. 가보처럼 애지중지 끼고 도는 검으로 뭘 그리 열심히 하나 했더니. 군밤 까는 걸 연습하고 있었구먼."

시열이 낄낄거렸다. 그러나 산은 오늘도 심드렁하니 별다른 반응이 없다. 그가 족히 수십 알쯤 되는 알밤을 단오 앞으로 쓱 밀었다.

"피곤하네. 난 자러 간다."

별말 없이 자리에서 일어선 산이 제 방으로 향했다.

"안녕히 주무세요, 산 오라버니! 밤 잘 먹을게요."

단오가 산의 뒤통수에 대고 외쳤다. 움찔, 고개를 돌릴 것도 같던 산은 그대로 방으로 모습을 감췄다.

"많이도 까 주셨네……."

단오가 제 앞을 내려다본다. 그녀의 앞에 놓인, 속껍질 하나 없이 윤기가 반드르르하게 토실토실한 알밤 수십 개.

"뭐야. 정유하! 얼굴에 시꺼먼 수염 생겼어! 푸하하하!"

검댕이 묻은 유하의 얼굴을 본 시열의 웃음이 터졌다. 어색하게 단오를 보며 쓱, 입가를 닦은 유하의 시선이 시열의 얼굴에서 멈추었다.

"시열아."

"왜?"

"도덕경에 그런 말이 있어. 남을 아는 자는 지혜롭고, 자신을 아는 자는 현명하다.[23] 한데, 시열 너는 남만 알고 자기 자신은 모르는군."

"뭐래. 내가 왜 나 자신을 모르나? 쯧쯧. 우리 유하 도령, 방에 틀어박혀

---

23) 知人者智 自知者明.

서 공부만 하더니 돌아 버렸나."

구시렁대는 시열을 본 단오가 순간 푸흡 웃음을 터뜨렸다.

"시열 오라버니. 유하 오라버니 말씀처럼 자신을 좀 돌아 보셔야 할 것 같은데요. 오라버니 얼굴……. 수염 정도가 아니라, 아예 오라버니가 아궁 이에서 구워진 것 같거든요."

"참나. 그 얘기였어? 내가 왜 나를 모르겠냐? 나는 나 자신을 정말 잘 알아. 얼굴에 검댕 좀 묻었다고, 꽃선비 김시열의 미모가 어디 갈 리 없다 는 걸 너무 잘 안다고."

능청스럽게 대꾸하던 시열과 단오의 눈이 마주쳤다.

"그런데 단오 너, 지나칠 정도로 즐거워한다는 생각을 지울 수가 없네 그려."

"오라버니 얼굴이 너무 웃겨서요."

"그래? 그럼 나도 좀 웃어 보자."

시열이 검댕 묻은 손가락으로 단오의 뺨을 쿡, 찔렀다.

"푸하하! 윤단오 뺨에 수염이 났어!"

"으악, 오라버니, 이리 와요! 가만 안 둬!"

냅다 도망치는 시열과 그를 쫓아가는 단오. 떠들썩한 이화원의 겨울밤 이 무르익어 간다.

"어."

시열과 서로 얼굴에 검댕을 묻히느라 옥신각신, 야단법석이던 단오가 문득 고개를 들었다.

"오라버니들, 눈이 와요."

"그러네? 어이구, 생각보다 눈발이 엄청 두꺼운데? 밤새 눈이 푹푹 나 릴 모양이다."

"그럼, 올겨울 처음으로 눈이 쌓인 걸 볼 수 있겠네요? 저 눈 좋아하거든요."

흩날리는 눈송이를 잡으려고 휘휘 손을 내젓던 단오가 주변을 둘러보았다.

"아이구, 너무 웃었더니 배가 다 아프네. 그나저나 밤껍질 천지네요. 눈발이 세지기 전에 밤껍질부터 좀 치워야겠어요."

단오의 움직임이 부산해졌다. 그녀의 발에 챈 알밤 하나가 데굴데굴 안뜰을 가로질러 굴러갔다.

이화원의 겨울밤은 그렇게 깊어 갔다.

* * *

이화원. 갑진년 일월 스무닷새. 윤단오 일지.

<며칠 동안 눈이 많이 내렸어. 뜰에도 눈이 한 뼘이 넘게 쌓여서, 눈을 치우느라 엄청나게 품이 많이 들었어.

사실 겨울도 다 지나가서, 더는 눈은 안 오겠거니 생각했었거든. 그런데 자고 일어나니 온 세상이 눈 천지이지 뭐야.

눈을 치울 생각에 한숨이 폴폴 나오긴 했지만, 그래도 잠에서 깼을 때 사락사락 눈 쌓이는 소리가 들리면 그렇게 기분이 좋더라고. 눈 오는 소리를 들으면 왠지 마음 한편이 간질간질한 기분이 들거든. 난 아마 눈을 꽤 좋아하는 것 같아.

어쨌든, 이제 겨울도 끝물이야. 마당 구석에 몰아 놨던 언 눈도 녹아내리기 시작했어. 그 물기 때문에 바닥이 미끄러워져서, 하마터면 육호 아재가 한바탕 꽈당할 뻔했지만 말이야.

아, 육호 아재는 천만다행으로 크게 다치시지는 않았어. 며칠 허리가 아프다고 하셨지만, 그래도 다 나으셨으니 참 다행이야.

곧 입춘(立春)이 되니, 봄이 오고 있는 게 느껴져. 날이 풀리고, 버드나무에 조그만 새순이 달렸더라고.

그걸 보고선 오라버니들이 이화원에 오신 지도 어느덧 꽉 찬 일 년이 되어 간다는 걸 깨달았어. 벌써 일 년이라니. 시간이 어쩜 이렇게 빠를까?

지금 문득 생각났는데, 나는 눈 내리는 풍경을 좋아하긴 하지만 내가 좋아하는 계절은 겨울보다는 꽃 피는 봄인 거 같아. 어서 꽃이 잔뜩 피는 봄이 왔으면 좋겠다. 그리고 춘삼월이 되어 오라버니들을 만난 지 일 년째 되는 날에는 기념 삼아 수리취떡을 만들어 나눠 먹어야겠어.

어…… 또 그 소리가 들린다. 사락사락, 하는 소리.

신기하지? 눈이 올 계절이 아닌데도, 나도 모르는 사이에 또 눈이 오고 있었나 봐. 참 별일이야. 뭐 저리 시도 때도 없이 불쑥불쑥 눈이 오지?>

＊ ＊ ＊

<단오에게.

봄이구나. 내가 이화원에 온 지도 이제 일 년이 지났다. 문득 돌이키며 그간 써 놓은 일지를 훑어보니, 오늘이 이화원에 온 지 꼭 일 년째 되는 날이더구나. 삼월 초하루 말이다.

돌이켜 보면, 지난 일 년의 삶은 내게 너무나도 많은 기쁨을 주었던 것 같다. 이화원에 머물게 된 이후 내가 얻은 것들이 참으로 많아.

본가에서 살 때 나는 별채에만 틀어박혀 지냈고 벗이나 가까운 이를 갖지 못하였지. 하지만 이화원에서 많은 것이 달라졌다. 나는 산과 시열이라는 벗을 갖게 됐고, 육호 아재라는 훌륭한 어른을 사귀게 되었지.

무엇보다 매사 살갑게 챙겨 주는 단오 너를 알게 되었으니, 내 삶에 이보다 더 좋은 일이 없었다는 생각이 드는구나.

이화원에서 보낸 일 년이 나는 무척 행복했다. 누이동생처럼 나를 따르고,

늘 나를 챙겨 주는 너를 만나서 내 지난 일 년은 참 즐겁고 또 수월했단다.

그리고 무엇보다 달라진 건, 내게 동기가 생겼다는 것일 터다. 나는 과거에도 입신양명하여 출세하겠다는 목표를 가진 사람이었지만, 그때의 내게는 딱히 동기랄 것이 없었거든. 집을 벗어나고 싶다는 막연한 꿈 탓에 과거 급제를 하리라고 마음먹었지만, 실상은 늘 뜬구름 잡듯 모호한 삶이었다.

하지만 단오야. 이제 나는 안다. 과거 급제도, 입신양명도, 출세도…… 왜 그것들을 바라는 건지를 말이다. 내게는 분명한 동기가 생겼기 때문이다.

예전에는 가족들에게 인정받길 바라서 출세하고 싶었다. 그래서 늘 책을 읽고, 읽고, 또 읽고…… 속에서 천불이 나고 조바심이 나고, 욕지기가 나올 것처럼 배 속이 울렁거려도 마냥 글을 읽었다.

하지만 비로소 난 깨달았어. 그게 아무 의미 없는 일이라는 걸 말이다.

단오야. 이제 나는 즐겁기 위해 글을 읽는다. 나는 네가 있고, 산과 시열이라는 좋은 벗이 있는 이곳에서 기꺼운 마음으로 즐겁게 글을 읽게 됐어. 또한 뜻없는 명예를 위해서 출세하는 게 아닌, 좋은 사람들과의 미래를 꿈꾸기 위해 출세하고 싶어졌다.

나는 이화원에 와서야 비로소 기쁨을 아는 사람이 되고 싶다는 마음을 갖게 됐단다. 그리고 내 모든 변화에 관한 감사는, 다른 누구보다 단오 너에게 하는 것이 합당하겠지.

단오야. 내게는 여러 형제가 있지만, 살면서 단 한 번도 형제간의 우애나 정 같은 걸 느껴 본 적은 없어. 그래서 너를 볼 때마다 가끔 가슴이 벅차는 까닭도 잘 알지 못했어.

아마 나는 단오 너를 친동생처럼, 진짜 내 누이동생처럼 아끼는 것 같다. 그렇기에 좋은 것이 있으면 네게 주고 싶고, 맛있는 걸 보면 네게 먹이고 싶은 것이겠지. 너를 보면 피붙이에게 하듯, 많은 걸 해 주고 싶은 생각이 자꾸 들거든.

무엇보다, 네가 나를 친오라비처럼 살갑게 대해 준다는 사실이 나는 고마울 뿐이야.

단오야. 문득 고백해 보지만.

내게 또 다른 가족이 되어 주어서 고맙다.>

＊ ＊ ＊

<단오야. 어느덧 또 봄이 왔구나. 내가 이화원에 온 지도 벌써 이 년이 되었다. 아까는 담장 너머 홍매화를 보다가, 문득 봄을 깨달았다. 어찌 시간이 이리 화살처럼 빠른지 모르겠구나.

며칠 전엔가, 육호 아재와 단오 네 나이가 열일곱 살이라는 얘기를 하다가 깜짝 놀랐다. 돌이켜 보면, 내가 이화원에 찾아들었을 때 내 나이가 열일곱이었어.

그때 나는 내가 도령이 아닌 어엿한 선비라고 여기었는데, 늘 어린 소녀 같은 네가 그 나이라는 사실이 어찌 이리 생경한지 모르겠다.

솔직히 말하자면, 나는 너를 볼 때마다 누이동생 같고, 어린 소녀 같다는 생각을 하곤 해. 그런데 어제 너와 저자에 다녀오는 길에, 문득 함께 걷는 너를 보고 알았지. 어느덧 네 키가 내 어깨 가까이에 닿더구나. 이제 너도 어엿한 여인이 되어 가는 모양이다.

단오야. 나는 이 년 전, 너와의 만남을 아직도 가끔 떠올리곤 한다. 그때 하필 찾아들었던 주막에서, 하필 주모를 만나러 온 너를 맞닥뜨렸던 것을. 그리고 하필 주막 담장 아래서 슬픔을 삭이던 네 모습을 발견한 것을.

글쎄. 문득 생각해 보곤 해. 그날, 너는 내가 놓고 간 명주 수건을 발견했을까?

나는 그 답을 모른다. 어쩌면 너는 훌쩍거리느라 수건이 거기 놓여 있는지도 모르고 자리를 떠났을 수도 있겠지. 아니면, 너는 그 수건을 보고 귀신이 갖다

453

됐나 싶어서 어리둥절해했을지도 모르겠어.

만약에 네가 그 수건을 발견했다면, 너는 어떻게 했을까? 여전히 그걸 갖고 있을까? 아니면 남의 물건이라고 여겨 그 자리에 그냥 두고 왔을까…….

웃기지. 내가 생각해도 참으로 우스운 일이다. 그리 궁금하면 직접 네게 물어보면 될 것을. 이렇게 홀로 생각만 하면서 네게 묻지는 못하는 내가 나도 우습구나.

단지…… 나는 너를 아니까. 그래서 그날 이야기를 꺼내기가 싫은 게다. 너는 강해 보이고 싶어 하는 아이니까.

이화원, 어머니와 언니, 그리고 손이 많이 가는 나를 포함한 과거생들까지, 모두 네가 책임감을 느끼는 사람들이지. 게다가 단오 네가 약한 모습을 보이기 싫어한다는 걸 나는 알거든. 너는 아무리 힘든 일이 있어도 남들 앞에서는 늘 괜찮다고 말하며 절대 내색하지 않는 게 버릇이니까.

그런 이유로 나는 네가 담벼락 아래서 홀로 훌쩍이는 모습을 보았노라는 말을 꺼낼 수가 없어. 네 마음에 상처가 될 것 같아서 말이지.

그래서 나는 차마 네게 그 명주 수건을 보았는지, 행방은 어찌 되었는지를 묻지 못하겠다. 그리고 아마, 앞으로도 말이다. 네게 영영 그 질문을 던지지는 못할 것 같다는 생각이 들어.

하지만 단오야. 비록 노란 국화가 수놓아진 명주 수건의 행방을 알 수는 없겠지만 말이다. 그날, 그 수건이 네 눈물을 닦아 주었다면, 그것만으로도 나는 좋을 것 같아.

네가 그 물건을 간직하든, 아니든 그건 내게 그리 중요하지는 않아. 단지 내 걸음을 멈추게 했고, 내내 마음 쓰이게 했고, 결국 나름대로 아끼던 수건을 네 곁에 두고 가게 만들었던 그날의 네 눈물을 그 수건이 닦아 주었다면 좋겠구나. 그것이면 나는 족할 것 같다.

나는 그런 생각도 했어. 앞으로도 나는, 네가 힘들 때 조용히 네 곁에 눈물

닦을 수건 하나 놓아 둘 수 있는, 그런 사람이었으면 좋겠노라고.

정말로 그랬으면 좋겠구나…… 좋겠다마는.

무엇보다, 단오 네가 눈물 흘리는 일이 없었으면 좋겠다. 나는 무엇보다 그것을 가장 바란다.

그리고, 하나 더…….

아니다. 아니야. 이만 줄이겠다.>

*　*　*

<단오에게.

어느덧 내가 이화원에 머무르게 된 지 삼 년이 지났구나. 봄이 돌아올 때마다 무심코 세월을 손꼽다가 깜짝 놀라곤 한다.

이제 내 나이가 어느덧 약관이 되었지. 스스로도 그 사실이 어색하여 자꾸 내 나이를 곱씹곤 해. 스무 살이라니. 이런 날이 영영 오지 않을 것 같다는 생각을 하곤 했거든.

올해는 초시(初試) 있는 해이지. 지난 삼 년간 나는 꽤 열심히 학업에 정진한 것 같아.

솔직한 마음으로, 초시 정도는 합격하리라는 자신은 늘 갖고 있었다. 그래서 시험에 응시하는 것 자체를 걱정하지는 않는다. 시험보다, 다른 걱정이 있는 탓에 요즘 마음이 복잡하지만…….

이렇게 서찰의 형식을 빌려 종이 위에 마음을 털어놓지만, 어차피 네게 보내지는 못할 편지이겠지. 그러니 조용히 고백해 보자면…… 올해 초시를 치르고, 내년에 식년시에 급제하게 된 이후가 내 마음을 무겁게 해.

그 후에 나는 어떤 선택을 하게 될까? 과거에 급제한다면, 당연히 이화원을 떠나야만 하겠지. 공부를 마친 자가 과거생들을 위한 객주에 계속 머무르는 건 이상한 일이니 말이다.

너도 알다시피, 과거에 급제하는 건 언젠가부터 내 가장 중요한 삶의 목표가 되었어. 하지만 그런 생각도 든다. 과거 자체보다, 오히려 그다음이 나를 이끄는 동기인 것 같기도 하다고.

내가 과거에 급제한다면, 그리하여 어엿한 벼슬아치가 된다면…… 그때는, 나도 더 이상 반쪽짜리 서자가 아닐 거야. 그때가 되면 나도 당당하게 내 마음을 내보일 수 있지 않을까.

나는 내 마음에 있는 게 뭔지 잘 모르겠다. 행복하다가도 문득 슬퍼진다. 마냥 즐겁다가도, 어쩌면 이 순간이 이대로 사라져 버릴 거라는 이상한 마음이 들어. 우수수 피어난 봄꽃이 또 우르르 지는 것처럼 말이야.

며칠 전, 산과 시열, 단오 너와 함께 저자에 다녀오던 날. 멀찍이 뒤처진 산을 보고 네가 그렇게 외쳤었지. 매년 봄은 돌아오지만, 지금 이 순간은 다시 돌아오지 않는다고.

그날 이후, 종종 네 그 말을 생각하곤 해. 어쩌면 너와 나 둘 사이의 시간도, 이 순간도 그렇게 흘러가 버리지나 않을까, 싶은 마음이 가끔 들거든.

이화원에서 삼 년을 머무르며, 한 번도 이렇게 무거운 마음을 가져 본 적이 없는데. 요즘은 가끔 그런 걱정이 드는구나.

그리고 내 마음이 왜 이런지 돌아보곤 해. 그러다가 알게 됐다. 어쩌면, 내 마음에 네가 들어차서, 그래서 내 마음이 이토록 무거울지도 모른다는 걸 말이야.

내가 너를 누이동생처럼만 여기는 게 아니라는 것. 사실 이미 오래전부터 그랬을지도 모른다는 걸 난 이제야 깨달았어.

단오야. 너에게 나와 산, 시열과의 시간은 늘 하나로 묶여 있겠지. 한데 나는 가끔 그런 꿈을 꾸곤 해. 넷이 하나인 우리가 아닌, 너와 나 둘인 우리를 말이야.

어쨌든 이것도 훗날의 바람일 뿐. 지금은 일단 네 앞에 부끄럽지 않은 사람이 되기 위해 노력하고 싶어. 내가 바라는……우리를 위해서.

그리고 이런 내 바람과는 별개로, 내게 무엇보다 중요한 건 단오 네 행복이
다.>

* * *

"아이구! 어서 오십시오, 선비님."

세책점으로 들어서는 유하를 본 주인장의 얼굴에 화색이 돌았다.

"안 그래도 오실 때가 되었다고 생각하던 참이었습니다요. 지난번에 요
청하신 서책들이 여러 권 들어왔거든요."

"아. 들어왔나? 좋은 소식이군. 어디 있나?"

"저기 안쪽에 잘 정리해 두었습니다. 언제나처럼, 부담 갖지 마시고 편
히 둘러보십시오."

"그러겠네. 고맙소."

유하를 반갑게 맞이하면서도, 세책점 주인장은 몹시 분주했다. 그의 앞
에는 표지가 빳빳한 새 책들이 사람 키만큼이나 높이 쌓여 있었다. 주인
장이 바쁜 손길로 서책들을 정돈했다.

유하가 서가에 꽂힌 서책들을 살피고 있을 무렵, 팔짱을 낀 처자 둘이
세책점 안으로 들어섰다.

"주인장. 그 책 들어왔소?"

"아이구. 오셨습니까요. 들어왔다마다요!"

"아이구! 잘됐네. 내 오늘 빌려 가겠소."

"안 그래도 많이들 오실 줄 알고 이렇게나 많이 대령해 두었습니다. 책
을 빌려드리는 기간은 닷새인 것 아시지요? 기다리는 사람이 많은 책이
니, 부디 날짜를 넘기지는 마십시오."

"알았네, 알았어. 닷새가 뭐야. 너무 재미있어서 밤잠을 잘 새도 없이 하루면 다 읽는다고 난리더군. 이리 주게."

"예. 세책값은 두 전입니다."

"여기 있네."

서책을 각자 한 권씩 고이 품은 두 처자가 세책점을 떠났다. 바로 세책점 주인장 앞에 산처럼 쌓여 있던 그 책이었다.

유하가 다시 서가로 시선을 돌리려는 차.

"주인장. 그 책 들어왔수?"

"벌써 소문이 났습니까? 여기 있습지요."

"아이구. 주인장네 가게는 빨라서 좋아. 내가 하나 빌리겠네. 언제나처럼 책값은 외상으로 달아 주게."

"예. 여부가 있겠습니까요."

이번에는 어여머리를 올린 여인이 냉큼 서책을 들고 나선다.

"아저씨! 그 책 들어왔어요?"

그리고 또 한 처자.

"주인장! 장안의 화제라는 그 책 주시오!"

또 한 처자…….

이쯤 되면, 궁금하지 않으려야 않을 수 없을 지경이다. 필요한 서책을 골라 옆구리에 낀 유하가 주인장에게로 다가섰다.

"벌써 고르셨습니까? 우리 선비님은 책을 보는 눈썰미도 어찌 이리 좋으신지. 가격은, 어디 보자……. 예. 두 냥 주시면 되겠습니다."

"그건 그렇고, 주인장."

"예?"

"방금 처자들이 우르르 빌려 간 책. 그거 무언가?"

"아아. 이 책이요? 이거, 패설(稗說)입니다. 연정 소설이지요. 요즘 입소문이 나서, 아녀자들이 굉장히 많이 읽는 책입니다만, 선비님 같은 분께서 관심을 가질 물건은 아닙지요."

"보아하니, 다들 금은보화라도 들고 가듯 고이 모셔 가던데?"

"예. 특히 처자들 사이에서 인기가 아주 많습니다. 보고 있으면 웃음이 났다가, 눈물이 났다가, 마음을 들었다 놨다 할 만큼 재밌다고들 합니다."

"그렇게나 재밌나?"

"예. 재밌는 글을 쓰기로 이름난 작가거든요. 무수리가 후궁이 되는 얘기도 있고, 호암산 여신선이 왕을 협박해서 후궁이 된다는 얘기도 있고, 승은궁녀가 고자라는 왕과 사랑에 빠지는 이야기도 있습지요. 아, 꽃처럼 고운 선비들이 열애하는 얘기도 있답니다."

"꽃처럼 고운 선비가 열애를 해? 그건 왠지 있을 법한 이야기로군."

"예. 그럽지요. 해서 창극(唱劇)으로도 만들어졌답디다. 아무튼⋯⋯. 이 책도 요즘 불티나게 팔린답니다. 물론 선비님께서야 이런 패설에는 관심 없으실 테지만요."

"어디 한 번 볼 수 있나?"

"예. 물론입지요."

유하가 주인장이 내미는 빳빳한 새 책을 받아 들었다.

〈청춘전서(靑春前書)〉

"청춘⋯⋯. 전서."

청춘에게.

"어떤 내용인가?"

"한 여인을 오래도록 짝사랑한 사내가, 세월이 흐른 후 그 시절 짝사랑했던 여인에게 보내는 서찰을 묶어 놓은 형식의 글입니다."

"한데 왜 제목이 청춘전서인가?"

"남자주인공이 본인이 사랑했던 여인을 이름 대신 그렇게 부르거든요. '청춘'이라고. 자신의 가장 아름다웠던 시절이라고 하면서요. 책 표지를 넘겨 보십시오."

유하는 세책점 주인장이 일러 준 대로, 표지 다음 장을 펼쳤다.

청춘전서. 한자로 쓰인 네 글자 제목 아래, 언문으로 쓰인 문구.

〈나의 푸른 봄인 너에게.〉

"제목만 들어도 왜 여인들이 좋아하는지 알겠구려."

"예. 그렇습니다요."

주인장이 이상스럽다는 눈으로 유하를 보았다. 왠지 생각이 많아 보이는 유하의 표정 때문이었다.

"한데, 선비님. 어찌 패관소설에 관심을 가지십니까? 이런 책은 그간 거들떠보지도 않으셨잖습니까."

"으음. 그저 궁금하여서……."

유하가 말끝을 흐렸다. 손에 들고 있던 패설책을 만지작거리던 그가 불쑥 입을 열었다.

"이 책, 내가 한 권 사겠네. 새것으로 꺼내 주게."

"빌리는 것도 아니라, 아예 사시려고요? 읽으려고 그러십니까?"

"아. 내가 읽으려는 건 아니고……. 처자들이 좋아한다고 하니, 한 권 선물하고 싶어서."

"그러시군요. 예. 그렇지요. 워낙 불티나게 동나는 책이라 판매는 잘 안 하지만……. 단골이신 선비님 청이니 들어드려야지요."

유하는 서책값을 흔쾌히 치렀다. 저자에 나올 때는 빈손이었는데, 빌린 책에 패설까지 더해져 그의 손은 꽤 무거워졌다.

"살펴 가십시오, 선비님."

주인장이 인사를 건넸다. 유하는 세책점을 나섰다.

"유하 오라버니!"

단오의 목소리가 생각에 잠긴 유하를 일깨웠다. 세책점을 나선 직후 형님을 마주친 탓에 기분이 가라앉아 있던 그가 고개를 들었다.

저만치서 열심히 손을 흔드는 단오, 그리고 그녀와 함께인 시열의 모습.

과거 급제는 아무나 하느냐, 혼인은 언제 할 생각이냐, 처신을 똑바로 하라며 닦달하던 형님 탓에 무거웠던 유하의 마음은 단오의 얼굴을 본 순간 언제 그랬냐는 듯 가벼워졌다.

"산은 어디 가고?"

유하가 물었다. 단오와 산, 시열, 저까지 넷이서 저자에 나온 길. 각자 볼일을 마치고 만나기로 한 길목에 산의 모습만 보이지 않았다.

"뭐 잊어버린 게 있대요. 금방 오겠지요."

"그렇군…… 으음? 손목이 어찌 이리 뻘게졌어?"

단오의 손목에 불그죽죽한 자국이 난 것을 본 유하가 그녀의 손목을 붙잡아 살폈다.

단오와 시열의 설명을 듣고, 옹 생원이라는 작자 탓에 생긴 상처라는 걸 안 유하의 인상이 구겨졌다.

"유하. 정말로 신경 안 써도 돼. 옹 생원 그놈, 지금쯤 초주검이 됐을걸."

단오에게는 들리지 않게, 시열이 나지막하게 일러 주었다.

"산이 옹 생원 놈을 쫓아갔어. 아마 지금쯤 산에게 두들겨 맞고 황천 가기 직전일 거야. 그러니 걱정 내려놓으라고."

시열이 유하의 귓전에 대고 속닥거렸다. 그 순간 단오가 외쳤다.

"어, 산 오라버니 오신다!"

유하가 고개를 돌렸다. 저만치서 걸어오는 산이 보인다. 시열의 말대로라면 옹 생원이라는 작자를 반쯤 죽여 놓고 오는 길일 테지만, 산은 그런일 따위 없다는 듯 시치미를 뚝 뗀 얼굴이었다.

저벅저벅 태연하게 걸어오던 산의 눈이 힐끔, 유하를 본다.

"……."

산의 시선이 향한 곳이 제 얼굴이 아닌 손이라는 것을 깨달은 유하가 단오의 손목에서 손을 떼었다. 산의 눈길도 곧 무심하게 떨어졌다.

유하는 문득 궁금하다……. 산은 어떤 마음일지가. 늘 무관심한 것처럼, 단오를 귀찮게 여기는 사람처럼 구는 산이었지만 정작 그의 시선은 단오를 좇고 있는 것처럼 보일 때가 많았기에.

그런 걸까. 어쩌면, 산도 단오를…….

"유하 오라버니. 무슨 책을 그리 잔뜩 들고 오시는 거예요?"

어느덧 다가온 단오가 물었다.

"글공부할 책도 사고, 때마침 명(明)에서 넘어왔다는 책도 빌렸고……."

유하는 단오를 위해 패설을 샀다는 말은 꺼내지 않았다. 기실 그가 읽을 서책값보다 곱절은 비싸게 구입한 책이었지만 말이다. 그는 이화원에 돌아가서 저녁을 먹은 후에, 단오가 한숨 돌릴 시간이 날 때쯤 책을 건네줄 생각이었다.

과거생들 사이에서 나고 자란 덕에 단오는 글을 잘 알았고 영리했다. 예전에는 단오도 가끔 세책점에서 책을 빌려 올 때가 있었다. 하지만 바쁜 일상 탓에, 몇 장 읽지도 못하고 반납하기를 반복한 후에 단오는 더는 책을 빌리지 않게 되었다. 그게 유하가 책을 사 버린 이유였다.

빌린 게 아니라 구입한 책이니, 시간에 쫓기지 말고 언제든 마음 편히 읽으라고 말한다면 단오도 꽤 기뻐하지 않을까. 세책점에서 보았던 처자들의 얼굴에 떠오른 기대와 즐거움처럼, 이 책을 읽을 단오도 그렇게 환하게 웃었으면 좋겠다.

"오라버니는 책 귀신이에요!"

"뭐? 책 귀신?"

단오가 불쑥 내뱉은 말에 유하가 웃음을 터뜨렸다.

"예. 오라버니처럼 책 좋아하는 사람이 세상에 또 어디 있겠어요. 오라버니 방문을 열면 묵향이랑 책 냄새가 얼마나 자욱한지 모르시죠?"

"책 냄새라는 것도 있느냐?"

"예. 그럼요. 과거생들이랑 평생을 산 저도, 예전에는 책 냄새가 뭔지 잘 몰랐거든요. 그런데 오라버니께서 이화원에 계시는 동안, 확실하게 알게 됐어요."

"책 냄새라면 묵은 종이 냄새가 아니냐. 과히 좋은 냄새는 아닐 것 같은데……."

"아니요. 엄청 좋은 냄새예요. 먹 냄새랑 비슷한데, 그거랑 살짝 다르거든요. 그윽해요. 기분 좋아지는 향기예요."

단오가 해맑게 웃었다.

"그래서 오라버니 방문이 열렸을 때면 늘 킁킁거려요. 좋은 냄새가 나서."

"내 냄새가 좋다는 말이냐?"

"예? 어머. 유하 오라버니! 시열 오라버니처럼 능글맞게 굴지 마세요. 안 어울리니까."

"그렇다면 나는 뭐가 어울리는데?"

"아주 반듯하고, 지금처럼 그렇게 해사하게 웃으시고, 저한테 다정하게 고운 말만 해 주시는 거? 그게 제일 잘 어울려요, 유하 오라버니께는."

"하하……."

단오와 함께, 그리고 산과 시열과 앞서거니 뒤서거니 걸어가는 길. 유하의 눈빛이 문득 아득해진다.

반듯하게, 해사하게, 다정하게……. 네 곁이라면, 단오야. 나는 언제고 그런 사람으로 있을 수 있을 것 같아.

"그래. 늘 그런 모습으로 있으마."

"역시 유하 오라버니 최고."

단오가 콩, 유하의 어깨를 쳤다. 그녀의 얼굴에 해맑간 웃음이 번졌다.

"대체 시열 너는 살 것도 없으면서 왜 따라 나온 게냐."

툴툴대는 산의 목소리.

"대장간집 딸이 그리 곱다고 하더라고. 우리 단오보다 고운지 어떤지 확인하려고."

능청스러운 시열의 목소리.

그사이 꽤 많이 걸었다. 이쯤에서 멀찍이 앞을 바라보면, 이화원이 한 눈에 들어올 터였다. 그 순간. 단오의 걸음이 우뚝 멈추었다.

"무슨 일이지?"

멀찍이, 활짝 열린 이화원 대문을 본 단오의 눈이 휘둥그레졌다.

"대문이 활짝 열려 있는데?"

"저 앞에, 뭔가 나동그라져 있는 것 같지 않아?"

유하와 산, 시열의 눈빛에도 당황한 기색이 역력했다. 그 순간 갑자기 단오가 달리기 시작했다. 단오에 이어 유하도, 산과 시열도 이화원을 향해 내달렸다.

언제까지 푸른 봄이 계속될 것 같던 정유하의 삶에 이설이라는 존재가 불쑥 들어왔던 날.

그날, 이화원을 향해 달려가는 순간에도, 난장판이 되어 버린 이화원 안뜰을 목격했던 순간에도. 단오가 삼식이 패거리를 찾아가고, 판관 장태화가 그 배후라는 것을 깨닫고, 이화원에 은 이백 량이라는 어마어마한 빚이 있다는 사실을 알게 된 후에도.

그리고 이후 어느 밤, 파국의 장소가 되었던 폐가에서 '이설'이라는 이름을 유하가 처음으로 들었던 순간에마저도.

유하는 미처 몰랐다. 단오를 만남으로써, 비로소 푸른 봄이 찾아온 것 같았던 정유하의 삶이 어느 계절을 향해 흘러갈지를.

* * *

⟨청춘전서(靑春前書) - 나의 푸른 봄인 너에게.⟩

모든 일이 시작되었던 그날, 저자 세책점에서 유하가 단오에게 선물하기 위해 사 들고 온 패설.

그 책은 오랫동안 이화원 유하의 방 한쪽에 가득 쌓인 서책들 사이에 머물러 있었다.

이화원 담장 안에서 살아가던 유하와 산, 시열, 그리고 단오의 삶이 이설로 인한 소용돌이에 휘말렸던 날 이후, 유하가 쓰던 방은 한동안 비어 있었다.

그들이 운명과의 치열한 싸움을 벌였던 나날들에도 그랬고, 유하가 이화원을 완전히 떠난 후에도, 그리고 왕 이창이 붕어하고 새로운 세상이 시작된 이후에도 유하의 방은 한동안 빈방으로 남겨졌다.

이화원에 새로운 과거생들이 들어올 즈음이 돼서야 누군가 유하의 물건들을 치웠다. 유하가 쓰던 물품들은 반닫이에 넣어져 광 한편에 오래도록 보관되었다. 누구의 손도 타지 않은 채로, 오랫동안.

그렇게 세월이 흘러갔다.

계절이 지나고 또 지났다. 꽃 피는 봄이, 신록에 물든 여름이, 울긋불긋 멍든 마음 같은 가을이, 흰 눈 사락사락 쌓여 가는 겨울이 전진한다.

유하에게도 봄이 피고 여름이 물들고, 가을이 불어오고 겨울 눈이 내리며 계절이 흘러갔다.

유하에게도 봄이 있었지만, 유하의 새로운 봄은 그가 그토록 꿈꾸었던 푸른 봄과는 다른, 완전히 새로운 세상 속에 있었다.

열두 번 달이 차고 다시 그믈었다. 네 번의 계절이 돌아오고 또 돌아왔다. 한 해가 지나고 다음 해가 또 지나갔다.

그렇게, 유하가 새로운 세상의 주인이 된 지도 칠 년이라는 세월이 흘렀다.

* * *

그리고 또다시 찾아온 어느 봄, 춘삼월.

서빙고나루에 어스름이 깔린 밤이었다. 봄에 젖은 강바람이 불어오는 나루터에, 도포를 입은 키 큰 선비 하나가 모습을 드러냈다.

"유하!"

그를 진즉부터 기다리고 있던 시열의 얼굴에 환한 웃음이 번졌다. 시열은 한달음에 유하에게로 다가왔다.

"시열. 오랜만이로구나."

유하가 시열의 어깨를 두드리자, 시열은 기다렸다는 듯 유하를 덥석 끌어안았다.

"진짜, 이러다가 얼굴을 영영 까먹을까 봐 걱정이 될 지경이라고. 아무리 나랏일이 바빠도, 벗을 잊으면 아니 된다는 거 모르나? 하, 이게 얼마만이냐. 해가 바뀌고 처음 보는 것이지?"

"그러하구나. 마지막으로 시열 너를 보았던 게 첫눈이 내리기 전이었으니."

"아무튼, 몹시 반갑구나!"

유하를 꽉 끌어안은 시열은 좀체 그를 놓아줄 생각이 없는 듯했다. 시열의 굳센 팔 안에서, 그보다 한 뼘쯤이나 키가 큰 유하의 몸은 속절없이 흔들거렸다.

"한데 어찌 이리 나를 끌어안고 못살게 구는 게냐?"

"오랜만에 보니 좋아서. 아이고, 정유하! 좋지 않으냐. 이러고 있으니 꼭 옛날 생각이 나는구먼."

유하의 이름을 크게 부른 시열이 제풀에 흠칫, 먼 뒤를 바라보았다.

어둑한 밤과 물안개가 집어삼킨 나루터. 아무리 살펴봐도 사람이라고는 없다. 보이는 건 봄을 맞아 잎새를 틔운 수양버들뿐이었다.

그러나 시열은 안다. 저만치 뒤, 수풀과 나무 너머에 유하를 호위하는 내금위며 겸사복이 경계를 늦추지 않고 있으리라는 걸.

"나, 감히 네 속명을 함부로 불렀다고 쥐도 새도 모르게 붙들려 가는 건 아니겠지?"

"그럴 리 있나. 나는 네가 그 이름을 불러 주는 게 좋다. 그럴 때면, 정말로 이화원 그 시절로 돌아간 것처럼 즐거워지거든."

유하가 시열을 바라보며 웃었다. 유하의 말은 일말의 거짓 없는 진심이었다.

유하의 이름을 스스럼없이 부르고, 그를 끌어안고 툭툭 쳐 대고, 실없는 소리를 나누며 마주 보고 웃을 수 있는 사람은 시열과 산 둘뿐이었다.

"즐겁다니, 웃긴 소리 하네. 이화원에 있을 때 유하 너는 즐거움이라고는 모르는 샌님 중의 샌님이었다네."

"하하. 시열 너는 십 년 전이나 지금이나 똑같구나. 하긴. 네가 이해할리 있을까. 샌님에게는 샌님 나름의 즐거움이 있다는 걸."

"오. 역시 군주의 언변은 다르군. 아무튼, 유하 너는 이 시대가 낳은 가장 지엄한 샌님으로 기록될 거야. 그야말로 대단한 업적이지."

눈 하나 깜빡 않고 싱글거리는 시열의 말에 유하의 웃음이 터졌다.

산은 한양을 떠나 살고 있었다. 그렇기에 유하가 산을 만나는 건 일 년에 한 번 정도가 고작이었지만, 시열과는 가끔이나마 둘만의 만남을 갖곤했다.

유하는 시열과 시간을 보내는 것을 좋아했다. 오직 이때만이 유하가 모든 부담을 내려놓고 편히 풀어질 수 있는 유일한 순간이었다.

세상이 바뀌었다고 해서, 벗을 잃으라는 법은 없지 않은가. 그들은 칠 년 전 그랬듯, 지금 이 순간에도 변함없는 친구였다.

"유하. 마침 그 말 한번 잘했다. 샌님에겐 샌님 나름의 즐거움이 있다고 했지?"

"그랬다만. 왜?"

"받아. 샌님이 좋아할 물건을 가져왔어."

시열이 불쑥 내민 물건을 유하는 어리둥절한 표정으로 받아 들었다. 안 그래도 그가 내내 네모난 꾸러미를 들고 있어서 무엇인지 의아했던 터였다.

"서책이로구나. 갑자기 서책은 왜?"

유하의 의아함은 당연했다. 유하는 무엇이든 할 수 있는 사람이 아닌 가. 원하는 책이 있다면, 언제든 대령하여 읽을 수 있는 그였다.

"몰라. 무슨 책인지 굳이 들춰 보지도 않았어. 그 서책, 네 거야."

"내 거라고?"

"그래. 네 서책. 네가 이화원을 떠나고도 한참 후에, 네 방을 정리할 때 나온 물건들이야. 책이 많았는데, 대부분 세책점 낙관이 찍혀 있더군. 그 것들은 세책점에 돌려주었어. 너는 모르지? 그 세책점에서 그 서책들을 가보처럼 전시해 둔 거."

"그랬구나. 그럼 이것들은 세책점에서 빌린 게 아닌, 내가 사들인 것들 이겠군."

"응. 어쩌면 빌린 책도 섞여 있을지는 모르겠다만, 그렇대도 할 수 없 지. 서가 맨 아래에 보따리로 곱게 싸맨 채 놓여 있기에, 딱히 들춰 보지 않았거든."

시열이 말을 이었다.

"뭐, 너야 어려운 책 좋아하고 희귀한 책 좋아했으니까. 나는 봐 봤자 머리만 아픈 서책들일 테지. 아무튼, 이 책을 포함한 네 물건들은 광에 따로 잘 보관해 두었는데……."

시열이 씩 웃었다.

"그만, 잊고 말았지. 세월이 이렇게나 화살처럼 지나가 버릴 줄은 꿈에도 몰랐지만……. 그래도 대충 살펴보니 다행히 보관이 잘됐어. 책벌레도 없고, 책장이 딱히 바래지도 않았더라고. 그래서 가져왔다."

"잘했다. 고맙네. 이걸 들춰 보고 있으면, 이화원 시절로 돌아간 듯한 생각이 들 것 같구나."

유하가 시열에게 받은 책 보따리를 들어 보았다. 보따리에 든 책은 얼추 네다섯 권쯤으로, 그리 많지 않았다. 유하가 책을 사들이던 시절은 그의 삶에 폭풍이 몰아치기 전이니, 과거 공부에 열을 올리고 있을 때다.

"유하."

"응?"

"그립나? 이화원 시절이?"

설렁대는 강바람. 시열의 물음에, 유하는 망설이지 않고 대답했다.

"그립다마다. 그 시절은……. 마치 푸른 봄 같았거든."

푸른 봄. 그 말을 뱉으며, 유하는 문득 어디선가 그런 말을 들었던 적이 있는 것 같다는 생각을 했다.

"푸른 봄이라. 청춘(靑春)이로구나."

시열의 말에, 유하가 문득 걸음을 멈추었다.

"그래. 청춘."

유하는 밤 속에서 검푸르게 보이는 강물을, 그리고 그 푸른 습기를 머금고 부는 바람 속에 서 있는 시열을 바라보았다.

"과거를 돌아보며 살 여유 따위 없는 바쁜 삶이지만, 지금의 삶이 만족스럽지 않다는 말도 하지는 않겠다만……. 이화원 시절이 그리운 건 어쩔 수 없어. 진심으로 그때가 그립다.”

“하지만 유하. 청춘을 한탄하기에 우린 너무 젊은걸. 이봐. 높은 자리에서 영감들과 함께 세상을 굽어보다 보니 깜빡 잊은 모양인데, 우린 아직 서른도 안 되었네.”

“……우리?”

“대충 넘어가. 아무튼.”

시열의 능구렁이 같은 말. 유하가 슬쩍 미소를 지었다.

그때 저 멀리 내리깔린 물안개 사이로 들려오는, 저벅저벅 힘 있는 발소리.

가끔 철썩대는 강물 소리만이 고즈넉한 물가에서, 그들에게로 다가오는 발소리는 아주 뚜렷하게 들렸다. 물론 발소리의 주인이 기척을 감출 생각이 없는 이유가 크긴 하겠지만 말이다.

“드디어 도착했군. 금상을 기다리게 하는 엄청난 놈 같으니.”

“그러게나 말이다. 한데, 저 저벅대며 걷는 발소리는 세월이 흘러도 여전하군.”

“쟤는 스무 살 때랑 완전히 똑같아. 절대 안 변해. 발소리나 성격뿐 아니라 성질머리도 그렇지. 진짜 웃긴 놈 아니야? 이 좋은 벗들이 죄다 한양에 있는데, 혼자 멀찍이 산골에 떨어져서…….”

“시끄러. 다 들린다.”

어느덧 가까이 다가온 사내의 그림자. 물 위에 반사된 달빛에 비치는 얼굴.

산이 피식 웃었다.

“유하. 오랜만이다.”

산은 덥석, 아무 예고 없이 유하를 끌어안았다. 꼬박 일 년 만의 만남인 탓에 반가움이 넘쳐서일까. 사실 산다운 행동은 아니었지만, 유하는 기꺼이 친우의 포옹에 화답했다.

"시열 네놈이야말로 티끌만큼도 안 변했어. 봐라. 또 유하 앞에서 주절주절 내 험담을 하고 있었지?"

"험담이라니, 무슨. 나는 진실만을 말했을 뿐이네. 말해 봐라, 강산. 내가 어디 틀린 말 했나."

시열이 태평하게 귀를 후비며 이죽거렸다.

"나랑 유하는 진즉 나와 있는데, 너 혼자 늦었잖아. 그렇지?"

그거야 불 보듯 뻔한 진실이라, 산은 마지못해 고개를 끄덕였다.

"벗들을 한양에 두고 너 혼자만 산골에 처박힌 것도 틀림없는 진실이잖나. 안 그래?"

"집어치워라."

"봐봐. 성질머리도 여전하니, 그 역시 진실이지. 그러니 나는 험담을 한 게 아니라 사실을 말한 거라고."

쉴 새 없이 면박을 주면서도 시열은 실실 웃고 있었다. 시열이 산의 어깨를 툭툭 두드렸다. 그들 역시 지난 몇 달 사이 처음 만나는 자리였다.

"기분도 좋고 하니 내 솔직히 말하지. 사실 나는 이런 게 좋아. 산 네가 여전히 성질 더러운 내 벗이라는 게. 그리고 유하에게도 아직 과거의 샌님이 남아 있다는 게 말이다."

갑자기, 유하와 산 사이로 끼어든 시열이 양팔을 들어 둘에게 어깨동무를 했다.

"이봐라. 이 얼마나 좋으냐. 비록 우리 셋이 이화원에서 보냈던 그 시절은 이미 지나갔고, 다시 그날이 오지는 않겠지만……. 여전히 우리 셋이 벗이라는 게."

시열의 말에, 산이 입을 열었다.

"그럼. 우리는 함께였고, 함께했지. 그리고 앞으로도 늘 함께일 거다. 비록 떨어져 있다고 해도 말이다."

"이야. 강산이 저런 말을 다 할 줄 알고. 우리 산이, 어른이 다 됐네!"

시열의 웃음소리가 청명했다. 푸르게 깊어 가는 밤, 푸르게 흐르는 물줄기 너머로 가장 아름답던 시절을 회상하며 걷는 그들의 웃음소리는 스무 살 청춘 한가운데 있을 때와 다를 바 없었다.

유하의 시선이 산에게로 향했다. 산이 도성을 떠나 초야에 파묻혀 살아가는 건, 다름 아닌 유하 자신을 위해서라는 것을 그는 안다. 혹시라도 신분이 밝혀져 유하의 치세에 작은 흠이라도 될까 봐, 산은 제 존재를 지우는 삶을 택했을 터였다. 그 사실을 유하는 진즉 짐작하고 있었다.

벗이고 형제이며, 또한 유하가 사랑했던 이에게 행복을 가져다준 사람, 강산. 유하는 궁궐 뒤편에 너르게 펼쳐진 산자락을 볼 때마다 종종 산을 떠올리곤 했다.

그의 이름처럼 그 마음은 산야처럼 드넓다. 그래서, 유하에게 강산은 푸른 산이다.

이어 유하는 시열을 본다. 때로 제 어깨에 오롯이 지워진 조선이라는 짐이 버거울 때, 높다란 궁궐 담장이 갑갑하게만 느껴질 때, 그리하여 문득 권좌의 외로움을 느낄 때면 유하는 불쑥 시열을 찾았다.

그때마다 시열은 세상 시름 따위 모르는 이처럼 환한 얼굴로 나타나, 기꺼이 유하의 즐거움이 되어 주었다. 무슨 일이든 기쁨으로 만들 줄 아는 그를 보고 있으면 무거운 마음의 짐마저 모두 잊힌다.

유하는 시열을 보며 경외감을 느끼곤 했다. 시열은 고통으로 가득했던 운명을 오롯이 제힘으로 깨부순 사람만이 가질 수 있는 여유를 가졌다.

시열은 새로 부여받은 생의 모든 순간에 감사하며 살아가고 있었다. 그의 모습을 보며, 유하는 늘 깨달음을 얻는다.

시열이 주는 기쁨이 대양처럼 한없다. 그래서 시열은 유하에게 푸른 바다다.

"우리 셋이 함께인 이상, 우리는 여전히 청춘이로군."

유하가 중얼거렸다. 서로를 바라보는 눈 안에 푸른 세상이 넘실거렸다.

유하도, 산도, 시열도.

청춘이었다. 푸른 봄이었다.

오랜만에 야행을 나섰던 유하는 늦은 밤에서야 강녕전으로 되돌아왔다. 모처럼 입어 본 도포를 벗고 본래의 복장으로 돌아간 그가 불빛에 물든 침전을 바라본다.

긴 야행이었지만 피로는 잘 느껴지지 않았다. 간만에 벗들과 해후하여, 웃고 또 웃고, 추억의 기쁨 속에 머문 탓일 것이다.

문득, 그의 시선이 침전 한편에 닿았다. 시열이 건네주었던 책 보퉁이가 거기 있었다.

"무슨 책이려나."

시열의 말대로 이화원 시절의 유하는 샌님이었다. 과거의 그는 학업을 위한 책이 아닌 잡서를 가까이하지 않았다. 그렇기에 딱히 특별한 서책일 리 없겠지만, 유하는 일단 곱게 싸맨 보자기를 풀어 보기로 했다.

논어. 역경. 춘추. 예기. 익숙한 책 이름들이 하나씩 드러난다. 한 권 한 권 서책들을 들춰 보던 그의 시야에 맨 아래 깔려 있던 책이 들어왔다.

〈청춘편서─ 나의 푸른 봄인 너에게.〉

유하는 잠시 그 제목을 바라보고 있었다. 사실 그 제목을 마주한 순간에는 기억이 잘 떠오르지 않았다.

한눈에 봐도 패관소설임이 분명한 책.

"아."

유하가 나지막한 신음을 뱉었다. 세책점에서의 기억이 훅 밀려들었다.

청춘전서. 그때 세책점에서 구입했던 책이다. 처자들에게 인기가 대단하다고 하여, 단오에게 선물하려는 마음으로.

"……잊고 있었구나."

유하의 손이 불현듯 서책 표지를 쓰다듬었다.

"나의 푸른 봄인…… 너에게."

또박또박 필사된 빛바랜 붓글씨가, 유하의 마음에 또 한 번 새파란 낙인을 찍는다.

그 밤, 강녕전의 등불은 오래도록 꺼지지 않았다.

＊ ＊ ＊

＜단오야. 잘 지내고 있느냐.

네게 서간을 쓰는 건 무척 오랜만이로구나. 도대체 몇 년인지도 가물거릴 만큼, 그사이 무수한 시간이 지났다.

그리고 아마 이것이 네게 보내는, 부칠 수 없는 마지막 서찰이 되겠지.

하고 싶은 말도 많고, 함께 나누고픈 추억도 참 많구나. 하지만 긴 말은 하지 않겠다. 이화원에서의 기억은 지금도 나를 이루고 있으니까.

내 머리와 마음에 너와 보낸 모든 순간이 생생하게 남아 있으니, 나는 그 기억을 보듬으며 살아가련다.

그래도 단오 네게 이 말만은 꼭 들려주고 싶구나.

단오야. 너와 함께했던 그 봄이, 내 생애 가장 아름다운 날들이었다. 내게 기쁨을 준 네가 앞으로 살아갈 모든 날이 찬란한 봄이기를 나는 바라고 또 바란다.

이제 정말 마지막 말을 써야겠다.

단오야. 나의 인생에 봄을 가져다주어서, 정말로 고맙다.

-나의 푸른 봄이었던 단오에게, 유하가.>

* * *

봄이 궁궐 안에 자리를 잡았다. 수백 번의 봄을 지나온 궁궐의 계절은 꽃으로 만개했다.

전각 사이로 마파람이 불 때마다 곳곳에 자리한 나무들에서 종종 꽃비가 내렸다. 그 꽃비 속을 거니는 궁인들의 웃음과 발걸음을 타고, 봄은 궁궐 구석구석으로 퍼져 나갔다.

"잠시 홀로 산책하겠다. 따라오지 마라, 김복동."

경연을 마친 왕은 사관마저 떼 버린 채 홀로 산책을 나섰다.

왕의 걸음은 낙선당 뒤편으로 향하였다. 홍매화가 한창 필 때라, 감상하며 즐기기에 정히 아름다운 길이다. 젊은 왕은 사색이 필요할 때마다 아직 비어 있는 동궁전 근방을 걷는 것을 즐겼다.

"음?"

곤룡포 아래 발걸음이 갑자기 멈추었다. 저만치 홍매화 나무가 보인다. 그 나무 아래, 붉디붉게 산재한 꽃가지 사이로 등을 보이고 있는 궁녀 하나.

비취색 저고리와 얼핏 보이는 소매에 달린 붉은색 끝동은 나인의 상징이었다. 왕을 등지고 앉은 나인의 어깨는 무슨 까닭인지 가련하게 흔들리고 있었다.

왕은 금세 알았다. 나인이 울고 있다는 것을.

윗전에게 야단이라도 맞은 걸까. 사실, 수백이나 되는 궁인들의 소소한 일상에까지 관심 둘 여유가 있을 리 없다. 그러나 그 순간 왕은 문득 궁금했다. 소리 없는 걸음이 훌쩍이는 나인의 등 뒤로 다가섰다.

"어찌 우느냐?"

갑자기 드리우는 그림자, 그리고 묵직한 음성에 소스라치게 놀란 나인이 벌떡 자리에서 일어섰다.

타는 듯 붉은 곤룡포와 그 가슴 한복판에 금빛으로 번뜩이는 오조룡(五爪龍)보를 발견한 나인은 큰 충격을 받은 듯했다. 나인이 납죽 바닥에 무릎을 꿇고 엎드렸다.

"소, 송구하옵니다! 용서하여 주시옵소서!"

다짜고짜 사죄 먼저 하는 나인의 눈가가 불그레했다. 그녀의 뺨은 눈물로 젖어 있었다.

"일어나라. 그저 궁금하여 묻는 것이다."

"전하. 부디 소인을……."

"굽실거리지 말래도. 어서 일어나거라."

그제야 나인은 쭈뼛대며 몸을 일으켰다.

"어찌하여 우느냐?"

"아, 아니옵니다, 전하."

새하얗게 질린 나인은 고개를 숙인 채 떠듬거렸다. 그러나 나인이 등 뒤로 무언가를 숨기는 것을 왕은 놓치지 않았다.

그가 나인을 향해 슥 얼굴을 기울였다. 그 바람에 당황한 나인이 흐읍 외마디 소리를 뱉었다. 손까지 달달 떨린 나머지, 나인은 감추려고 애쓰던 물건을 그만 툭 떨어뜨리고 말았다.

바닥에 떨어진 얄따란 서책 한 권.

"주, 죽을죄를 지었사옵니다. 궁녀가 패설을 읽는 건 금기인 걸 아는데……. 마마. 제, 제발 한 번만 용서해 주시면……."

"죽을죄는 무슨. 사정이 있어 우는 게 아니라면, 되었다."

대수롭지 않게 대꾸한 왕은 몸소 몸을 수그려 바닥에 떨어진 서책을 집어 들었다. 궁녀 중 누군가가 직접 필사한 듯한 서책은 손을 많이 탄 탓에 너덜너덜했다.

왕은 손때가 묻어 희미하게 지워지는 서책 제목을 본다.

〈청춘권서- 나의 푸른 봄인 너에게.〉

한동안 묵묵히, 유하는 서책 표지를 바라보고 있었다.

툭. 툭. 바람결에 스친 홍매화꽃 이파리가 유하의 어깨 위로 떨어진다. 글썽이는 눈물을 옷소매로 훔친 나인의 젖은 눈이 꽃비 속 용안을 홀린 듯 바라본다.

진홍빛 홍매화. 붉은 곤룡포와 황금색 흉배. 따사한 금물결 같은 햇살. 봄의 향기를 담뿍 품은 바람.

궁녀의 불그레한 눈가와 까만 눈동자. 복숭앗빛 뺨, 연분홍 입술.

무엇 하나 푸른 것이 없음에도, 푸른 봄이었다.

-마침-

작가 후기

2023년 3월 29일 아침 6시 40분. 저는 <꽃선비 열애사> 원고를 탈고하고 모니터 앞에 앉아 있습니다.

<꽃선비 열애사>는 2015년, 네이버 웹소설을 통해 독자님들을 만났던 작품입니다. 궁중이 아닌 한양 한복판, 그리고 젊은 청춘의 이야기를 쓰고 싶다는 생각이 이야기의 첫 출발이었습니다.

작품을 구상하던 당시에는 쉐어하우스나 게스트하우스가 많이 생기던 시절이었어요. 현대의 게스트하우스를 조선시대로 옮겨 보행객주와 여각을 참고하여 '이화원'이라는 상상의 장소를 설정하고, 여기에 젊은 등장인물들을 합류시키고, 그들이 한곳에 모이게 된 이유와 서사, 비밀을 쌓아가고……. 그런 과정을 통해, 단오와 산, 시열, 유하, 그리고 홍주와 육호 같은 등장인물이 이화원에 자리를 잡았습니다.

2015년도에 쓰였던 글이, 드라마로 제작되어 방영되면서 작품을 개정할 기회가 생겼어요. 2년 차 작가로서 쓴 글을 10년 차가 되는 시점에서 개정하게 된 셈인데, 저는 이 과정이 무척 즐거웠습니다. 이전보다 좀 더 선명하고 단단한 캐릭터들이 되었으면 하는 바람으로 작업한 결과물이 부디 독자님들께 즐거움을 드렸으면 좋겠습니다.

종이책 개정판을 내면서, 책날개에 제 사랑하는 고양이 엣지의 사진을 넣었습니다. 제가 <꽃선비 열애사>를 한창 쓰고 있던 시절 엣지는 항상 마우스 옆, 혹은 제 무릎 위에 있었습니다. 개정판을 위해 쓴 특별 외전 말미에서 유하는 '단오와 함께했던 봄이 생애 가장 아름다운 날'이라고 말하는데요. 저 역시 <꽃선비 열애사>를 쓸 무렵, 엣지가 곁에 있던 날들을 가장 아름다운 시절로 기억합니다.

내 머리와 마음에 너와 보낸 모든 순간이 생생하게 남아 있으니, 나는 그 기억을 보듬으며 살아가련다- 유하의 입을 빌려, 제 마음을 무지개 너머로 보내 봅니다.

<꽃선비 열애사>가 출간되도록 도움을 주신 모든 분들, 출판사와 박신혜 담당자님, 네이버 웹소설, 드라마 제작사와 관계자분들께 깊은 감사를 드립니다. 드라마가 방영되면서 많은 분께 큰 축하를 받았어요. 전해 주신 감사한 마음 잊지 않겠습니다.

저는 동료 작가님들과 매년 '작당' 프로젝트라는 걸 하고 있습니다. 인세 수익 전액을 기부하는 단편집입니다. 제 이름을 검색하여 단편집을 찾아와 주신다면, 저희의 기쁜 프로젝트에 큰 동력이 될 거예요.

이제 단오와 산과 시열, 유하, 홍주, 화령, 반야…… 제가 치열하게 사랑했던 이들을 독자님들의 품으로 떠나보냅니다. 오랫동안 사랑해 주셨으면 좋겠습니다.

정진하고 전진하는 작가가 되겠습니다.
독자님들의 영영 끝나지 않을 푸른 봄을 응원하며.

2023년 3월,
작가 김정화 올림.

---

1) 특별한 감사 : 집요정. 오연두. 김호밀, 한지우PD님, 책닭는남자 북스테이
2) 매 작품마다 시를 한문으로 번역해 주고, 한문 감수를 도와주는 초객 안정빈
   작가님 감사합니다.